U0217225

"十三五"国家重点出版物出版规划项目

中国中药资源大典

湖北卷

10

黄璐琦 / 总主编
康四和　余　坤　森　林 / 主　编

北京科学技术出版社

图书在版编目（CIP）数据

中国中药资源大典. 湖北卷. 10 / 康四和, 余坤,
森林主编. -- 北京 : 北京科学技术出版社, 2024. 6.
ISBN 978-7-5714-4055-8

Ⅰ. R281.4

中国国家版本馆CIP数据核字第2024K6P613号

责任编辑：吕 慧 庞璐璐 吴 丹 李兆弟 侍 伟
责任校对：贾 荣
图文制作：樊润琴
责任印制：李 茗
出 版 人：曾庆宇
出版发行：北京科学技术出版社
社　　址：北京西直门南大街16号
邮政编码：100035
电　　话：0086-10-66135495（总编室） 0086-10-66113227（发行部）
网　　址：www.bkydw.cn
印　　刷：北京博海升彩色印刷有限公司
开　　本：889 mm × 1 194 mm 1/16
字　　数：1 125千字
印　　张：50.75
版　　次：2024年6月第1版
印　　次：2024年6月第1次印刷
审 图 号：GS京（2023）1758号
ISBN 978-7-5714-4055-8

定　　价：490.00元

《中国中药资源大典·湖北卷》

编写委员会

李方涛　李世洋　李兴伟　李兴娇　李利荣　李宏焘　李建芝　李秋怡
李晓东　李海波　李乾富　李梓豪　李德凤　李德平　杨　建　杨　瑞
杨万宏　杨小宙　杨卫民　杨玉莹　杨光明　杨红兵　杨明荣　杨欣霜
杨学芳　杨振中　杨焰明　肖　光　肖　帆　肖　浪　肖权衡　肖惟丹
吴　丹　吴　迪　吴　勇　吴　涛　吴亚立　吴自勇　吴志德　吴和珍
吴洪来　吴海新　何　博　何文建　何江城　余　坤　余　艳　余亚心
邹远锦　邹志威　汪　婧　汪　静　汪文杰　汪乐原　张　宇　张　红
张　芳　张　明　张　沫　张　星　张　俊　张　格　张　健　张　银
张　翔　张　磊　张才士　张子良　张华良　张旭荣　张志君　张松保
张国利　张明高　张南方　张美娅　张晓勇　张梦林　张景景　张颖柔
陈　乐　陈　泉　陈　俊　陈　峰　陈　途　陈　锐　陈从量　陈秀梅
陈茂华　陈国健　陈泽璇　陈宗政　陈顺俭　陈家春　陈智国　陈霖林
范　钊　范又良　范海洲　林良生　林祖武　明　晶　季光琼　周　艳
周　密　周　晶　周卫忠　周兴明　周丽华　周建国　周重建　周根群
周瑞忠　周新星　周啟兵　庞聪雅　郑宗敬　赵　云　赵　晖　赵　翔
赵　鹏　赵东瑞　赵君宇　赵昌礼　郝欲平　胡　文　胡　红　胡天云
胡文华　胡志刚　胡建华　胡敦全　胡嫦娥　柯　源　柯美仓　柏仲华
柳卫东　柳成盟　钟　艳　郜邦鹏　姜在铎　姜荣才　洪祥云　姚　奇
秦　思　袁　杰　耿维东　聂　晶　夏千明　夏斌斌　晏　哲　钱　特
徐　雷　徐卫权　徐友滨　徐华丽　徐拂然　徐昌恕　徐泽鹤　徐德耀
高志平　郭丹丹　郭文华　唐　鼎　涂育明　谈发明　黄　莉　黄　晓
黄　楚　黄必胜　黄发慧　黄智洪　曹百惠　戚倩倩　龚　玲　龚　颜
龚绪毅　康四和　梁明华　寇章丽　彭　宇　彭义平　彭建波　彭荣越
彭宣文　彭家庆　葛关平　董　喜　董小阳　韩永界　韩劲松　森　林
喻　剑　喻　涛　喻志华　喻雄华　程　志　程月明　程淑琴　答国政
舒　勇　舒佳惠　舒朝辉　童志军　曾凡奇　游秋云　蒯梦婷　雷　普
雷大勇　雷志红　雷梦玉　詹建平　詹爱明　蔡志江　蔡宏涛　蔡洪容
蔡清萍　蔡朝晖　裴光明　廖　敏　谭卫民　谭文勇　谭洪波　熊　睿

熊小燕　熊兴军　熊志恒　熊林波　熊国飞　熊德琴　黎　曙　黎钟强

潘云霞　薛　辉　魏　敏　魏继雄

品种审定委员会（按姓氏笔画排序）

王志平　刘合刚　杨红兵　吴和珍　汪乐原　黄　晓　森　林　潘宏林

审稿委员（按姓氏笔画排序）

王　平　艾中柱　刘合刚　李建强　李晓东　肖　凌　吴和珍　余　坤

汪乐原　张　燕　陈林霖　陈科力　陈家春　苟君波　袁德培　聂　晶

徐　雷　黄　晓　黄必胜　康四和　詹亚华　廖朝林

《中国中药资源大典·湖北卷 10》

编写委员会

主　　编　康四和　余　坤　森　林

副 主 编　徐　雷　张景景　兰　州　赵君宇

《中国中药资源大典·湖北卷》

编辑委员会

湖北省位于我国中部，地处亚热带季风气候区，位于第二级阶梯向第三级阶梯的过渡地带，温暖湿润的气候和复杂多样的地貌类型孕育了丰富的中药资源。

中药资源是中医药事业和中药产业发展的重要物质基础，是国家重要的战略性资源。湖北省作为第四次全国中药资源普查的试点省区之一，于 2011 年 12 月启动中药资源普查工作，历时 11 年，完成了 103 个县（自治县、市、区、林区）的中药资源普查工作，摸清了湖北省中药资源情况。《中国中药资源大典·湖北卷》由湖北省卫生健康委员会、湖北省中医药管理局组织编写，以普查获取的数据资料为基础，凝聚了全体普查“伙计”的共同心血与智慧，以较全面地展现了湖北省中药资源现状，具有重要的学术价值。

我曾多次与湖北省的“伙计们”一起跋山涉水开展中药资源调查，其间有许多新发现和新认识，如在蕲春县仙人台发现了失传已久的“九牛草”[*Artemisia stolonifera* (Maxim.) Komar.]。“伙计们”的专业精神令人感动，该书付梓之际，欣然为序。

中国工程院院士
中国中医科学院院长
第四次全国中药资源普查技术指导专家组组长
黄璐琦

2024 年 3 月

前言

湖北省地处我国中部，属于典型的亚热带季风气候区。全省地势大致为东、西、北三面环山，中间低平，略呈向南敞开的不完整盆地。湖北省西部的武陵山区、秦巴山区为我国第二级阶梯山地地区，海拔落差大，小气候明显；东南部属于我国第三级阶梯，日照充足，降水丰富，环境适宜。多样的地理环境与气候特征孕育了湖北省丰富的中药资源，湖北省历来被称为“华中药库”，为我国中药生产的重要基地。

2011 年，在第四次全国中药资源普查试点工作启动之际，湖北省系统梳理本省在中药资源普查队伍、产业规模、政策支持等方面的优势，向全国中药资源普查办公室提交试点申请，获得批准，并于 2011 年 12 月 18 日正式启动普查工作。湖北省历时 11 年，分 6 批完成了全省 103 个县（自治县、市、区、林区）的野外普查工作。为进一步梳理普查成果，促进成果转化应用，湖北省于 2019 年 7 月 29 日启动《中国中药资源大典·湖北卷》的编写工作。

《中国中药资源大典·湖北卷》分为上、中、下三篇，共 10 册。上篇主要介绍湖北省的地理环境和气候特征、第四次中药资源普查实施情况、中药资源概况、中药资源开发利用情况、中药资源发展规划简介，以及湖北省新种、新记录种。中篇介绍湖北省道地、大宗药材，每种药材包括来源、原植物形态、野生资源、栽培资源、采收加工、药材性状、功能主治、用法用量、附注 9 项内容。下篇主要按照《中国植物志》的分类方法，以科、属为主线，分类介绍湖北省植物类中药资源，以便于读者了解湖北省植物类中药资源的种类、分布及应用现状等。

湖北省第四次中药资源普查共普查到植物类中药资源 4 834 种，其中具有药用历史的植物类中药资源 4 346 种。《中国中药资源大典·湖北卷》共收载植物类中药资源 3 298 种。普查过程中，发现新属 1 个、新种 17 个，重新采集模式标本 4 个，发现新分布记录科 2 个、新分布记录属 6 个。

《中国中药资源大典·湖北卷》目前收载的主要为植物类中药资源，动物类中药资源、矿物类中药资源和部分暂未收载的植物类中药资源将在补编中收载。

《中国中药资源大典·湖北卷》的编写工作由湖北省卫生健康委员会、湖北省中医药管理局组织，湖北省中药资源普查办公室、湖北中医药大学普查工作专班承担。本书是参与湖北省中药资源普查工作的全体同志智慧的结晶，在编写过程中得到了全国中药资源普查办公室和湖北省相关部门的大力支持，全省各普查单位、相关高校及科研院所的无私帮助，有关专家的悉心指导。在此，对所有领导、专家学者、普查队员等的辛勤付出表示诚挚的谢意和崇高的敬意！

本书可能存在不足之处，敬请读者不吝指正，以期后续完善和提高。

编　者

2024 年 2 月

凡例

（1）本书共10册，分为上、中、下篇。上篇综述了湖北省的地理环境和气候特征、第四次中药资源普查实施情况、中药资源概况、中药资源开发利用情况、中药资源发展规划及新种、新记录种；中篇论述了121种湖北省道地、大宗药材；下篇共收录植物类中药资源3 298种。

（2）本书下篇主要介绍各中药资源，以中药资源名为条目名，下设药材名、形态特征、生境分布、资源情况、采收加工、功能主治及附注等，其中资源情况、采收加工、附注为非必要项，资料不详者项目从略。各项目编写原则简述如下。

1）条目名。该项记述中药资源物种及其科属的中文名、拉丁学名。其中菌类、苔藓类的名称主要参考《中华本草》，蕨类、裸子植物、被子植物的名称主要参考《中国植物志》。

2）药材名。该项记述中药资源的药材名。凡《中华人民共和国药典》等法定标准收载者，原则上采用法定药材名；法定标准未收载者，主要参考《中华本草》《全国中草药名鉴》《中国中药资源志要》。

3）形态特征。该项简要描述中药资源的形态特征，突出鉴别特征。主要参考《中国植物志》，并结合普查实际所获取的信息进行描述。

4）生境分布。该项记述中药资源在湖北省的生存环境与分布区域。生存环境主要源于普查实际获取的生境信息，并参考相关志书的描述。分布区域主要介绍中药资源的分布情况，源于植物标本采集地。

5）资源情况。该项记述中药资源的蕴藏量情况，用丰富、较丰富、一般、较少、稀少来表示；并用“野生”或“栽培”记述药材的主要来源。

6）采收加工。该项记述药材的采收时间与加工方法。

7）功能主治。该项主要记述药材的功能和主治。

8）附注。该项记载中药资源最新的分类学地位与接受名的变动情况；记载《中华人民共和国药典》与地方标准收载的物种学名；描述物种其他医药相关用途，以及本草、地方志书中的相关记载情况等。

（3）附录。以名录形式收载中篇、下篇没有收载的湖北药用植物资源。

目录

Contents

被子植物

败酱科 Valerianaceae 败酱属 *Patrinia*

墓头回 *Patrinia heterophylla* Bunge

| 药 材 名 | 墓头回。

| 形态特征 | 多年生草本，高（15 ~ ）30 ~ 80（ ~ 100）cm；根茎较长，横走；茎直立，被倒生微糙伏毛。基生叶丛生，长 3 ~ 8 cm，具长柄，叶片边缘呈圆齿状或具糙齿状缺刻，不分裂或羽状分裂至全裂，具 1 ~ 4（ ~ 5）对侧裂片，裂片卵形至线状披针形，顶生裂片常较大，卵形至卵状披针形；茎生叶对生，茎下部叶常 2 ~ 3（ ~ 6）对羽状全裂，顶生裂片较侧裂片稍大或近等大，卵形或宽卵形，罕线状披针形，长 7（ ~ 9）cm，宽 5（ ~ 6）cm，先端渐尖或长渐尖，中部叶常具 1 ~ 2 对侧裂片，顶生裂片最大，卵形、卵状披针形或近菱形，具圆齿，疏被短糙毛，叶柄长 1 cm，上部叶较窄，近无柄。花黄色，

组成顶生伞房状聚伞花序，被短糙毛或微糙毛；总花梗下苞叶常具 1 或 2 对（较少为 3 ～ 4 对）线形裂片，分枝下者不裂，线形，常与花序近等长或稍长；萼齿 5，明显或不明显，圆波状、卵形或卵状三角形至卵状长圆形，长 0.1 ～ 0.3 mm；花冠钟形，花冠筒长 1.8 ～ 2（～ 2.4）mm，上部宽 1.5 ～ 2 mm，基部一侧具浅囊肿，裂片 5，卵形或卵状椭圆形，长 0.8 ～ 1.8 mm，宽 1.6 mm；雄蕊 4 伸出，花丝 2 长 2 短，近蜜囊者长 3 ～ 3.6 mm，余者长 1.9 ～ 3 mm，花药长圆形，长 1.2 mm；子房倒卵形或长圆形，长 0.7 ～ 0.8 mm，花柱稍弯曲，长 2.3 ～ 2.7 mm，柱头盾状或截头状。瘦果长圆形或倒卵形，先端平截，不育子室上面疏被微糙毛，能育子室下面及上缘被微糙毛或几无毛；翅状果苞干膜质，倒卵形、倒卵状长圆形或倒卵状椭圆形，稀椭圆形，先端钝圆，有时极浅 3 裂，或仅一侧有 1 浅裂，长 5.5 ～ 6.2 mm，宽 4.5 ～ 5.5 mm，网状脉常具 2 主脉，较少 3 主脉。花期 7 ～ 9 月，果期 8 ～ 10 月。

| 生境分布 | 生于较干燥的山坡上。湖北有分布。

| 采收加工 | 秋季采收，去净泥土，晒干。

| 功能主治 | 用于赤白带下，崩漏，泄泻痢疾，黄疸，疟疾，肠痈，疮疡肿毒，跌打损伤，子宫颈癌，胃癌。

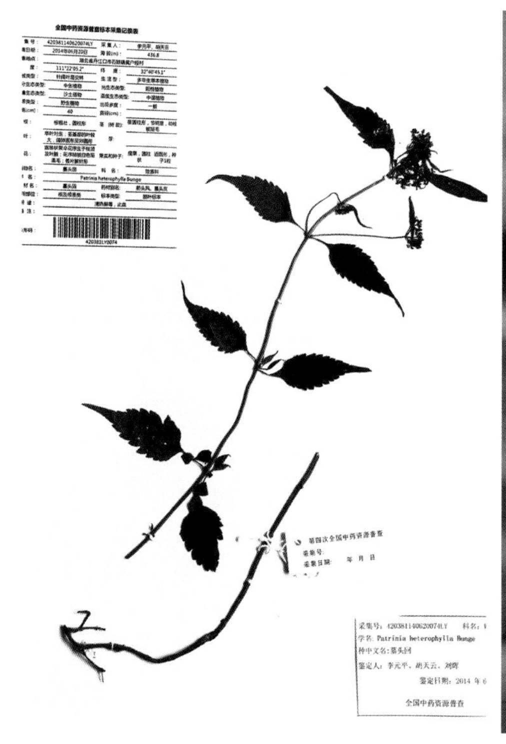

败酱科 Valerianaceae 败酱属 *Patrinia*

窄叶败酱亚种 *Patrinia heterophylla* Bunge subsp. *angustifo-lia* (Hemsl.) H. J Wang

| 药 材 名 | 窄叶败酱。

| 形态特征 | 本亚种和墓头回（原亚种）的不同在于花序最下分枝处总苞叶不分裂，花丝较长（常 3.5 mm 以上），子房较长（0.8 ~ 1.5 mm），茎下部和中部叶常不分裂或基部仅具 1 ~ 2 对裂片。

| 生境分布 | 生于海拔 90 ~ 1 500 m 的山坡草丛中、阔叶林下、马尾松林下或荒坡上，以及沟边和路边。湖北有分布。

| 采收加工 | **根**：秋季采挖，除去茎叶、杂质，洗净，鲜用或晒干。

| **功能主治** | 燥湿止带，收敛止血，清热解毒，散寒。用于风寒感冒，赤白带下，崩漏，泄泻痢疾，黄疸，疟疾，肠痈，肠炎，疮疡肿毒，跌打损伤，子宫颈癌，胃癌。

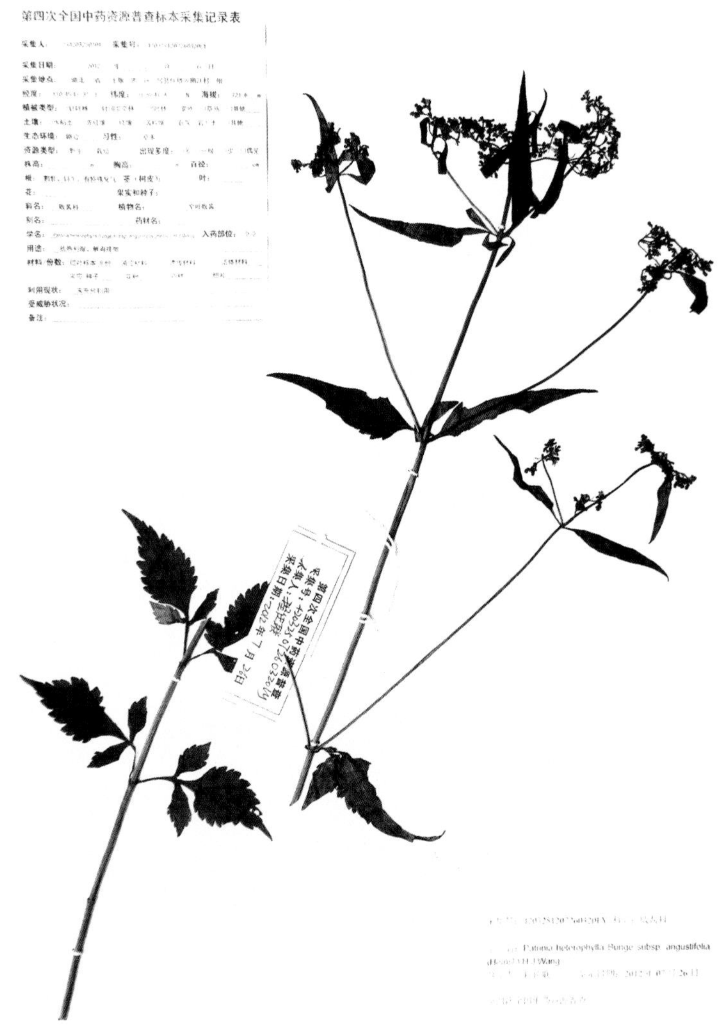

败酱科 Valerianaceae 败酱属 *Patrinia*

少蕊败酱 *Patrinia monandra* C. B. Clarke

| 药 材 名 | 少蕊败酱。

| 形态特征 | 二年生或多年生草本，高 150 ~ 220 cm；常无地下根茎，主根横生、斜生或直立；茎基部近木质，粗壮，被灰白色粗毛，后渐脱落，茎上部被倒生稍弯糙伏毛或微糙伏毛，或为 2 纵列倒生短糙伏毛。单叶对生，长圆形，长 4 ~ 14.5 cm，宽 2 ~ 9.5 cm，不分裂或大头羽状深裂，下部有 1 ~ 2（~ 3）对侧生裂片，边缘具粗圆齿或钝齿，两面疏被糙毛，有时夹生短腺毛；叶柄长 1 cm，向上部渐短至近无柄；基生叶、茎下部叶开花时常枯萎凋落。聚伞圆锥花序顶生及腋生，常聚生于枝端成宽大的伞房状，宽达 20（~ 25）cm，花序梗密被长糙毛；总苞叶线状披针形或披针形，长 8.5 cm，不分裂，先端尾状渐尖，

或羽状 3 ~ 5 裂，长达 15 cm，顶生裂片卵状披针形，先端短渐尖；花小，花梗基部贴生 1 卵形、倒卵形或近圆形的小苞片，长 1.3 ~ 2 mm；花萼小，5 齿状；花冠漏斗形，淡黄色，或同一花序中有淡黄色和白色花，花冠筒长 1.2 ~ 1.8 mm，上部宽 1.4 ~ 1.8 mm，基部一侧囊肿不明显，花冠裂片稍不等形，卵形、宽卵形或卵状长圆形，长 0.6 ~ 1.8 mm，宽 1 ~ 1.2 mm；雄蕊 1 或 2 ~ 3，常 1 最长，伸出花冠外，极少有 4 者，花药长圆形或椭圆形，长 0.5 ~ 0.8 mm，花丝长 1.5 ~ 3.3 mm，中下部有时疏生柔毛；子房倒卵形，长 0.8 ~ 1.8 mm，花柱长 1.7 ~ 2.2（~ 2.8）mm，柱头头状或盾状。瘦果卵圆形，不育子室肥厚，倒卵状长圆形，无毛或疏被微糙毛，能育子室扁平状椭圆形，上面两侧和下面被开展短糙毛；果苞薄膜质，近圆形至阔卵形，长 5 ~ 7.2 mm，宽 5 ~ 7（~ 8）mm，先端常呈极浅 3 裂，基部圆形微凹或截形，具主脉 2，极少 3，网脉细而明显。花期 8 ~ 9 月，果期 9 ~ 10 月。

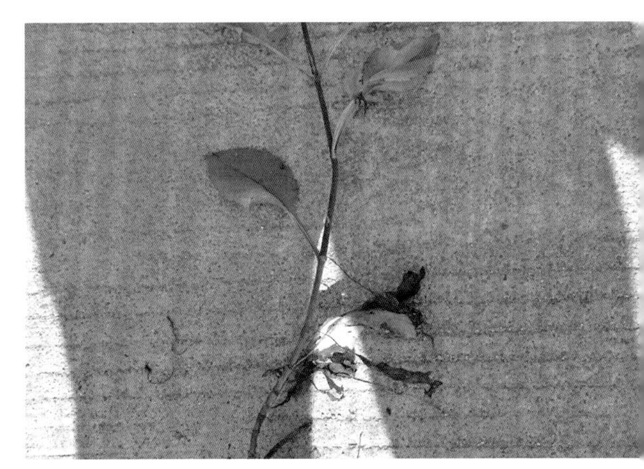

| 生境分布 | 生于海拔（150 ~）500 ~ 2 400（~ 3 100）m 的山坡草丛、灌丛中、林下及林缘、田野溪旁、路边。湖北有分布。

| 采收加工 | 夏季开花前采挖，晒至半干，扎成束，再阴干。

| 功能主治 | 清热解毒，消痈排脓，活血行瘀。用于肠痈，下痢，赤白带下，产后瘀滞腹痛，目赤肿痛，痈肿疥癣。

败酱科 Valerianaceae 败酱属 *Patrinia*

斑花败酱 *Patrinia punctiflora* Hsu et H. J. Wang

| 药 材 名 | 斑花败酱。

| 形态特征 | 二年生或多年生草本，高 45 ~ 150（ ~ 200）cm；常无匍匐根茎，主根系粗壮。茎密被倒生粗伏毛，上部毛常排成 2 纵列，周围有疏粗毛。单叶对生，纸质，卵形、椭圆形、卵状披针形或长圆状披针形，长 2.5 ~ 7（ ~ 8）cm，宽 1 ~ 5 cm，不分裂，稀基部具 1 片或 1 ~ 2 对耳状小裂片，先端钝或渐尖，基部楔形下延，边缘具不整齐粗钝齿或浅齿，两面有棕褐色微腺，疏生糙伏毛；基生叶花时枯萎，叶柄长 6 cm，茎上部逐渐缩短至无柄。聚伞花序组成顶生疏散伞房花序，具 5 ~ 6 级分枝，被白色倒生粗糙毛；苞叶卵形、长圆形、线状披针形或线形，长 1 ~ 7 cm，宽 0.3 ~ 3 cm，具钝齿或全缘，疏

被糙毛或几无毛。花梗极短，其下贴生 1 卵形小苞片；萼齿 5，钝齿状或微波状，长 0.2 ~ 0.3 mm；花冠钟状，淡黄色，稀在同一花序中有淡黄色和白色花，裂片稍不等形，卵形、卵状长圆形、卵状披针形或长圆形，长 1.1 ~ 1.5 mm，宽 0.7 ~ 1（~ 1.5）mm，其中具蜜囊的 1 裂片较大，花冠筒较裂片稍短或近等长，内面有白色柔毛，在具蜜囊的一侧呈浅囊肿状；雄蕊 4，二强，伸出，较短的 1 对着生于远离蜜囊两侧的花冠筒基部，无毛，较长的 1 对着生于花冠筒基部蜜囊之下，基部被开展的白色柔毛，花药长圆形，丁字状着生，花粉粒圆形或钝三角形，具短刺状突起；子房长 0.6 ~ 0.8 mm，宽 0.7 ~ 1 mm，无毛，3 室，2 不育子室肥厚，呈倒卵状突起，能育子室扁椭圆形，位于前者之下面；柱头截头状，稀盾头状。瘦果倒卵状椭圆形，长 1.6 ~ 2 mm，宽 1.1 ~ 1.3 mm，不育子室呈倒卵状突起，长 1.3 ~ 1.7 mm，宽 0.8 ~ 1.2 mm；种子扁椭圆形，长 1.1 mm，宽 0.8 mm。翅状果苞干膜质，卵形或阔卵形，长 3.3 ~ 4 mm，宽 3.3 ~ 3.4 mm，先端钝圆，基部圆形或截形，有主脉 2，网状脉明显。花期 7 ~ 10 月，果期 8 ~ 10 月。

| **生境分布** | 生于海拔（100 ~）400 ~ 1 300（~ 1 600）m 的山坡草丛或疏林下、溪边、路旁。分布于湖北利川。

| **功能主治** | 清热解毒，消痈排脓，活血行瘀。用于肠痈，下痢，赤白带下，产后瘀滞腹痛，目赤肿痛，痈肿疥癣。

败酱科 Valerianaceae 败酱属 *Patrinia*

岩败酱 *Patrinia rupestris* (Pall.) Juss.

| 药 材 名 | 岩败酱。

| 形态特征 | 多年生草本，高 20 ~ 60（~ 100）cm。茎丛生，连同花序梗被短糙毛。基生叶开花时常枯萎脱落，叶片倒卵状长圆形、长圆形、卵形或倒卵形，长 2 ~ 6（~ 7）cm，羽状浅裂、深裂至全裂或不分裂而有缺刻状钝齿；茎生叶长圆形或椭圆形，长 3 ~ 7 cm，羽状深裂至全裂，通常具 3 ~ 6 对侧生裂片，裂片疏具缺刻状钝齿或全缘，顶裂片与侧裂片常全裂成 3 条形裂片或羽状分裂，叶柄短，上部叶无柄。花冠黄色，漏斗状钟形，盛开时直径 3 ~ 5（~ 5.5）mm，花冠筒长 1.8 ~ 2 mm，基部一侧有浅的囊肿；近蜜囊处 2 花丝长 3 ~ 4 mm，下部有柔毛，另 2 花丝稍短，长 2.6 ~ 3.5 mm，无毛。瘦果倒卵状

圆柱形，长 2.4 ~ 2.6 mm，果柄长 0.5 ~ 1 mm，与下面增大的干膜质苞片贴生。花期 7 ~ 9 月，果熟期 8 月至 9 月中旬（或 10 月上旬）。

| **生境分布** | 生于海拔（200 ~）400 ~ 1 800（~ 2 500）m 的小丘顶部、石质山坡岩缝、草地、草甸草原、山坡桦树林缘及杨树林下。湖北有分布。

| **采收加工** | **全草：**夏季采收，切段，晒干。

| **功能主治** | 清热解毒，活血，排脓。用于痢疾，泄泻，黄疸，肠痈。

败酱科 Valerianaceae 败酱属 *Patrinia*

败酱 *Patrinia scabiosifolia* Fisch. ex Trevir.

| 药材名 | 败酱。

| 形态特征 | 多年生草本，高 30 ~ 100（~ 200）cm；根茎横卧或斜生，节处生多数细根；茎直立，黄绿色至黄棕色，有时带淡紫色，下部常被脱落性倒生白色粗毛或几无毛，上部常近无毛或被倒生稍弯糙毛，或疏被 2 列纵向短糙毛。基生叶丛生，花时枯落，卵形、椭圆形或椭圆状披针形，长（1.8 ~）3 ~ 10.5 cm，宽 1.2 ~ 3 cm，不分裂或羽状分裂或全裂，先端钝或尖，基部楔形，边缘具粗锯齿，上面暗绿色，背面淡绿色，两面被糙伏毛或几无毛，具缘毛；叶柄长 3 ~ 12 cm；茎生叶对生，宽卵形至披针形，长 5 ~ 15 cm，常羽状深裂或全裂具 2 ~ 3（~ 5）对侧裂片，顶生裂片卵形、椭圆形或椭

圆状披针形，先端渐尖，具粗锯齿，两面密被或疏被白色糙毛，或几无毛，上部叶渐变窄小，无柄。花序为聚伞花序组成的大型伞房花序，顶生，具 5 ~ 6（~ 7）级分枝；花序梗上方一侧被开展白色粗糙毛；总苞线形，甚小；苞片小；花小，萼齿不明显；花冠钟形，黄色，花冠筒长 1.5 mm，上部宽 1.5 mm，基部一侧囊肿不明显，内具白色长柔毛，花冠裂片卵形，长 1.5 mm，宽 1 ~ 1.3 mm；雄蕊 4，稍超出或几不超出花冠，花丝不等长，近蜜囊的 2 花丝长 3.5 mm，下部被柔毛，另 2 花丝长 2.7 mm，无毛，花药长圆形，长约 1 mm；子房椭圆状长圆形，长约 1.5 mm，花柱长 2.5 mm，柱头盾状或截头状，直径 0.5 ~ 0.6 mm。瘦果长圆形，长 3 ~ 4 mm，具 3 棱，2 不育子室中央稍隆起成上粗下细的棒槌状，能育子室略扁平，向两侧延展成窄边状，内含 1 椭圆形、扁平种子。花期 7 ~ 9 月。

| 生境分布 | 常生于海拔 400 ~ 2 100 m 的山坡林下、林缘和灌丛中，以及路边、田埂边的草丛中。湖北恩施利川有分布。

| 采收加工 | 全草于夏、秋季采割，洗净晒干。根于秋、冬季采挖，去掉茎叶洗净，晒干。

| 功能主治 | 清热解毒，消痈排脓，活血行瘀。用于肠痈，下痢，赤白带下，产后瘀滞腹痛，痈肿疥癣。

败酱科 Valerianaceae 败酱属 *Patrinia*

攀倒甑 *Patrinia villosa* (Thunb.) Juss.

|药材名| 败酱。

|形态特征| 多年生草本，高 50 ~ 100（~ 120）cm。地下根茎长而横走，偶在地表匍匐生长。基生叶丛生，叶片卵形、宽卵形或卵状披针形至长圆状披针形，先端渐尖，边缘具粗钝齿；茎生叶对生，与基生叶同

形，或菱状卵形，先端尾状渐尖或渐尖，基部楔形下延，边缘具粗齿，上部叶较窄小，常不分裂；叶柄长 1 ~ 3 cm，上部叶渐近无柄。聚伞花序组成顶生圆锥花序或伞房花序，分枝达 5 ~ 6 级，花序梗密被长粗糙毛或仅有 2 纵列粗糙毛；花萼小，萼齿 5；花冠钟形，白色，5 深裂，裂片不等形，卵形、卵状长圆形或卵状椭圆形，长（0.75 ~ ）1.25 ~ 2 mm，宽 1.1 ~ 1.65（ ~ 1.75）mm；雄蕊 4，伸出；子房下位，花柱较雄蕊稍短。瘦果倒卵形，与宿存增大苞片贴生。花期 8 ~ 10 月，果期 9 ~ 11 月。

| **生境分布** | 生于海拔（50 ~ ）400 ~ 1 500（ ~ 2 000）m 的山地林下、林缘或灌丛草丛。湖北有分布。

| **采收加工** | **带根全草或根茎：**7 ~ 9 月采收，切段，晒干。

| **功能主治** | 清热利湿，解毒排脓，活血祛瘀。用于肝炎，目赤肿痛，泄泻，肠痈，产后瘀滞腹痛，痈肿疔疮。

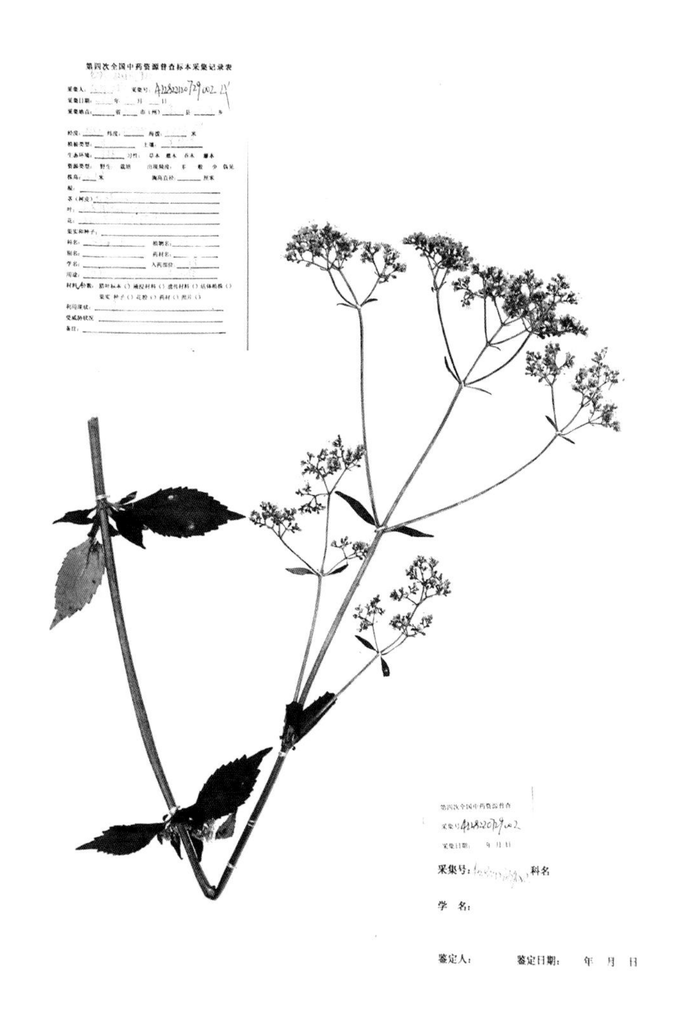

败酱科 Valerianaceae 缬草属 *Valeriana*

柔垂缬草 *Valeriana flaccidissima* Maxim.

| 药 材 名 | 柔垂缬草。

| 形态特征 | 细柔草本，高 20 ~ 80 cm；植株稍多汁；根茎细柱状，具明显的环节；匍匐枝细长，有具柄的心形或卵形小叶。基生叶与匍匐枝叶同形，有时 3 裂，具钝头，波状圆齿或全缘。茎生叶卵形，羽状全裂，裂片 3 ~ 7，疏离；先端裂片卵形或披针形，长 2 ~ 4 cm，宽 1 ~ 2 cm，钝头或渐尖，边缘具疏齿，侧裂片与顶裂片同形而依次渐小。花序顶生，或自上部叶腋出，伞房状聚伞花序，分枝细长，果期为甚；苞片和小苞片线形至线状披针形，最上部的小苞片等于或稍短于果长。花淡红色，花冠长 2.5 ~ 3.5 mm，花冠裂片长圆形至卵状长圆形，花冠裂片较花冠筒为短；雌雄蕊常伸出于花冠之外。瘦

果线状卵形，长约 3 mm，光秃，有时被白色粗毛。花期 4 ~ 6 月，果期 5 ~ 8 月。

| 生境分布 | 生于林边、沟边、草地、山坡林下及山沟阴湿处，喜生长于含水量较大的土壤上。湖北有分布。

| 功能主治 | 祛风散寒，除湿，消食。用于外感风寒，风湿痹痛，食积腹胀等。

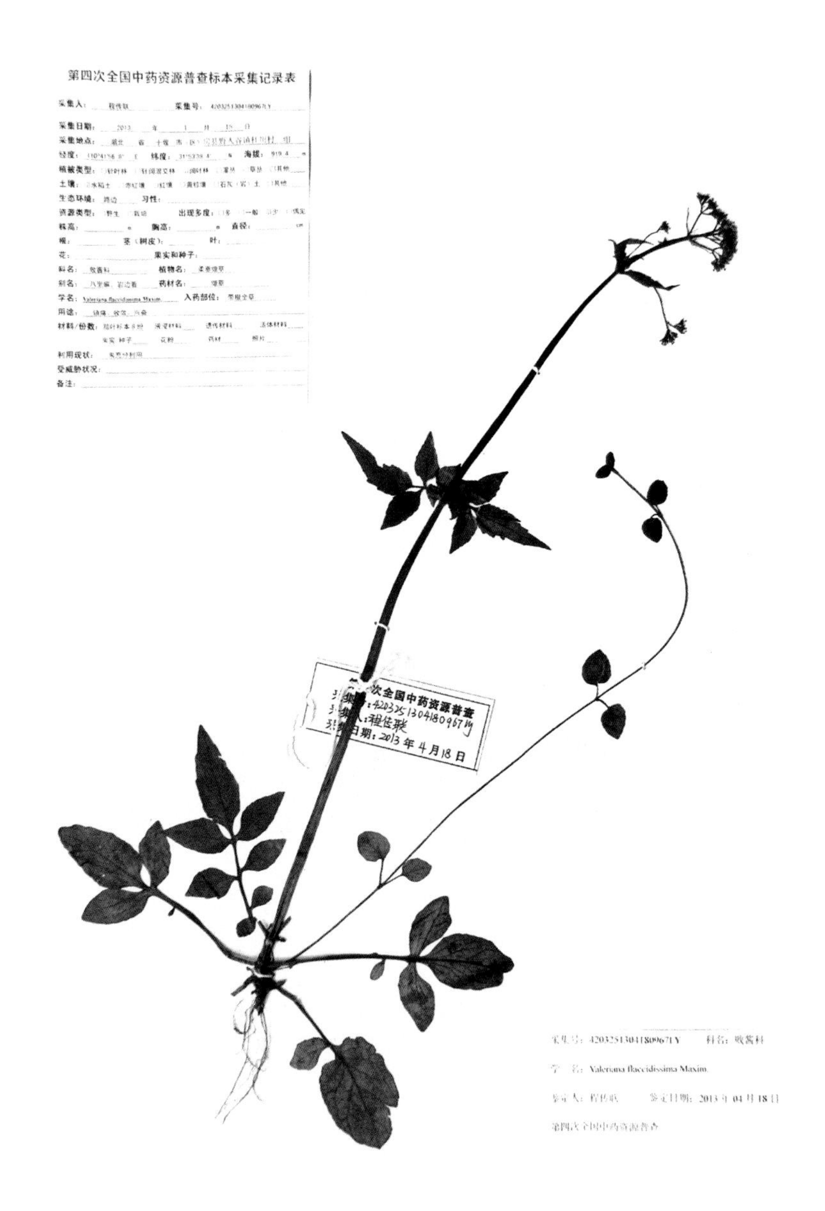

败酱科 Valerianaceae 缬草属 *Valeriana*

长序缬草 *Valeriana hardwickii* Wall.

| 药材名 | 长序缬草。

| 形态特征 | 大草本，高 60 ~ 150 cm；根茎短缩，呈块柱状；茎直立，粗壮，中空，外具粗纵棱槽，下部常被疏粗毛，向上除节部外渐光秃，基生叶多为 3 ~ 5（~ 7）羽状全裂或浅裂，稀不分裂而呈心形；羽裂时，顶裂片较侧裂片为大，卵形或卵状披针形，长 3.5 ~ 7 cm，宽 1.5 ~ 3 cm，先端长渐尖，基部近圆形，边缘具齿或全缘；两侧裂片依次稍小，疏离，叶柄细长，茎生叶与基生叶相似，向上叶渐小，柄渐短；全部叶多少被短毛。极大的圆锥状聚伞花序顶生或腋生。苞片线状钻形；小苞片三角状卵形，全缘或具钝齿，最上的小苞片常只及果实的一半或更短。花小，白色，花冠长 1.5 ~ 3.5 mm，漏

斗状扩张，裂片卵形，常为花冠长度的 1/2；雌雄蕊常与花冠等长或稍伸出。果序极度延展，在成熟的植株上，常长 50 ~ 70 cm。瘦果宽卵形至卵形，长 2 ~ 2.5（~ 3）mm，宽 1 ~ 1.2 mm，常被白色粗毛，也有光秃者。花期 6 ~ 8 月，果期 7 ~ 10 月。

| 生境分布 | 生于海拔 1 000 ~ 3 100 m 的草坡、林缘或林下、溪边。湖北有分布。

| 功能主治 | 活血调经，祛风止痛，散瘀止痛，健脾消积。用于月经不调，痛经，闭经，血栓闭塞性脉管炎，跌打肿痛，风湿骨痛，腰痛，疳积。

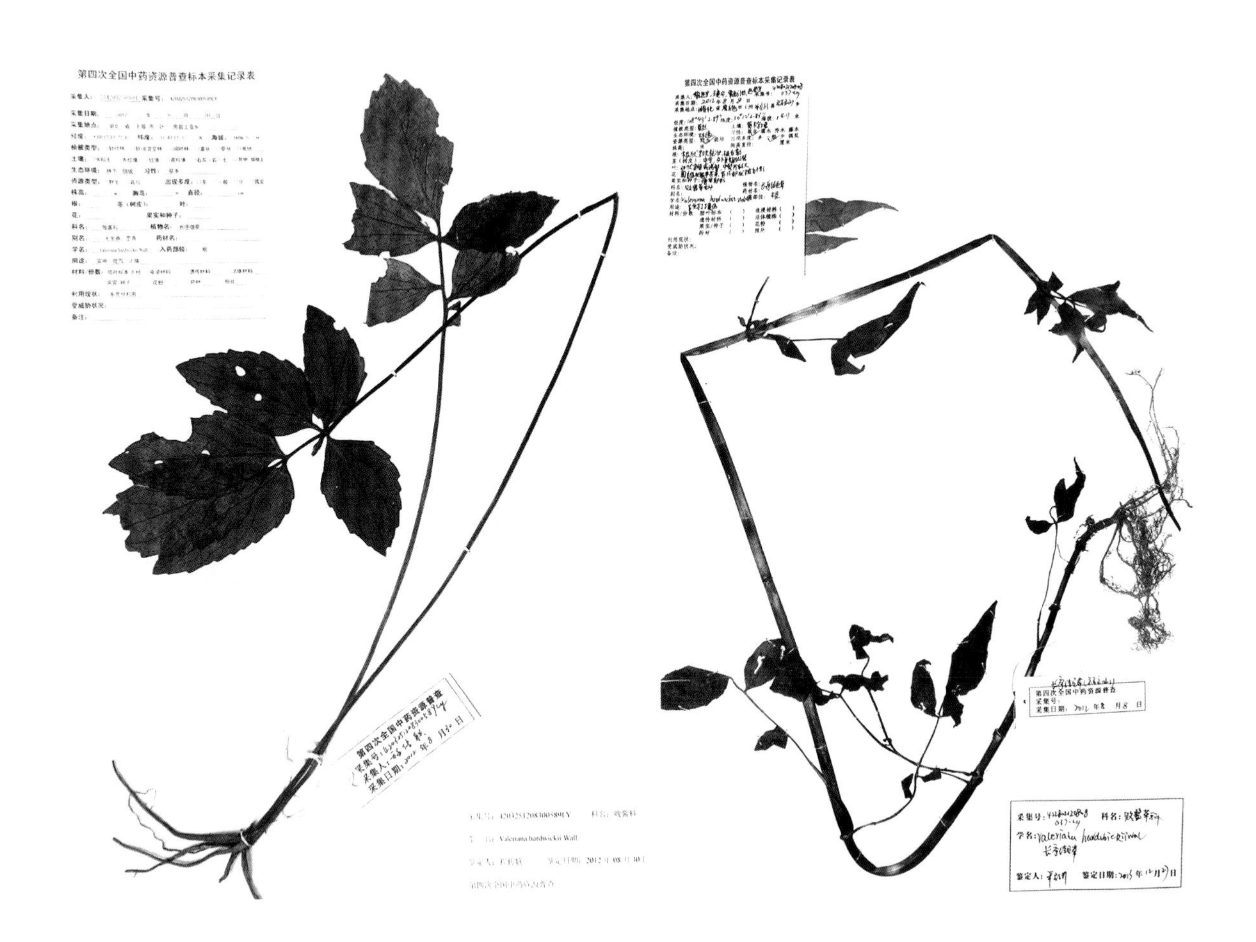

败酱科 Valerianaceae 缬草属 *Valeriana*

蜘蛛香 *Valeriana jatamansi* Jones

| 药 材 名 | 蜘蛛香。

| 形态特征 | 植株高 20 ~ 70 cm；根茎粗厚，块柱状，节密，有浓烈香味；茎1至数株丛生。基生叶发达，叶片心状圆形至卵状心形，长 2 ~

9 cm，宽 3 ~ 8 cm，边缘具疏浅波齿，被短毛或无毛，叶柄长为叶片的 2 ~ 3 倍；茎生叶不发达，每茎 2 对，有时 3 对，下部的心状圆形，近无柄，上部的常羽裂，无柄。花序为顶生的聚伞花序，苞片和小苞片长钻形，中肋明显，最上部的小苞片常与果实等长。花白色或微红色，杂性；雌花小，长 1.5 mm，不育花药着生在极短的花丝上，位于花冠喉部；雌蕊伸长于花冠之外，柱头深 3 裂；两性花较大，长 3 ~ 4 mm，雌雄蕊与花冠等长。瘦果长卵形，两面被毛。花期 5 ~ 7 月，果期 6 ~ 9 月。

| 生境分布 | 生于海拔 2 500 m 以下的山顶草地、林中或溪边。湖北有分布。

| 功能主治 | 理气止痛，消食止泻，祛风除湿，镇惊安神，散寒，活血消肿。用于脘腹胀痛，食积不化，腹泻痢疾，呕吐泄泻，疳积，风湿痹痛，腰膝酸软，失眠，肢体水肿，月经不调，跌打损伤，疮疖。

败酱科 Valerianaceae 缬草属 *Valeriana*

缬草 *Valeriana officinalis* L.

| 药 材 名 | 缬草。

| 形态特征 | 叶坚纸质，披针形至线状披针形，长 1.5 ~ 4.5 cm，宽（0.3 ~ ）0.5 ~ 1.2 cm，先端钝，基部圆形，全缘，上面暗绿色，无毛或疏被贴生至开展的微柔毛，下面色较淡，无毛或沿中脉疏被微柔毛，密被下陷的腺点，侧脉 4 对，与中脉上面下陷下面凸出；叶柄短，长 2 mm，腹凹背凸，被微柔毛。花序在茎及枝上顶生，总状，长 7 ~ 15 cm，常于茎顶聚成圆锥花序；花梗长 3 mm，与序轴均被微柔毛；苞片下部者似叶，上部者远较小，卵圆状披针形至披针形，长 4 ~ 11 mm，近无毛。花萼开花时长 4 mm，盾片高 1.5 mm，外面密被微柔毛，萼缘被疏柔毛，内面无毛，果时花萼长 5 mm，有高

4 mm 的盾片。花冠紫色、紫红色至蓝色，长 2.3 ~ 3 cm，外面密被具腺短柔毛，内面在囊状膨大处被短柔毛；花冠筒近基部明显膝曲，中部直径 1.5 mm，至喉部宽达 6 mm；冠檐二唇形，上唇盔状，先端微缺，下唇中裂片三角状卵圆形，宽 7.5 mm，两侧裂片向上唇靠合。雄蕊 4，稍露出，前对较长，具半药，退化半药不明显，后对较短，具全药，药室裂口具白色髯毛，背部具泡状毛；花丝扁平，中部以下前对在内侧、后对在两侧被小疏柔毛。花柱细长，先端锐尖，微裂。花盘环状，高 0.75 mm，前方稍增大，后方延伸成极短子房柄。子房褐色，无毛。小坚果卵球形，高 1.5 mm，直径 1 mm，黑褐色，具瘤，腹面近基部具果脐。花期 7 ~ 8 月，果期 8 ~ 9 月。

| **生境分布** | 生于海拔 2 500 m 以下的山坡草地、林下、沟边。湖北有分布。

| **功能主治** | 安神，理气止痛。用于心神不安，心悸失眠，癫狂，脏躁，风湿痹痛，痛经，闭经，跌打损伤。

败酱科 Valerianaceae 缬草属 *Valeriana*

宽叶缬草 *Valeriana officinalis* var. *latifolia* Miq.

| 药 材 名 |

宽叶缬草。

| 形态特征 |

多年生高大草本，高可达 100 ~ 150 cm；根茎粗短呈头状，须根簇生；茎中空，有纵棱，被粗毛，尤以节部为多，老时毛少。匍匐枝叶、基生叶和基部叶在花期常凋萎。茎生叶卵形至宽卵形，羽状深裂，裂片 7 ~ 11；中央裂片与两侧裂片近同形同大小，但有时与第 1 对侧裂片合生成 3 裂状，裂片披针形或条形，先端渐窄，基部下延，全缘或有疏锯齿，两面及柄轴多少被毛。花序顶生成伞房状三出聚伞圆锥花序；小苞片中央纸质，两侧膜质，长椭圆状长圆形、倒披针形或线状披针形，先端芒状突尖，边缘多少有粗缘毛。花冠淡紫红色或白色，长 4 ~ 5（~ 6）mm，花冠裂片椭圆形，雌雄蕊约与花冠等长。瘦果长卵形，长 4 ~ 5 mm，基部近平截，光秃或两面被毛。花期 5 ~ 7 月，果期 6 ~ 10 月。

| 生境分布 |

生于海拔 1 500 m 以下的林下或沟边。分布于湖北利川。

| 采收加工 | **根、根茎：** 夏、秋季采挖，洗净，鲜用或晒干。

| 功能主治 | 安心神，祛风湿，行气血，止痛，活血调经，祛风止痛。用于月经不调，痛经，闭经，跌打肿痛，风湿骨痛，腰痛。

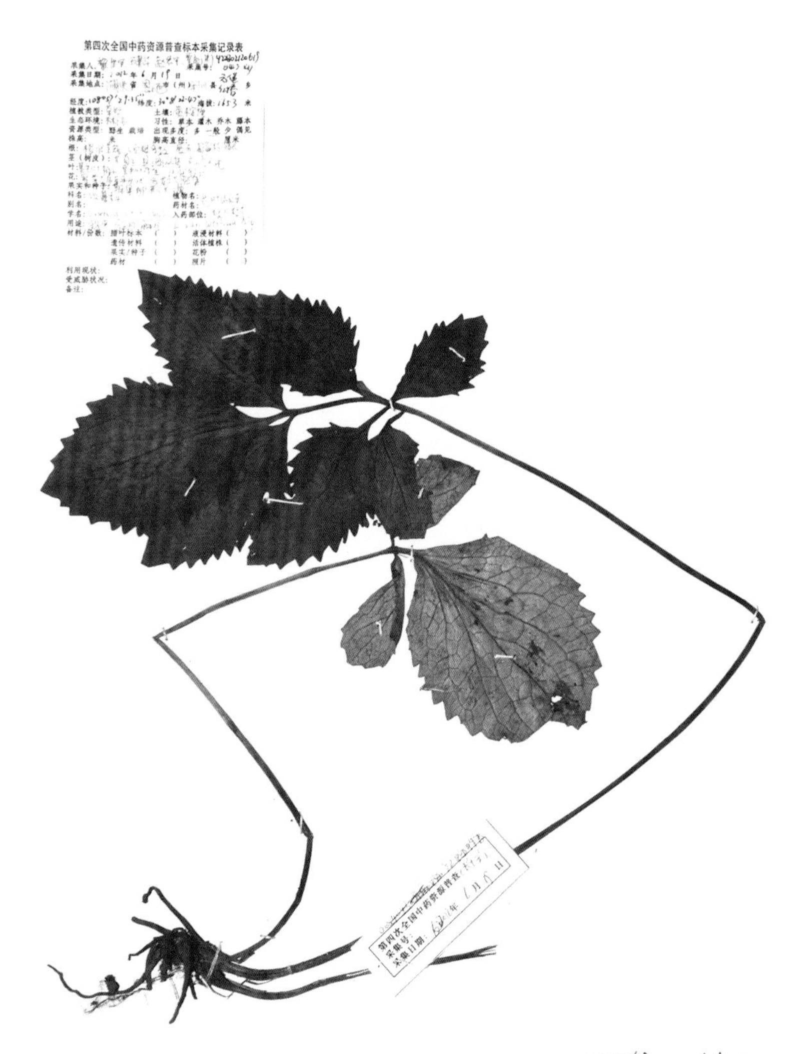

川续断科 Dipsacaceae 川续断属 *Dipsacus*

川续断 *Dipsacus asperoides* C. Y. Cheng et T. M. Ai

| 药 材 名 | 川续断。

| 形态特征 | 多年生草本，高达 2 m；主根 1 或在根茎上生出数条，圆柱形，黄褐色，稍肉质；茎中空，具 6 ～ 8 棱，棱上疏生下弯粗短的硬刺。

基生叶稀疏丛生，叶片琴状羽裂，长 15 ~ 25 cm，宽 5 ~ 20 cm，先端裂片大，卵形，长达 15 cm，宽 9 cm，两侧裂片 3 ~ 4 对，侧裂片一般为倒卵形或匙形，叶面被白色刺毛或乳头状刺毛，背面沿脉密被刺毛；叶柄长可达 25 cm；茎生叶在茎之中下部为羽状深裂，中裂片披针形，长 11 cm，宽 5 cm，先端渐尖，边缘疏具粗锯齿，侧裂片 2 ~ 4 对，披针形或长圆形，基生叶和下部的茎生叶具长柄，向上叶柄渐短，上部叶披针形，不裂或基部 3 裂。头状花序球形，直径 2 ~ 3 cm，总花梗长达 55 cm；总苞片 5 ~ 7，叶状，披针形或线形，被硬毛；小苞片倒卵形，长 7 ~ 11 mm，先端稍平截，被短柔毛，具长 3 ~ 4 mm 的喙尖，喙尖两侧密生刺毛或稀疏刺毛，稀被短毛；小总苞四棱倒卵柱状、每个侧面具 2 纵沟；花萼四棱，皿状，长约 1 mm，不裂或 4 浅裂至深裂，外面被短毛；花冠淡黄色或白色，花冠管长 9 ~ 11 mm，基部狭缩成细管，先端 4 裂，1 裂片稍大，外面被短柔毛；雄蕊 4，着生于花冠管上，明显超出花冠，花丝扁平，花药椭圆形，紫色；子房下位，花柱通常短于雄蕊，柱头短棒状。瘦果长倒卵柱状，包藏于小总苞内，长约 4 mm，仅先端外露于小总苞外。花期 7 ~ 9 月，果期 9 ~ 11 月。

| 生境分布 | 生于沟边、草丛、林缘和田野路旁。湖北有分布。

| 功能主治 | 补肝肾，强筋骨，利关节，止崩漏。用于腰膝酸痛，风湿骨痛，骨折，跌打损伤，先兆流产，功能失调性子宫出血，带下，遗精，尿频。

川续断科 Dipsacaceae 川续断属 *Dipsacus*

日本续断 *Dipsacus japonicus* Miq.

| 药 材 名 |

日本续断。

| 形态特征 |

多年生草本，高 1 m 以上；主根长圆锥状，黄褐色。茎中空，向上分枝，具 4 ~ 6 棱，棱上具钩刺。基生叶具长柄，叶片长椭圆形，分裂或不裂；茎生叶对生，叶片椭圆状卵形至长椭圆形，先端渐尖，基部楔形，长 8 ~ 20 cm，宽 3 ~ 8 cm，常为 3 ~ 5 裂，先端裂片最大，两侧裂片较小，裂片基部下延成窄翅，边缘具粗齿或近全缘，有时全为单叶对生，正面被白色短毛，叶柄和叶背脉上均具疏的钩刺和刺毛。头状花序顶生，圆球形，直径 1.5 ~ 3.2 cm；总苞片线形，具白色刺毛；小苞片倒卵形，开花期长 9 ~ 11 mm，先端喙尖长 5 ~ 7 mm，两侧具长刺毛；花萼盘状，4 裂，被白色柔毛；花冠管长 5 ~ 8 mm，基部细管明显，长 3 ~ 4 mm，4 裂，裂片不相等，外被白色柔毛；雄蕊 4，着生在花冠管上，稍伸出花冠外；子房下位，包于囊状小总苞内，小总苞具 4 棱，长 5 ~ 6 mm，被白色短毛，先端具 8 齿。瘦果长圆楔形。花期 8 ~ 9 月，果期 9 ~ 11 月。

| 生境分布 | 生长于山坡草地较湿处或溪沟旁，阳坡草地亦有生长。湖北有分布。

| 采收加工 | 秋季采挖，除去根茎及须根，洗净泥土，晒干，切片备用。

| 功能主治 | 补肝肾，行血脉，续筋骨，安胎。用于腰膝酸软，遗精，尿频，风湿痹痛，筋骨折伤，跌打损伤，崩漏下血，胎动不安。

川续断科 Dipsacaceae 川续断属 *Dipsacus*

天目续断 *Dipsacus tianmuensis* C. Y. Cheng et Z. T. Yin

| 药材名 | 天目续断。

| 形态特征 | 多年生草本，高 1 ~ 1.5 m；茎中空，向上分枝，具 6 ~ 8 棱，棱上具疏刺。基生叶未见；茎生叶对生，具柄，叶片通常 3 ~ 5 裂，先端裂片大，长椭圆形，渐尖，侧裂片近对生，边缘具锯齿，主脉明显突出，叶面疏被短刺毛或近无毛，背面光滑，沿脉无钩刺和刺毛，主脉明显；小苞片长倒卵形，长 7 ~ 11 mm，先端喙尖长 5 ~ 6 mm，两侧密被刺毛；花黄白色，花萼浅盘状，4 裂，被白色柔毛；花冠管长 11 ~ 14 mm，基部细管长 2 ~ 3 mm，4 裂，裂片不相等；雄蕊 4，着生在花冠管上，伸出花冠；子房下位，包于囊状小总苞内，小总苞具 4 棱，长圆柱形，黄褐色，长 7 ~ 9 mm，被黄白色短柔毛。

瘦果先端稍外露于小总苞外。花期 8 ~ 9 月，果期 9 ~ 10 月。

| 生境分布 | 生长于林下草坡和荒草坡上。湖北有分布。

| 功能主治 | 活血化瘀，通络止痛。用于腰痛，遗精，胎漏，金疮痛疡等。

川续断科 Dipsacaceae 双参属 *Triplostegia*

双参 *Triplostegia glandulifera* Wall. ex DC.

| 药材名 |

双参。

| 形态特征 |

多年生直立草本，高 20 ~ 45 cm；主根红棕色，常 2 歧，稍肥厚，略呈纺锤形，成对生长，长 3 ~ 4 cm，直径约 0.5 cm，1 较大，1 较小。根茎纤维状，具 2 ~ 4 节，节间长约 1 cm。茎纤细，单一，直立，微四棱形，具沟，被白色长柔毛和糙毛，有时夹有腺毛。叶对生，基部相连；下部叶倒卵形至倒卵状披针形，长 3 ~ 8 cm，先端圆，基部渐狭，无柄，2 ~ 3 对羽状深裂或浅裂，中裂片大，宽椭圆形，两侧裂片渐小或呈牙齿状，边缘呈锯齿状或具钝齿，上面浓绿色，下面苍白色，粗糙而厚，两面被长柔毛，茎上部叶依次渐小成苞片状。花成疏松顶生二歧聚伞圆锥花序，第 1 ~ 2 回分枝细长，密被白色平展毛和腺毛；分枝处各有 1 对苞片，线形，长 0.5 cm，先端钝，边缘有浅齿或全缘，具 1 脉；下部苞叶状，长约 2 cm，边缘浅裂或呈锯齿状，密被白色平展毛和腺毛。花梗长 2 ~ 3 mm；小总苞萼状，4 裂，裂片披针形，长 2 ~ 3 mm，先端急尖，密被黑色腺毛；萼筒卵形，具 8 条肋，檐部具 5 齿，齿端急尖，被长硬毛；花冠白色带粉红色，基部狭筒状，上部漏斗形，近辐射对称，长 1 ~ 1.2 cm，外面微被白色柔毛，裂片 5，长为花冠的 1/3，先端钝；雄蕊 4，插生花冠管上部，稍伸出，花药黄色，内向；子房下位，包于狭长圆形囊状小总苞内，花柱短于雄蕊，柱头头状。瘦果包于囊苞内，果时囊苞 4 裂，裂片先端直尖，无曲钩。花果期 7 ~ 10 月。

| **生境分布** | 生于海拔 2 000 ~ 3 000 m 的山谷林下、林缘、草坡等处。湖北有分布。

| **功能主治** | 调经活血，益肾。用于闭经，月经不调，肾虚腰痛，遗精，阳痿，不孕症。

葫芦科 Cucurbitaceae 盒子草属 *Actinostemma*

盒子草 *Actinostemma tenerum* Griff.

|药材名| 盒子草。

|形态特征| 一年生草本。茎细弱，有短柔毛，后渐变无毛。卷须2叉。单叶戟形或狭披针状三角形，有时基部3～5分裂，长6～12 cm，宽3～6 cm，先端渐尖，基部戟状心形，两面在主脉上被短柔毛，后变无毛，边缘有疏锯齿；叶柄细，疏被柔毛，长2～4 cm。花单性，雌雄同株；雄花序总状，有时圆锥状；雌花单生或雌雄同序，花梗丝状，萼片线状披针形，长3 mm，花瓣卵状披针形，先端长毛发状钻形，长3 mm，雄蕊5，分离，长1 mm，子房卵形，柱头2裂，肾形。果实卵珠形，长16～20 mm，外被鳞片状突起，成熟后自中部盖裂；种子2～4，长12 mm，表面有不规则皱纹状突起。花期7～9月，

果期 8 ~ 12 月。

| **生境分布** | 生于海拔 210 m 处水沟边。分布于湖北罗田及武汉。

| **资源情况** | 野生资源较丰富。药材来源于野生。

| **采收加工** | 待果实成熟后，收集全草，分别晒干。

| **功能主治** | 利尿消肿，清热解毒。用于肾炎性水肿，湿疹，疮疡肿毒。

葫芦科 Cucurbitaceae 冬瓜属 *Benincasa*

冬瓜 *Benincasa hispida* (Thunb.) Cogn.

| 药 材 名 | 冬瓜皮。

| 形态特征 | 一年生蔓生草本，全体密被黄褐色粗毛。卷须2 ~ 3叉。叶近肾状圆形，长、宽各10 ~ 25 cm，基部弯缺深，5 ~ 7浅裂至中裂，裂片三角形，先端短尖，边缘有小锯齿；叶柄粗壮。花单性，雌雄同株，单生叶腋，黄色，雄花梗细长，雌花梗短，萼裂片三角状卵形、被长柔毛，有锯齿，反折；花冠辐状，裂片宽倒卵形，长、宽各3.5 ~ 4 cm，先端圆钝，具短尖头，脉纹在背面凸起，沿脉上有长柔毛；雄蕊3，分离，花丝短细，向前扭曲；子房圆筒形，密生黄褐色粗毛，花柱粗肥，柱头3，均2裂。果实长椭圆形，大型，长25 ~ 60 cm，直径20 ~ 30 cm，果皮绿色，有粗毛，成熟后表面有蜡质白粉，果肉

肥厚，疏松多汁，白色；种子多数，卵状长椭圆形，白色，扁平，有狭边。花果期 7 ~ 10 月。

| **生境分布** | 湖北有分布。

| **资源情况** | 野生资源较少，湖北各地广泛栽培。药材来源于栽培。

| **采收加工** | **冬瓜皮**：食用冬瓜时，洗净，削取外层果皮，晒干。

| **功能主治** | 利水消肿。用于水肿胀满，小便不利，暑热口渴，小便短赤。

葫芦科 Cucurbitaceae 假贝母属 *Bolbostemma*

假贝母 *Bolbostemma paniculatum* (Maxim.) Franquet

| 药 材 名 | 土贝母。

| 形态特征 | 鳞茎肥厚，肉质，乳白色。茎草质，无毛，攀缘状。枝具棱沟，无毛。叶柄纤细，长 1.5 ~ 3.5 cm；叶片卵状近圆形，长 4 ~ 11 cm，宽 3 ~ 10 cm，掌状 5 深裂，每裂片再 3 ~ 5 浅裂，侧裂片卵状长圆形，急尖，中裂片长圆状披针形，渐尖，基部小裂片先端各有一显著凸出的腺体，叶片两面无毛或仅在脉上有短柔毛。卷须丝状，单一或 2 歧。花雌雄异株；雌、雄花序均为疏散的圆锥状，极稀花单生，花序轴丝状，长 4 ~ 10 cm；花梗纤细，长 1.5 ~ 3.5 cm；花黄绿色；花萼与花冠相似，裂片卵状披针形，长约 2.5 mm，先端具长丝状尾；雄蕊 5，离生，花丝先端不膨大，长 0.3 ~ 0.5 mm，花

药长 0.5 mm，药隔在花药背面不伸出于花药外；子房近球形，疏散生不显著的疣状突起，3 室，每室 2 胚珠，花柱 3，柱头 2 裂。果实圆柱状，长 1.5 ~ 3 cm，直径 1 ~ 1.2 cm，成熟后由先端盖裂，果盖圆锥形，具 6 种子；种子卵状菱形，暗褐色，表面有雕纹状突起，边缘有不规则的齿，长 8 ~ 10 mm，宽约 5 mm，厚 1.5 mm，先端有膜质的翅，翅长 8 ~ 10 mm。花期 6 ~ 8 月，果期 8 ~ 9 月。

| 生境分布 | 湖北五峰、神农架有栽培。

| 资源情况 | 野生资源较丰富。药材主要来源于野生。

| 采收加工 | **块茎**：秋季采挖，洗净，掰开，煮至无白心时取出，晒干。

| 功能主治 | 散结，消肿，解毒。用于乳痈，瘰疬，乳腺炎，颈淋巴结结核，慢性淋巴结炎，肥厚性鼻炎。

葫芦科 Cucurbitaceae 西瓜属 *Citrullus*

西瓜 *Citrullus lanatus* (Thunb.) Matsum. et Nakai

| 药 材 名 | 西瓜霜。

| 形态特征 | 一年生蔓生藤本；茎、枝粗壮，具明显的棱沟，被长而密的白色或淡黄褐色长柔毛。卷须较粗壮，具短柔毛，2 歧，叶柄粗，长 3 ~ 12 cm，粗 0.2 ~ 0.4 cm，具不明显的沟纹，密被柔毛；叶片纸质，三角状卵形，带白绿色，长 8 ~ 20 cm，宽 5 ~ 15 cm，两面具短硬毛，脉上和背面较多，3 深裂，中裂片较长，倒卵形、长圆状披针形或披针形，先端急尖或渐尖，裂片又羽状或二重羽状浅裂或深裂，边缘波状或有疏齿，末次裂片通常有少数浅锯齿，先端钝圆，叶片基部心形，有时形成半圆形的弯缺，弯缺宽 1 ~ 2 cm，深 0.5 ~ 0.8 cm。雌雄同株。雌、雄花均单生于叶腋。雄花：花梗长 3 ~ 4 cm，密被

黄褐色长柔毛；萼筒宽钟形，密被长柔毛，花萼裂片狭披针形，与萼筒近等长，长 2 ~ 3 mm；花冠淡黄色，直径 2.5 ~ 3 cm，外面带绿色，被长柔毛，裂片卵状长圆形，长 1 ~ 1.5 cm，宽 0.5 ~ 0.8 cm，先端钝或稍尖，脉黄褐色，被毛；雄蕊 3，近离生，1 雄蕊 1 室，2 雄蕊 2 室，花丝短，药室折曲。雌花：花萼和花冠与雄花同；子房卵形，长 0.5 ~ 0.8 cm，宽 0.4 cm，密被长柔毛，花柱长 4 ~ 5 mm，柱头 3，肾形。果实大型，近球形或椭圆形，肉质，多汁，果皮光滑，色泽及纹饰各式。种子多数，卵形，黑色、红色，有时为白色、黄色、淡绿色或有斑纹，两面平滑，基部钝圆，通常边缘稍拱起，长 1 ~ 1.5 cm，宽 0.5 ~ 0.8 cm，厚 1 ~ 2 mm，花果期夏季。

| 生境分布 | 湖北有分布。

| 资源情况 | 野生资源稀少，湖北有栽培。药材来源于栽培。

| 采收加工 | 取新鲜西瓜，沿蒂头切一厚片作顶盖，挖去瓜瓤及种子，将芒硝填入瓜内，盖上顶盖，用竹签插牢，放入瓦盆内，盖好，置阴凉通风处，待析出白霜时，随时刷下，直至无白霜析出为度。

| 功能主治 | 清热泻火，消肿止痛。用于咽喉肿痛，喉痹，口疮。

葫芦科 Cucurbitaceae 红瓜属 *Coccinia*

红瓜 *Coccinia grandis* (L.) Voigt

| 药 材 名 |

红瓜。

| 形态特征 |

攀缘草本。根粗壮。茎纤细，稍带木质，多分枝，有棱角，光滑无毛。叶柄细，有纵条纹，长 2 ~ 5 cm；叶片阔心形，长、宽均 5 ~ 10 cm，常有 5 角，稀近 5 中裂，两面布有颗粒状小凸点，先端钝圆，基部有数个腺体，腺体在叶背明显，呈穴状，弯缺成近圆形，深和宽均 1 ~ 2 cm。卷须纤细，无毛，不分歧。雌雄异株；雌花、雄花均单生。雄花花梗细弱，长 2 ~ 4 cm，光滑无毛；花萼筒宽钟形，长、宽均 4 ~ 5 mm，裂片线状披针形，长 3 mm；花冠白色或稍带黄色，长 2.5 ~ 3.5 cm，5 中裂，裂片卵形，外面无毛，内面有柔毛；雄蕊 3，花丝及花药合生，花丝长 2 ~ 3 mm，花药近球形，长 6 ~ 7 mm，药室曲折。雌花花梗纤细，长 1 ~ 3 cm；退化雄蕊 3，长 1 ~ 3 mm，近钻形，基部有长柔毛；子房纺锤形，长 12 ~ 15 mm，厚 3 ~ 4 mm，花柱纤细，长 6 ~ 7 mm，无毛，柱头 3，长 5 ~ 6 mm。果实纺锤形，长 5 cm，直径 2.5 cm，成熟时深红色；种子黄色，长圆形，长 6 ~ 7 mm，宽 2.5 ~ 4 mm，厚 1.5 mm，两面密布小疣点，先端圆。

| 生境分布 | 生于海拔 100 ~ 1 100 m 的山坡灌丛、林中、林缘、路边、沟谷边。湖北有分布。

| 资源情况 | 野生资源较少。药材来源于野生。

| 功能主治 | 用于糖尿病。

葫芦科 Cucurbitaceae 黄瓜属 *Cucumis*

小马泡 *Cucumis bisexualis* A. M. Lu & G. C. Wang

| 药 材 名 | 小马泡。

| 形态特征 | 一年生匍匐草本。茎蔓生，茎上每节有 1 卷须。叶有柄，呈楔形或心形；叶面较粗糙，有刺毛。花黄色；雌雄同株；花冠 3 ~ 5 裂；子房长椭圆形，花柱长，柱头 3。果实大小不等，果皮青色、杂色或白色带有青色条纹；种子淡黄色，扁平，长椭圆形，表面光滑，种仁白色。花期 7 ~ 8 月。

| 生境分布 | 生于山坡、田边、路旁。湖北有分布。

| 功能主治 | 用于尿路感染，肝炎，黄疸。

葫芦科 Cucurbitaceae 黄瓜属 *Cucumis*

野黄瓜 *Cucumis hystrix* Chakr

| 药 材 名 | 野黄瓜。

| 形态特征 | 一年生攀缘草本。全体被白色糙硬毛和短刚毛。茎、枝纤细，多少有分枝，粗糙，有棱沟。叶柄稍粗糙，长 6 ~ 10 cm；叶片厚膜质，宽卵形或三角状卵形，长 6 ~ 13 cm，宽 6 ~ 10（ ~ 12）cm，常不规则地 3 ~ 5 浅裂，稀不分裂，边缘有小齿，裂片三角形，先端急尖，基部心形，弯缺成半圆形，深 1.5 ~ 2 cm，宽 1 ~ 1.5 cm，上面深绿色，下面灰绿色，掌状五出脉。卷须纤细，不分歧。雌雄同株。雄花单生或由于总花梗极短或近无而呈簇生；花萼筒狭钟状，长 6 mm，宽 2 mm，裂片线形，长 1 ~ 2 mm；花冠黄色，裂片卵状长圆形，长 5 ~ 6 mm，宽 3 ~ 4 mm，先端稍急尖；雄蕊

3，花丝纤细，长仅 1 mm，被稀疏柔毛，花药长 2 mm，药室曲折。雌花单生；花梗长 5 mm；花萼和花冠同雄花；花冠长 6 ~ 10 mm；子房长圆状卵形，长 1 cm，直径 0.4 cm，极粗糙，密被黄褐色的硬毛，花柱长 2 ~ 3 mm，柱头 3 裂，分裂部分先端钝圆，长 3 mm。果柄长 0.5 ~ 1 cm，果实长圆形，长 4 ~ 5 cm，直径 1.5 ~ 2.3 cm，外面粗糙，密生长达 2 mm 的具刺尖的瘤状突起；种子狭卵形，长 3 ~ 4 mm，中部宽 2 mm，两面光滑，边缘不拱起。花期 6 ~ 8 月，果期 8 ~ 9 月。

| 生境分布 | 生于海拔 780 ~ 1 550 m 的山谷、河边阴湿处、林下及灌丛中。分布于湖北宣恩、兴山、神农架。

| 资源情况 | 野生资源较少。药材来源于野生。

| 功能主治 | 清热解毒，化瘀散结。用于咽喉肿痛，腹泻等。

葫芦科 Cucurbitaceae 黄瓜属 *Cucumis*

甜瓜 *Cucumis melo* L.

| 药 材 名 | 甜瓜子。

| 形态特征 | 一年生蔓生草本。茎具条纹或棱角，被短刚毛。卷须不分叉。叶轮廓近圆形或肾形，长、宽均 8 ~ 15 cm，3 ~ 7 浅裂，先端圆钝，两面有长毛，边缘有微波状锯齿；叶柄粗壮，有短刚毛。花单性，雌雄同株；雄花数朵簇生，花梗长 0.5 ~ 2 cm；雌花单生，花梗长 1 ~ 2 cm，萼裂片钻形，长 6 ~ 8 mm，外被长毛；花冠黄色，裂片椭圆形，长约 2 cm，先端急尖；雄蕊 3，药隔先端伸长，子房椭圆形，花柱极短，柱头 3，靠合。果实通常圆形或者椭圆形，果皮光滑，果肉黄色或带绿色，有香味；种子多数，卵形，扁平，污白色。花果期 7 ~ 8 月。

| 生境分布 | 湖北有栽培。

| 资源情况 | 野生资源较少，湖北有栽培。药材来源于栽培。

| 采收加工 | 夏、秋季果实成熟时收集，除去杂质，洗净，晒干。

| 功能主治 | 清肺，润肠，化瘀，排脓，疗伤止痛。用于肺热咳嗽，便秘，肺痈，肠痈，跌打损伤，筋骨折伤。

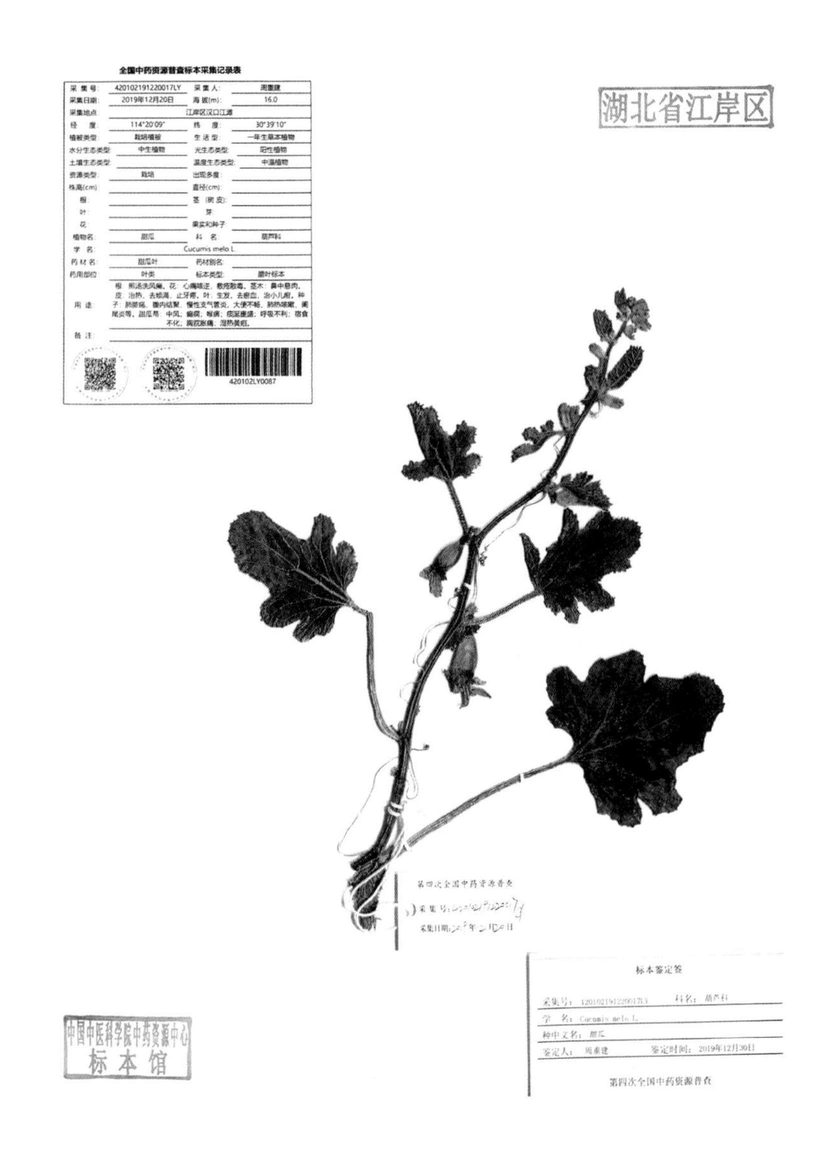

葫芦科 Cucurbitaceae 黄瓜属 *Cucumis*

菜瓜 *Cucumis melo* L. var. *conomon* (Thunb.) Makino

| 药材名 | 菜瓜。

| 形态特征 | 一年生蔓生草本。茎具条纹或棱角，被刺毛。卷须不分叉。叶近圆形或肾形，长、宽均 8 ~ 15 cm，3 ~ 7 浅裂，先端圆钝，两面有长毛，边缘有微波状锯齿；叶柄粗壮，有刺毛。花单性，雌雄同株；雄花数朵簇生，花梗长 0.5 ~ 2 cm；雌花单生，花梗长 1 ~ 2 cm，萼裂片钻形，长 6 ~ 8 mm，具长毛，花冠黄色，裂片长圆形，先端急尖，雄蕊 3，分离，花丝极短，药隔先端延伸部分常 2 裂；雌花单生或簇生，花梗长 1 ~ 2 cm，花萼和花冠与雄花的相同，子房有刺状突起，花柱短，柱头 3 裂。果实长圆状圆柱形或近棒状，果皮有纵的浅沟纹，果肉白色，无香甜味；种子多数，长圆形，扁平，白色。花果期 6 ~

8 月。

| 生境分布 | 生于温暖地带。湖北有栽培。

| 资源情况 | 野生资源较少。药材来源于栽培。

| 采收加工 | 夏季果实成熟时采收。

| 功能主治 | 益气和胃，清暑止渴。用于心下胀满，食欲不振，消渴，暑温。

葫芦科 Cucurbitaceae 黄瓜属 *Cucumis*

黄瓜 *Cucumis sativus* L.

| 药 材 名 | 黄瓜子。

| 形态特征 | 一年生蔓生草本。茎有棱角，被短刚毛，卷须不分叉。叶三角状心形，长、宽均 8 ~ 15 cm，3 ~ 5 浅裂，裂片三角形，先端锐尖，两面有粗毛，边缘具锯齿；叶柄粗壮，有粗毛。花单性，雌雄同株；雄花数朵簇生叶腋，花梗长 0.5 ~ 2 cm，花萼裂片钻形，长 8 ~ 10 mm，具长毛，花冠黄色，裂片长圆形，先端急尖，雄蕊 3，分离，花丝极短，药隔先端延伸部分常 2 裂，雌花单生或簇生，花梗长 1 ~ 2 cm，花萼和花冠与雄花的相同，子房有刺状突起，花柱短，柱头 3 裂。果实长圆形或近圆柱形，常有具刺尖的瘤状突起；种子多数，长圆形，扁平，白色。花果期 6 ~ 8 月。

| 生境分布 | 湖北有分布。

| 资源情况 | 湖北各地广泛栽培。药材来源于栽培。

| 采收加工 | 夏、秋季采收成熟的果实，剖开，取出种子，洗净，晒干。

| 功能主治 | 续筋接骨，祛风，消痰。用于骨折筋伤，风湿痹痛，老年痰喘。

葫芦科 Cucurbitaceae 南瓜属 *Cucurbita*

笋瓜 *Cucurbita maxima* Duch. ex Lam.

|药材名|

笋瓜。

|形态特征|

一年生粗壮蔓生藤本。茎粗壮，圆柱形，具白色的短刚毛。叶柄粗壮，圆柱形，长 15 ~ 20 cm，密被短刚毛；叶片肾形或圆肾形，长 15 ~ 25 cm，近全缘或仅具细锯齿，先端钝圆，基部心形，弯缺，张开，深、宽均约 2 cm，上面深绿色，下面浅绿色，两面均有短刚毛，叶脉在叶背面明显隆起。卷须粗壮，通常多歧，疏被短刚毛。雌雄同株。雄花单生；花梗长 10 ~ 20 cm，有短柔毛；花萼筒钟形，裂片线状披针形，长 1.8 ~ 2 cm，密被白色短刚毛；花冠筒状，5 中裂，裂片卵圆形，先端钝，长、宽均为 2 ~ 3 cm，边缘折皱状，向外反折，有 3 ~ 5 隆起的脉，中间 1 脉延伸至先端成尖头，脉上有明显的短毛；雄蕊 3，花丝靠合，长 5 ~ 7 mm，近无毛或仅在基部被极疏的短毛，花药靠合，药室曲折。雌花单生；子房卵圆形，花柱短，柱头 3，2 裂。果柄短，圆柱状，不具棱和槽，果蒂不扩大或稍膨大，瓠果的形状和颜色因品种而异；种子丰满，扁压，边缘钝或多少拱起。

| 生境分布 | 栽培于大田、菜园、住宅旁墙脚下。湖北有栽培。

| 资源情况 | 栽培资源丰富。药材来源于栽培。

| 功能主治 | 补脾益胃。用于脾虚食积，痈疽疮疡，无名肿毒等。

葫芦科 Cucurbitaceae 南瓜属 *Cucurbita*

南瓜 *Cucurbita moschata* (Duch. ex Lam.) Duch. ex Poiret

| 药 材 名 | 南瓜子。

| 形态特征 | 一年生蔓生草本；茎常节部生根，伸长达 2 ~ 5 m，密被白色短刚毛。叶柄粗壮，长 8 ~ 19 cm，被短刚毛；叶片宽卵形或卵圆形，质稍柔软，有 5 角或 5 浅裂，稀钝，长 12 ~ 25 cm，宽 20 ~ 30 cm，侧裂片较小，中间裂片较大，三角形，上面密被黄白色刚毛和茸毛，常有白斑，叶脉隆起，各裂片之中脉常延伸至先端，成一小尖头，背面色较淡，毛更明显，边缘有小而密的细齿，先端稍钝。卷须稍粗壮，与叶柄一样被短刚毛和茸毛，3 ~ 5 歧。雌雄同株。雄花单生；萼筒钟形，长 5 ~ 6 mm，裂片条形，长 1 ~ 1.5 cm，被柔毛，上部扩大成叶状；花冠黄色，钟状，长 8 cm，直径 6 cm，5 中裂，裂片

边缘反卷，具折皱，先端急尖；雄蕊 3，花丝腺体状，长 5 ~ 8 mm，花药靠合，长 15 mm，药室折曲。雌花单生；子房 1 室，花柱短，柱头 3，膨大，先端 2 裂。果柄粗壮，有棱和槽，长 5 ~ 7 cm，瓜蒂扩大成喇叭状；瓠果形状多样，因品种而异，外面常有数条纵沟或无。种子多数，长卵形或长圆形，灰白色，边缘薄，长 10 ~ 15 mm，宽 7 ~ 10 mm。

| **生境分布** | 湖北有栽培。

| **资源情况** | 野生资源稀少。药材主要来源于栽培。

| **采收加工** | 夏、秋季收集成熟种子，除去瓤膜，晒干。

| **功能主治** | 杀虫，下乳，利水消肿。用于绦虫病，蛔虫病，产后手足浮肿，百日咳，痔疮。

葫芦科 Cucurbitaceae 绞股蓝属 *Gynostemma*

心籽绞股蓝 *Gynostemma cardiospermum* Cogn. ex Oliv.

| 药 材 名 | 心籽绞股蓝。

| 形态特征 | 草质攀缘植物；茎细弱，具纵棱及沟，无毛。叶片膜质，鸟足状，具 3 ~ 7 小叶，叶柄长 2.5 ~ 5 cm；小叶片披针形或长圆状椭圆形，

中间小叶长 4 ～ 10 cm，侧生小叶较短，先端渐尖，基部变狭，边缘具大小不等的圆齿状重锯齿，无毛或沿中肋和边缘具小刚毛，微粗糙；小叶柄短，卷须细，上部 2 歧。花小，雌雄异株。雄花排列成狭圆锥花序，与叶等长，序轴细弱；花萼裂片长圆状披针形，急尖，长为花冠裂片的一半；花冠 5 深裂，裂片披针形，尾状渐尖，具 1 脉；花丝合生，圆柱形，花药卵形，着生于花丝柱的先端，2 室，纵裂。雌花排列成总状花序，较短；花被同雄花，子房下位，球形，疏被长柔毛，花柱 3，短粗，长约 0.5 mm，略叉开，柱头半月形，外缘具不规则的裂齿；胚珠成对，下垂。蒴果球形或近钟状，直径 8 mm，无毛或疏被微柔毛，中部具宿存花萼裂片 5，先端平截，具 3 冠状物，成熟后由先端 3 裂缝开裂，果皮薄壳质。种子阔心形，宽 4.2 ～ 5 mm，微压扁，表面具皱纹及疣状突起，边缘具沟及狭翅。花期 6 ～ 8 月，果期 8 ～ 10 月。

| 生境分布 | 生于海拔（1 400 ～）1 900 ～ 2 300 m 的山坡林下或灌丛中。分布于湖北建始、鹤峰、利川等。

| 资源情况 | 野生资源一般。药材主要来源于野生。

| 功能主治 | 除水利湿，清热解毒。用于风湿痹痛，湿热黄疸，疮毒，瘰疬溃疡等。

葫芦科 Cucurbitaceae 绞股蓝属 *Gynostemma*

光叶绞股蓝 *Gynostemma laxum* (Wall.) Cogn.

| 药 材 名 | 光叶绞股蓝。

| 形态特征 | 攀缘草本；茎细弱，多分枝，具纵棱及槽，无毛或疏被微柔毛。叶纸质，鸟足状，具 3 小叶，叶柄长 1.5 ~ 4 cm，具纵条纹，无毛；中央小叶片长圆状披针形，有时稍带菱形，长 5 ~ 10 cm，宽 2 ~ 4 cm，先端急尖或短渐尖，基部阔楔形，侧生小叶卵形，较小，长 4 ~ 7 cm，宽 2 ~ 3.5 cm，稍不对称，边缘具浅波状阔钝齿，两面无毛；小叶柄长（2 ~ ）5 ~ 7 mm，无毛或被短柔毛。花雌雄异株。雄圆锥花序顶生或腋生，纤细，长（5 ~ ）10 ~ 30 cm，被短柔毛，侧枝短，基部具钻状披针形苞片，苞片长 1 mm，被短柔毛；花梗丝状，长 3 ~ 7 mm，小苞片钻状，细小；花萼 5 裂，裂片狭三角状卵形，长

约 0.5 mm；花冠黄绿色，5 深裂，裂片狭卵状披针形，长约 1.5 mm，宽约 0.5 mm，无毛，先端渐尖，全缘，具 1 脉；雄蕊 5，花丝合生，花药着生其先端。雌花序同雄花；花冠裂片狭三角形；子房球形，直径约 1 mm，花柱 3，离生，先端 2 裂。浆果球形，直径 8 ~ 10 mm，黄绿色，无毛，不开裂。种子阔卵形，直径约 4 mm，淡灰色，压扁，先端略急尖，基部圆形，两面具乳突。花期 8 月，果期 8 ~ 9 月。

| 生境分布 | 生于中海拔地区的沟谷密林或石灰山混交林中。湖北有分布。

| 资源情况 | 野生资源较少。药材来源于野生。

| 功能主治 | 解蛇毒。

葫芦科 Cucurbitaceae 绞股蓝属 *Gynostemma*

绞股蓝 *Gynostemma pentaphyllum* (Thunb.) Makino

| 药 材 名 |

绞股蓝。

| 形态特征 |

草质藤本。根茎横走。茎细长，有沟，无毛或疏生短柔毛。卷须分 2 叉或不分叉。叶为鸟足状，5 ~ 7（~ 9）小叶；叶柄长 2 ~ 4 cm，有柔毛；小叶片狭卵状椭圆形至狭卵形，中间小叶较长，长 4.5 ~ 8 cm，宽 2 ~ 3 cm，先端渐尖，基部渐狭，边缘有粗锯齿，无毛或沿脉有疏短刚毛；小叶柄长 2 ~ 5 mm。花雌雄异株；花序均为圆锥状，长 8 ~ 15（~ 30）cm；花小，黄绿色；花梗短；花萼裂片三角状卵形，长约 0.5 mm；花冠裂片披针状钻形，先端长尾状，长约 2 mm；花丝极短。果实球形，直径 5 ~ 8 mm，成熟时变黑色；种子宽卵形，长约 2 mm，两面有小疣状突起。花期 8 ~ 9 月，果期 9 ~ 10 月。

| 生境分布 |

生于海拔 360 ~ 2 300 m 的灌丛中或林下。分布于湖北来凤、咸丰、宣恩、鹤峰、利川、恩施、巴东、兴山、丹江口。

| **资源情况** | 野生资源丰富，湖北有栽培。药材主要来源于野生。

| **采收加工** | 秋季采收，晒干。

| **功能主治** | 消炎，解毒，止咳祛痰。现多用作滋补强壮药。

葫芦科 Cucurbitaceae 雪胆属 *Hemsleya*

雪胆 *Hemsleya chinensis* Cogn. ex Forbes et Hemsl.

| 药 材 名 | 雪胆。

| 形态特征 | 草质藤本。块根肥大，块状，密被黄褐色疣状突起。茎细，有沟纹，密被短柔毛。卷须 2 叉。叶鸟足状，具 5 ~ 7 小叶；叶柄细，长 2.5 ~ 6 cm；小叶柄短，长约 5 mm，叶片薄膜质，长圆形至披针形，中间小叶较长，长 6 ~ 14 cm，宽 2.5 ~ 4.5 cm，侧小叶较小，先端短渐尖，基部急狭，边缘有具小尖头的粗圆齿状锯齿，两面有短毛。花单性，雌雄异株；雌雄花序均为多花疏散的圆锥花序，微被柔毛，总花梗及花梗纤细；花萼裂片披针形，具 3 脉，渐尖，长 6 ~ 8 mm，花冠金黄色，裂片长圆形，具多脉，向下反卷连成灯泡状，长 12 mm，宽 6 ~ 8 mm；雄蕊 5，分离，花药略叉开；子房近圆筒

形，花柱 3，柱头 2 裂。果实倒圆锥形，长 2.5 ～ 4 cm，先端截形，宽 1.2 cm，基部向果柄渐狭，有纵脉纹，成熟后由先端 3 瓣裂；种子褐色，具疣状突起，连翅长 1.2 cm，翅在一端 2 深裂。花期 7 月，果期 8 月。

| 生境分布 | 生于海拔 500 ～ 2 100 m 的山沟阴湿处灌丛中或老林中。分布于湖北来凤、咸丰、鹤峰、宣恩、巴东、兴山、五峰。

| 资源情况 | 野生资源较少。药材来源于野生。

| 采收加工 | **块茎**：常年可采，秋季采质佳，切片晒干。

| 功能主治 | 清热解毒，健胃止痛。用于胃痛，消化性溃疡，上呼吸道感染，支气管炎，肺炎，细菌性痢疾，肠炎，尿路感染，败血症及其他多种感染。

葫芦科 Cucurbitaceae 雪胆属 *Hemsleya*

毛雪胆 *Hemsleya chinensis* Cogn. ex Forbes et Hemsl. var. *polytricha* Kuang et A. M. Lu

| 药 材 名 | 雪胆。

| 形态特征 | 多年生攀缘草本。茎和小枝纤细，枝密被短柔毛，通常近茎节处被毛较密。卷须线形，长 8 ~ 14 cm，疏被短柔毛，先端 2 歧。趾状复叶由 5 ~ 9 小叶组成，多数为 7 小叶，复叶柄长 4 ~ 8 cm；小叶片卵状披针形、矩圆状披针形或宽披针形，膜质，被短柔毛，上面深绿色，背面灰绿色，先端渐尖，基部渐狭成柄，边缘呈圆锯齿状，沿中脉、侧脉及叶缘疏被小刺毛，中央小叶长 5 ~ 12 cm，宽 2 ~ 2.5 cm，两侧较小，外侧的略歪斜，小叶柄长 5 ~ 10 mm。花雌雄异株。雄花：疏散聚伞总状花序或圆锥花序，花序轴及小枝线形，曲折，被短柔毛，长 5 ~ 12 cm，花梗发状，长 6 ~ 10 mm；花萼

裂片 5，卵形，先端急尖，长 7 mm，宽 4.5 mm，反折；花冠橙红色（压干后呈黄褐色），由于花瓣反折围住花萼成灯笼状（扁圆球形），直径 1.2 ～ 1.5 cm；裂片矩圆形，长 1 ～ 1.3 cm，宽 8 ～ 9 mm，内面被白色长柔毛，近基部较密，背面疏被短柔毛；雄蕊 5，花丝短，长约 1 mm，花药卵形，1 室。雌花：稀疏总状花序，花序梗纤细，长 2 ～ 4 cm；花萼、花冠同雄花，但花较大，直径 1.5 cm；子房筒状，长 5 ～ 6（～ 10）mm，直径 2 ～ 3 mm，疏被短柔毛，果时近无毛；花柱 3，柱头 2 裂。果矩圆状椭圆形，单生，长 3 ～ 5（～ 7）cm，直径 2 cm，基部渐狭，果柄略弯曲，长 8 ～ 10 mm，果实沿纵肋生白色柔毛。上具纵棱 9 ～ 10，花柱基高 1.5 ～ 2 mm，先端近平截。种子黑褐色，近圆形，长 1 ～ 1.2 cm，宽 1 cm，周生狭的木栓质翅，宽 1 ～ 1.5 mm，边缘微皱，下端近平截，种子本身肿胀，厚 2 ～ 2.5 mm，两面边缘密生小瘤突，中间部分较稀疏。花期 7 ～ 9 月，果期 9 ～ 11 月。

| **生境分布** | 生于海拔 1 300 ～ 1 500 m 的杂木林下。分布于湖北西部。

| **资源情况** | 野生资源稀少。药材来源于野生。

| **采收加工** | **块茎**：常年可采，秋季采质佳，切片晒干。

| **功能主治** | 清热解毒，健胃止痛。

| **附　　注** | 与雪胆原变种的不同点在于：枝密被短柔毛，果实沿纵肋生白色柔毛。

葫芦科 Cucurbitaceae 雪胆属 *Hemsleya*

马铜铃 *Hemsleya graciliflora* (Harms) Cogn.

| 药 材 名 | 马铜铃。

| 形态特征 | 多年生攀缘草本。小枝纤细，具棱槽，疏被微柔毛及细刺毛，老时光滑，近无毛。卷须纤细，疏被微柔毛，先端 2 歧。趾状复叶多为 7 小叶，叶柄长 3 ~ 5 cm；小叶长圆状披针形至倒卵状披针形，长 5 ~ 10 cm，宽 2 ~ 3.5 cm，小叶叶柄长 4 ~ 7 mm，上面浓绿色，下面灰绿色，先端钝或短渐尖，基部楔形，边缘圆锯齿状，沿中脉及侧脉疏被细刺毛。雌雄异株。雄花腋生，聚伞圆锥花序，花序梗及分枝纤细，长 5 ~ 20 cm，密被短柔毛；花梗丝状，长 1.5 ~ 2 mm；花萼裂片三角形，长 2 mm，宽 1 mm，平展，自花冠裂片间伸出；花冠浅黄绿色，直径 5 ~ 6 mm，平展，裂片倒卵形，薄膜质，长

3 ~ 4 mm，宽 2 mm，基部疏被细乳突；雄蕊 5，花丝短，长约 1 mm。雌花子房狭圆筒状，基部渐狭，子房柄长 2 ~ 3 mm，花柱 3，柱头 2 裂。果实筒状倒圆锥形，长 2.5 ~ 3.5 cm，直径 1 ~ 1.5 cm，具 10 细纹，底部平截，果柄弯曲，长 5 ~ 6 mm；种子长圆形，长 1.2 ~ 1.4 cm，宽 5 ~ 6 mm，稍扁平，周生宽 1.5 ~ 2 mm 的木栓质翅，外有乳白色膜质边，上端宽 3 ~ 4 mm，先端浑圆或微凹，两侧较狭，基部中央微缺；本身倒卵形，边缘密布乳头状突起，两面密布小瘤突。花期 6 ~ 9 月，果期 8 ~ 11 月。

| 生境分布 | 生于海拔 1 200 ~ 2000 m 的杂木林中。湖北有分布。

| 功能主治 | 化痰止咳。

葫芦科 Cucurbitaceae 葫芦属 *Lagenaria*

葫芦 *Lagenaria siceraria* (Molina) Standl.

| 药 材 名 | 葫芦。

| 形态特征 | 一年生草质藤本，具软质柔毛。卷须分 2 叉。叶片宽心状卵形至肾状卵圆形，长 10 ~ 30 cm，宽与长近相等，先端急短尖，基部心形，稍有角裂或不分裂，边缘有小齿；叶柄长 5 ~ 20 cm，先端有 2 腺体。花单性同株，白色，单生于叶腋；雄花梗较叶柄为长，雌花梗较短；雄花花托伸长，漏斗形，长约 1.7 cm，萼齿 5，狭三角形，长 4 mm，花冠 5 裂，裂片宽卵形或倒卵形，皱曲，具 5 脉，长 3 ~ 4 cm，宽 2 ~ 3 cm，先端具细尖，雄蕊 3，花药合生，3 室，多折曲；雌花的花萼和花冠与雄花的相同，子房长椭圆形，密被柔毛，花柱粗短，柱头 3，2 裂。果实光滑，葫芦形，中间缢细，下部大于上部；种子

白色，倒卵状长圆形，先端平截或有 2 角。花期 7 ~ 8 月，果期 9 ~ 10 月。

| **生境分布** | 湖北有栽培。

| **资源情况** | 野生资源较少。药材来源于栽培。

| **采收加工** | 立冬前后摘下果实，取出种子，晒干。

| **功能主治** | 利尿，消肿，散结。用于水肿，腹水，颈淋巴结结核。

葫芦科 Cucurbitaceae 葫芦属 *Lagenaria*

瓠瓜 *Lagenaria siceraria* (Molina) Standl. var. *depressa* (Ser.) Hara

|药材名| 壶卢。

|形态特征| 一年生攀缘草本；茎、枝具沟纹，被黏质长柔毛，老后渐脱落，变近无毛。叶柄纤细，长 16 ~ 20 cm，有和茎枝一样的毛被，先端有 2 腺体；叶片卵状心形或肾状卵形，长、宽均 10 ~ 35 cm，不分裂或 3 ~ 5 裂，具 5 ~ 7 掌状脉，先端锐尖，边缘有不规则的齿，基部心形，弯缺开张，半圆形或近圆形，深 1 ~ 3 cm，宽 2 ~ 6 cm，两面均被微柔毛，叶背及脉上较密。卷须纤细，初时有微柔毛，后渐脱落，变光滑无毛，上部分 2 歧。雌雄同株，雌、雄花均单生。雄花：花梗细，比叶柄稍长，花梗、花萼、花冠均被微柔毛；萼筒漏斗状，长约 2 cm，裂片披针形，长 5 mm；花冠黄色，裂片皱波状，

长 3 ~ 4 cm，宽 2 ~ 3 cm，先端微缺而有小尖头，5 脉；雄蕊 3，花丝长 3 ~ 4 mm，花药长 8 ~ 10 mm，长圆形，药室折曲。雌花：花梗比叶柄稍短或近等长；花萼和花冠似雄花；萼筒长 2 ~ 3 mm；子房中间缢细，密生黏质长柔毛，花柱粗短，柱头 3，膨大，2 裂。果实初为绿色，后变白色至带黄色，瓠果扁球形，直径约 30 cm，成熟后果皮变木质。种子白色，倒卵形或三角形，先端截形或 2 齿裂，稀圆，长约 20 mm。花期夏季，果期秋季。

| 生境分布 | 湖北有栽培。

| 资源情况 | 药材来源于栽培。

| 采收加工 | 秋季采摘已成熟但外皮尚未木质化的果实，去皮用。

| 功能主治 | 利水，消肿，通淋，散结。用于水肿，腹水，黄疸，消渴，淋病，痈肿。

葫芦科 Cucurbitaceae 葫芦属 *Lagenaria*

瓠子 *Lagenaria siceraria* (Molina) Standl. var. *hispida* (Thunb.) Hara

| 药 材 名 | 瓠子。

| 形态特征 | 一年生攀缘草本；茎、枝具沟纹，被黏质长柔毛，老后渐脱落，变近无毛。叶柄纤细，长 16 ~ 20 cm，有和茎枝一样的毛被，先端有 2 腺体；叶片卵状心形或肾状卵形，长、宽均 10 ~ 35 cm，不分裂或 3 ~ 5 裂，具 5 ~ 7 掌状脉，先端锐尖，边缘有不规则的齿，基部心形，弯缺开张，半圆形或近圆形，深 1 ~ 3 cm，宽 2 ~ 6 cm，两面均被微柔毛，叶背及脉上较密。卷须纤细，初时有微柔毛，后渐脱落，变光滑无毛，上部分 2 歧。雌雄同株，雌、雄花均单生。雄花：花梗细，比叶柄稍长，花梗、花萼、花冠均被微柔毛；萼筒漏斗状，长约 2 cm，裂片披针形，长 5 mm；花冠黄色，裂片皱波状，长 3 ~ 4 cm，宽 2 ~ 3 cm，先端微缺而有小尖头，5 脉；雄蕊 3，

花丝长 3 ~ 4 mm，花药长 8 ~ 10 mm，长圆形，药室折曲。雌花：花梗比叶柄稍短或近等长；花萼和花冠似雄花；萼筒长 2 ~ 3 mm；子房圆柱状；花柱粗短，柱头 3，膨大，2 裂。果实粗细匀称而呈圆柱状，直或稍弓曲，长 60 ~ 80 cm，绿白色，果肉白色。种子白色，倒卵形或三角形，先端截形或 2 齿裂，稀圆，长约 20 mm。花期夏季，果期秋季。

| 生境分布 | 湖北有栽培。

| 资源情况 | 药材来源于栽培。

| 采收加工 | 夏、秋季果实成熟时采收，鲜用或晒干。

| 功能主治 | 利水，清热，止渴，除烦。用于水肿腹胀，烦热口渴，疮毒。

葫芦科 Cucurbitaceae 葫芦属 *Lagenaria*

小葫芦 *Lagenaria siceraria* (Molina) Standl. var. *microcarpa* (Naud.) Hara

| 药 材 名 | 小葫芦。

| 形态特征 | 一年生攀缘草本。茎、枝具沟纹，被黏质长柔毛，老后渐脱落至近无毛。叶柄纤细，长 16 ~ 20 cm，有和茎枝一样的毛被，先端有 2 腺体；叶片卵状心形或肾状卵形，长、宽均 10 ~ 35 cm，3 ~ 5 裂或不裂，具 5 ~ 7 掌状脉，先端锐尖，边缘有不规则的齿，基部心形，弯缺，张开，半圆形或近圆形，深 1 ~ 3 cm，宽 2 ~ 6 cm，两面均被微柔毛，叶背及脉上较密。卷须纤细，初时有微柔毛，后渐脱落至光滑无毛，上部分 2 歧。雌雄同株，雌、雄花均单生。雄花花梗细，比叶柄稍长，花梗、花萼、花冠均被微柔毛；花萼筒漏斗状，长约 2 cm，裂片披针形，长 5 mm；花冠黄色，裂片皱波状，长

3 ~ 4 cm，宽 2 ~ 3 cm，先端微缺而有小尖头，具 5 脉；雄蕊 3，花丝长 3 ~ 4 mm，花药长 8 ~ 10 mm，长圆形，药室曲折。雌花花梗比叶柄稍短或与叶柄近等长；花萼和花冠似雄花；花萼筒长 2 ~ 3 mm；子房中间缢细，密生黏质长柔毛，花柱粗短，柱头 3，膨大，2 裂。果实初为绿色，后变为白色至带黄色，果实形状虽似葫芦，但较小，长仅约 10 cm，成熟后果皮变为木质；种子白色，倒卵形或三角形，先端截形或 2 齿裂，稀圆形，长约 20 mm。花期夏季，果期秋季。

| 生境分布 | 栽培于庭院、住宅旁。湖北有栽培。

| 功能主治 | 利尿，消肿，散结。用于水肿，腹水，颈淋巴结结核。

葫芦科 Cucurbitaceae 丝瓜属 *Luffa*

广东丝瓜 *Luffa acutangula* (L.) Roem.

| 药 材 名 | 丝瓜络。

| 形态特征 | 一年生草质攀缘藤本；茎稍粗壮，具明显的棱角，被短柔毛。卷须粗壮，下部具棱，常 3 歧，有短柔毛。叶柄粗壮，棱上具柔毛，长 8 ~ 12 cm；叶片近圆形，膜质，长、宽均为 15 ~ 20 cm，常为 5 ~ 7 浅裂，中间裂片宽三角形，稍长，其余的裂片不等大，基部裂片最小，先端急尖或渐尖，边缘疏生锯齿，基部弯缺近圆形，深 2 ~ 2.5 cm，宽 1 ~ 2 cm，上面深绿色，粗糙，下

面苍绿色，两面脉上有短柔毛。雌雄同株；通常 17 ~ 20 花生于总梗先端，呈总状花序，总花梗长 10 ~ 15 cm，花梗长 1 ~ 4 cm，有白色短柔毛；萼筒钟形，长 0.5 ~ 0.8 cm，直径约 1 cm，外面有短柔毛，裂片披针形，长 0.4 ~ 0.6 cm，宽 0.2 ~ 0.3 cm，先端渐尖，稍向外反折，里面密被白色短柔毛，具 1 脉，基部有 3 明显的瘤状突起；花冠黄色，辐状，裂片倒心形，长 1.5 ~ 2.5 cm，宽 1 ~ 2 cm，先端凹陷，两面近无毛，外面具 3 隆起脉，脉上有短柔毛；雄蕊 3，离生，1 雄蕊 1 室，2 雄蕊 2 室，花丝长 4 ~ 5 mm，基部有髯毛，花药有短柔毛，药室 2 回折曲。雌花单生，与雄花序生于同一叶腋；子房棍棒状，具 10 纵棱，花柱粗而短，柱头 3，膨大，2 裂。果实圆柱状或棍棒状，具 8 ~ 10 纵向的锐棱和沟，没有瘤状突起，无毛，长 15 ~ 30 cm，直径 6 ~ 10 cm。种子卵形，黑色，有网状纹饰，无狭翼状边缘，基部 2 浅裂，长 11 ~ 12 mm，宽 7 ~ 8 mm，厚约 1.5 mm。花果期夏、秋季。

| 生境分布 | 湖北有栽培。

| 资源情况 | 野生资源稀少。药材主要来源于栽培。

| 采收加工 | 秋季果实成熟，果皮变黄，内部干枯时采摘，搓去外皮及果肉；或用水浸泡至果皮和果肉腐烂，取出洗净，除去种子，晒干。

| 功能主治 | 通经活络，解毒消肿。用于胸胁疼痛，风湿痹痛，经脉拘挛，乳汁不通，肺痈咳嗽，痈肿疮毒。

葫芦科 Cucurbitaceae 丝瓜属 *Luffa*

丝瓜 *Luffa cylindrica* (L.) Roem.

| 药 材 名 | 丝瓜络。

| 形态特征 | 一年生攀缘藤本；茎、枝粗糙，有棱沟，被微柔毛。卷须稍粗壮，被短柔毛，通常 2 ~ 4 歧。叶柄粗糙，长 10 ~ 12 cm，具不明显的沟，近无毛；叶片三角形或近圆形，长、宽均为 10 ~ 20 cm，通常掌状 5 ~ 7 裂，裂片三角形，中间的较长，长 8 ~ 12 cm，先端急尖或渐尖，边缘有锯齿，基部深心形，弯缺深 2 ~ 3 cm，宽 2 ~ 2.5 cm，上面深绿色，粗糙，有疣点，下面浅绿色，有短柔毛，脉掌状，具白色

的短柔毛。雌雄同株。雄花：通常 15 ～ 20 花，生于总状花序上部，花序梗稍粗壮，长 12 ～ 14 cm，被柔毛；花梗长 1 ～ 2 cm，萼筒宽钟形，直径 0.5 ～ 0.9 cm，被短柔毛，裂片卵状披针形或近三角形，上端向外反折，长 0.8 ～ 1.3 cm，宽 0.4 ～ 0.7 cm，里面密被短柔毛，边缘尤为明显，外面毛被较少，先端渐尖，具 3 脉；花冠黄色，辐状，开展时直径 5 ～ 9 cm，裂片长圆形，长 2 ～ 4 cm，宽 2 ～ 2.8 cm，里面基部密被黄白色长柔毛，外面具 3 ～ 5 凸起的脉，脉上密被短柔毛，先端钝圆，基部狭窄；雄蕊通常 5，稀 3，花丝长 6 ～ 8 mm，基部有白色短柔毛，花初开放时稍靠合，最后完全分离，药室多回折曲。雌花：单生，花梗长 2 ～ 10 cm；子房长圆柱状，有柔毛，柱头 3，膨大。果实圆柱状，直或稍弯，长 15 ～ 30 cm，直径 5 ～ 8 cm，表面平滑，通常有深色纵条纹，未成熟时肉质，成熟后干燥，里面呈网状纤维，由先端盖裂。种子多数，黑色，卵形，扁，平滑，边缘狭翼状。花果期夏、秋季。

| 生境分布 | 湖北有栽培。

| 资源情况 | 野生资源较少。药材来源于栽培。

| 采收加工 | 夏、秋季果实成熟、果皮变黄、内部干枯时采摘，除去外皮和果肉，洗净，晒干，除去种子。

| 功能主治 | 通络，活血，祛风。用于痹痛拘挛，胸胁胀痛，乳汁不通。

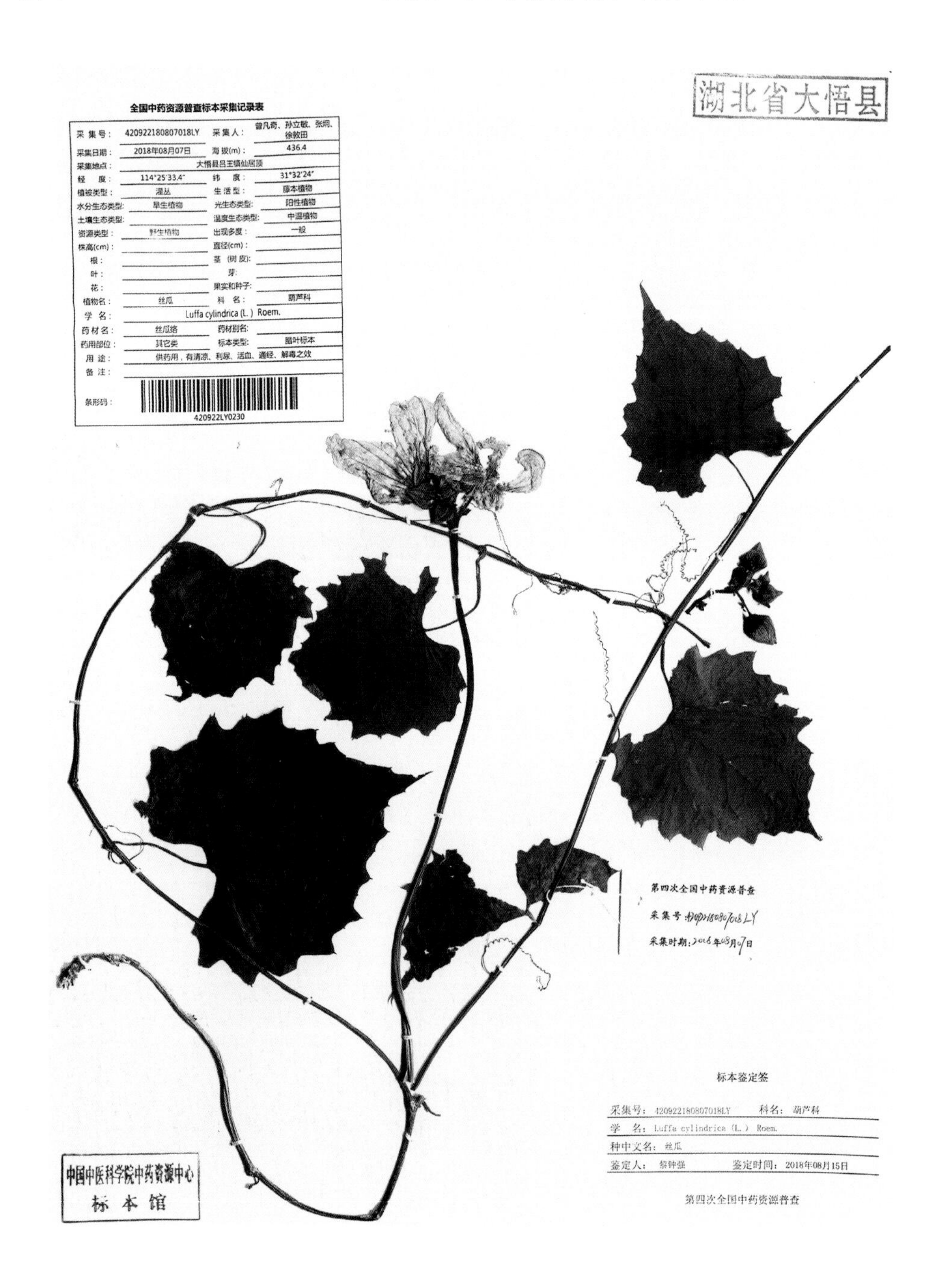

葫芦科 Cucurbitaceae 苦瓜属 *Momordica*

苦瓜 *Momordica charantia* L.

| 药 材 名 | 苦瓜。

| 形态特征 | 一年生攀缘状柔弱草本，多分枝；茎、枝被柔毛。卷须纤细，长达 20 cm，具微柔毛，不分歧。叶柄细，初时被白色柔毛，后变近无毛，长 4 ~ 6 cm；叶片卵状肾形或近圆形，膜质，长、宽均为 4 ~ 12 cm，上面绿色，背面淡绿色，脉上密被明显的微柔毛，其余毛较稀疏，5 ~ 7 深裂，裂片卵状长圆形，边缘具粗齿或有不规则小裂片，先端多半钝圆形稀急尖，基部弯缺半圆形，叶脉掌状。雌雄同株。雄花：单生叶腋，花梗纤细，被微柔毛，长 3 ~ 7 cm，中部或下部具 1 苞片；

苞片绿色，肾形或圆形，全缘，稍有缘毛，两面被疏柔毛，长、宽均 5 ~ 15 mm；花萼裂片卵状披针形，被白色柔毛，长 4 ~ 6 mm，宽 2 ~ 3 mm，急尖；花冠黄色，裂片倒卵形，先端钝，急尖或微凹，长 1.5 ~ 2 cm，宽 0.8 ~ 1.2 cm，被柔毛；雄蕊 3，离生，药室 2 回折曲。雌花：单生，花梗被微柔毛，长 10 ~ 12 cm，基部常具 1 苞片；子房纺锤形，密生瘤状突起，柱头 3，膨大，2 裂。果实纺锤形或圆柱形，多瘤皱，长 10 ~ 20 cm，成熟后橙黄色，由先端 3 瓣裂。种子多数，长圆形，具红色假种皮，两端各具 3 小齿，两面有刻纹，长 1.5 ~ 2 cm，宽 1 ~ 1.5 cm。花果期 5 ~ 10 月。

| 生境分布 | 湖北有分布。

| 资源情况 | 野生资源稀少，湖北广泛栽培。药材来源于栽培。

| 采收加工 | 秋后采收，切片，鲜用或晒干。

| 功能主治 | 清暑涤热，明目，解毒。用于热病烦渴引饮，中暑，痢疾，赤眼疼痛，痈肿丹毒，恶疮。

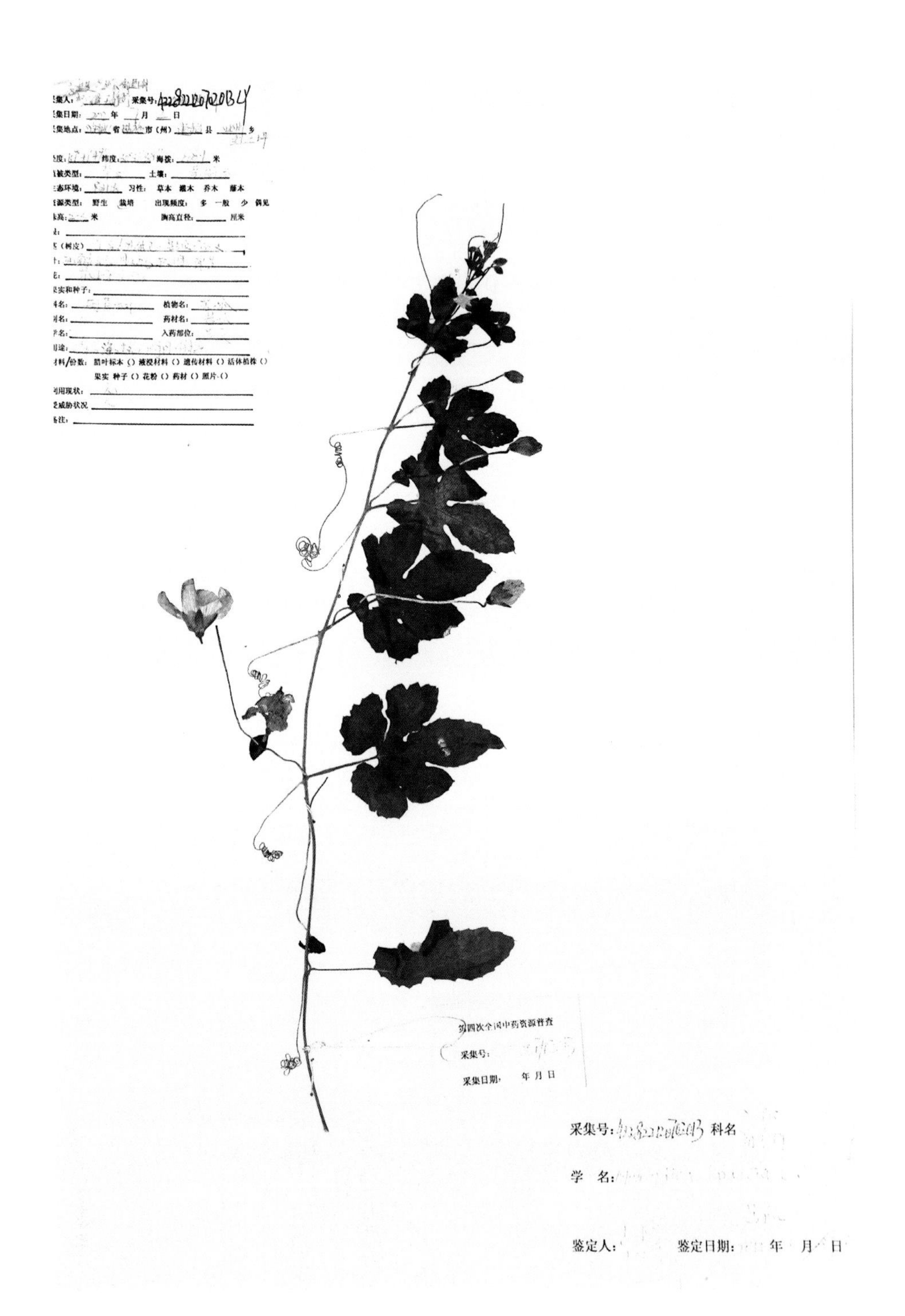
第四次全国中药资源普查
采集号:
采集日期:　年 月 日
采集号　科名
学　名:
鉴定人:　鉴定日期:　年　月　日

葫芦科 Cucurbitaceae 苦瓜属 *Momordica*

木鳖子 *Momordica cochinchinensis* (Lour.) Spreng.

| 药 材 名 | 木鳖子。

| 形态特征 | 粗壮大藤本，长达 15 m，具块状根；全株近无毛或稍被短柔毛，节间偶有绒毛。叶柄粗壮，长 5 ~ 10 cm，初时被稀疏的黄褐色柔毛，后变近无毛，在基部或中部有 2 ~ 4 腺体；叶片卵状心形或宽卵状圆形，质稍硬，长、宽均 10 ~ 20 cm，3 ~ 5 中裂至深裂或不分裂，中间的裂片最大，倒卵形或长圆状披针形，长 6 ~ 10（~ 15）cm，宽 3 ~ 6（~ 9）cm，先端急尖或渐尖，有短尖头，边缘有波状小齿，稀近全缘，侧裂片较小，卵形或长圆状披针形，长 3 ~ 7（~ 11）cm，宽 2 ~ 4（~ 7）cm，基部心形，基部弯缺半圆形，深 1.5 ~ 2 cm，宽 2.5 ~ 3 cm，叶脉掌状。卷须颇粗壮，光滑无毛，不分歧。雌雄异

株。雄花：单生于叶腋或 3 ~ 4 花着生在极短的总状花序轴上，花梗粗壮，近无毛，长 3 ~ 5 cm，若单生时花梗长 6 ~ 12 cm，先端生 1 大型苞片；苞片无梗，兜状，圆肾形，长 3 ~ 5 cm，宽 5 ~ 8 cm，先端微缺，全缘，有缘毛，基部稍凹陷，两面被短柔毛，内面稍粗糙；萼筒漏斗状，裂片宽披针形或长圆形，长 12 ~ 20 mm，宽 6 ~ 8 mm，先端渐尖或急尖，有短柔毛；花冠黄色，裂片卵状长圆形，长 5 ~ 6 cm，宽 2 ~ 3 cm，先端急尖或渐尖，基部有齿状黄色腺体，腺体密被长柔毛，外面 2 稍大，内面 3 稍小，基部有黑斑；雄蕊 3，2 雄蕊 2 室，1 雄蕊 1 室，药室 1 回折曲。雌花：单生于叶腋，花梗长 5 ~ 10 cm，近中部生 1 苞片；苞片兜状，长、宽均为 2 mm；花冠、花萼同雄花；子房卵状长圆形，长约 1 cm，密生刺状毛。果实卵球形，先端有 1 短喙，基部近圆，长 12 ~ 15 cm，成熟时红色，肉质，密生长 3 ~ 4 mm 的具刺尖的突起。种子多数，卵形或方形，干后黑褐色，长 26 ~ 28 mm，宽 18 ~ 20 mm，厚 5 ~ 6 mm，边缘有齿，两面稍拱起，具雕纹。花期 6 ~ 8 月，果期 8 ~ 10 月。

| 生境分布 | 生于海拔 450 ~ 1 100 m 的山沟、林缘及路旁。分布于湖北利川、恩施、鹤峰、秭归、罗田、赤壁。

| 资源情况 | 野生资源较丰富，栽培资源较少。药材主要来源于野生。

| 采收加工 | 冬季采收成熟果实，剖开，晒至半干，除去果肉，取出种子，干燥。

| 功能主治 | 散结消肿，攻毒疗疮。用于疮疡肿毒，乳痈，瘰疬，痔漏，干癣，白秃疮。

葫芦科 Cucurbitaceae 裂瓜属 *Schizopepon*

湖北裂瓜 *Schizopepon dioicus* Cogn.

| 药材名 | 湖北裂瓜。

| 形态特征 | 一年生攀缘草本。茎纤细。卷须分 2 叉。叶薄膜质，宽卵状心形，长 4 ~ 10 cm，宽 3 ~ 7 cm，常有 5 ~ 7 角或浅裂，边缘有小锯齿，

先端长渐尖，基部弯缺较深，两面疏被短毛或无毛。花小，白色，单性异株；雄花成总状圆锥花序，花梗丝状，萼 5 裂，裂片披针形，花冠辐状，5 深裂，裂片长圆形，长 2 mm，雄蕊 3，花丝及花药基部连合；雌花单生叶腋或数朵聚生于缩短花梗上，子房阔卵形，花柱极短，柱头 3 裂，每裂又 2 ~ 3 裂。果实卵珠形，3 瓣裂，种子 1 ~ 3，卵形，压扁，有厚边缘。花期 8 ~ 9 月，果期 10 月。

| 生境分布 | 生于海拔 1 000 ~ 1 800 m 的沟边灌丛中。分布于湖北宣恩、鹤峰、巴东、兴山、神农架。

| 资源情况 | 野生资源一般。药材来源于野生。

| 功能主治 | 清热解毒，祛风除湿。

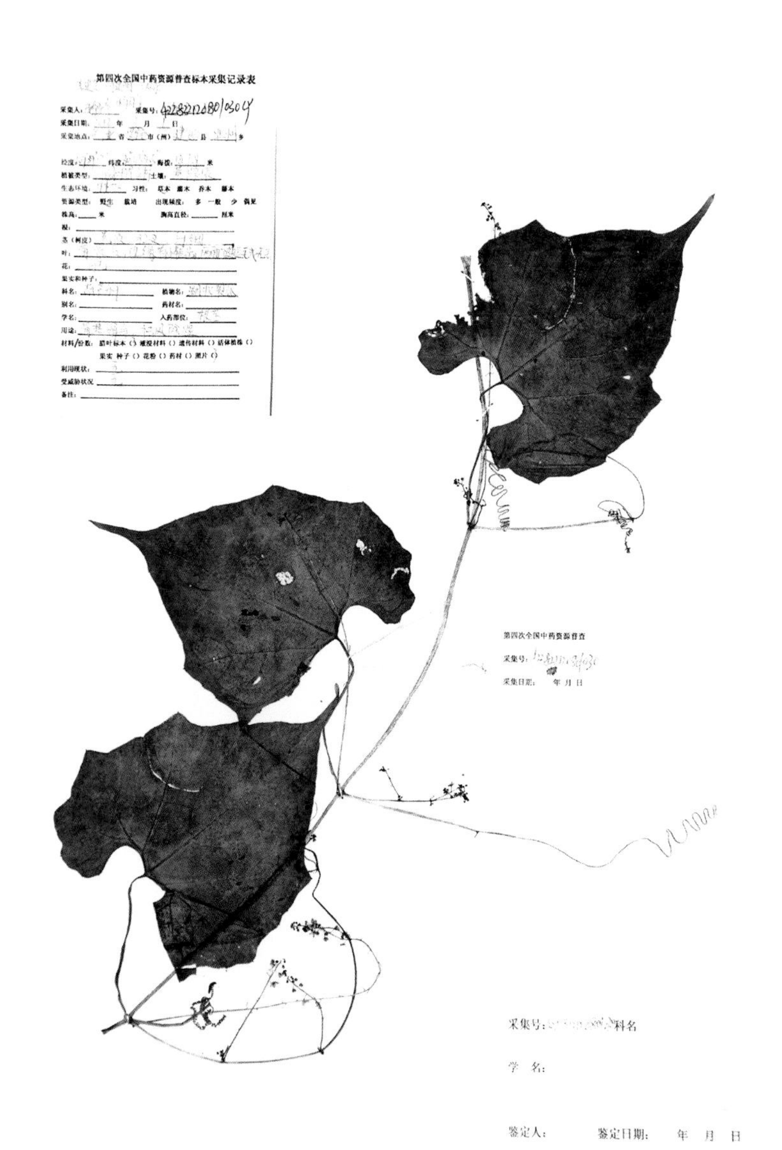

葫芦科 Cucurbitaceae 佛手瓜属 *Sechium*

佛手瓜 *Sechium edule* (Jacq.) Swartz

| 药 材 名 | 佛手瓜。

| 形态特征 | 多年生宿根草质藤本，茎攀缘，有棱沟。叶柄纤细，无毛，长 5 ~ 15 cm；叶片膜质，近圆形，中间的裂片较大，侧面的较小，先端渐尖，边缘有小细齿，基部心形，弯缺较深，近圆形，深 1 ~ 3 cm，宽 1 ~ 2 cm；上面深绿色，稍粗糙，背面淡绿色，有短柔毛，脉上毛较密。卷须粗壮，有棱沟，无毛，3 ~ 5 歧。雌雄同株。雄花 10 ~ 30 朵生于 8 ~ 30 cm 长的总花梗上部成总状花序，花序轴稍粗壮，无毛，花梗长 1 ~ 6 mm；萼筒短，裂片开展，近无毛，长 5 ~ 7 mm，宽 1 ~ 1.5 mm；花冠辐状，宽 12 ~ 17 mm，分裂到基部，裂片卵状披针形，5 脉；雄蕊 3，花丝合生，花药分离，药室折

曲。雌花单生，花梗长 1 ~ 1.5 cm；花冠与花萼同雄花；子房倒卵形，具 5 棱，有疏毛，1 室，具 1 下垂生的胚珠，花柱长 2 ~ 3 mm，柱头宽 2 mm。果实淡绿色，倒卵形，有稀疏短硬毛，长 8 ~ 12 cm，直径 6 ~ 8 cm，上部有 5 纵沟，具 1 种子。种子大型，长达 10 cm，宽 7 cm，卵形，压扁状。花期 7 ~ 9 月，果期 8 ~ 10 月。

| 生境分布 | 喜温暖而雨水分布均匀的气候，适合在土质肥沃和保肥保水力强的土壤上生长。湖北有分布和栽培。

| 资源情况 | 野生资源较少，湖北各地广泛栽培。药材主要来源于栽培。

| 功能主治 | 祛风解热，健脾开胃。用于风热犯肺，头痛，咽干，咳嗽，脾胃湿热等。

葫芦科 Cucurbitaceae 赤瓟属 *Thladiantha*

齿叶赤瓟 *Thladiantha dentata* Cogn.

| 药 材 名 | 齿叶赤瓟。

| 形态特征 | 粗壮攀缘或匍匐草本，全株几乎无毛；茎、枝光滑，有棱沟。叶柄稍粗壮，长 5 ~ 16 cm，有不明显的沟纹；叶片卵状心形或宽卵状心形，长 12 ~ 20 cm，宽 8 ~ 12 cm，先端短渐尖，基部弯缺开放或向内倾而靠合，长、宽均为 1.5 ~ 3 cm，边缘有小齿，齿的先端具由小脉伸出而成的胼胝质小尖头，上面深绿色，密布由短刚毛

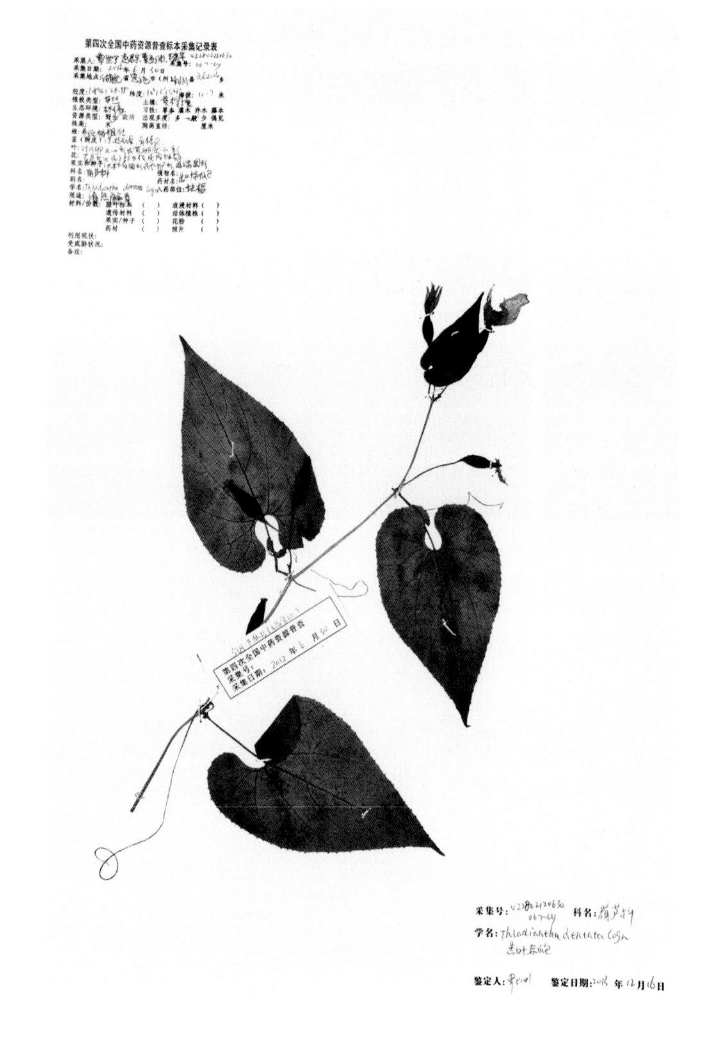

断裂而成的疣状糙点，下面淡绿色，平滑，无毛，基部的侧脉离开弯缺而向外展开。卷须稍粗壮，有不明显的纵纹，上部 2 歧，有时在幼枝先端出现不分歧的情况。雌雄异株。雄花：花序总状或上部分枝成圆锥花序。花序轴细弱，长 8 ～ 12 cm，花梗纤细，长 1 ～ 1.5 cm；萼筒宽杯形，上部直径约 5 ～ 6 mm，裂片长圆状披针形，长约 5 mm，宽约 1.5 mm，先端钝，3 脉；花冠黄色，裂片卵状长圆形，长 1.2 cm，宽 0.5 ～ 0.6 cm，先端急尖，3 ～ 5 脉；雄蕊 5，着生在萼筒，两两成对生，1 雄蕊分离，花丝长 4 mm，花药椭圆形，长 2 mm；退化子房半球形，直径约 2 mm，基部具 3 长圆形黄色鳞片，长约 3 mm。雌花：单生或 2 ～ 5 花生在长仅 1 ～ 1.5 cm 的粗壮总梗先端。花梗长 3 ～ 6 cm，光滑无毛；花萼裂片披针形，长 4 ～ 5 mm，宽约 1.5 mm，先端急尖，有不甚明显 3 脉；花冠裂片卵状长圆形，先端急尖，长约 1.5 cm，宽 7 ～ 8 mm，具 5 脉；退化雄蕊 5，两两成对生，1 雄蕊分离，棒状，长约 2.5 mm；子房狭长圆形，平滑无毛，长 1.3 ～ 1.6 cm，粗 4 ～ 6 mm，基部稍圆而微带截形，先端渐狭，花柱短粗，长 2 ～ 3 mm，先端分 3 叉，柱头 3，膨大，圆肾形，边缘不规则波状 2 裂，宽 3 mm。果柄较粗壮，长 2 ～ 3.5 cm；果实长椭圆形或长卵形，两端圆形，先端有小尖头，长 3.5 ～ 6 cm，直径 2.5 ～ 3.5 cm，表面平滑。种子长卵形，黄白色，长约 6 mm，宽约 3.5 mm，基部圆形，先端稍狭，两面平滑，有不明显的小疣状突起。花期夏季，果期秋季。

| 生境分布 | 生于海拔 500 ～ 2 100 m 的路旁、山坡、沟边或灌丛中。分布于湖北西部。

| 资源情况 | 野生资源稀少。药材来源于野生。

| 功能主治 | 生津开胃，健脾补虚。用于脾胃虚弱。

葫芦科 Cucurbitaceae 赤瓟属 *Thladiantha*

赤瓟 *Thladiantha dubia* Bunge

| 药 材 名 | 赤瓟、赤瓟根。

| 形态特征 | 攀缘草质藤本，全株被黄白色的长柔毛状硬毛；根块状；茎稍粗壮，有棱沟。叶柄稍粗，长 2 ~ 6 cm；叶片宽卵状心形，长

5 ~ 8 cm，宽 4 ~ 9 cm，边缘呈浅波状，有大小不等的细齿，先端急尖或短渐尖，基部心形，弯缺深，近圆形或半圆形，深 1 ~ 1.5 cm，宽 1.5 ~ 3 cm，两面粗糙，脉上有长硬毛，最基部 1 对叶脉沿叶基弯缺边缘向外展开。卷须纤细，被长柔毛，单一。雌雄异株；雄花单生或聚生于短枝的上端成假总状花序，有时 2 ~ 3 花生于总梗上，花梗细长，长 1.5 ~ 3.5 cm，被柔软的长柔毛；萼筒极短，近辐状，长 3 ~ 4 mm，上端直径 7 ~ 8 mm，裂片披针形，向外反折，长 12 ~ 13 mm，宽 2 ~ 3 mm，具 3 脉，两面有长柔毛；花冠黄色，裂片长圆形，长 2 ~ 2.5 cm，宽 0.8 ~ 1.2 cm，上部向外反折，先端稍急尖，具 5 明显的脉，外面被短柔毛，内面有极短的疣状腺点；雄蕊 5，着生在萼筒檐部，其中 1 雄蕊分离，其余 4 雄蕊两两稍靠合，花丝极短，有短柔毛，长 2 ~ 2.5 mm，花药卵形，长约 2 mm；退化子房半球形。雌花单生，花梗细，长 1 ~ 2 cm，有长柔毛；花萼和花冠同雄花；退化雌蕊 5，棒状，长约 2 mm；子房长圆形，长 0.5 ~ 0.8 cm，外面密被淡黄色长柔毛，花柱无毛，自 3 ~ 4 mm 处分 3 叉，分叉部分长约 3 mm，柱头膨大，肾形，2 裂。果实卵状长圆形，长 4 ~ 5 cm，直径 2.8 cm，先端有残留的柱基，基部稍变狭，表面橙黄色或红棕色，有光泽，被柔毛，具 10 明显的纵纹。种子卵形，黑色，平滑无毛，长 4 ~ 4.3 mm，宽 2.5 ~ 3 mm，厚 1.5 mm。花期 6 ~ 8 月，果期 8 ~ 10 月。

| 生境分布 | 生于海拔 300 ～ 1 800 m 的山坡、河谷及林缘湿处。湖北有分布。

| 资源情况 | 野生资源一般。药材来源于野生。

| 采收加工 | **赤爬：**果实成熟后连柄摘下，防止果实破裂，用线将果柄串起，挂于日光下或通风处干燥。

赤爬根：秋后采收，鲜用或切片晒干。

| 功能主治 | **赤爬：**理气，活血，祛痰，利湿。主反胃吐酸，肺痨咯血，黄疸，痢疾，胸胁疼痛，跌打损伤，筋骨疼痛，闭经。

赤爬根：通乳，解毒，活血。主乳汁不下，乳痛，痈肿，黄疸，跌打损伤，痛经。

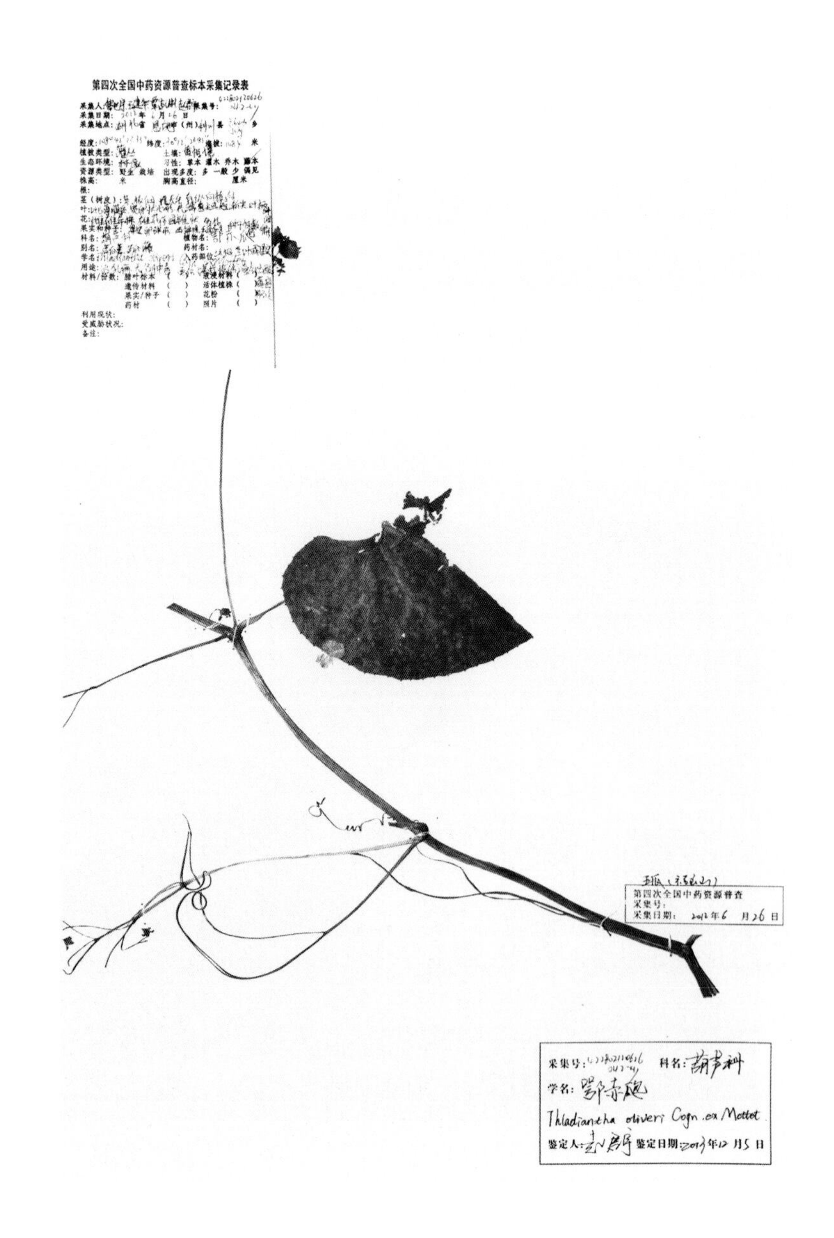

葫芦科 Cucurbitaceae 赤瓟属 *Thladiantha*

皱果赤瓟 *Thladiantha henryi* Hemsl.

| 药 材 名 | 皱果赤瓟。

| 形态特征 | 攀缘草本。块根肥大，块状。茎有沟棱，疏被短柔毛或无毛。卷须分 2 叉。叶片宽卵状心形，长 8 ~ 20 cm，宽 7 ~ 15 cm，先端急短尖，基部弯缺圆，上面粗糙，下面被微柔毛或无毛，边缘有具小尖头的疏牙齿；叶柄长 5 ~ 12 cm。花雌雄异株；雄花序聚伞圆锥状，多花，总花梗粗壮，多分枝，长 10 ~ 20 cm，花梗长 1.5 ~ 3 cm，花托宽钟形，萼片披针形，具 1 脉，花冠黄色，裂片卵状长圆形，长 2 ~ 2.5 cm，宽约 1.2 cm，脉纹明显，雄蕊 5，花丝粗；雌花单生叶腋，或 2 ~ 5 花聚生短总梗上，花梗长 5 ~ 12 cm，子房卵珠状长圆形，被毛，多横褶，基部深凹，有小裂片，花柱短粗，柱头 3 裂。果实

椭圆形，长 5 ~ 10 cm，果皮有横褶；种子扁长圆状倒卵珠形，长 6 mm。花期 6 月，果期 8 ~ 9 月。

| 生境分布 | 生于海拔 200 ~ 1 900 m 的山坡、路边或灌丛中。分布于湖北宣恩、利川、恩施、建始、巴东、兴山、神农架，以及宜昌。

| 资源情况 | 野生资源丰富。药材来源于野生。

| 采收加工 | **块根：**秋季采挖块根，切片晒干。

| 功能主治 | 清热解毒，消食化滞。用于痢疾，肠炎，消化不良，脘腹胀闷，毒蛇咬伤。

葫芦科 Cucurbitaceae 赤瓟属 *Thladiantha*

长叶赤瓟 *Thladiantha longifolia* Cogn. ex Oliv.

| 药 材 名 | 长叶赤瓟。

| 形态特征 | 攀缘草本。茎、枝柔弱，有棱沟，被稀疏的短柔毛或无毛。叶柄纤细，长 2 ~ 7 cm，有极短的柔毛或无毛；叶片膜质，卵状披针形或长卵状三角形，长 8 ~ 18 cm，下部宽 4 ~ 8 cm，先端急尖或短渐尖，边缘具由小脉稍伸出而成的胼胝质小齿，基部深心形，弯缺，张开，半圆形，深 1.5 ~ 2 cm，宽 1.5 ~ 2.5 cm，基部叶脉不沿弯缺边缘；叶面有短刚毛，后断裂成白色小疣点，粗糙，脉上有短柔毛或近无毛，叶背稍光滑，无毛。卷须纤细，单一，光滑无毛。雌雄异株。3 ~ 9（~ 12）雄花生于总花梗上部成总状花序，总花梗细弱，长 2 ~ 2.5 cm；花梗纤细，长 1 ~ 2 cm，被稀疏短柔毛，后

脱落至近无毛；花萼筒浅杯状，先端宽 0.6 cm，脉上生短柔毛，裂片三角状披针形，长 7 ~ 8 mm，具 1 脉；花冠黄色，裂片长圆形或椭圆形，长 1.5 ~ 2 cm，宽约 1 cm，先端稍钝，具 5 脉；雄蕊 5，两两成对，1 离生，花丝向上渐细，长约 3 mm，花药长圆形，长 2.5 ~ 3 mm。雌花单生或 2 ~ 3 生于一短的总花梗上；花梗长 2 ~ 4 cm；花萼和花冠同雄花；退化雄蕊 5，钻形，长约 1.5 mm，两两成对，1 雄蕊离生；子房长卵形，两端狭，基部内凹且有小裂片，表面多折皱，花柱柱状，先端分 3 叉，柱头膨大，圆肾形。果实阔卵形，长达 4 cm，果皮有瘤状突起，基部稍内凹；种子卵形，长 6 ~ 8 mm，宽 3 ~ 4.5 mm，厚 1 ~ 1.5 mm，两面稍膨胀，有网脉，边缘稍隆起成环状，先端钝圆。花期 4 ~ 7 月，果期 8 ~ 10 月。

| 生境分布 | 生于海拔 1 000 ~ 2 200 m 的山坡杂木林、沟边及灌丛中。分布于湖北巴东、秭归等。

| 资源情况 | 野生资源一般。药材来源于野生。

| 功能主治 | 清热解毒，利胆，通乳。用于头痛，发热，便秘，无名肿毒。

| 附　　注 | 本种是我国特有植物，分布于四川、湖南、贵州、广西、湖北等地，目前无人工引种栽培。

葫芦科 Cucurbitaceae 赤瓟属 *Thladiantha*

斑赤瓟 *Thladiantha maculata* Cogn.

| 药材名 |

斑赤瓟果、斑赤瓟根。

| 形态特征 |

草质藤本；根块状。茎、枝细弱，有棱，疏被微柔毛或近无毛。叶柄细，长 4 ~ 9 cm，疏被微柔毛；叶片膜质，宽卵状心形，长 7 ~ 13 cm，宽 5 ~ 10 cm，先端短渐尖，基部心形，弯缺张开，半圆形，基部叶脉沿叶基弯缺向外展开，边缘有胼胝质小齿或有不等大的三角形小锯齿，叶面深绿色，被短刚毛后断裂成疣状突起，叶背色浅，疏生短柔毛。卷须纤细，单一，近无毛或有极稀疏短柔毛。雌雄异株。雄花序总状，一般仅具 3 ~ 6（~ 8）花，花序轴细柔，仅有稀疏短柔毛，长 3 ~ 4 cm。雄花：花梗纤细，光滑，长 1.2 ~ 2.5 cm；萼筒宽钟形，上部宽达 6 mm，长 3 ~ 4 mm，裂片窄三角状披针形，被微柔毛，在先端常有稀疏刚毛，长约 4 mm，先端渐尖，具 3 脉；花冠黄色，裂片卵形，长 1.2 ~ 1.5 cm，宽 0.7 cm，先端急尖或短渐尖，上部和边缘多暗黄色的疣状腺点，具 5 脉；雄蕊 5，花丝稍粗，上部渐狭，有极短的柔毛，长 3 mm，花药长圆形，长 2 mm；退化蕊半球形。雌花：单生，花梗纤细，长 2.5 ~ 3.5 cm，有短柔毛；花萼裂片线状钻形，长 7 ~ 8 mm，有微柔毛和极稀疏刚毛；花冠裂片同雄花；子房长圆形或狭纺锤形，长约 10 mm，宽 2 ~ 3 mm，密被灰黄色柔毛，基部近截形，先端喙状渐狭，花柱稍粗，在 3 mm 处分 3 叉，分叉部分长 2 mm，柱头膨大，圆肾形，2 裂。果柄稍粗壮，长 3 ~ 4 cm，有微柔毛，后变近无毛；果实纺锤形，橘红色，长 5 ~ 7 cm，直径 2 ~ 2.8 cm，基部渐狭，先端渐尖，喙状，果皮较平滑，近无毛或有不明显的微柔毛。种子窄卵形，长 4 ~ 5 mm，宽 2.5 mm，厚 1.5 mm，两面明显隆起，凸透镜状，平滑。花期 5 ~ 8 月，果期 10 月。

| 生境分布 | 生于海拔 570 ~ 1 800 m 的沟谷和林下。分布于湖北神农架等。

| 资源情况 | 野生资源一般。药材来源于野生。

| 功能主治 | **斑赤爬果：** 理气，活血，祛痰，利湿。用于反胃吐酸，肺痨咯血，黄疸等。
斑赤爬根： 活血化瘀，清热解毒，通乳。

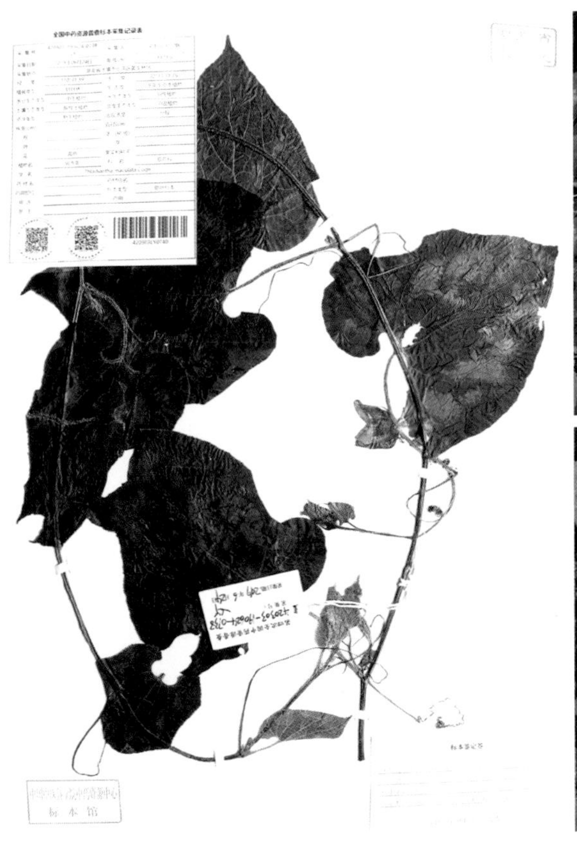

葫芦科 Cucurbitaceae 赤瓟属 *Thladiantha*

南赤瓟 *Thladiantha nudiflora* Hemsl. ex Forbes et Hemsl.

| 药 材 名 | 南赤瓟。

| 形态特征 | 攀缘草本，密被长柔毛。卷须分 2 叉。叶宽卵状心形，长 6 ~ 12 cm，宽 5 ~ 10 cm，先端急渐尖，边缘有具小尖头的细牙齿，上面粗糙，有毛，下面密被短柔毛状硬毛；叶柄长 3 ~ 10 cm。花雌雄异株；雄花序聚伞状，花托短钟状，密生短柔毛，萼片卵状披针形，花冠黄色，裂片卵状长圆形，长 7 ~ 12 mm，宽约 7 mm，雄蕊 5，分离；雌花单生，花梗长 1 ~ 3 cm，子房卵形，密生柔毛，花柱长 3 mm，3 裂。果实红色，椭圆形，长 3 ~ 4 cm，直径 2 ~ 2.5 cm，基部圆，有短刺毛；种子倒卵珠形。花期 7 月，果熟期 9 ~ 10 月。

| 生境分布 | 生于海拔 500 ~ 1 500 m 的山坡沟旁或灌丛中。分布于湖北鹤峰、

恩施、巴东、兴山、神农架、房县、丹江口、通山、江夏、罗田。

| 资源情况 | 野生资源丰富。药材来源于野生。

| 采收加工 | 春、夏季采叶，鲜用或晒干。秋季挖根，鲜用或切片晒干。

| 功能主治 | 清热解毒，消食化滞。用于痢疾，肠炎，消化不良，脘腹胀闷，毒蛇咬伤。

葫芦科 Cucurbitaceae 赤瓟属 *Thladiantha*

长毛赤瓟 *Thladiantha villosula* Cogn.

| 药材名 | 赤瓟子。

| 形态特征 | 攀缘草质藤本，全体密被短腺毛及多细胞的刚毛。卷须不分叉。叶片膜质，宽卵状心形，长 5 ~ 11 cm，宽 4 ~ 8.5 cm，先端短渐尖，基部深凹入，上面粗糙，密被短刚毛状糙毛，下面密被短柔毛，沿脉较密；叶柄长 4 ~ 6 cm。花雌雄异株；雄花序短总状，具 2 ~ 7 花，总梗细，长 1 ~ 3 cm，花梗丝状，长 1 ~ 2 cm，花托浅杯状，花萼 5 裂，裂片线状钻形，长 5 ~ 7 mm，具 3 脉，花冠黄色，裂片狭卵形，长 11 ~ 15 mm，具 5 脉，内面被微柔毛，雄蕊 5，花丝长 3 mm；雌花单生，花梗长 1 ~ 4 cm，子房卵珠形，长 10 ~ 14 mm，基部圆，密被长腺毛及绒毛，花柱先端 3 裂，柱头膨大。果实红色，圆柱状

卵珠形，长 5 ~ 5.5 cm，直径 3 cm，被柔毛及刺毛。花期 6 ~ 7 月，果期 9 ~ 10 月。

| 生境分布 | 生于海拔 1 500 m 以下的路边、沟旁或灌丛中。分布于湖北巴东、兴山、神农架、房县、丹江口、江夏、罗田。

| 资源情况 | 野生资源较丰富。药材来源于野生。

| 采收加工 | 秋季果实成熟后连柄摘下，用线将果柄串起，置通风处干燥。

| 功能主治 | 活血化瘀，调经。用于阴道疾病，血痞，闭经，皮肤病，死胎，胎衣不下等。

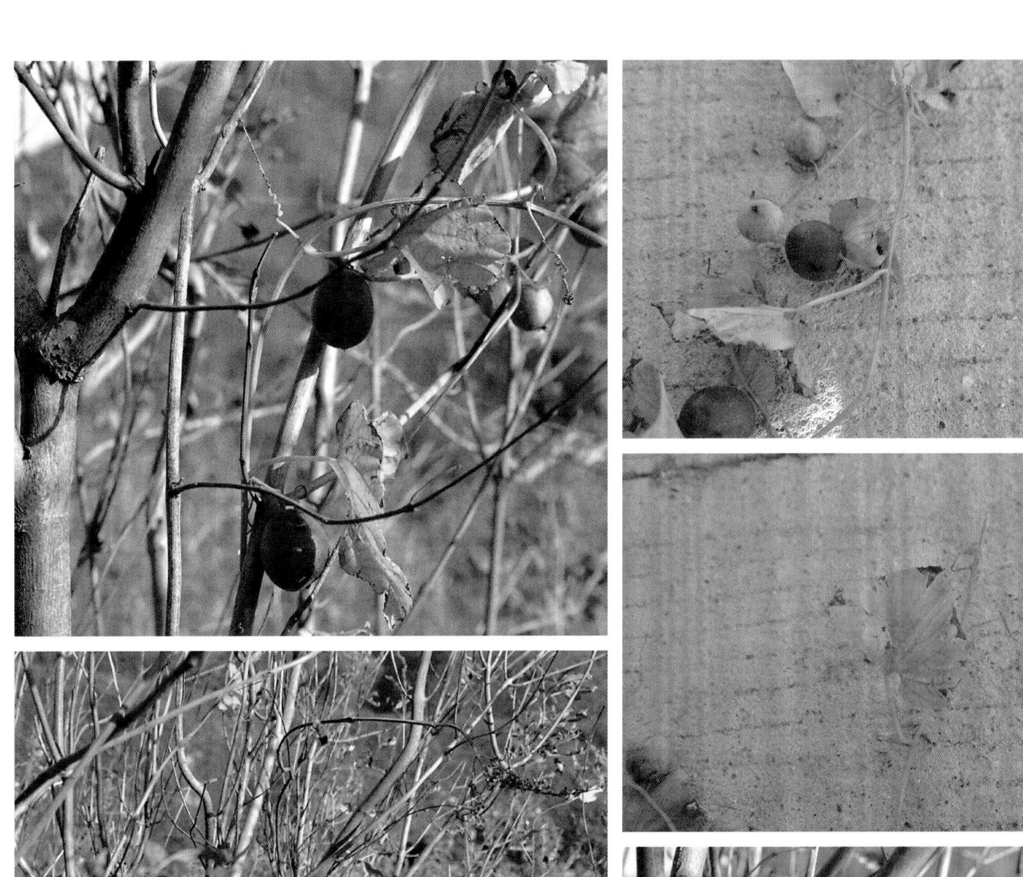

葫芦科 Cucurbitaceae 栝楼属 *Trichosanthes*

瓜叶栝楼 *Trichosanthes cucumerina* L.

| 药 材 名 | 瓜叶栝楼根、瓜叶栝楼果、瓜叶栝楼子。

| 形态特征 | 一年生攀缘藤本。茎细弱，多分枝，具纵棱及槽，被短柔毛及疏长柔毛状硬毛。叶片膜质或薄纸质，肾形或阔卵形，长(5 ~)7 ~ 10 cm，宽 8 ~ 11 cm，5 ~ 7 浅裂至中裂，通常 5 裂，裂片三角形或菱状卵形，先端钝，具短尖头，边缘具小尖头状细齿或波状齿，基部心形，弯缺深 1 ~ 1.5 cm，上面绿色，疏被微柔毛及柔毛状长硬毛，下面淡绿色，密被白色短伏毛；主脉 5 ~ 7，细脉疏松网状；叶柄长 1.5 ~ 7 cm，具纵条纹，被短柔毛及疏长柔毛状长硬毛。卷须纤细，2 ~ 3 歧，被短柔毛及长柔毛。花雌雄同株。雌花单生于雄花序的基部，并先开放。雄花排列成总状花序；花序梗纤细，长（10 ~ ）

15 ~ 20 cm，被短柔毛；花梗长 0.5 ~ 1.5 cm，丝状，直立，伸展，有毛；小苞片极小或缺；花萼筒长 15 ~ 20 mm，被微柔毛，先端扩大，直径约 2.5 mm，裂片狭三角形，伸展，长 1.5 ~ 2 mm；花冠白色，直径约 1.5 cm，裂片长圆形，长约 12 mm，宽约 3 mm，流苏几与裂片等长；花药柱长圆形，长约 3 mm，花丝纤细，长约为花药柱的 1/2；无退化雌蕊。果实卵状圆锥形，长 5 ~ 7 cm，直径约 3 cm，先端具喙，具 7 ~ 10 种子；种子卵状长圆形，长约 10 mm，宽约 5 mm，厚 3 mm，灰白色，种脐一端渐狭，另一端平截，微凹，边缘具波状圆齿，两面具网纹。花果期秋季。

| 生境分布 | 生于海拔 450 ~ 1 600 m 的山谷丛林中或山坡灌丛中。湖北有分布。

| 资源情况 | 野生资源较少。药材来源于野生。

| 功能主治 | **瓜叶栝楼根：**祛风止痛，祛痰止咳。用于风热侵袭肺卫所致的咳嗽，咳痰。

瓜叶栝楼果：和胃止痛，滋阴解渴。用于胃脘疼痛，嗳腐吞酸，消渴。

瓜叶栝楼子：解热，杀虫。

葫芦科 Cucurbitaceae 栝楼属 *Trichosanthes*

王瓜 *Trichosanthes cucumeroides* (Ser.) Maxim.

| 药 材 名 | 王瓜、王瓜根、王瓜子。

| 形态特征 | 草质藤本。块根肥大。茎较细弱，疏被短刺毛。卷须分 2 叉或不分叉。叶宽卵状心形或卵形，长 10 ~ 15 cm，宽 6 ~ 12 cm，常 3 ~ 5 浅裂或不分裂，先端急尖，有短尖头，基部凹入 2 ~ 3 cm，边缘有不明显的小齿或波状齿，上面沿脉上被短毛，下面密被短毛；叶柄长 3 ~ 6 cm，被毛。花单性异株；雄花序总状，先端有 3 ~ 15 花，稀单生，苞片窄，钻形，萼管近圆柱形，萼裂片线状锥形，长 3 ~ 4 mm，花冠白色，裂片长圆形，雄蕊 3，花丝短，长约 2 mm，花药柱长约 4 mm；雌花单生，花梗长 2.5 ~ 3.5 cm，子房长卵形。果实长圆形，长 5 ~ 8 cm，直径 3 ~ 5 cm，橙红色；种子褐色，横长圆形，长

0.7 ~ 1.2 cm，表面具瘤状突起。花期 5 ~ 8 月，果期 8 ~ 11 月。

| 生境分布 | 生于海拔 1 300 m 以下的山坡路边或灌丛中。分布于湖北咸丰、宣恩、利川、兴山、神农架、崇阳、通山。

| 资源情况 | 野生资源较丰富，湖北有栽培。药材主要来源于野生。

| 采收加工 | **王瓜**：秋季果熟后采收，鲜用或连柄摘下，防止破裂，用线将果柄串起，挂于日光下或通风处干燥。

王瓜根：夏、秋季采挖，鲜用或切片晒干。

王瓜子：秋季采摘成熟的果实，对剖，取出种子，洗净后晒干。

| 功能主治 | **王瓜**：清热，生津，化瘀，通乳。用于消渴，黄疸，噎膈反胃，闭经，乳汁不通，痈肿，慢性咽喉炎。

王瓜根：泻热通腑，散瘀消肿。用于热病烦渴，黄疸，热结便秘，小便不利，闭经，乳汁不下，癥瘕，痈肿。

王瓜子：清热利湿，凉血止血。用于肺痿咯血，黄疸，痢疾，肠风下血。

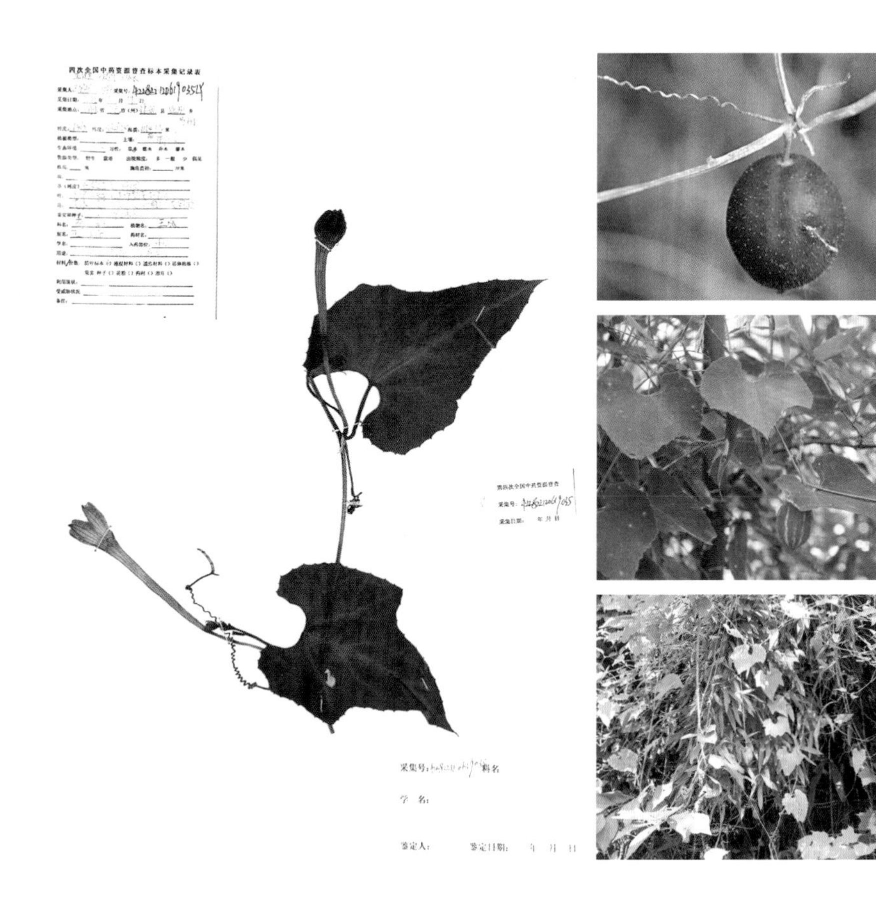

葫芦科 Cucurbitaceae 栝楼属 *Trichosanthes*

湘桂栝楼 *Trichosanthes hylonoma* Hand.-Mazz.

| 药 材 名 | 湘桂栝楼根、湘桂栝楼果、湘桂栝楼皮、湘桂栝楼子。

| 形态特征 | 攀缘藤本。根条形，肥厚。茎细弱，具纵棱及槽，幼时被短柔毛，后除节上外，其余变无毛，具白色皮孔。单叶互生，叶片纸质，坚挺，阔卵形，长（6 ~ ）11 ~ 17 cm，宽（5 ~ ）10 ~ 16 cm，常 3 ~ 5 中裂，外侧有 1 ~ 2 对不明显裂片或大波状齿，中裂片卵形，长渐尖，两侧裂片长约为中裂片的一半，边缘具疏离的短尖头状细齿，基部弯缺，近四方形，凹入 2 cm，上面绿色，疏被糙伏毛状柔毛，后变无毛，边缘具缘毛，下面无毛；基出掌状脉 3 ~ 5，侧脉弧形，网结，细脉疏松网状，明显；叶柄长 3 ~ 6 cm，具纵棱及沟，疏被柔毛，有白色糙点。卷须细，2 歧，具纵条纹。花雌雄异株。雄花单生于叶腋；

花梗纤细，丝状，长 4 ～ 7 cm，中、下部无毛，上部被平展的柔毛；花萼筒狭钟状，长 12 ～ 15 mm，直径约 4 mm，极疏被柔毛或无毛，裂片钻状线形，长 6 ～ 7 mm，伸展或反折；花冠白色，直径约 3 cm，外面密被腺状柔毛，裂片宽倒卵形，长 1.5 cm，宽 1 cm，上部稍 3 裂，中裂片钻形，两侧具线状细裂的流苏，基部窄；花药头状，长约 3 mm，花丝长约 2 mm。雌花未见。果实卵状椭圆形，长 9 cm，直径 5 ～ 6 cm，成熟时橘红色，先端具短喙，基部变狭；种子长圆形，长 10 ～ 13 mm，宽 9 mm，灰褐色，种脐一端平截，微凹，另一端圆形，边缘具细圆齿。花期 5 ～ 6 月，果期 9 ～ 10 月。

| 生境分布 | 生于海拔 800 ～ 950 m 的山谷灌木林中。湖北有分布。

| 资源情况 | 野生资源稀少。药材来源于野生。

| 功能主治 | **湘桂栝楼根：**生津止渴，降火润燥。

湘桂栝楼果：润肺，化痰，宽胸，散结，滑肠。用于痰热咳嗽，肺痿咯血，消渴，便秘，痈肿初起等。

湘桂栝楼皮：宽胸散结，清化热痰。

湘桂栝楼子：润肺，化痰，润肠，养胃。

葫芦科 Cucurbitaceae 栝楼属 *Trichosanthes*

栝楼 *Trichosanthes kirilowii* Maxim.

| 药 材 名 | 瓜蒌、瓜蒌子、瓜蒌皮、天花粉。

| 形态特征 | 攀缘藤本，长达 10 m；块根圆柱状，粗大肥厚，富含淀粉，淡黄褐色。茎较粗，多分枝，具纵棱及槽，被白色伸展柔毛。叶片纸质，近圆形，长、宽均 5 ～ 20 cm，常 3 ～ 5（～ 7）浅裂至中裂，稀深裂或不分裂而仅有不等大的粗齿，裂片菱状倒卵形、长圆形，先端钝，急尖，边缘常再浅裂，叶基心形，弯缺深 2 ～ 4 cm，上表面深绿色，粗糙，背面淡绿色，两面沿脉被长柔毛状硬毛，基出掌状脉 5，细脉网状；叶柄长 3 ～ 10 cm，具纵条纹，被长柔毛。卷须 3 ～ 7 歧，被柔毛。花雌雄异株。雄总状花序单生，或与一单花并生，或在枝条上部者单生，总状花序长 10 ～ 20 cm，粗壮，具纵棱与槽，被微

柔毛，先端有5～8花，单花花梗长约15 cm，花梗长约3 mm，小苞片倒卵形或阔卵形，长1.5～2.5（～3）cm，宽1～2 cm，中上部具粗齿，基部具柄，被短柔毛；萼筒筒状，长2～4 cm，先端扩大，直径约10 mm，中、下部直径约5 mm，被短柔毛，裂片披针形，长10～15 mm，宽3～5 mm，全缘；花冠白色，裂片倒卵形，长20 mm，宽18 mm，先端中央具1绿色尖头，两侧具丝状流苏，被柔毛；花药靠合，长约6 mm，直径约4 mm，花丝分离，粗壮，被长柔毛。雌花单生，花梗长7.5 cm，被短柔毛；萼筒圆筒形，长2.5 cm，直径1.2 cm，裂片和花冠同雄花；子房椭圆形，绿色，长2 cm，直径1 cm，花柱长2 cm，柱头3。果柄粗壮，长4～11 cm；果实椭圆形或圆形，长7～10.5 cm，成熟时黄褐色或橙黄色；种子卵状椭圆形，压扁，长11～16 mm，宽7～12 mm，淡黄褐色，近边缘处具棱线。花期5～8月，果期8～10月。

| 生境分布 | 生于海拔200～1 800 m的山坡林下、灌丛中、草地和村旁田边。分布于湖北恩施、巴东、秭归、兴山、通山、罗田，以及武汉。

| 资源情况 | 野生资源稀少，湖北有栽培。药材主要来源于栽培。

| 采收加工 | **瓜蒌**：秋季果实成熟时，连果柄剪下，置通风处阴干。

瓜蒌子：秋季采摘成熟果实，剖开，取出种子，洗净，晒干。

瓜蒌皮：秋季采摘成熟果实，剖开，除去果瓤及种子，阴干。

天花粉：秋、冬季采挖，洗净，除去外皮，切段或纵剖成瓣，干燥。

| 功能主治 | **瓜蒌**：清热化痰，宽胸散结，润燥滑肠。用于肺热咳嗽，痰浊黄稠，胸痹心痛，结胸痞满，乳痈，肺痈，肠痈，大便秘结。

瓜蒌子：润肺化痰，滑肠通便。用于燥咳痰稠，肠燥便秘。

瓜蒌皮：清热化痰，利气宽胸。用于痰热咳嗽，胸闷胁痛。

天花粉：清热泻火，生津止渴，消肿排脓。用于热病烦渴，肺热燥咳，内热消渴，疮疡肿痛。

葫芦科 Cucurbitaceae 栝楼属 *Trichosanthes*

长萼栝楼 *Trichosanthes laceribractea* Hayata

|药材名|

长萼栝楼皮。

|形态特征|

攀缘草本；茎具纵棱及槽，无毛或疏被短刚毛状刺毛。单叶互生，叶片纸质，形状变化较大，近圆形或阔卵形，长 5 ~ 16（~ 19）cm，宽 4 ~ 15（~ 18）cm，常 3 ~ 7 浅至深裂，裂片三角形、卵形或菱状倒卵形，先端渐尖，基部收缩，边缘具波状齿或再浅裂，最外侧裂片耳状，上表面深绿色，密被短刚毛状刺毛，后变为鳞片状白色糙点，背面淡绿色，沿各级脉被短刚毛状刺毛，掌状脉 5 ~ 7；叶柄长 1.5 ~ 9 cm，具纵条纹，被短刚毛状刺毛，后为白色糙点。卷须 2 ~ 3 歧。花雌雄异株。雄花：总状花序腋生，总梗粗壮，长 10 ~ 23 cm，被毛或疏被短刚毛，具纵棱及槽；小苞片阔卵形，内凹，长 2.5 ~ 4 cm，宽与长近相等，先端长渐尖，边缘具长细裂片；花梗长 5 ~ 6 mm；萼筒狭线形，长约 5 cm，先端扩大，直径 12 ~ 15 mm，基部及中部宽约 2 mm，裂片卵形，长 10 ~ 13 mm，宽约 7 mm，直伸，先端渐尖，边缘具狭的锐尖齿；花冠白色，裂片倒卵形，长 2 ~ 2.5 cm，宽

12 ~ 15 mm，先端钝圆，基部楔形，边缘具纤细长流苏；花药柱长约 12 mm，药隔被淡褐色柔毛。雌花单生，花梗长 1.5 ~ 2 cm，被微柔毛，基部具 1 线状披针形的苞片，长约 2 cm，边缘齿裂；萼筒圆柱状，长约 4 cm，直径约 5 mm，萼齿线形，长 1 ~ 1.3 cm，全缘；花冠同雄花；子房卵形，长约 1 cm，直径约 7 mm，无毛。果实球形至卵状球形，直径 5 ~ 8 cm，成熟时橙黄色至橙红色，平滑。种子长方形或长方状椭圆形，长 10 ~ 14 mm，宽 5 ~ 8 mm，厚 4 ~ 5 mm，灰褐色，两端钝圆或平截。花期 7 ~ 8 月，果期 9 ~ 10 月。

| **生境分布** | 生于海拔 200 ~ 1 020 m 的山谷密林中或山坡路旁。分布于湖北大部分地区，但以山区较多。

| **资源情况** | 野生资源较丰富，湖北有栽培。药材主要来源于野生。

| **采收加工** | 秋季采摘成熟果实，剖开，除去果瓤及种子，阴干。

| **功能主治** | 用于痰热咳嗽，咽喉肿痛，便秘，疮痈肿毒。

葫芦科 Cucurbitaceae 栝楼属 *Trichosanthes*

中华栝楼 *Trichosanthes rosthornii* Harms

| 药 材 名 | 瓜蒌、瓜蒌子、瓜蒌皮、天花粉。

| 形态特征 | 草质藤本。块根肥大，有瘤状突起。茎无毛。卷须 2 ~ 3 分叉。叶宽卵状心形，长、宽均 8 ~ 15 cm，通常 5 裂，几达基部，有时 3 或 7 深裂，裂片披针形或宽披针形，先端渐尖，叶基部浅心形，近全缘或疏生不明显小齿，稀具小裂片，两面无毛，有小颗粒状突起；叶柄长 1.5 ~ 5 cm，基部有棕色短毛。花雌雄异株；雄花序总状，有花 3 ~ 4，总花梗长 8 ~ 20 cm，有时退化成单生花，苞片倒卵形，长 8 ~ 15 mm，边缘在中部以上有锐裂，小花梗长约 1 cm，萼管筒状，长 1.5 ~ 3 cm，萼裂片线形，长 6 ~ 8 mm，被短毛，花冠白色，5 裂，裂片倒卵形，长 1 ~ 1.5 cm，先端流苏状分枝；雌花单生，花梗长

5 cm，子房卵形。果实近圆形，直径 7 ~ 10 cm，橙黄色；种子卵形，扁平状，边缘平滑，无齿。花果期 7 ~ 10 月。

| 生境分布 | 生于海拔 400 ~ 1 000 m 的山沟路边。分布于湖北来凤、咸丰、宣恩、鹤峰、利川、巴东、五峰、兴山、神农架、通山、罗田。

| 资源情况 | 野生资源稀少，栽培资源丰富。药材主要来源于栽培。

| 采收加工 | **瓜蒌：**秋季果实成熟时连果柄剪下，置于通风处阴干。

瓜蒌子：秋季采摘成熟果实，剖开，取出种子，洗净，晒干。

瓜蒌皮：秋季采摘成熟果实，剖开，除去果瓤及种子，阴干。

天花粉：秋、冬季采挖，洗净，除去外皮，切段或纵剖成瓣，干燥。

| 功能主治 | **瓜蒌：**清热化痰，宽胸散结，润燥滑肠。用于肺热咳嗽，痰浊黄稠，胸痹心痛，结胸痞满，乳痈，肺痈，肠痈，便秘。

瓜蒌子：润肺化痰，滑肠通便。用于燥咳痰稠，肠燥便秘。

瓜蒌皮：清热化痰，利气宽胸。用于痰热咳嗽，胸闷胁痛。

天花粉：清热泻火，生津止渴，消肿排脓。用于热病烦渴，肺热燥咳，内热消渴，疮疡肿痛。

葫芦科 Cucurbitaceae 栝楼属 *Trichosanthes*

丝毛栝楼 *Trichosanthes sericeifolia* C. Y. Cheng et Yueh

| 药 材 名 | 丝毛栝楼。

| 形态特征 | 茎中等粗，具纵棱及沟，疏被绢毛。叶片坚纸质，阔卵状心形，长 8 ~ 17 cm，宽 8 ~ 10 cm，3 ~ 5 深裂，中裂片狭披针形或卵状披针形，先端渐尖，基部收缩，边缘具细齿，侧裂片较短，最外面 1 对裂片短小，外侧具齿状小裂片，叶基阔三角状心形，深 2 cm，宽 3 cm，上表面深绿色，极疏被绢毛，沿主脉较密，下面密被伏卧状白色绢毛，基出掌状脉 3 ~ 5；叶柄细，长 3.5 ~ 7 cm，具纵条纹，被白色绢毛。卷须纤细，2 歧，稀 3 歧，疏被绢毛。花雌雄异株。雄花单生，花梗及花蕾均密被白色绢毛，花未开放。雌花单生，花梗及花萼均密被白色绢毛，花梗长 1.5 ~ 2.5 cm；花萼筒筒状，长约 1 cm，直径

约 4 mm，萼齿线状披针形，长约 5 mm，基部宽约 2 mm，伸展，全缘；花冠白色，裂片倒卵状扇形，长 1 cm，外面密被短茸毛，先端具细条状流苏；子房椭圆形，长约 1.5 cm，直径约 7 mm，密被白色绢毛。果实未见。花期 4 ～ 6 月。

| **生境分布** | 生于海拔 700 ～ 1 500 m 的山坡灌丛中、河滩灌丛或村旁田边。湖北有分布。

| **资源情况** | 野生资源稀少。药材来源于野生。

| **功能主治** | 用于肺热咳嗽，疥癣，皮肤瘙痒，牛皮癣，湿疹。

葫芦科 Cucurbitaceae 马㼎儿属 *Zehneria*

马㼎儿 *Zehneria japonica* (Thunb.) H. Y. Liu

| 药材名 |

马㼎儿。

| 形态特征 |

攀缘或平卧草本。块根薯状。茎枝纤细，有棱沟，无毛。卷须不分枝。叶柄细，长 2.5 ~ 3.5 cm；叶片膜质，多型，三角状卵形、卵状心形或戟形，3 ~ 5 浅裂或不分裂，长 3 ~ 5 cm，宽 2 ~ 4 cm，上面深绿色，脉上被极短的柔毛，下面淡绿色，无毛，先端渐尖，稀短渐尖，基部弯缺，半圆形，边缘微波状或有疏齿，脉掌状。雌雄同株；雄花单生或 2 ~ 3 生于短的总状花序上，花序梗纤细，极短，花梗丝状，花萼宽钟形，萼齿 5，花冠 5 裂，淡黄色，有极短的柔毛，雄蕊 3；雌花与雄花在同一叶腋内单生或双生，子房狭卵形，有疣状突起，花柱短，柱头 3 裂，退化雄蕊腺体状。果实长圆形或狭卵形，两端钝，外面无毛，长 1 ~ 1.5 cm，宽 0.5 ~ 0.8 cm，成熟后橘红色或红色；种子灰白色，卵形，基部稍变狭，边缘不明显。花期 4 ~ 7 月，果期 7 ~ 10 月。

| 生境分布 | 生于林中阴湿处、路旁、村边、田边。湖北有分布。

| 采收加工 | 夏、秋季采收，除去泥土及细根，洗净，根切厚片，茎叶切碎，鲜用或晒干。

| 功能主治 | 解毒散结，消肿，祛痰利水。用于痈疮疖肿，痰核瘰疬，流注，痔瘘脱肛，咽喉肿痛，痄腮，目赤黄疸，石淋，小便不利，湿疹，毒蛇咬伤等。

葫芦科 Cucurbitaceae 马瓟儿属 *Zehneria*

钮子瓜 *Zehneria maysorensis* (Wight et Arn.) Arn.

| 药 材 名 | 钮子瓜。

| 形态特征 | 草质藤本；茎、枝细弱，伸长，有沟纹，多分枝，无毛或稍被长柔毛。叶柄细，长 2 ~ 5 cm，无毛；叶片膜质，宽卵形，稀三角状卵形，长、宽均为 3 ~ 10 cm，上面深绿色，粗糙，被短糙毛，背面苍绿色，近无毛，先端急尖或短渐尖，基部弯缺半圆形，深 0.5 ~ 1 cm，宽 1 ~ 1.5 cm，稀近平截，边缘有小齿或深波状锯齿，不分裂或 3 ~ 5 浅裂，脉掌状。卷须丝状，单一，无毛。雌雄同株。雄花：常 3 ~ 9 生于总梗先端呈近头状或伞房状花序，花序梗纤细，长 1 ~ 4 cm，无毛；雄花梗开展，极短，长 1 ~ 2 mm；萼筒宽钟状，长 2 mm，宽 1 ~ 2 mm，无毛或被微柔毛，裂片狭三角形，长 0.5 mm；花冠白

色，裂片卵形或卵状长圆形，长 2 ~ 2.5 mm，先端近急尖，上部常被柔毛；雄蕊 3，2 雄蕊 2 室，1 雄蕊 1 室，有时全部为 2 室，插生在萼筒基部，花丝长 2 mm，被短柔毛，花药卵形，长 0.6 ~ 0.7 mm。雌花：单生，稀几朵生于总梗先端或极稀雌雄同序；子房卵形。果柄细，无毛，长 0.5 ~ 1 cm；果实球状或卵状，直径 1 ~ 1.4 cm，浆果状，外面光滑无毛。种子卵状长圆形，扁压，平滑，边缘稍拱起。花期 4 ~ 8 月，果期 8 ~ 11 月。

| 生境分布 | 生于海拔 500 ~ 1 000 m 的林边或山坡路旁潮湿处。分布于湖北巴东。

| 资源情况 | 野生资源较少。药材来源于野生。

| 采收加工 | 夏、秋季采收，洗净，鲜用或晒干。

| 功能主治 | 清热，镇痉，解毒，通淋。用于发热，惊厥，头痛，咽喉肿痛，疮疡肿毒，淋病。

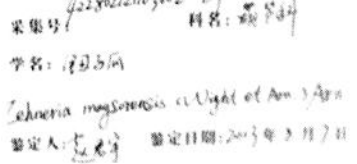

桔梗科 Campanulaceae 沙参属 *Adenophora*

川西沙参 *Adenophora aurita* Franch.

| 药 材 名 | 沙参。

| 形态特征 | 茎单生，不分枝，高 30 ~ 100 cm，密被糙毛或长毛，稀近无毛。茎生叶无柄，有的叶基部稍耳状抱茎，少数在茎下部的叶有极短而带翅的短柄，椭圆状披针形，稀为条状披针形或卵状椭圆形，长 2 ~ 8 cm，宽 0.5 ~ 2.5 cm，边缘有缺刻，具锯齿、疏尖齿或近圆齿，两面疏被短硬毛。花序分枝通常极短而具单花，组成假总状花序，稀长而多花，组成圆锥花序；花梗短，长不足 1 cm；花萼常被硬毛，稀被糙毛或近无毛，筒部倒卵状或倒卵状圆锥形，裂片线状披针形，长（4 ~ ）6 ~ 8（ ~ 10） mm，宽 1 ~ 1.8 mm；花冠宽钟状，长 20 ~ 25 mm，常蓝色，稀蓝紫色，裂片宽圆状三角形，长 5 ~ 7 mm；

花盘长 1.8 ～ 2（～ 2.5）mm，无毛；花柱与花冠近等长。蒴果卵状椭圆形，长约 8 mm，直径约 5 mm；种子黄棕色，稍扁，有一宽的纵翅，长 1.5 mm。花期 7 ～ 9 月，果期 9 月。

| 生境分布 | 生于海拔 2 100 ～ 3 100 m 的山坡草地、林缘或灌丛中。湖北有栽培。

| 采收加工 | **根：**播种 2 ～ 3 年后秋季采挖，除去茎叶及须根，洗净泥土，趁新鲜时用竹片刮去外皮，切片，晒干。

| 功能主治 | 养阴清热，润肺化痰，益胃生津。用于阴虚久咳，劳嗽痰血，燥咳痰少，虚热喉痹，津伤口渴。

桔梗科 Campanulaceae 沙参属 *Adenophora*

丝裂沙参 *Adenophora capillaris* Hemsl.

| 药材名 |

丝裂沙参。

| 形态特征 |

茎单生，高 50 cm 至 1 m 余，无毛或有长硬毛。茎生叶常为卵形，卵状披针形，少为条形，先端渐尖，全缘或有锯齿，无毛或有硬毛，长 3 ~ 19 cm，宽 0.5 ~ 4.5 cm。花序具长分枝，常组成大而疏散的圆锥花序，少为狭圆锥花序，更少仅数朵花集成假总状花序，花序梗和花梗常纤细如丝。萼筒球状，少为卵状，裂片毛发状，下部有时有 1 至数个瘤状小齿，偶尔叉状分枝，伸展开或反折，长（3 ~ ）6 ~ 14（ ~ 20）mm；花冠细，近筒状或筒状钟形，长 11 ~ 18 mm，白色、淡蓝色或淡紫色，裂片狭三角形，长 3 ~ 4 mm；花盘细筒状，长 2 ~ 5 mm，常无毛，花柱长 20 ~ 25 mm。蒴果多为球状，极少为卵状，长 4 ~ 9 mm，直径 4 ~ 5 mm。茎生叶极少被毛，花萼裂片通常长（3 ~ ）6 ~ 9 mm，个别植株超出此数，甚至达到 20 mm，花冠长 10 ~ 14 mm，个别植株达到 17 mm。蒴果大部分为球状，稀见卵状的。花期 7 ~ 8 月。

| **生境分布** | 生于海拔 1 400 ～ 2 800 m 的林下、林缘或草地中。分布于湖北鹤峰、巴东、神农架。

| **功能主治** | 养阴清肺，祛痰止咳。用于咳嗽痰喘。

桔梗科 Campanulaceae 沙参属 *Adenophora*

细萼沙参 *Adenophora capillaris* Hemsl. subsp. *leptosepala* (Diels) Hong

| 药材名 | 沙参。

| 形态特征 | 茎单生，高 50 ~ 100 cm。茎生叶常为卵形或卵状披针形，少为条形，先端渐尖，全缘或有锯齿，长 3 ~ 19 cm，宽 0.5 ~ 4.5 cm；茎生叶大多数被毛。花序具长分枝，常组成大而疏散的圆锥花序，少为狭圆锥花序，更少仅数朵花集成假总状花序，花序梗和花梗常纤细如丝；花萼筒球状，少为卵状，裂片毛发状，下部有时有 1 至数个瘤状小齿，偶叉状分枝，伸展开或反折，长（4 ~ ）9 ~ 14 mm，多数有小齿；花冠较大，近筒状或筒状钟形，长 13 ~ 18 mm，白色、淡蓝色或淡紫色，裂片狭三角形，长 3 ~ 4 mm；花盘细筒状，长 2 ~ 5 mm，常无毛，花柱长 20 ~ 25 mm。蒴果球状或卵状，长

4 ～ 9 mm，直径 4 ～ 5 mm。花期 8 ～ 10 月。

| **生境分布** | 生于海拔 2 000 ～ 3 100 m 的林下、林缘草地及草丛中。湖北有栽培。

| **功能主治** | 养阴清热，润肺化痰，益胃生津。用于阴虚久咳，劳嗽痰血，燥咳痰少，虚热喉痹，津伤口渴。

桔梗科 Campanulaceae 沙参属 *Adenophora*

狭叶沙参 *Adenophora gmelinii* (Spreng.) Fisch.

| 药 材 名 |

沙参。

| 形态特征 |

根细长，长达 40 cm，根皮灰黑色。茎单生或数条生于 1 茎基上，不分枝，通常无毛，有时有短硬毛，高达 80 cm。基生叶多变，浅心形、三角形或菱状卵形，具粗圆齿；茎生叶多数为条形，少为披针形，无柄，全缘或具疏齿，无毛，长 4 ~ 9 cm，宽 2 ~ 13 mm。聚伞花序全为单花，组成假总状花序；花萼无毛，仅少数有瘤状突起，筒部倒卵状矩圆形，裂片条状披针形，长 4 ~ 10 mm，宽 1.5 ~ 2 mm；花冠宽钟状，蓝色或淡紫色，长 16 ~ 28 mm，裂片长，多为卵状三角形，长 6 ~ 8 mm，少近正三角形，长仅 4 mm；花盘筒状，长 1.3 ~ 3.5 mm，被疏毛或无毛；花柱稍短于花冠，极少近等长。蒴果椭圆状，长 8 ~ 13 mm，直径 4 ~ 7 mm；种子椭圆状，黄棕色，有 1 翅状棱，长 1.8 mm。花期 7 ~ 9 月，果期 8 ~ 10 月。

| 生境分布 |

生于海拔 2 600 m 以下的山坡草地或灌丛下。湖北有栽培。

| 功能主治 | 养阴清热，润肺化痰，益胃生津。用于阴虚久咳，劳嗽痰血，燥咳痰少，虚热喉痹，津伤口渴。

桔梗科 Campanulaceae 沙参属 *Adenophora*

杏叶沙参 *Adenophora hunanensis* Nannf.

| 药 材 名 | 杏叶沙参。

| 形态特征 | 茎高 60 ~ 120 cm，不分枝，无毛或稍有白色短硬毛。茎生叶至少下部的具柄，柄长可达 2.5 cm，很少近无柄，叶片卵圆形，卵形至卵状披针形，基部常楔状渐尖，或近平截形而突然变窄，沿叶柄下延，先端急尖至渐尖，边缘具疏齿，两面或疏或密地被短硬毛，较少被柔毛，也有全无毛的，长 3 ~ 10（~ 15）cm，宽 2 ~ 4 cm。花序分枝长，几乎平展或弓曲向上，常组成大而疏散的圆锥花序，极少分枝很短或长且几乎直立而组成窄的圆锥花序。花梗极短而粗壮，常 2 ~ 3 mm 长，极少达 5 mm，花序轴和花梗有短毛或近无毛；花萼常有或疏或密的白色短毛，有的无毛，筒部倒圆锥状，裂片卵形

至长卵形，长 4 ～ 7 mm，宽 1.5 ～ 4 mm，基部通常彼此重叠；花冠钟状，蓝色、紫色或蓝紫色，长 1.5 ～ 2 cm，裂片三角状卵形，为花冠长的 1/3；花盘短筒状，长（0.5 ～）1 ～ 2.5 mm，先端被毛或无毛；花柱与花冠近等长。蒴果球状椭圆形，或近卵状，长 6 ～ 8 mm，直径 4 ～ 6 mm。种子椭圆状，有 1 棱，长 1 ～ 1.5 mm。花期 7 ～ 9 月。

| 生境分布 | 生于海拔 2 000 m 以下的山坡草地和林缘草地。湖北有分布。

| 采收加工 | 秋季采挖，除去茎叶及须根，洗净泥土，刮去栓皮，晒干或烘干。

| 功能主治 | 养阴清肺，祛痰止咳。用于肺热燥咳，虚劳久咳，阴伤咽干喉痛。

桔梗科 Campanulaceae 沙参属 *Adenophora*

湖北沙参 *Adenophora longipedicellata* Hong

| 药材名 | 湖北沙参。

| 形态特征 | 茎高大，长 1 ~ 3 m，不分枝或具长达 70 cm 的细长分枝，无毛。基生叶卵状心形；茎生叶至少下部的具柄，叶片卵状椭圆形至披针形，基部楔形或宽楔形，先端渐尖，边缘具细齿或粗锯齿，薄纸质，长 7 ~ 12 cm，宽 2 ~ 5 cm，无毛或仅在背面脉上疏生刚毛。花序具细长分枝，组成疏散的大圆锥花序，无毛或有短毛。花梗细长，长 1.5 ~ 3 cm；花萼完全无毛，筒部圆球状，裂片钻状披针形，长 8 ~ 14 mm；花冠钟状，白色、紫色或淡蓝色，长 19 ~ 21 mm，裂片三角形，长 5 ~ 6 mm；花盘环状，长 1 mm 或更短，无毛；花柱长 21 mm，几乎与花冠等长或稍稍伸出。幼果圆球状。花期 8 ~ 10 月。

| 生境分布 | 生于海拔 2 400 m 以下的山坡草地、灌丛中和峭壁缝里。分布于湖北来凤。

| 功能主治 | 清热养阴，润肺止咳。用于气管炎，百日咳，肺热咳嗽，咳痰黄稠。

桔梗科 Campanulaceae 沙参属 *Adenophora*

细叶沙参 *Adenophora paniculata* Nannf.

| 药 材 名 | 沙参。

| 形态特征 | 茎高大，高可达 1.5 m，直径可达 10 mm，无毛或被长硬毛，绿色或紫色，不分枝。基生叶心形，边缘有不规则锯齿；茎生叶无柄或有长至 3 cm 的柄，条形至卵状椭圆形，全缘或有锯齿，通常无毛，有时上面疏生短硬毛，下面疏生长毛，长 5 ~ 17 cm，宽 0.2 ~ 7.5 cm。花序常为圆锥花序，由多个花序分枝组成，有时花序无分枝，仅数朵花集成假总状花序；花梗粗壮；花萼无毛，筒部球状，少为卵状矩圆形，裂片细长如发，长（2 ~ ）3 ~ 5（ ~ 7） mm，全缘；花冠细小，近筒状，浅蓝色、淡紫色或白色，长 10 ~ 14 mm，5 浅裂，裂片反卷；花柱长约 2 cm；花盘细筒状，长 3 ~ 3.5（ ~ 4） mm，

无毛或上端有疏毛。蒴果卵状至卵状矩圆形，长 7 ~ 9 mm，直径 3 ~ 5 mm；种子椭圆状，棕黄色，长约 1 mm。花期 6 ~ 9 月，果期 8 ~ 10 月。

| 生境分布 | 生于海拔 1 100 ~ 2 800 m 的山坡草地。湖北有栽培。

| 功能主治 | 滋补，祛寒热，清肺止咳。用于心脾疼痛，头痛，带下。

桔梗科 Campanulaceae 沙参属 *Adenophora*

薄叶荠苨 *Adenophora remotiflora* (Sieb. et Zucc.) Miq.

| 药 材 名 | 荠苨。

| 形态特征 | 多年生草本植物，根胡萝卜状，茎高可达 1.2 m，皮灰黑色。叶片长，多为卵形至卵状披针形，少为卵圆形，基部多为平截形、圆钝至宽楔形，极少在茎基部的叶为心形，先端多为渐尖，质地薄，膜质。聚伞花序常为单花，少具几朵花的，因此，整个花序呈假总状或狭圆锥状。萼筒倒卵状或倒卵状圆锥形；花冠蓝色，长 2 ~ 3 cm，裂片长 7 ~ 10 mm，花盘细长，长 2.5 ~ 3 mm，宽仅 1 mm。蒴果卵状圆锥形，种子黄棕色，稍扁。花期 7 ~ 8 月。

| 生境分布 | 生于海拔 1 700 m 以下的林缘、林下或草地中。湖北有分布。

| 采收加工 | **根：**春季采挖，除去茎叶，洗净，晒干。

| 功能主治 | 润燥化痰，清热解毒。用于肺燥咳嗽，咽喉肿痛，消渴，疔痈疮毒，药物中毒。

桔梗科 Campanulaceae 沙参属 *Adenophora*

多毛沙参 *Adenophora rupincola* Hemsl.

| 药材名 | 沙参。

| 形态特征 | 茎高 70 ~ 150 cm，不分枝或有垂直向上而紧靠主轴的细分枝，通常被糙毛，稀无毛。下部的茎生叶具柄，上部者无柄，叶片卵状披针形，基部楔状渐狭成带翅的柄，先端渐尖，边缘具锯齿（有时锯齿内弯），通常两面疏生短硬毛，极少近无毛，长 7 ~ 13 cm，宽 1.5 ~ 3 cm。花序具分枝，组成圆锥花序，花序轴、花梗、花萼密被柔毛或短硬毛，个别近无毛；花梗短而粗壮，长约 5 mm，有时细长；花萼筒倒卵状圆锥形，裂片披针形至条状披针形，长 5 ~ 8 mm，宽 1 ~ 2 mm，通常不反折；花冠钟状，蓝紫色或紫色，长约 17 mm，裂片三角形，长 5 mm；花盘环状至短筒状，长 0.5 ~

1.5 mm，光滑无毛；花柱长 20 ~ 22 mm，明显伸出花冠。果实未见。花期 7 ~ 10 月。

| 生境分布 | 生于海拔 1 500 m 以下的山沟或山坡草丛中。分布于湖北西部。

| 功能主治 | 养阴清热，润肺化痰，益胃生津。用于阴虚久咳，劳嗽痰血，燥咳痰少，虚热喉痹，津伤口渴。

桔梗科 Campanulaceae 沙参属 *Adenophora*

沙参 *Adenophora stricta* Miq.

药材名

南沙参。

形态特征

茎高 40 ~ 80 cm，不分枝，常被短硬毛或长柔毛，少无毛的。基生叶心形，大而具长柄；茎生叶无柄，或仅下部的叶有极短而带翅的柄，叶片椭圆形，狭卵形，基部楔形，少近圆钝的，先端急尖或短渐尖，边缘有不整齐的锯齿，两面疏生短毛或长硬毛，或近无毛，长 3 ~ 11 cm，宽 1.5 ~ 5 cm。花序常不分枝而成假总状花序，或有短分枝而成极狭的圆锥花序，极少具长分枝而为圆锥花序的。花梗常极短，长不足 5 mm；花萼常被短柔毛或粒状毛，少完全无毛的，筒部常倒卵状，少为倒卵状圆锥形，裂片狭长，多为钻形，少为条状披针形，长 6 ~ 8 mm，宽至 1.5 mm；花冠宽钟状，蓝色或紫色，外面无毛或有硬毛，特别是在脉上，长 1.5 ~ 2.3 cm，裂片长为全长的 1/3，三角状卵形；花盘短筒状，长 1 ~ 1.8 mm，无毛；花柱常略长于花冠，少短于花冠。蒴果椭圆状球形，极少为椭圆状，长 6 ~ 10 mm。种子棕黄色，稍扁，有 1 棱，长约 1.5 mm。花期 8 ~ 10 月。

| 生境分布 | 生于低山草丛中和岩石缝中。湖北有分布。

| 采收加工 | **根**：播种后 2 ～ 3 年采收，9 ～ 10 月挖取根部，除去茎叶及须根，洗净泥土，趁新鲜时用竹片刮去外皮，切片，晒干。

| 功能主治 | 养阴清肺，益胃生津，化痰，益气。用于肺热燥咳，阴虚劳嗽，干咳痰黏，胃阴不足，食少呕吐，气阴不足，烦热口干。

桔梗科 Campanulaceae 沙参属 *Adenophora*

无柄沙参 *Adenophora stricta* Miq. subsp. *sessilifolia* Hong

| 药 材 名 | 无柄沙参。

| 形态特征 | 茎高 40 ~ 80 cm，不分枝，被短毛。基生叶心形，大而具长柄；茎生叶无柄，或仅下部的叶有极短而带翅的柄，叶片椭圆形、狭卵形，基部楔形，少近圆钝的，先端急尖或短渐尖，边缘有不整齐的锯齿，两面疏生短毛或长硬毛，或近无毛，长 3 ~ 11 cm，宽 1.5 ~ 5 cm。花序常不分枝而成假总状花序，或有短分枝而成极狭的圆锥花序，极少具长分枝而为圆锥花序的。花梗常极短，长不足 5 mm；花萼多被短硬毛或粒状毛，少无毛，筒部常倒卵状，少为倒卵状圆锥形，裂片狭长，多为钻形，少为条状披针形，长 6 ~ 8 mm，宽至 1.5 mm；花冠宽钟状，蓝色或紫色，外面无毛或有硬毛或仅先端脉上有几根

硬毛，长 1.5 ~ 2.3 cm，裂片长为全长的 1/3，三角状卵形；花盘短筒状，长 1 ~ 1.8 mm，无毛；花柱常略长于花冠，少短于花冠。蒴果椭圆状球形，极少为椭圆状，长 6 ~ 10 mm。种子棕黄色，稍扁，有 1 棱，长约 1.5 mm。花期 8 ~ 10 月。

| **生境分布** | 生于海拔 600 ~ 2 000 m 的草地或林缘草地中。湖北西部有分布。

| **功能主治** | 滋补，祛寒热，清肺止咳。用于心脾痛，头痛，带下。

桔梗科 Campanulaceae 沙参属 *Adenophora*

轮叶沙参 *Adenophora tetraphylla* (Thunb.) Fisch.

药材名

南沙参。

形态特征

茎高大，可达 1.5 m，不分枝，无毛，少有毛。茎生叶 3 ~ 6 轮生，无柄或有不明显叶柄，叶片卵圆形至条状披针形，长 2 ~ 14 cm，边缘有锯齿，两面疏生短柔毛。花序狭圆锥状，花序分枝（聚伞花序）大多轮生，细长或很短，生数朵花或单花。花萼无毛，筒部倒圆锥状，裂片钻形，长 1 ~ 4 mm，全缘；花冠筒状细钟形，口部稍缢缩，蓝色、蓝紫色，长 7 ~ 11 mm，裂片短，三角形，长 2 mm；花盘细管状，长 2 ~ 4 mm；花柱长约 20 mm。蒴果球状圆锥形或卵圆状圆锥形，长 5 ~ 7 mm，直径 4 ~ 5 mm。种子黄棕色，矩圆状圆锥形，稍扁，有 1 棱，并由棱扩展成 1 白带，长 1 mm。花期 7 ~ 9 月。

生境分布

生于草地和灌丛中，在南方可至海拔 2 000 m 的地方。湖北各地山区均有分布。

| **采收加工** | **根**：播种后 2 ~ 3 年采收，9 ~ 10 月挖取根部，除去茎叶及须根，洗净泥土，趁新鲜时用竹片刮去外皮，切片，晒干。

| **功能主治** | 养阴清肺，益胃生津，化痰，益气。用于肺热燥咳，阴虚劳嗽，干咳痰黏，胃阴不足，食少呕吐，气阴不足，烦热口干。

桔梗科 Campanulaceae 沙参属 *Adenophora*

荠苨 *Adenophora trachelioides* Maxim.

| 药 材 名 | 荠苨。

| 形态特征 | 茎单生，无毛。基生叶心状肾形，宽超过长；茎生叶具长 2 ~ 6 cm 的叶柄，叶片心形，先端钝至短渐尖，边缘为单锯齿或重锯齿，长

3 ~ 13 cm，宽 2 ~ 8 cm。花序分枝大多长而几乎平展，组成大圆锥花序；花萼筒部倒三角状圆锥形，裂片长椭圆形或披针形；花冠钟状，蓝色、蓝紫色或白色，长 2 ~ 2.5 cm，裂片宽三角状半圆形，先端急尖；花盘筒状，上下等粗或向上渐细。蒴果卵状圆锥形；种子黄棕色，两端黑色，长矩圆状。花期 7 ~ 9 月。

| 生境分布 | 生于山坡草地或林缘。湖北有分布。

| 采收加工 | **根**：秋季采挖，洗净，晒干。

| 功能主治 | 润燥化痰，清热解毒。用于肺燥咳嗽，咽喉肿痛，消渴，疔痈疮毒，药物中毒。

桔梗科 Campanulaceae 沙参属 *Adenophora*

聚叶沙参 *Adenophora wilsonii* Nannf.

| 药 材 名 | 沙参。

| 形态特征 | 茎直立，常 2 至数条生于 1 茎基上，不分枝或茎上部分枝，高 25 ~ 80 cm，无毛，花期茎下部无叶，而茎中部聚生许多叶。叶条

状椭圆形或披针形，基部长楔状，下延成短柄，叶片长 4 ~ 10 cm，宽 0.5 ~ 1.2 cm，厚纸质，边缘具锯齿或波状齿，两面无毛。花序圆锥状，分枝长或短；花梗短，有时长达 1 cm；花萼无毛，筒部倒卵状或倒卵状圆锥形，稀为球状倒卵形，裂片钻形或条状披针形，长 5 ~ 7 mm，宽 1 mm，边缘具 1 ~ 2 对瘤状小齿；花冠漏斗状钟形，紫色或蓝紫色，长 15 ~ 20 mm，裂片卵状三角形，占花冠全长的 1/3；花盘环状或短筒状，长不足 1.2 mm，无毛；花柱长 20 ~ 25 mm，伸出花冠约 5 mm。蒴果球状椭圆形，长 7 ~ 8 mm，直径 4 ~ 5 mm。花期 8 ~ 10 月，果期 9 ~ 10 月。

| **生境分布** | 生于海拔 1 600 m 以下的灌丛中或沟边岩石上。分布于湖北神农架、鹤峰。

| **功能主治** | 养阴清热，润肺化痰，益胃生津。用于阴虚久咳，劳嗽痰血，燥咳痰少，虚热喉痹，津伤口渴。

桔梗科 Campanulaceae 金钱豹属 *Campanumoea*

金钱豹 *Campanumoea javanica* Bl. subsp. *japonica* (Makino) Hong

| 药 材 名 | 土党参。

| 形态特征 | 草质缠绕藤本，具乳汁，具胡萝卜状根。茎无毛，多分枝。叶对生，极少互生的，具长柄，叶片心形或心状卵形，边缘有浅锯齿，极少全缘的，长 3 ~ 11 cm，宽 2 ~ 9 cm 无毛或背面疏生长毛。花单朵生叶腋，各部无毛，花萼与子房分离，5 裂至近基部，裂片卵状披针形或披针形，长 1 ~ 1.8 cm；花冠上位，白色或黄绿色，内面紫色，钟状，裂至中部；雄蕊 5；柱头 4 ~ 5 裂，子房和蒴果 5 室。浆果黑紫色、紫红色，球状。种子不规则，常为短柱状，表面有网状纹饰。花冠长 10 ~ 13 mm，浆果直径 10 ~ 12（~ 15）mm。花期 8 ~ 9 月。

| 生境分布 | 生于海拔 2 400 m 的灌丛中及疏林中。分布于湖北西部。

| 采收加工 | **根**：9 ~ 10 月采挖，晒干。

| 功能主治 | **根**：清热，镇静。用于神经衰弱等。

桔梗科 Campanulaceae 金钱豹属 *Campanumoea*

大花金钱豹 *Campanumoea javanica* Bl. subsp. *javanica*

| 药 材 名 | 土党参。

| 形态特征 | 草质缠绕藤本。具乳汁。根胡萝卜状。茎无毛，多分枝。叶对生，极少互生，具长柄，叶片心形或心状卵形，边缘有浅锯齿，极少全缘，长 3 ~ 11 cm，宽 2 ~ 9 cm，无毛或背面疏生长毛。花单生于叶腋，各部均无毛；花萼与子房分离，5 裂至近基部，裂片卵状披针形或披针形，长 1 ~ 1.8 cm；花冠上位，白色或黄绿色，内面紫色，钟状，裂至中部；雄蕊 5；柱头 4 ~ 5 裂，子房 5 室。浆果黑紫色或紫红色，球状。种子不规则，常为短柱状，表面有网状纹饰。花期（5 ~ ）8 ~ 9（ ~ 11）月。

| 生境分布 | 生于海拔 2 400 m 以下的灌丛中及疏林中。湖北有栽培。

| 采收加工 | **根：**秋、冬季采收，待根内缩水变软后，洗净，蒸熟，晒干。

| 功能主治 | 健脾益气，补肺止咳，下乳。用于虚劳内伤，气虚乏力，心悸，多汗，脾虚泄泻，带下，乳汁稀少，疳积，遗尿，肺虚咳嗽。

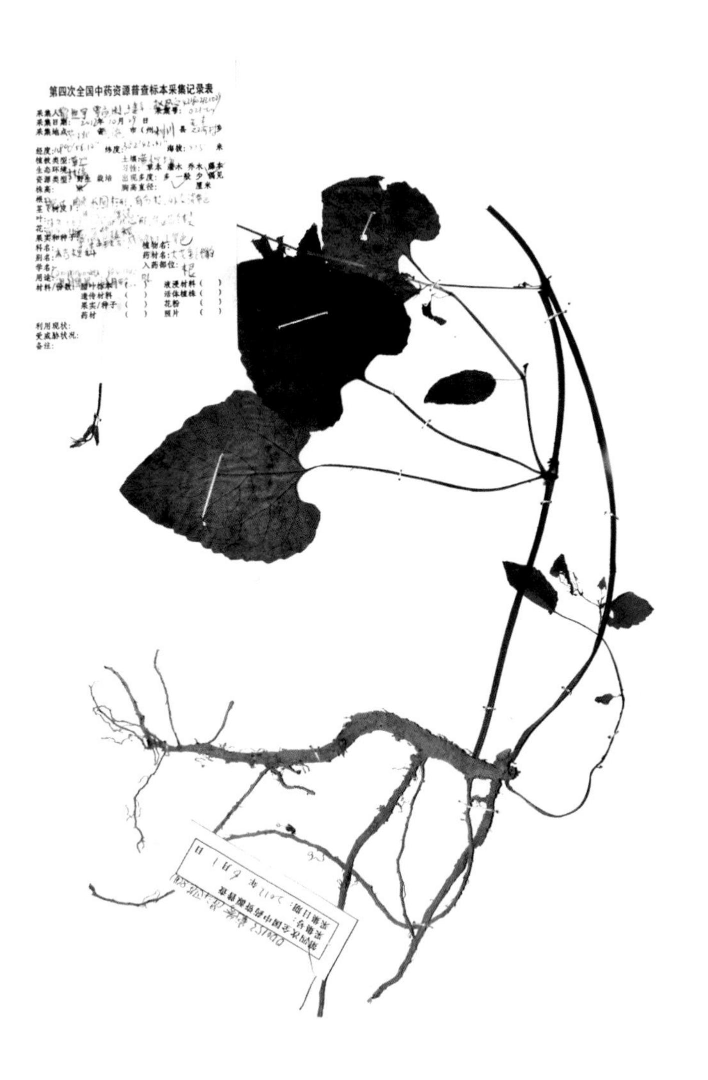

桔梗科 Campanulaceae 金钱豹属 *Campanumoea*

长叶轮钟草 *Campanumoea lancifolia* (Roxb.) Merr.

| 药 材 名 | 红果参。

| 形态特征 | 直立或蔓生草本，有乳汁，通常全部无毛。茎高可达 3 m，中空，分枝多而长，平展或下垂。叶对生，偶有 3 枚轮生的，具短柄，叶片卵形，卵状披针形至披针形，长 6 ~ 15 cm，宽 1 ~ 5 cm，先端渐尖，边缘具细尖齿，锯齿或圆齿。花通常单朵顶生兼腋生，有时 3 花组成聚伞花序，花梗或花序梗长 1 ~ 10 cm，花梗中上部或在花基部有 1 对丝状小苞片。花萼仅贴生至子房下部，裂片 4 ~ 7，相互间远离，丝状或条形，边缘有分枝状细长齿；花冠白色或淡红色，管状钟形，长约 1 cm，5 ~ 6 裂至中部，裂片卵形至卵状三角形；雄蕊 5 ~ 6，花丝与花药等长，花丝基部宽而成片状，其边缘具长毛，

花柱有或无毛，柱头（4 ~ ）5 ~ 6 裂；子房（4 ~ ）5 ~ 6 室。浆果球状，（4 ~ ）5 ~ 6 室，成熟时紫黑色，直径 5 ~ 10 mm。种子极多数，呈多角体。花期 7 ~ 10 月。

| **生境分布** | 生于海拔 1 500 m 以下的林中、灌丛中及草地中。分布于湖北西部。

| **采收加工** | **根：**夏、秋季采挖，洗净，鲜用或晒干。

| **功能主治** | 补虚益气，祛痰止痛。用于劳倦气虚乏力，跌打损伤，肠绞痛。

桔梗科 Campanulaceae 党参属 *Codonopsis*

光叶党参 *Codonopsis cardiophylla* Diels

| 药材名 |

党参。

| 形态特征 |

茎基有多数瘤状茎痕。根常肥大，呈纺锤状或圆柱状，长 10 ~ 15 cm，直径 1 ~ 1.5 cm，表面灰黄色，上部有少数环纹，下部则疏生横长皮孔。数条主茎生于 1 茎基，主茎上升或近直立，高 20 ~ 60 cm，直径 1 ~ 4 mm，侧枝在主茎近下部者细而不育，在上部者可育，长 10 ~ 17 cm，被极疏的白色短硬毛，后渐变为无毛。叶在茎下部及中部者对生，上部者渐趋于互生；叶柄极短或近无，长不及 3 mm，被硬毛或无毛；叶片卵形或披针形，先端钝，基部浅心形或较圆钝，全缘，边缘反卷而形成一窄的镶边，长 1 ~ 3 cm，宽 0.5 ~ 2.5 cm，上面绿色，近无毛，下面灰绿色，疏被短毛。花顶生于主茎及上部的侧枝先端；花梗长，疏生短毛，后渐变为无毛；花萼贴生至子房中部，筒部半球状，具 10 明显辐射脉，光滑无毛，裂片间弯缺、尖狭，裂片宽披针形或近三角形，长 0.9 ~ 1.2 cm，宽 4 ~ 5 mm，先端钝，全缘，绿色，脉纹明显，被微柔毛或无毛；花冠阔钟状，长 2 ~ 3.2 cm，直径 2.5 ~ 3 cm，淡蓝白色，花冠筒内有红紫色或褐红色斑点，浅裂，裂片卵形，先端急尖，长、宽均约 1 cm，被柔毛；雄蕊无毛，花丝线形，基部微扩大，长 6 ~ 7 mm，花丝长约 5 mm。蒴果下部半球状，上部圆锥状，直径 8 ~ 10 mm，裂瓣长 5 ~ 7 mm；种子椭圆状，无翼，细小，长 1 ~ 1.5 mm，直径 0.5 mm，棕黄色，光滑无毛。花果期 7 ~ 10 月。

| 生境分布 | 生于海拔 2 000 ~ 2 900 m 的山地草坡及石崖上。分布于湖北西部。

| 功能主治 | 补中益气，健脾益肺。用于脾肺虚弱，心悸气短，食少便溏，咳嗽虚喘，内热消渴等。

桔梗科 Campanulaceae 党参属 *Codonopsis*

川鄂党参 *Codonopsis henryi* Oliv.

| 药 材 名 | 川鄂党参。

| 形态特征 | 茎缠绕，长约 1 m，直径 2 ~ 3 mm，主茎明显，侧枝短小，长不足 3 cm，其上有 2 ~ 4 叶，先端着花或不育，茎淡绿色或黄绿色，疏生短柔毛或节间渐变为无毛。主茎上的叶互生，侧枝上的叶近对生；叶柄短，长 0.2 ~ 2 cm，被短柔毛；叶片长卵状披针形或披针形，长 3 ~ 15 cm，宽 1 ~ 7 cm，先端渐尖，基部下延或楔形，边缘具较深而明显的粗锯齿，上面绿色，疏生短柔毛，下面灰绿色，被平伏微柔毛。花单生于侧枝先端；花梗极短，长约 1 cm，被短柔毛；花萼贴生至子房中部，筒部半球状，被短柔毛或渐变为无毛，裂片间弯缺、宽钝，裂片彼此远隔，三角形，长 6 ~ 10 mm，宽 3 ~ 7 mm，

先端急尖，被短柔毛及缘毛；花冠钟状或略呈管状钟形，长 1.5 ~ 3 cm，裂片三角状，无毛；雄蕊无毛，花丝基部微扩大，长约 7 mm，花药长约 5 mm。果实未见。花期 7 ~ 8 月。

| 生境分布 | 生于山坡林缘及灌丛中。分布于湖北西部。

| 功能主治 | 补中益气，健脾益肺。用于脾肺虚弱，心悸气短，食少便溏，咳嗽虚喘，内热消渴。

桔梗科 Campanulaceae 党参属 *Codonopsis*

羊乳 *Codonopsis lanceolata* (Sieb. et Zucc.) Trautv.

| 药 材 名 | 羊乳。

| 形态特征 | 植株全体光滑无毛或茎生叶偶疏生柔毛。茎基略近圆锥状或圆柱状，表面有多数瘤状茎痕，根常肥大呈纺锤状而有少数细小侧根，长10 ~ 20 cm，直径1 ~ 6 cm，表面灰黄色，近上部有稀疏环纹，而下部疏生横长皮孔。茎缠绕，长约1 m，直径3 ~ 4 mm，常有多数短细分枝，黄绿色而微带紫色。叶在主茎上的互生，披针形或菱状狭卵形，细小，长0.8 ~ 1.4 cm，宽3 ~ 7 mm；在小枝先端通常2 ~ 4叶簇生，而近于对生或轮生状，叶柄短小，长1 ~ 5 mm，叶片菱状卵形、狭卵形或椭圆形，长3 ~ 10 cm，宽1.3 ~ 4.5 cm，先端尖或钝，基部渐狭，通常全缘或有疏波状锯齿，上面绿色，下面灰绿

色，叶脉明显。花单生或对生于小枝先端；花梗长 1 ~ 9 cm；花萼贴生至子房中部，筒部半球状，裂片弯缺尖狭，或开花后渐变宽钝，裂片卵状三角形，长 1.3 ~ 3 cm，宽 0.5 ~ 1 cm，先端尖，全缘；花冠阔钟状，长 2 ~ 4 cm，直径 2 ~ 3.5 cm，浅裂，裂片三角状，反卷，长 0.5 ~ 1 cm，黄绿色或乳白色内有紫色斑；花盘肉质，深绿色；花丝钻状，基部微扩大，长 4 ~ 6 mm，花药 3 ~ 5 mm；子房下位。蒴果下部半球状，上部有喙，直径 2 ~ 2.5 cm。种子多数，卵形，有翼，细小，棕色。花果期 7 ~ 8 月。

| 生境分布 | 生于山地灌木林下沟边阴湿地区或阔叶林内。湖北有分布。

| 采收加工 | **根**：野生品秋季白露采挖；栽培品于播种第 2 年秋季采挖，除去须根和根头，洗净，切段，晒干。

| 功能主治 | 益气养阴，解毒排脓，通乳。用于头晕头痛，肺痈，乳痈，肠痈，疮疖肿毒，喉蛾，瘰疬，产后乳少，带下，毒蛇咬伤。

桔梗科 Campanulaceae 党参属 *Codonopsis*

党参 *Codonopsis pilosula* (Franch.) Nannf.

| 药材名 |

党参。

| 形态特征 |

茎基具多数瘤状茎痕，根常肥大呈纺锤状或纺锤状圆柱形，较少分枝或中部以下略有分枝，长 15 ~ 30 cm，直径 1 ~ 3 cm，表面灰黄色，上端 5 ~ 10 cm 部分有细密环纹，而下部疏生横长皮孔，肉质。茎缠绕，长 1 ~ 2 m，直径 2 ~ 3 mm，有多数分枝，侧枝 15 ~ 50 cm，小枝 1 ~ 5 cm，具叶，不育或先端着花，黄绿色或黄白色，无毛。叶在主茎及侧枝上的互生，在小枝上的近对生，叶柄长 0.5 ~ 2.5 cm，有疏短刺毛，叶片卵形或狭卵形，长 1 ~ 6.5 cm，宽 0.8 ~ 5 cm，端钝或微尖，基部近心形，边缘具波状钝锯齿，分枝上叶片渐趋狭窄，叶基圆形或楔形，上面绿色，下面灰绿色，两面疏或密地被贴伏的长硬毛或柔毛，少为无毛。花单生于枝端，与叶柄互生或近对生，有梗。花萼贴生至子房中部，筒部半球状，裂片宽披针形或狭矩圆形，长 1 ~ 2 cm，宽 6 ~ 8 mm，先端钝或微尖，微波状或近全缘；花冠上位，阔钟状，长 1.8 ~ 2.3 cm，直径 1.8 ~ 2.5 cm，黄绿色，内面有明显紫斑，浅裂，裂片正三

角形，端尖，全缘；花丝基部微扩大，长约 5 mm，花药长 5 ~ 6 mm；柱头有白色刺毛。蒴果下部半球状，上部短圆锥状。种子多数，卵形，无翼，细小，棕黄色，光滑无毛。花果期 7 ~ 10 月。

| 生境分布 | 生于海拔 1 560 ~ 3 100 m 的山地林边及灌丛中。湖北有分布。

| 功能主治 | 健脾益肺，养血生津。用于脾肺气虚，食少倦怠，咳嗽虚喘，气血不足，面色萎黄，心悸气短，津伤口渴，内热消渴。

桔梗科 Campanulaceae 党参属 *Codonopsis*

川党参 *Codonopsis tangshen* Oliv.

| 药 材 名 | 党参。

| 形态特征 | 植株除叶片两面密被微柔毛外，全体几近光滑无毛。茎基微膨大，具多数瘤状茎痕，根常肥大呈纺锤状或纺锤状圆柱形，较少分枝或中部以下略有分枝，长 15 ~ 30 cm，直径 1 ~ 1.5 cm，表面灰黄色，上端 1 ~ 2 cm 部分有稀或较密的环纹，而下部疏生横长皮孔，肉质。茎缠绕，长可达 3 m，直径 2 ~ 3 mm，有多数分枝，侧枝长 15 ~ 50 cm，小枝长 1 ~ 5 cm，具叶，不育或先端着花，淡绿色、黄绿色或下部微带紫色，叶在主茎及侧枝上的互生，在小枝上的近对生，叶柄长 0.7 ~ 2.4 cm，叶片卵形、狭卵形或披针形，长 2 ~ 8 cm，宽 0.8 ~ 3.5 cm，先端钝或急尖，基部楔形或较圆钝，仅个

别叶片偶近心形，边缘具浅钝锯齿，上面绿色，下面灰绿色。花单生于枝端，与叶柄互生或近对生；花有梗；花萼几乎完全不贴生于子房上，几乎全裂，裂片矩圆状披针形，长 1.4 ～ 1.7 cm，宽 5 ～ 7 mm，先端急尖，微波状或近全缘；花冠上位，与花萼裂片着生处相距约 3 mm，钟状，长约 1.5 ～ 2 cm，直径 2.5 ～ 3 cm，淡黄绿色而内有紫斑，浅裂，裂片近正三角形；花丝基部微扩大，长 7 ～ 8 mm，花药长 4 ～ 5 mm；子房下位，直径 5 ～ 1.4 cm。蒴果下部近球状，上部短圆锥状，直径 2 ～ 2.5 cm。种子多数，椭圆状，无翼，细小，光滑，棕黄色。花果期 7 ～ 10 月。

| 生境分布 | 生于海拔 900 ～ 2 300 m 间的山地林边灌丛中，现已大量栽培。分布于湖北西部。

| 功能主治 | 补中益气，养血生津。用于脾肺气虚，食少倦怠，咳嗽虚喘，气血不足，面色萎黄，心悸气短，津伤口渴，内热消渴。

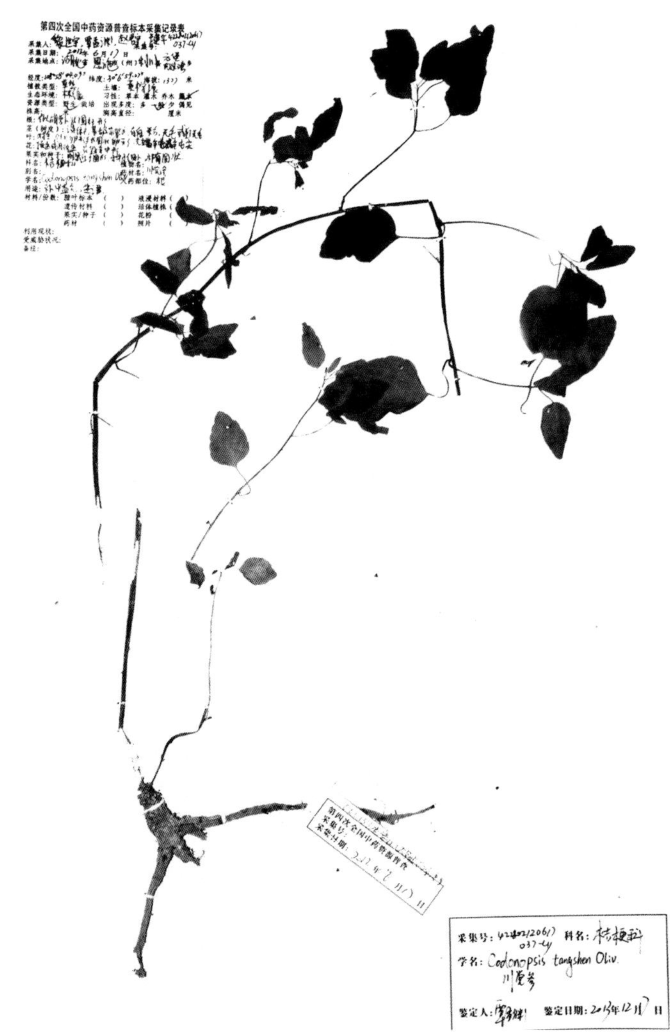

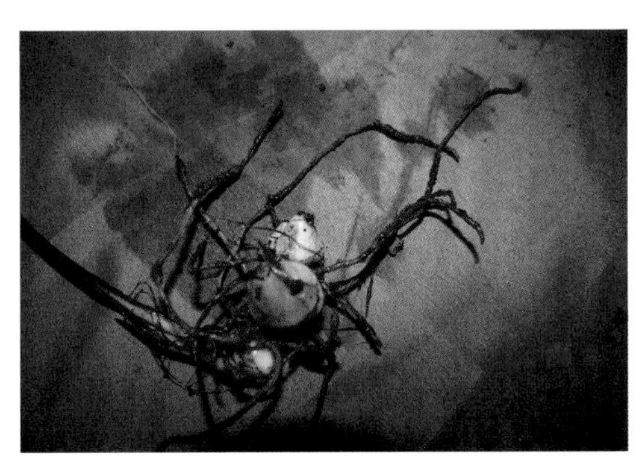

桔梗科 Campanulaceae 半边莲属 *Lobelia*

半边莲 *Lobelia chinensis* Lour.

| 药 材 名 | 半边莲。

| 形态特征 | 多年生草本。茎细弱，匍匐，节上生根，分枝直立，高 6 ~ 15 cm，无毛。叶互生，无柄或近无柄，椭圆状披针形至条形，长 8 ~ 25 cm，宽 2 ~ 6 cm，先端急尖，基部圆形至阔楔形，全缘或顶部有明显的锯齿，无毛。花通常 1，生分枝的上部叶腋；花梗细，长 1.2 ~ 2.5（~ 3.5）cm，基部有长约 1 mm 的小苞片 1 ~ 2 或者没有，小苞片无毛；萼筒倒长锥状，基部渐细而与花梗无明显区分，长 3 ~ 5 mm，无毛，裂片披针形，约与萼筒等长，全缘或下部有 1 对小齿；花冠粉红色或白色，长 10 ~ 15 mm，背面裂至基部，喉部以下生白色柔毛，裂片全部平展于下方，呈 1 平面，两侧裂片披针形，较长，中

间3裂片椭圆状披针形，较短；雄蕊长约8 mm，花丝中部以上连合，花丝筒无毛，未连合部分的花丝侧面生柔毛，花药管长约2 mm，背部无毛或疏生柔毛。蒴果倒锥状，长约6 mm。种子椭圆状，稍扁压，近肉色。花果期5～10月。

| 生境分布 | 生于田埂、草地、沟边、溪边及潮湿的阴坡荒地。人工种植以沟边河滩较为潮湿处为佳，土壤以砂质土壤为好。湖北有分布。

| 采收加工 | **全草：**半边莲栽植后，1年可收割两季，头茬在夏季生长茂盛时，二茬在秋季霜降前，收割时用镰刀剪齐后割取，洗净泥沙，除净杂物，直接晒干或烘干。

| 功能主治 | 清热解毒，利尿消肿。用于痈肿疔疮，蛇虫咬伤，臌胀水肿，湿热黄疸，湿疹湿疮。

桔梗科 Campanulaceae 半边莲属 *Lobelia*

江南山梗菜 *Lobelia davidii* Franch.

| 药 材 名 | 江南山梗菜。

| 形态特征 | 多年生草本，高可达 180 cm。主根粗壮，侧根纤维状。茎直立，分枝或不分枝，幼枝有隆起的条纹，无毛或有极短的倒糙毛，或密被柔毛。叶螺旋状排列，下部的早落；叶片卵状椭圆形至长披针形，大的长可达 17 cm，宽达 7 cm，先端渐尖，基部渐狭成柄；叶柄两边有翅，向基部变窄，柄长可达 4 cm。总状花序顶生，长 20 ~ 50 cm，花序轴无毛或有极短的柔毛。苞片卵状披针形至披针形，比花长；花梗长 3 ~ 5 mm，有极短的毛和很小的小苞片 1 或 2；萼筒倒卵状，长约 4 mm，基部浑圆，被极短的柔毛，裂片条状披针形，长 5 ~ 12 mm，宽 1 ~ 1.5 mm，边缘有小齿；花冠紫红色或红紫色，

长 1.1 ~ 2.5（~ 2.8）cm，近二唇形，上唇裂片条形，下唇裂片长椭圆形或披针状椭圆形，中肋明显，无毛或生微毛，喉部以下生柔毛；雄蕊在基部以上连合成筒，花丝筒无毛或在近花药处生微毛，下方 2 花药先端生髯毛。蒴果球状，直径 6 ~ 10 mm，底部常背向花序轴，无毛或有微毛。种子黄褐色，稍压扁，椭圆状，一边厚而另一边薄，薄边颜色较淡。花果期 8 ~ 10 月。

| **生境分布** | 生于海拔 2 300 m 以下的山地林边或沟边较阴湿处。湖北有分布。

| **采收加工** | **全草或根**：7 ~ 10 月采收，洗净，鲜用或晒干。

| **功能主治** | 宣肺化痰，清热解毒，利尿消肿。用于咳嗽痰喘，水肿，痈肿疔疮，胃寒痛，毒蛇咬伤，蜂蜇。

桔梗科 Campanulaceae 半边莲属 *Lobelia*

西南山梗菜 *Lobelia sequinii* H. Lév. et Van.

| 药 材 名 | 西南山梗菜。

| 形态特征 | 半灌木状草本，高 1 ~ 2.5（~ 5）m。茎多分枝，无毛。叶纸质，螺旋状排列，下部的长矩圆形，长达 25 cm，具长柄，中部以上的披针形，长 6 ~ 20 cm，宽 1.2 ~ 4 cm，先端长渐尖，基部渐狭，边缘有重锯齿或锯齿，两面无毛；有短柄或无柄。总状花序生主茎和分枝的先端，花较密集，偏向花序轴一侧；花序下部的几枚苞片条状披针形，边缘有细锯齿，长于花，上部的变窄成条形，全缘，短于花；花梗长 5 ~ 8 mm，稍背腹压扁，向后弓垂，先端生 2 条状小苞片；萼筒倒卵状矩圆形至倒锥状，长 5 ~ 8 mm，无毛，裂片披针状条形，长（8 ~）16 ~ 20（~ 25）mm，宽 1.5 ~ 2 mm，全缘，

无毛；花冠紫红色、紫蓝色或淡蓝色，长 2.5 ~ 3（~ 3.5）cm，内面喉部以下密生柔毛，上唇裂片长条形，宽约 1 mm，相当于花冠长的 2/3，上升或平展，下唇裂片披针形，约为花冠长的一半，外展；雄蕊连合成筒，花丝筒约与花冠筒等长，除基部外无毛，花药管长 5 ~ 7 mm，基部有数丛短毛，背部无毛，下方 2 花药先端生笔毛状髯毛。蒴果矩圆状，长 1 ~ 1.2 cm，宽 5 ~ 7 mm，无毛，因果柄向后弓曲而倒垂。种子矩圆状，表面有蜂窝状纹饰。花果期 8 ~ 10 月。

| 生境分布 | 生于海拔 500 ~ 3 000 m 的山坡草地、林边和路旁。分布于湖北巴东等。

| 采收加工 | **全草或根：** 9 ~ 10 月采收，鲜用或晒干。

| 功能主治 | 祛风活血，清热解毒。用于风湿痹痛，跌打损伤，痈肿疔疮，痄腮，乳蛾，蛇虫咬伤。

桔梗科 Campanulaceae 半边莲属 *Lobelia*

山梗菜 *Lobelia sessilifolia* Lamb.

|药 材 名| 山梗菜。

|形态特征| 多年生草本。茎圆柱状，通常不分枝。叶螺旋状排列，在茎的中上部较密集；叶片厚纸质，宽披针形，长 2.5 ~ 5.5 cm，宽 3 ~ 16 mm，

两面无毛。总状花序顶生，长 8 ~ 35 cm，无毛；花梗长 5 ~ 12 mm；花萼筒杯状钟形，长约 4 mm；花冠蓝紫色，长 2.5 ~ 3 cm，近二唇形，外面无毛，内面具长柔毛，上唇 2 裂片长匙形，下唇 3 裂片椭圆形。蒴果倒卵形；种子半圆形，棕红色。花果期 7 ~ 9 月。

| 生境分布 | 生于平原或山坡潮湿草地。湖北有分布。

| 采收加工 | **全草**：夏、秋季采收，晒干。

| 功能主治 | 祛痰止咳，利尿消肿，清热解毒。用于感冒发热，咳嗽痰喘，肝硬化腹水，水肿，痈疽疔毒，蛇犬咬伤。

桔梗科 Campanulaceae 袋果草属 *Peracarpa*

袋果草 *Peracarpa carnosa* (Wall.) Hook. f. et Thoms.

| 药 材 名 | 袋果草。

| 形态特征 | 纤细草本。茎肉质，直径约 1 mm，长 5 ~ 15 cm，无毛。叶多集中于茎上部，具长 3 ~ 15 mm 的叶柄，叶片膜质或薄纸质，卵圆形或圆形，基部平钝或浅心形，先端圆钝或多少急尖，长 8 ~ 25 mm，宽 7 ~ 20 mm，两面无毛或上面疏生贴伏的短硬毛，边缘波状，但弯缺处有短刺；茎下部的叶疏离而较小。花梗细长而常伸直，长可达 6 cm，但有时短至 1 cm；花萼无毛，筒部倒卵状圆锥形，裂片三角形至条状披针形；花冠白色或紫蓝色，裂片条状椭圆形。果实倒卵状，长 4 ~ 5 mm；种子棕褐色，长 1.7 mm。花期 3 ~ 5 月，果期 4 ~ 11 月。

| **生境分布** | 生于海拔 3 000 m 以下的林下及沟边潮湿岩石上。湖北有分布。

| **功能主治** | 祛风除湿，利尿消肿。用于风湿性关节炎，筋骨疼痛，湿疹，腹泻，小便不利，小儿惊风。

桔梗科 Campanulaceae 桔梗属 *Platycodon*

桔梗 *Platycodon grandiflorus* (Jacq.) A. DC.

| 药 材 名 |

桔梗。

| 形态特征 |

多年生草本，茎高 20 ～ 120 cm，通常无毛，偶密被短毛，不分枝，极少上部分枝。叶全部轮生，部分轮生至全部互生，无柄或有极短的柄，叶片卵形，卵状椭圆形至披针形，长 2 ～ 7 cm，宽 0.5 ～ 3.5 cm，基部宽楔形至圆钝，先端急尖，上面无毛而绿色，下面常无毛而有白粉，有时脉上有短毛或瘤突状毛，边缘具细锯齿。花单朵顶生，或数朵集成假总状花序，或有花序分枝而集成圆锥花序；萼筒半圆球状或圆球状倒锥形，被白粉，裂片三角形，或狭三角形，有时齿状；花冠大，长 1.5 ～ 4 cm，蓝色或紫色。蒴果球状，或球状倒圆锥形，或倒卵状，长 1 ～ 2.5 cm，直径约 1 cm。花期 7 ～ 9 月。

| 生境分布 |

生于海拔 2 000 m 以下的阳处草丛、灌丛中，少生于林下。湖北有分布。

| 采收加工 | **根：** 桔梗种植后 2 年或 3 年采收，于春、秋季采收。秋季采者体重坚实，质量较佳。一般在茎叶枯萎时采挖，采收时用镐刨出根部，去掉茎叶，趁鲜时用瓷片、木片等刮去栓皮，洗净，晒干。皮要及时刮净，否则根皮难以刮剥，质量降低。

| 功能主治 | 宣肺，利咽，祛痰，排脓。用于咳嗽痰多，胸闷不畅，咽痛音哑，肺痈吐脓。

桔梗科 Campanulaceae 铜锤玉带属 *Pratia*

铜锤玉带草 *Pratia nummularia* (Lam.) A. Br. et Aschers.

|药 材 名| 铜锤玉带草。

|形态特征| 多年生草本，有白色乳汁。茎平卧，长 12 ~ 55 cm，被开展的柔毛，不分枝或在基部有长或短的分枝，节上生根。叶互生，叶片圆卵形、心形或卵形，长 0.8 ~ 1.6 cm，宽 0.6 ~ 1.8 cm，先端钝圆或急尖，基部斜心形，边缘有牙齿，两面疏生短柔毛，叶脉掌状至掌状羽脉；叶柄长 2 ~ 7 mm，生开展短柔毛。花单生叶腋；花梗长 0.7 ~ 3.5 cm，无毛；萼筒坛状，长 3 ~ 4 mm，宽 2 ~ 3 mm，无毛，裂片条状披针形，伸直，长 3 ~ 4 mm，每边生 2 或 3 小齿；花冠紫红色、淡紫色、绿色或黄白色，长 6 ~ 7 mm，花冠筒外面无毛，内面生柔毛，檐部二唇形，裂片 5，上唇 2 裂片条状披针形，下唇裂片披针形；雄

蕊在花丝中部以上连合，花丝筒无毛，花药管长 1 mm 余，背部生柔毛，下方 2 花药先端生髯毛。果为浆果，紫红色，椭圆状球形，长 1 ~ 1.3 cm。种子多数，近圆球状，稍压扁，表面有小疣突。

| 生境分布 | 生于田边、路旁及丘陵、低山草坡或疏林中的潮湿地。湖北有分布。

| 采收加工 | **全草：**夏季采收，洗净，鲜用或晒干。

| 功能主治 | 用于风湿痹痛，跌打损伤，月经不调，目赤肿痛，乳痈，无名肿毒。

桔梗科 Campanulaceae 蓝花参属 *Wahlenbergia*

蓝花参 *Wahlenbergia marginata* (Thunb.) A. DC.

| 药 材 名 | 蓝花参。

| 形态特征 | 多年生草本，有白色乳汁。根细长，外面白色，细胡萝卜状，直径可达 4 mm，长约 10 cm。茎自基部多分枝，直立或上升，长 10 ~ 40 cm，无毛或下部疏生长硬毛。叶互生，无柄或具长至 7 mm 的短柄，常在茎下部密集，下部的匙形，倒披针形或椭圆形，上部的条状披针形或椭圆形，长 1 ~ 3 cm，宽 2 ~ 8 mm，边缘波状或具疏锯齿，或全缘，无毛或疏生长硬毛。花梗极长，细而伸直，长可达 15 cm；花萼无毛，筒部倒卵状圆锥形，裂片三角状钻形；花冠钟状，蓝色，长 5 ~ 8 mm，分裂达 2/3，裂片倒卵状长圆形。蒴果倒圆锥状或倒卵状圆锥形，有 10 不甚明显的肋，长 5 ~ 7 mm，

直径约 3 mm。种子矩圆状，光滑，黄棕色，长 0.3 ~ 0.5 mm。花果期 2 ~ 5 月。

| 生境分布 | 生于低海拔的田边、路边和荒地中，有时生于山坡或沟边。湖北有分布。

| 采收加工 | **根：**秋季采挖，鲜用或晒干。

全草：春、夏、秋季采挖，鲜用或晒干。

| 功能主治 | 益气健脾，止咳祛痰。用于虚损劳伤，自汗盗汗，疳积，小儿惊风，带下，感冒咳嗽，间日疟，瘰疬，衄血，痢疾初起，跌打损伤。

菊科 Compositae 蓍属 *Achillea*

蓍 *Achillea alpina* L.

|药 材 名|

蓍。

|形态特征|

多年生草本，具细的匍匐根茎。茎直立，高40 ~ 100 cm，有细条纹，通常被白色长柔毛，上部分枝或不分枝，中部以上叶腋常有缩短的不育枝。叶无柄，披针形、矩圆状披针形或近条形，长5 ~ 7 cm，宽1 ~ 1.5 cm，2 ~ 3回羽状全裂，叶轴宽1.5 ~ 2 mm，1回裂片多数，间隔1.5 ~ 7 mm，有时基部裂片之间的上部有1中间齿，末回裂片披针形至条形，长0.5 ~ 1.5 mm，宽0.3 ~ 0.5 mm，先端具软骨质短尖，上面密生凹入的腺体，多少被毛，下面被较密的贴伏的长柔毛。下部叶和营养枝的叶长10 ~ 20 cm，宽1 ~ 2.5 cm。头状花序多数，密集成直径2 ~ 6 cm的复伞房状；总苞矩圆形或近卵形，长约4 mm，宽约3 mm，疏生柔毛；总苞片3层，覆瓦状排列，椭圆形至矩圆形，长1.5 ~ 3 mm，宽1 ~ 1.3 mm，背中间绿色，中脉凸起，边缘膜质，棕色或淡黄色；托片矩圆状椭圆形，膜质，背面散生黄色闪亮的腺点，上部被短柔毛。边花5；舌片近圆形，白色、粉红色或淡紫红色，长1.5 ~ 3 mm，

宽 2 ~ 2.5 mm，先端具 2 ~ 3 齿；盘花两性，管状，黄色，长 2.2 ~ 3 mm，5 齿裂，外面具腺点。瘦果矩圆形，长约 2 mm，淡绿色，有狭的淡白色边肋，无冠状冠毛。花果期 7 ~ 9 月。

| **生境分布** | 湖北有栽培。

| **采收加工** | **全草**：7 ~ 9 月采收，洗净，鲜用或晒干。

| **功能主治** | 祛风止痛，活血，解毒。用于感冒发热，头风痛，牙痛，风湿痹痛，血瘀经闭，腹部痞块，跌打损伤，毒蛇咬伤，痈肿疮毒。体虚者及孕妇忌服。

菊科 Compositae 蓍属 *Achillea*

云南蓍 *Achillea wilsoniana* Heimerl ex Hand.-Mazz.

| 药 材 名 | 云南蓍。

| 形态特征 | 多年生草本，有短的根茎。茎直立，高 35 ~ 100 cm，下部变无毛，中部以上被较密的长柔毛，不分枝或上部分枝，叶腋常有不育枝。叶无柄，下部叶在花期凋落，中部叶矩圆形，长 4 ~ 6.5 cm，宽 1 ~ 2 cm，2 回羽状全裂，1 回裂片多数，几接近，椭圆状披针形，长 5 ~ 10 mm，宽 2 ~ 4 mm，2 回裂片少数，下面的较大，披针形，有少数齿，上面的较短小，近无齿或有单齿，齿端具白色软骨质小尖头，叶上面绿色，疏生柔毛和凹入的腺点，下面被较密的柔毛；叶轴宽约 1.5 mm，全缘或上部裂片间有单齿。头状花序多数，集成复伞房花序；总苞宽钟形或半球形，直径 4 ~ 6 mm；总苞片 3 层，

覆瓦状排列，外层短，卵状披针形，长 2.3 mm，宽约 1.2 mm，先端稍尖，中层卵状椭圆形，长 2.5 mm，宽约 1.8 mm，内层长椭圆形，长 4 mm，宽约 1.8 mm，先端钝或圆形，有褐色膜质边缘，中间绿色，有凸起的中肋，被长柔毛；托片披针形，舟状，长 4.5 mm，具稍带褐色的膜质透明边缘，背部稍带绿色，被少数腺点，上部疏生长柔毛。边花 6 ~ 8；舌片白色，偶有淡粉红色边缘，长、宽均约 2.2 mm，先端具深或浅的 3 齿，管部与舌片近等长，翅状压扁，具少数腺点；管状花淡黄色或白色，长约 3 mm，管部压扁具腺点。瘦果矩圆状楔形，长 2.5 mm，宽约 1.1 mm，具翅。花果期 7 ~ 9 月。

| 生境分布 | 生于山坡草地或灌丛中。分布于湖北西部。

| 采收加工 | **全草：**夏、秋季采收，鲜用或切段晒干。

| 功能主治 | 祛风除湿，散瘀止痛，解毒消肿。用于风湿痹痛，胃痛，牙痛，跌打损伤，闭经，腹痛，痈肿疮毒，蛇虫咬伤。

菊科 Compositae 和尚菜属 *Adenocaulon*

和尚菜 *Adenocaulon himalaicum* Edgew.

| 药 材 名 |

和尚菜。

| 形态特征 |

根茎匍匐，直径 1 ~ 1.5 cm，自节上生出多数的纤维根。茎直立，高 30 ~ 100 cm，中部以上分枝，稀自基部分枝，分枝纤细、斜上，或基部的分枝粗壮，被蛛丝状绒毛，有长 2 ~ 4 cm 的节间。根生叶或下部的茎生叶花期凋落；下部茎生叶肾形或圆肾形，长 5 ~ 8 cm，宽 7 ~ 12 cm，基部心形，先端急尖或钝，边缘有不等形的波状大牙齿，齿端有突尖，叶上面沿脉被尘状柔毛，下面密被蛛丝状毛，基出 3 脉，叶柄长 5 ~ 17 cm，宽 0.3 ~ 1 cm，有狭或较宽的翼，翼全缘或有不规则的钝齿；中部茎生叶三角状圆形，长 7 ~ 13 cm，宽 8 ~ 14 cm，向上的叶渐小，三角状卵形或菱状倒卵形，最上部的叶长约 1 cm，披针形或线状披针形，无柄，全缘。头状花序排成狭或宽大的圆锥状花序，花梗短，被白色绒毛，花后花梗伸长，长 2 ~ 6 cm，密被头状具柄腺毛。总苞半球形，宽 2.5 ~ 5 mm；总苞片 5 ~ 7，宽卵形，长 2 ~ 3.5 mm，全缘，果期向外反曲。雌花白色，长 1.5 mm，檐部比管部长，裂片卵状长椭圆形，两性花淡白色，长 2 mm，檐部短于管部 2 倍。瘦果棍棒状，长 6 ~ 8 mm，被多数头状具柄的腺毛。花果期 6 ~ 11 月。

| 生境分布 | 生河岸、湖旁、峡谷、阴湿密林下，在干燥山坡亦有生长，从平原到海拔 3 100 m 的山地均可见。湖北有分布。

| 采收加工 | **根、根茎：**夏、秋季采挖，洗净，鲜用或晒干。

| 功能主治 | 宣肺平喘，利水消肿，散瘀止痛。用于咳嗽气喘，水肿，小便不利，产后瘀滞腹痛，跌打损伤。

菊科 Compositae 下田菊属 *Adenostemma*

下田菊 *Adenostemma lavenia* (L.) O. Kuntze

| 药 材 名 |

下田菊。

| 形态特征 |

一年生草本，高 30 ~ 100 cm；茎单生，直立或倚斜，被白色短柔毛或无毛。中部茎生叶较大，矩椭圆状披针形，单叶对生或上部叶互生，叶片阔卵形或长椭圆状披针形，长 4 ~ 15 cm，宽 2 ~ 6 cm，先端钝，基部稍下延或浅心形，边缘具粗锯齿，叶面绿色，背面淡绿色，两面均疏被短柔毛，侧脉 3 ~ 4 对，最下的 1 对近叶基发出；叶柄长 1 ~ 3 cm，或当叶片下延时不明显，具狭翅。头状花序小，在枝端排成密集或疏松的伞房或伞房状圆锥花序，总花梗及分枝被短柔毛；总苞半球形，直径 6 ~ 10 mm，总苞片 2 层，长圆形，几膜质，绿色，先端圆形，外层总苞片基部大部分合生，无毛或被白色长柔毛或具腺毛；花两性，全部结实，花冠筒状，白色或黄色，先端 5 齿裂，外面被腺体；花柱之柱头裂片露出。瘦果倒披针形，长约 4 mm，被多数乳头状突起；冠毛 4，棒状，基部合生成环。花果期 8 ~ 10 月。

| 生境分布 | 生于海拔 600 ～ 2 100 m 的沟边、荒山坡、潮湿处。湖北有分布。

| 采收加工 | 夏、秋季采收，洗净，鲜用或切段晒干。

| 功能主治 | 清热利湿，解毒消肿。用于感冒发热，支气管炎，咽喉炎，扁桃体炎，黄疸性肝炎；外用于痈疖疮疡，蛇咬伤。

菊科 Compositae 藿香蓟属 *Ageratum*

藿香蓟 *Ageratum conyzoides* L.

|药 材 名| 藿香蓟。

|形态特征| 一年生草本植物，高 50 ~ 100 cm，有时又不足 10 cm。无明显主根。茎粗壮，基部直径 4 mm，或少有纤细的，基部直径不足 1 mm，不分枝或自基部或自中部以上分枝，或下基部平卧而节常生不定根。全部茎枝淡红色，或上部绿色，被白色尘状短柔毛或上部被稠密开展的长绒毛。叶对生，有时上部互生，常有腋生的不发育的叶芽。中部茎生叶卵形或椭圆形或长圆形，长 3 ~ 8 cm，宽 2 ~ 5 cm；自中部叶向上向下及腋生小枝上的叶渐小或小，卵形或长圆形，有时植株全部叶小形，长仅 1 cm，宽仅达 0.6 mm。全部叶基部钝或宽楔形，基出脉 3，或不明显 5 出脉，先端急尖，边缘具圆锯齿，有长 1 ~

3 cm 的叶柄，两面被白色稀疏的短柔毛且有黄色腺点，上面沿脉处及叶下面的毛稍多，有时下面近无毛，上部叶的叶柄或腋生幼枝及腋生枝上的小叶的叶柄通常被白色稠密开展的长柔毛。头状花序 4 ~ 18 在茎顶排成通常紧密的伞房状花序；花序直径 1.5 ~ 3 cm，少有排成松散伞房状花序的。花梗长 0.5 ~ 1.5 cm，被尘状短柔毛。总苞钟状或半球形，宽 5 mm。总苞片 2 层，长圆形或披针状长圆形，长 3 ~ 4 mm，外面无毛，边缘撕裂。花冠长 1.5 ~ 2.5 mm，外面无毛或先端有尘状微柔毛，檐部 5 裂，淡紫色。瘦果黑褐色，5 棱，长 1.2 ~ 1.7 mm，有白色稀疏细柔毛。冠毛膜片 5 或 6，长圆形，先端急狭或渐狭成长或短芒状，或部分膜片先端截形而无芒状渐尖；全部冠毛膜片长 1.5 ~ 3 mm。花果期全年。

| **生境分布** | 生于低海拔至 2 800 m 的山谷、山坡林下或林缘、河边或山坡草地、田边或荒地上。分布于湖北武汉、十堰。

| **资源情况** | 野生资源丰富。药材主要来源于野生。

| **采收加工** | 夏、秋季采收，洗净，鲜用或晒干。

| **功能主治** | 祛风清热，止痛，止血，排石。用于上呼吸道感染，扁桃体炎，咽喉炎，急性胃肠炎，胃痛，腹痛，崩漏，肾结石，膀胱结石；外用于湿疹，鹅口疮，痈肿疮毒，蜂窝织炎，下肢溃疡，中耳炎，外伤出血。

菊科 Asteraceae 霍香蓟属 *Ageratum*

熊耳草 *Ageratum houstonianum* Miller

| 药 材 名 | 熊耳草。

| 形态特征 | 一年生草本。茎直立，淡红色、绿色或麦秆黄色，被白色绒毛或薄绵毛。叶对生，有时上部的叶近互生，宽卵形、长卵形或三角状卵形。全部叶有叶柄，边缘有规则的圆锯齿，基出脉 3 或不明显五出脉，两面被稀疏或稠密的白色柔毛。头状花序 5 ~ 15 或更多，在茎枝先端排成直径 2 ~ 4 cm 的伞房或复伞房花序；花序梗被密柔毛或尘状柔毛；总苞钟状，直径 6 ~ 7 mm，总苞片 2 层，狭披针形，外面被较多的腺质柔毛；花冠长 2.5 ~ 3.5 mm，檐部淡紫色，5 裂，裂片外面被柔毛。瘦果黑色，有 5 纵棱。冠毛 5，膜片状，分离，膜片长圆形或披针形，先端芒状长渐尖，有时冠毛膜片先端截形，而无

芒状渐尖。花果期全年。

| **生境分布** | 生于山谷、山坡林下、林缘、河边、山坡草地、田边或荒地上。湖北有分布。

| **采收加工** | **全草：**夏、秋季采收，晒干。

| **功能主治** | 清热解毒，利咽止痛。用于外感风热，咽部红肿疼痛，声音嘶哑，舌红口干。

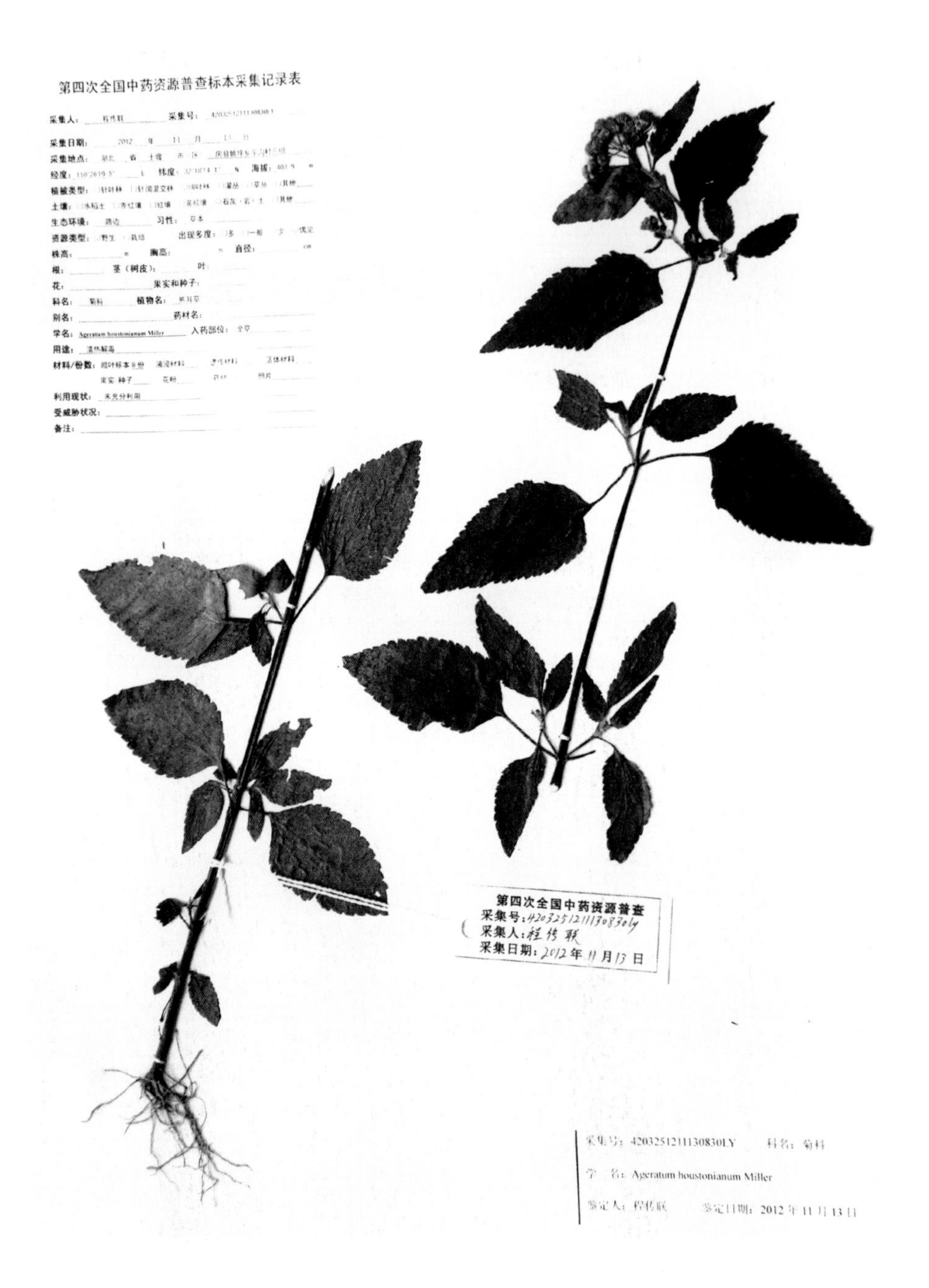
第四次全国中药资源普查标本采集记录表
采集人：
采集号：
采集日期：2012 年 11 月 13 日
采集地点：
经度：
纬度：
海拔：
植被类型：
土壤：
生态环境：路边
习性：草本
资源类型：野生 栽培
出现多度：多 一般 少 偶见
株高：
胸高：
直径：
根：
茎（树皮）：
叶：
花：
果实和种子：
科名：菊科
植物名：
别名：
药材名：
学名：Ageratum houstonianum Miller
入药部位：全草
用途：清热解毒
材料/份数：
利用现状：未充分利用
受威胁状况：
备注：
第四次全国中药资源普查
采集号：4203251211130830ly
采集人：程传联
采集日期：2012年11月13日
采集号：4203251211130830LY
科名：菊科
学 名：Ageratum houstonianum Miller
鉴定人：程传联
鉴定日期：2012年11月13日

菊科 Compositae 兔儿风属 *Ainsliaea*

杏香兔儿风 *Ainsliaea fragrans* Champ.

| 药 材 名 | 杏香兔儿风。

| 形态特征 | 多年生草本。根茎短或伸长，有时可离地面约 2 cm，圆柱形，直或弯曲，直径 1 ~ 3 mm，根颈被褐色绒毛，须根簇生，细长。茎直立，单一，不分枝，花葶状，高 25 ~ 60 cm，被褐色长柔毛。叶聚生于茎的基部，莲座状或呈假轮生，叶片厚纸质，卵形、狭卵形或卵状长圆形，长 2 ~ 11 cm，宽 1.5 ~ 5 cm，先端钝或中脉延伸成一小的凸尖头，基部深心形，全缘或具疏离的胼胝体状小齿，有向上弯拱的缘毛，上面绿色，无毛或被疏毛，下面淡绿色或多少带紫红色，被较密的长柔毛，脉上尤甚；基出脉 5，在下面明显增粗并凸起，中脉中、上部复具 1 ~ 2 对侧脉，网脉略明显，网眼大；叶

柄长 1.5 ~ 6 cm，稀更长，无翅，密被长柔毛。头状花序通常有 3 小花，具被短柔毛的短梗或无梗，于花葶顶部排成间断的总状花序，花序轴被深褐色的短柔毛，有长 3 ~ 4 mm 的钻形苞叶；总苞圆筒形，直径 3 ~ 3.5 mm；总苞片约 5 层，背部有纵纹，无毛，有时先端带紫红色，外面 1 ~ 2 层卵形，长 1.8 ~ 2 mm，宽约 1 mm，先端尖，中层近椭圆形，长 3 ~ 8 mm，宽 1.5 ~ 2 mm，先端钝，最内层狭椭圆形，长约 11 mm，宽约 2 mm，先端渐尖，基部长渐狭，具爪，边缘干膜质；花托狭，不平，直径约 0.5 mm，无毛；花两性，白色，开放时具杏仁香气；花冠管纤细，长约 6 mm，冠檐显著扩大，管口上方 5 深裂，裂片线形，与花冠管近等长；花药长约 4.5 mm，先端钝，基部箭形的尾部长约 2 mm；花柱分枝伸出花药筒外，长约 0.5 mm，先端钝头。瘦果棒状圆柱形或近纺锤形，栗褐色，略压扁，长约 4 mm，具 8 显著的纵棱，被较密的长柔毛；冠毛多数，淡褐色，羽毛状，长约 7 mm，基部联合。花期 11 ~ 12 月。

| 生境分布 | 生于海拔 30 ~ 850 m 的山坡灌木林下、路旁或沟边草丛中。湖北有分布。

| 资源情况 | 野生资源丰富。药材主要来源于野生。

| 采收加工 | **全草：**春、夏季采收，拣去杂质，洗净，鲜用或切段晒干。

| 功能主治 | 清热补虚，凉血止血，利湿解毒。用于虚劳骨蒸，肺痨咯血，崩漏，湿热黄疸，水肿，痈疽肿毒，瘰疬结核，跌打损伤，毒蛇咬伤。

菊科 Compositae 兔儿风属 *Ainsliaea*

光叶兔儿风 *Ainsliaea glabra* Hemsl.

|药材名|

光叶兔儿风。

|形态特征|

多年生草本。根茎粗短，直径 5 ~ 8 mm，簇生细弱的须根，根颈被黄褐色绵毛。茎通常粗壮，直立，常呈紫红色，高 45 ~ 80 cm 或超过 1 m，无毛，花序之下不分枝。发育正常的叶集生于茎的中部以下而又离茎基 3 ~ 4 cm，互生，不呈莲座状，节间极不等长，短者长仅 1.5 ~ 2 cm，长者可达 8 cm，叶片纸质，卵状披针形、长圆状披针形或近椭圆形，长 10 ~ 20 cm，宽 5 ~ 9.5 cm，先端渐尖，基部渐狭或短楔尖，稍下延，边缘有胼胝体状的细齿，上面绿色，通常无毛或极少有糙伏毛，下面于脉上呈紫红色，无毛；中脉在上面凸起，在下面平坦，侧脉 6 ~ 7 对，其中下部的 3 对通常基部与中脉平行紧贴，至离基 2 ~ 5 cm 处与中脉成锐角作弧形上升，网脉明显，网眼很疏；叶柄紫红色，长 7 ~ 15 cm，具细纵棱，无翅亦无毛；茎上部的叶小，疏离，节间长 7 ~ 9 cm，叶片卵状披针形或披针形，长 1.5 ~ 4.5 cm，宽 4 ~ 15 mm，先端渐尖，边缘亦具胼胝体状疏齿，叶柄短，长 5 ~ 15 mm；花序上的叶苞片状，通常具钝头。头状花序具 3 花，小，长 7 ~ 8 mm，直径 3 ~ 4 mm，极多数，于茎顶排成开展的圆锥花序，圆锥花序长 25 ~ 35 cm，宽 5 ~ 15 cm，花序轴无毛，末次分枝和头状花序梗被短柔毛；总苞圆筒形，直径 2 ~ 3 mm；总苞片约 5 层，全部无毛，背部具 1 明显的脉，外 1 ~ 2 层卵形，长 1 ~ 2 mm，宽约 1 mm，先端钝，中层长圆形，长 4.5 ~ 5 mm，宽与外层的近相等，先端亦钝，最内层线形，略长于花盘，宽不及 1 mm，先端略尖，基部稍狭，边缘薄，干膜质；花托狭，不平，直径约 0.3 mm，无毛。花全为两性，花冠细管状，长约 2.8 mm，先端无裂片，深藏于冠毛之中；花药内藏，先端钝，基部具丝状尖尾；花柱分枝钝，稍叉开。瘦果纺锤形，具 10 纵棱，干时黄褐色，长约 4 mm，无毛或顶部有时被疏毛。冠毛黄白色，羽毛状，长约 5 mm，基部稍连合。花期 7 ~ 9 月。

｜生境分布｜ 生于海拔 800 ~ 1 200 m 的林缘或林下阴湿草丛中。分布于湖北宜昌。

｜资源情况｜ 野生资源较丰富。药材主要来源于野生。

｜采收加工｜ **全草**：春、夏季采收，切段晒干。

｜功能主治｜ 养阴清肺，凉血利湿。用于风湿痛，跌打损伤，虚劳咳嗽等。

菊科 Compositae 兔儿风属 *Ainsliaea*

纤枝兔儿风 *Ainsliaea gracilis* Franch.

| 药 材 名 | 纤枝兔儿风。

| 形态特征 | 多年生草本。根茎通常短，头状，稀略延伸成圆柱状；根颈无毛或被疏毛。鳞片腋内毛簇生。根纤细，密集，胡须状，长 7 ~ 15 cm。茎直立，单一或双生，极纤弱，高 20 ~ 60 cm，有时可达 1 m，基部直径 1 ~ 2.5 mm，被淡褐色、疏密不一的长柔毛。叶聚生于茎的中、下部，呈轮生状，有时下端有 1 或 2 疏离，叶片薄纸质，卵形或卵状披针形，长 2 ~ 6 cm，宽 12 ~ 34 mm，稀有较大者，先端短尖至渐尖，尖端中脉延伸成 1 刺芒状尖头，基部心形或近心形，略下延，边缘具胼胝体状细齿，上面亮绿色，无毛，下面紫红色，被疏长柔毛，中脉基部毛较密；基出脉 3，在两面稍凸起，其 2 对

侧脉均弯拱离缘上升，网脉明显；叶柄纤细，长为叶片的 2/3 或与叶片近等长，多少被长柔毛。头状花序具 3 花，花期长 13 ~ 15 mm，直径约 6 mm，于茎顶部呈总状花序式排列；总苞圆筒形，直径约 3 mm；总苞片近 7 层，背面绿色，有细纵条纹，通常无毛，外面 1 ~ 3 层者卵形，长 1 ~ 2.5 mm，宽 1 ~ 1.2 mm，先端钝，中层者长圆形或近椭圆形，长 3 ~ 6 mm，宽 1.5 ~ 2 mm，上部略狭，但先端钝，最内层者线状倒披针形，下部长渐狭，先端略尖，长 10 ~ 12 mm，宽不足 1 mm；花托狭，无毛，具 3 窝孔，直径约 0.67 mm；花两性；花冠管状，长 12 ~ 13 mm，檐部 5 深裂，裂片偏于一侧，线状披针形，长约为花冠管之半；花药先端钝圆，长约 5 mm，基部渐尖的尾部长为花药的 2/5；花柱分枝短，内侧略扁，先端钝圆，长约 0.5 mm。瘦果近纺锤形，基部狭长，具 10 纵棱，无毛或近无毛，长约 5 mm；冠毛淡红色，羽毛状，长约 1 cm，基部联合。花期 9 ~ 11 月。

| 生境分布 | 生于海拔 400 ~ 1 640 m 的山地丛林或山涧旁石缝中。湖北有分布。

| 资源情况 | 野生资源一般。药材主要来源于野生。

| 采收加工 | **全草：**春、夏季采收，切段，晒干。

| 功能主治 | 用于咯血，无名肿毒，跌打损伤等。

菊科 Compositae 兔儿风属 *Ainsliaea*

粗齿兔儿风 *Ainsliaea grossedentata* Franch.

| 药 材 名 | 粗齿兔儿风。

| 形态特征 | 多年生草本。根茎短粗或细长，圆柱状，根颈被疏粗毛或近无毛；根细弱，密集，胡须状，长 7 ~ 15 cm。茎直立，单一，不分枝，极纤弱，高 25 ~ 60 cm，基部直径 1 ~ 2 mm，疏被淡褐色长柔毛或下部有时脱落变无毛。叶聚生于茎的中部之下离基 7 ~ 16 cm，莲座状或两端有 1 ~ 2 片疏离，叶片纸质，阔卵形、卵形或卵状披针形，长 3 ~ 7 cm，宽 2 ~ 5 cm，先端短尖，稀短渐尖，基部截平、钝圆或间有短渐狭，边缘具粗齿或深波状，齿端及波顶复具胼胝状细尖齿，上面绿色，疏生硬毛，毛的上部细长部分常断落而仅存基部的粗、伏部分，下面淡绿色，被疏长柔毛；基出脉 3，两面均显

著凸起，中脉中部的 1 对侧脉略弯拱上升，分枝末端与边缘的胼胝体相连，网脉略明显，网眼常大；叶柄与叶片近等长，被疏长柔毛，上部具极狭的翅，两侧翅宽各为 1 ～ 2 mm。头状花序具 3 花，花期长 15 ～ 17 mm，直径 6 ～ 8 mm，具被短柔毛的短梗，于茎顶排成稀疏的总状花序；总苞圆筒形，直径约 3 mm；总苞片约 6 层，背面被疏毛或有时脱落近无毛，具 5 纵纹，先端带紫红色，外 1 ～ 3 层阔卵形，长和宽近相等，1.5 ～ 2.5 mm，中层椭圆形，长 4 ～ 5 mm，宽 2 ～ 2.5 mm，二者先端均圆，背面中肋上部具一尖的小突起，最内层狭椭圆形，长约 1 cm，宽仅 1.2 ～ 1.8 mm，先端短渐尖，基部渐狭，边缘薄，干膜质；花托头状，无毛，直径约 1 mm，花全部两性；花冠白色，管状，长 16 ～ 17 mm，花冠管向下渐狭，檐部 5 深裂，裂片偏于一侧，线状长圆形，长约为花冠管之半；花药长达 6 mm，先端截平，基部的尾渐狭，被细短毛，长约 2 mm；花柱线形，长约 17 mm，花柱分枝伸出药筒之外，极叉开，先端头状。瘦果近纺锤形，略压扁，先端截平，基部渐狭，长约 4 mm，近无毛。冠毛淡褐色，羽毛状，长约 7 mm，基部连合。花期 9 ～ 10 月。

| 生境分布 | 生于海拔 1 200 ～ 2 100 m 的疏林或密林下。分布于湖北房县、巴东、鹤峰、宣恩、利川等。

| 资源情况 | 野生资源一般。药材主要来源于野生。

| 采收加工 | **全草：**春、夏季采收，切段晒干。

| 功能主治 | 清热利尿。用于风热感冒，热淋，小便不利。

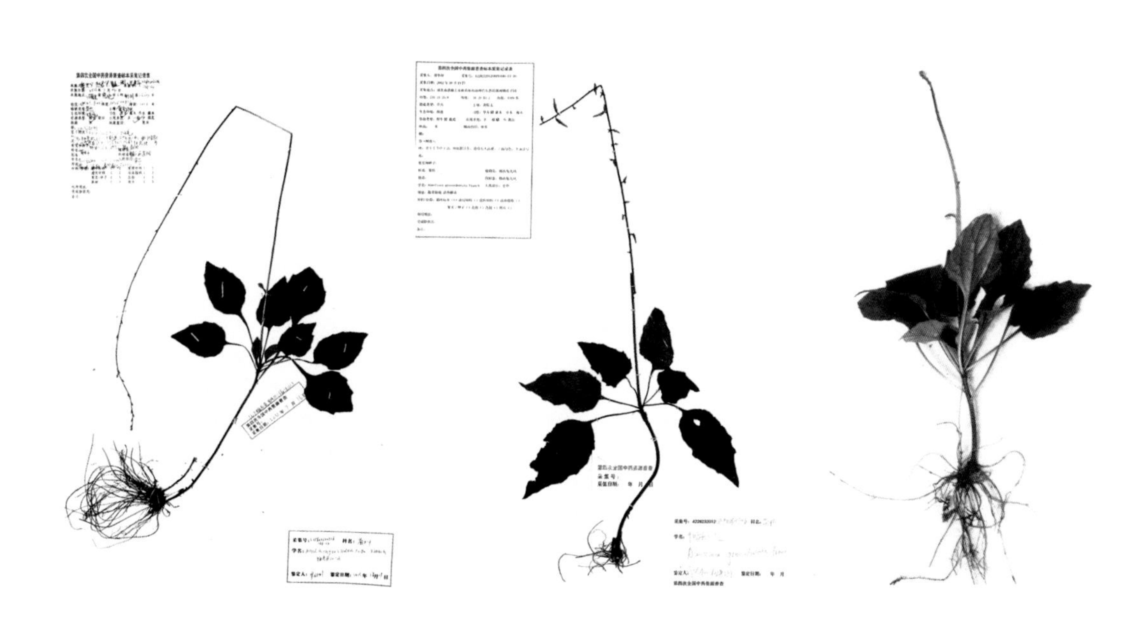

菊科 Compositae 兔儿风属 *Ainsliaea*

长穗兔儿风 *Ainsliaea henryi* Diels.

| 药材名 | 长穗兔儿风。

| 形态特征 | 多年生草本。根茎粗短或伸长而微弯曲，直径 4 ~ 6 mm，根颈密被黄褐色绒毛；根纤细，绕节丛生，长 5 ~ 20 cm。茎直立，不分枝，高 40 ~ 80 cm，直径 1.5 ~ 2 mm，常呈暗紫色，开花期被毛，后渐脱毛。叶基生，密集，莲座状，叶片稍厚，长卵形或长圆形，连基部楔状渐狭而成的翅柄呈长倒卵形，长 3 ~ 8 cm，宽 2 ~ 3 cm，先端钝短尖，边缘具波状圆齿，凹缺中间具胼胝体状细齿，上面绿色，被疏柔毛，下面淡绿色或带淡紫色，其余边缘被绢质长柔毛；中脉在上面平坦，在下面增宽而稍凸起，侧脉通常 3 对，很纤弱，弧形上升，无明显网脉；叶柄长 2 ~ 5 cm，被柔毛，上部具阔翅，翅向

下渐狭，下部无翅；茎生叶极少而小，苞片状，卵形，长 8 ~ 25 mm，被柔毛。头状花序具 3 花，开花期长 10 ~ 16 mm，直径约 3 mm，常 2 ~ 3 聚集成小聚伞花序，小聚伞花序无梗或中央者具纤细的梗，于茎顶复作长的穗状花序排列，花序轴被柔毛；总苞圆筒形，直径约 2 mm；总苞片约 5 层，先端具长尖头，外层卵形，长 1.5 ~ 2 mm，宽 1 ~ 1.5 mm，有时呈紫红色，中层卵状披针形，长 4 ~ 6 mm，宽 1.4 ~ 2 mm，最内层线形，长可达 16 mm，宽近 1 mm，上部常带紫红色。花全部两性，闭花受精的花冠圆筒形，隐藏于冠毛之中，长约 3.2 mm；花药长约 1.5 mm，先端钝，基部的尾长为花药的 1/2；花柱长约 2.7 mm，花柱分枝先端钝。瘦果圆柱形，长约 6 mm，无毛，有粗纵棱。冠毛污白色至污黄色，羽毛状，长约 8 mm。花期 7 ~ 9 月。

| 生境分布 | 生于海拔 700 ~ 2 070 m 的坡地或林下沟边。湖北有分布。

| 资源情况 | 野生资源丰富。药材主要来源于野生。

| 采收加工 | **全草**：夏、秋季采收，鲜用或切段晒干。

| 功能主治 | 散瘀清热，止咳平喘。用于跌打损伤，血瘀肿痛，毒蛇咬伤，肺热咳嗽，哮喘。

菊科 Compositae 兔儿风属 *Ainsliaea*

宽叶兔儿风 *Ainsliaea latifolia* (D. Don) Sch.-Bip.

|药材名|

宽叶兔儿风。

|形态特征|

多年生草本。根茎粗壮，直或呈弧曲状，直径 5 ~ 10 mm；根颈密被污黄色或黄白色绵毛。根簇生，细弱，纤维状。茎直立，不分枝，高 30 ~ 80 cm，直径 2 ~ 4 mm，疏被或密被蛛丝状白色绵毛。叶聚生于茎基部，呈莲座状，叶片薄纸质，卵形或狭卵形，大者长 10 ~ 11 cm，宽 5 ~ 6.5 cm，小者长仅 3 cm，宽 1 ~ 1.5 cm，先端短尖或钝，基部缢缩下延于叶柄成阔翅，边缘有胼胝体状细齿，上面疏被长柔毛，稀脱落至近无毛，下面密被白色绒毛和杂以同色、稍硬的长毛，脉上长毛尤密；基出脉 3，侧生的 1 对其外侧常有数条细的分枝，斜上升于叶片上部，离缘弯拱网结，中脉中部以上的 1 ~ 3 对侧脉细弱，弧形上升，网脉明显；叶柄与叶片几等长，具翅，翅于下部略狭，宽 5 ~ 20 mm，两面均被与叶片相同的毛；茎上部的叶疏离，卵形、披针形或近长圆形，长 2 ~ 2.5 cm；花序轴上的叶更小，苞片状，长 5 ~ 10 mm，无柄或具短柄，毛被与基生叶的相同。头状花序具 3 花，长 10 ~

15 mm，单个或 2 ~ 4 聚集于苞片状的叶腋内复组成间断的、长 9 ~ 38 cm 的穗状花序，花序轴粗挺，被蛛丝状绵毛；总苞圆筒形，直径约 3 mm；总苞片约 5 层，背部多少被毛，外层者卵形，长约 1.5 mm，宽约 1 mm，先端钝，具 1 脉，中层者长卵形，长约 3.2 mm，宽约 2 mm，先端钝或有带紫红色短尖头，最内层者椭圆形，长约 8 mm，宽近 2 mm，具 3 脉，先端渐尖，尖头常呈紫红色，边缘薄，近膜质；花托不平，无毛，直径约 1 mm；花两性；花冠管状，长约 11 mm，檐部 5 深裂，裂片偏于一侧，长圆形，略长于花冠管；花药长约 5.5 mm，先端平截，基部的尾长约 1.5 mm；花柱分枝扁，长不足 0.5 mm，先端钝圆。瘦果近纺锤形，长约 5.5 mm，具 8 粗纵棱，密被倒伏的绢质长毛；冠毛棕褐色，羽毛状，长 8 ~ 10 mm，基部联合。花期 4 ~ 10 月。

| 生境分布 | 生于海拔 400 ~ 1 400 m 的山地林下、路边。湖北有分布。

| 资源情况 | 野生资源丰富。药材主要来源于野生。

| 采收加工 | **根：**春、夏季采挖，切段，晒干。

| 功能主治 | 消炎，杀菌，利尿，杀虫。用于水肿，咽喉疼痛，食欲不振，腹胀等。

菊科 Compositae 兔儿风属 *Ainsliaea*

宽穗兔儿风 *Ainsliaea latifolia* (D. Don) Sch.-Bip. var. *platyphylla* (Franch.) C. Y. Wu

|药材名|

宽穗兔儿风。

|形态特征|

根茎粗壮，直或弧曲状，直径 5 ~ 10 mm；根颈密被污黄色或黄白色绵毛。根簇生，细弱，纤维状。茎直立，不分枝，高 30 ~ 80 cm，直径 2 ~ 4 mm，疏被或密被蛛丝状白色绵毛。叶聚生于茎基部，呈莲座状，叶片薄纸质，卵形或狭卵形，大者长 10 ~ 11 cm，宽 5 ~ 6.5 cm，小者长仅 3 cm，宽 1 ~ 1.5 cm，先端短尖或钝，基部缢缩下延于叶柄成阔翅，边缘有胼胝体状细齿，上面疏被长柔毛，稀脱落近无毛，下面密被白色绒毛和杂以同色、稍硬的长毛，长毛于脉上尤密；基出脉 3，侧生的 1 对其外侧常有数条细的分枝，斜上升于叶片上部，离缘弯拱网结，中脉中部以上的 1 ~ 3 对侧脉细弱，弧形上升，网脉明显；叶柄与叶片几等长，具翅，翅于下部略狭，宽 5 ~ 20 mm，两面均被与叶片相同的毛；茎上部的叶疏离，卵形、披针形或近长圆形，长 2 ~ 2.5 cm；花序轴上的叶更小，苞片状，长 5 ~ 10 mm，无柄或具短柄，毛被与基生叶的相同。头状花序具 3 花，长 10 ~

15 mm，单个或 2 ～ 4 聚集于苞片状的叶腋内复组成间断的、长 9 ～ 38 cm 的穗状花序，花序轴粗挺，被蛛丝状绵毛；总苞圆筒形，直径约 3 mm；总苞片约 5 层，背部多少被毛，外层者卵形，长约 1.5 mm，宽约 1 mm，先端钝，具 1 脉，中层者长卵形，长约 3.2 mm，宽约 2 mm，先端钝或有带紫红色短尖头，最内层者椭圆形，长约 8 mm，宽近 2 mm，具 3 脉，先端渐尖，尖头常呈紫红色，边缘薄，近膜质；花托不平，无毛，直径约 1 mm；花两性；花冠管状，长约 11 mm，檐部 5 深裂，裂片偏于一侧，长圆形，略长于花冠管；花药长约 5.5 mm，先端平截，基部的尾长约 1.5 mm；花柱分枝扁，长不足 0.5 mm，先端钝圆。瘦果近纺锤形，长约 5.5 mm，具 8 粗纵棱，密被倒伏的绢质长毛；冠毛棕褐色，羽毛状，长 8 ～ 10 mm，基部联合。花期 4 ～ 10 月。

| 生境分布 | 生于山坡林下、路边。湖北有分布。

| 资源情况 | 野生资源稀少。药材主要来源于野生。

| 采收加工 | 叶：7 ～ 9 月采收，鲜用或切段晒干。

| 功能主治 | 祛风散寒，活血消肿。用于风寒感冒，头痛，腹痛，肠炎，痢疾，跌打瘀肿，外伤出血，中耳炎，乳腺炎。

菊科 Compositae 兔儿风属 *Ainsliaea*

灯台兔儿风 *Ainsliaea macroclinidioides* Hayata

| 药 材 名 | 灯台兔儿风。

| 形态特征 | 多年生草本。根茎短，直径 4 ~ 6 mm；根颈密被深褐色绒毛。根细弱，簇生，长者可逾 20 cm。茎直立或下部平卧，单一，不分枝，高 25 ~ 65 cm，下部无叶，密被长柔毛或无毛。叶聚生于茎的上部，呈莲座状，叶片纸质，阔卵形至卵状披针形，稀近椭圆形，长 4 ~ 10 cm，宽 2.5 ~ 6.5 cm，先端短尖，但中脉延伸成 1 芒状凸尖头，基部通常浅心形而凹缺中央略下延，稀有钝圆者，边缘具芒状疏齿，上面无毛，幼时被疏毛，下面被疏长毛，脉上尤显；基出脉 3，侧生的 1 对其外侧常有细的分枝，弧形上升，于中部离缘弯拱连接，中脉中部 1 对侧脉明显，弯拱向上几达叶片顶部，网状脉明显；

叶柄长 3 ～ 8 cm，被长柔毛。头状花序具 3 花，无梗或有短梗，单生或 2 ～ 5 聚生于茎的上部呈总状花序式排列；花序长 15 ～ 40 cm，无毛，有 1 ～ 2 三角形、长约 2 mm 的苞叶；总苞圆筒形，直径 3 ～ 4 mm；总苞片约 6 层，背部有纵纹，无毛或内层先端被毛，除最内层外先端均钝且呈紫红色，外层者卵形，长 2.5 ～ 3 mm，宽近 2 mm，中层者卵状披针形至近长圆形，长 5 ～ 6 cm，宽 2 ～ 2.2 mm，最内层者狭长圆形，基部稍狭，先端略尖，长约 10 mm，宽约 1.4 mm；花托平，无毛，直径近 1 mm；花两性；花冠管状，长约 13 mm，檐部稍扩大，5 深裂，裂片偏于一侧，线形，约与花冠管近等长；花药伸出于花冠管外，长约 6 mm，先端平截，基部毗连的尾向下渐狭，长为花药的 1/3；花柱枝甚扁，开展，长约 1 mm，先端钝。瘦果近圆柱形，基部稍狭，有纵棱，略被短柔毛，长约 4 mm；冠毛 1 层，污白色，羽毛状，基部联合，长约 9 mm。花期 8 ～ 11 月。

| 生境分布 | 湖北有分布。

| 资源情况 | 野生资源一般。药材主要来源于野生。

| 采收加工 | **全草**：春、夏季采收，切段，晒干。

| 功能主治 | **全草**：清热解毒。用于鹅口疮。

根：用于咳嗽，腰腿疼痛。

菊科 Compositae 兔儿风属 *Ainsliaea*

云南兔儿风 *Ainsliaea yunnanensis* Franch.

|药 材 名|

云南兔儿风。

|形态特征|

多年生草本。根茎圆柱形，直伸或弯曲，直径 3 ~ 6 mm，稀达 1 cm；根颈密被绵毛。根近肉质，粗壮，簇生。茎直立，单一，不分枝，花葶状，高 20 ~ 60 mm，基部直径 1.5 ~ 2.5 mm，多少被绵毛。叶基生，密集成莲座状，大小极不等，叶片近革质，卵形、卵状披针形或披针形，长 2 ~ 6 cm，宽 1 ~ 4 cm，先端短尖，基部圆或平截，有时沿短叶柄下延，两侧常不等，边缘有胼胝体状细齿，上面被具疣状基部的糙毛，但在花期多数毛脱落而仅存粗糙的疣状突起，下面被糙伏状长柔毛，脉上毛较密；中脉在下面明显凸起，侧脉 4 ~ 5 对，纤细，弯拱上升，虽有少数分枝，但不结成网眼；叶柄长 2 ~ 7.5 cm，无翅，被长柔毛，基部明显扩大；茎生叶与基生叶近同形，少而小，长 8 ~ 20 mm，宽 3 ~ 7 mm，被毛，下部者具长 3 ~ 5 mm 的短柄，上部者无柄。头状花序具 3 花，花期长达 22 mm，3 ~ 6 沿茎上部一侧或于同一侧的短枝上密集，平展或下垂，复作间断的穗状花序式排列；总苞圆筒形，直径约 6 mm；总苞片 5 ~ 6 层，边缘和顶部带紫红色，背部均具 1 脉，多少被疏柔毛，外面 1 ~ 3 层者卵形，长 2.5 ~ 3.5 mm，宽 1.5 ~ 2.2 mm，先端短尖，中层者狭长圆形，长 9 ~ 13 mm，宽 2 ~ 2.5 mm，先端渐尖，最内层者披针形，长约 14 mm，先端长渐尖，边缘薄，膜质，基部楔状渐狭；花托较宽，直径约 1.3 mm，无毛；花淡红色，两性；花冠长 16 ~ 18 mm，花冠管向上略增大，长约 7.5 mm，于管口上方约 2 mm 处 5 深裂，裂片偏于一侧，长圆形，长 6.5 ~ 8 mm，宽约 1 mm，顶部卷曲；花药外露，长约 8 mm，先端圆，基部的尾挺直，长 2 ~ 2.5 mm；花柱分枝略伸出于药筒之外，头状，内侧略扁，长约 0.2 mm。瘦果近纺锤形，无明显纵棱，长约 5 mm，密被白色长柔毛；冠毛黄白色，羽毛状，长约 9 mm，基部联合。花期 9 月至翌年 1 月。

| 生境分布 | 生于海拔 1 700 ~ 2 700 m 的林下、林缘或山坡草地上。湖北有分布。

| 资源情况 | 野生资源较少。药材主要来源于野生。

| 采收加工 | **全草：**夏、秋季采收，鲜用或切段晒干。

| 功能主治 | 祛风湿，续筋骨，消积，驱虫。用于风湿关节痛，跌打损伤，骨折，消化不良，疳积，虫积。

菊科 Compositae 亚菊属 *Ajania*

异叶亚菊 *Ajania variifolia* (Chang) Tzvel.

| 药材名 |

异叶亚菊。

| 形态特征 |

小半灌木。高 30 cm。老枝先端有密集的叶簇，花枝有极稀疏的短绢毛或几无毛。中部叶卵形，长 2 ~ 3 cm，宽 1.5 ~ 2.5 cm，羽状 3 ~ 5 全裂或几全裂，裂片线形或狭线形，宽 0.8 ~ 1.5 mm，裂片边缘反卷，上部及下部和叶簇上的叶较小，3 全裂；叶柄长 1 ~ 2 cm；叶两面异色，上面绿色，无毛，下面灰白色，被稠密的绢毛；无叶耳。头状花序多数，在枝端排成直径达 4 cm 的复伞房花序；总苞钟状，直径 4 ~ 5 mm；总苞片 4 层，外层者卵形或长卵形，长约 2 mm，先端尖，中、内层者长倒卵形或长椭圆形，长 3 ~ 4 mm，苞片边缘黄褐色，膜质，仅外层基部被稀疏绢毛；雌花约 6，花冠细管状，长 2.5 mm，先端 2 ~ 4 尖裂齿；两性花花冠长 3 mm；全部花冠外面有腺点。瘦果长 2 mm。花果期 8 ~ 9 月。

| 生境分布 |

生于海拔 2 400 ~ 2 800 m 的山坡草地。分布于湖北西北部。

| **资源情况** | 野生资源较少。药材主要来源于野生。

| **采收加工** | **全草：**夏季采收，阴干。

| **功能主治** | 祛风镇静，清热解毒。用于小儿惊风，风湿麻木，阑尾炎。

菊科 Compositae 豚草属 *Ambrosia*

豚草 *Ambrosia artemisiifolia* L.

| 药 材 名 | 豚草。

| 形态特征 | 一年生草本，高 20 ~ 150 cm；茎直立，上部有圆锥状分枝，有棱，被疏生密糙毛。下部叶对生，具短叶柄，2 次羽状分裂，裂片狭小，长圆形至倒披针形，全缘，有明显的中脉，上面深绿色，被细短伏毛或近无毛，背面灰绿色，被密短糙毛；上部叶互生，无柄，羽状分裂。雄头状花序半球形或卵形，直径 4 ~ 5 mm，具短梗，下垂，在枝端密集成总状花序。总苞宽半球形或碟形；总苞片全部结合，无肋，边缘具波状圆齿，稍被糙伏毛。花托具刚毛状托片；每个头状花序有 10 ~ 15 不育的小花；花冠淡黄色，长 2 mm，有短管部，上部钟状，有宽裂片；花药卵圆形；花柱不分裂，先端膨大成画笔状。

雌头状花序无花序梗，在雄头状花序下面或在下部叶腋单生，或 2 ~ 3 密集成团伞状，有 1 无被能育的雌花，总苞闭合，具结合的总苞片，倒卵形或卵状长圆形，长 4 ~ 5 mm，宽约 2 mm，先端有围裹花柱的圆锥状嘴部，在顶部以下有 4 ~ 6 尖刺，稍被糙毛；花柱 2 深裂，丝状，伸出总苞的嘴部。瘦果倒卵形，无毛，藏于坚硬的总苞中。花期 8 ~ 9 月，果期 9 ~ 10 月。

| 生境分布 | 生于海拔 1 300 m 以下的荒地、路旁、水沟旁、河岸、河滩、田块周围或农田。湖北有分布。

| 资源情况 | 野生资源一般。药材主要来源于野生。

| 采收加工 | **全株或种子（油）：** 夏季采收，阴干。

| 功能主治 | 用于疟疾，哮喘，阿米巴痢疾，霍乱，痛经，神经紊乱，脚气，肠道寄生虫病，昆虫叮咬等。

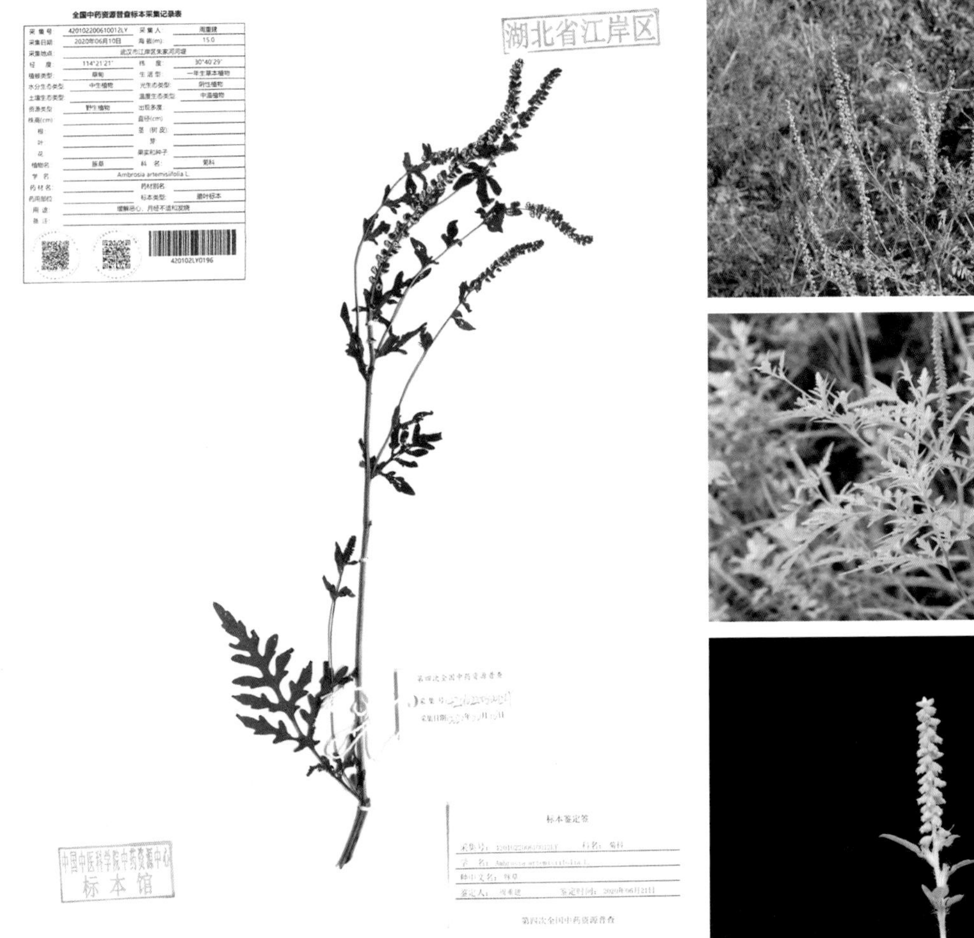

菊科 Compositae 香青属 *Anaphalis*

黄腺香青

Anaphalis aureopunctata Lingelsh. et Borza.

| 药 材 名 | 黄腺香青。

| 形态特征 | 根茎细或稍粗壮，有长达 12 cm、稀达 20 cm 的匍匐枝。茎直立或斜升，高 20 ~ 50 cm，细或粗壮，不分枝，稀在花后有直立的花枝，草质或基部稍木质，被白色或灰白色蛛丝状绵毛，或下部多少脱毛，下部有密集、上部有渐疏的叶，莲座状叶宽匙状椭圆形，下部渐狭成长柄，常被密绵毛；下部叶在花期枯萎，匙形或披针状椭圆形，有具翅的柄，长 5 ~ 16 cm，宽 1 ~ 6 cm；中部叶稍小，多少开展，基部渐狭，沿茎下延成宽或狭翅，边缘平，先端急尖，稀渐尖，有短或长尖头；上部叶小，披针状线形；全部叶上面被具柄腺毛及易脱落的蛛丝状毛，下面被白色或灰白色蛛丝状毛及腺毛，或多少脱

毛，有离基三或五出脉，侧脉明显且长达叶端或在近叶端消失，或有单脉。头状花序多数或极多数、密集成复伞房状；花序梗纤细。总苞钟状或狭钟状，长 5 ~ 6 mm，直径约 5 mm；总苞片约 5 层，外层浅或深褐色，卵圆形，长约 2 mm，被绵毛；内层白色或黄白色，长约 5 mm，在雄株先端宽圆形，宽达 2.5 mm，在雌株先端钝或稍尖、宽约 1.5 mm，最内层较短狭，匙形或长圆形，有长达全长三分之二的爪部。花托有缝状突起。雌株头状花序有多数雌花，中央有 3 ~ 4 雄花；雄株头状花序全部为雄花或外围有 3 ~ 4 雌花。花冠长 3 ~ 3.5 mm。冠毛较花冠稍长；雄花冠毛上部宽扁，有微齿。瘦果长达 1 mm，被微毛。花期 7 ~ 9 月，果期 9 ~ 10 月。

| 生境分布 | 生于海拔 800 ~ 2 950 m 的山坡林下、路边或草地。分布于湖北利川、恩施、建始、巴东、兴山、神农架。

| 资源情况 | 野生资源较丰富。药材主要来源于野生。

| 采收加工 | 秋季采挖，洗净，鲜用或晒干。

| 功能主治 | 利湿消肿。用于口腔溃疡，小儿惊风，疮毒，泄泻，水肿，毒蛇咬伤，感冒，咳嗽痰喘，外伤出血等。

菊科 Compositae 香青属 *Anaphalis*

粘毛香青 *Anaphalis bulleyana* (J. F. Jeffrey) Chang.

| 药 材 名 | 粘毛香青。

| 形态特征 | 一年生或二年生草本。根垂直，粗壮，有莲座状叶丛及单生或少数丛生的花茎。全株被蛛丝状长绵毛及锈褐色黏质具柄而多节的腺毛。茎直立，高 30 ~ 80 cm，有沟，通常有分枝，下部常脱毛，上部被密毛。莲座状叶倒卵圆形，长达 9 cm，宽达 4.5 cm，下部渐狭成翅状短柄，被长绵毛；茎下部叶在花期枯萎；中部和上部叶倒披针形或倒卵状匙形，长 3.5 ~ 10 cm，宽 1 ~ 2.5 cm，沿茎下延成楔形宽翅，边缘平，先端尖，两面被腺毛，脉上被长绵毛，有离基三出脉及侧脉；上部叶较小，线状披针形。头状花序多数，在茎端及枝端密集成复伞房状，花序梗长达 6 mm；总苞倒卵圆状，长 5 ~ 6 mm，宽

4 ~ 7 mm；总苞片 4 ~ 5 层，直立，浅褐色，透明，下部浅黄色，不开展，外层者短，卵状长圆形，先端钝，被蛛丝状毛，内层者长匙形，长 5 ~ 6 mm，最内层者宽线形，有长达全长 2/3 的爪部；花托蜂窝状；头状花序外围有多层或少层雌花，中央有 4 ~ 5 或 30 雄花；花冠长 3 ~ 5 mm；冠毛较花冠稍长；雄花冠毛上部稍粗厚，有细锯齿。瘦果长 0.6 ~ 0.7 mm，长圆形，有微腺体。花期 8 ~ 9 月，果期 9 ~ 10 月。

| 生境分布 | 湖北有分布。

| 资源情况 | 野生资源一般。药材主要来源于野生。

| 采收加工 | **全草**：全年均可采收，洗净，切碎，晒干。

| 功能主治 | 清热利湿，止咳。用于风热感冒，扁桃体炎，气管炎，急性胃肠炎，尿路感染。

菊科 Compositae 香青属 *Anaphalis*

珠光香青 *Anaphalis margaritacea* (L.) Benth. et Hook. f. var. *japonica* (Sch.-Bip.) Makino

| 药 材 名 |

珠光香青。

| 形态特征 |

根茎横走或斜升，木质，有具褐色鳞片的短匍枝。茎直立或斜升，单生或少数丛生，高 30 ~ 60 cm，稀达 100 cm，常粗壮，不分枝，稀在断茎或健株上有分枝，被灰白色绵毛，下部木质。下部叶在花期常枯萎，先端钝；中部叶开展，线形或线状披针形，长 5 ~ 9 cm，宽 0.3 ~ 1.2 cm，稀更宽，基部稍狭或急狭，多少抱茎，不下延，边缘平，先端渐尖，有小尖头；上部叶渐小，有长尖头。全部叶稍革质，上面被蛛丝状毛，下面被灰白色至红褐色厚绵毛，有单脉或 3 ~ 5 出脉。头状花序多数，在茎和枝端排列成复伞房状，稀较少而排列成伞房状；花序梗长 4 ~ 17 mm。总苞宽钟状或半球状，长 5 ~ 8 mm，直径 8 ~ 13 mm；总苞片 5 ~ 7 层，多少开展，基部多少褐色，上部白色，外层长达总苞全长的三分之一，卵圆形，被绵毛，内层卵圆形至长椭圆形，长 5 mm，宽 2.5 mm，在雄株宽达 3 mm，先端圆形或稍尖，最内层线状倒披针形，宽 0.5 mm，有长达全长四分之三的爪部。花托蜂窝状。

雌株头状花序外围有多层雌花，中央有 3 ~ 20 雄花；雄株头状花序全部为雄花或外围有极少数雌花。花冠长 3 ~ 5 mm。冠毛较花冠稍长，在雌花细丝状，在雄花上部较粗厚，有细锯齿。瘦果长椭圆形，长 0.7 mm，有小腺点。花果期 8 ~ 11 月。

| 生境分布 | 生于向阳山坡。湖北有分布。

| 资源情况 | 野生资源丰富。药材主要来源于野生。

| 采收加工 | **全草、根：**夏季花苞初放时连根挖起，去净泥沙，晒干或鲜用。

| 功能主治 | 清热解毒，祛风通络，驱虫。用于感冒，牙痛，痢疾，风湿关节痛，蛔虫病；外用于刀伤，跌打损伤，颈淋巴结结核。

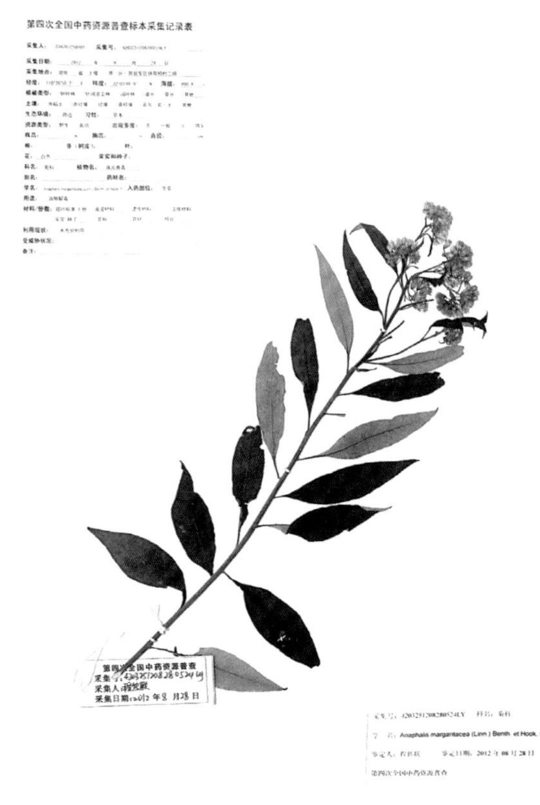

菊科 Compositae 香青属 *Anaphalis*

香青 *Anaphalis sinica* Hance

|药材名|

香青。

|形态特征|

根茎细或粗壮，木质，有长达 8 cm 的细匍枝。茎直立，疏散或密集丛生，高 20 ~ 50 cm，细或粗壮，通常不分枝或在花后及断茎上分枝，被白色或灰白色绵毛，全部有密生的叶。下部叶在下花期枯萎。中部叶长圆形，倒披针长圆形或线形，长 2.5 ~ 9 cm，宽 0.2 ~ 1.5 cm，基部渐狭，沿茎下延成狭或稍宽的翅，边缘平，先端渐尖或急尖，有短小尖头，上部叶较小，披针状线形或线形，全部叶上面被蛛丝状绵毛，或下面或两面被白色或黄白色厚绵毛，在绵毛下常杂有腺毛，有单脉或具侧脉向上渐消失的离基三出脉。莲座状叶被密绵毛，先端钝或圆形。头状花序多数或极多数，密集成复伞房状或多次复伞房状；花序梗细。总苞钟状或近倒圆锥状，长 4 ~ 5 mm（稀达 6 mm），宽 4 ~ 6 mm；总苞片 6 ~ 7 层，外层卵圆形，浅褐色，被蛛丝状毛，长 2 mm，内层舌状长圆形，长约 3.5 mm，宽 1 ~ 1.2 mm，乳白色或污白色，先端钝或圆形；最内层较狭，长椭圆形，有长达全长三分之二的爪部；雄株的总苞片常

较钝。雌株头状花序有多层雌花，中央有 1 ~ 4 雄花；雄株头状花托有缝状短毛，花序全部为雄花。花冠长 2.8 ~ 3 mm。冠毛常较花冠稍长；雄花冠毛上部渐宽扁，有锯齿。瘦果长 0.7 ~ 1 mm，被小腺点。花期 6 ~ 9 月，果期 8 ~ 10 月。

| 生境分布 | 生于海拔 400 ~ 2 000 m 的低山或亚高山灌丛、草地、山坡和溪岸。分布于湖北武汉及竹溪。

| 资源情况 | 野生资源丰富。药材主要来源于野生。

| 采收加工 | **全草**：霜降后采收全草，除去泥沙，晒干。

| 功能主治 | 解表祛风，消炎止痛，镇咳平喘。

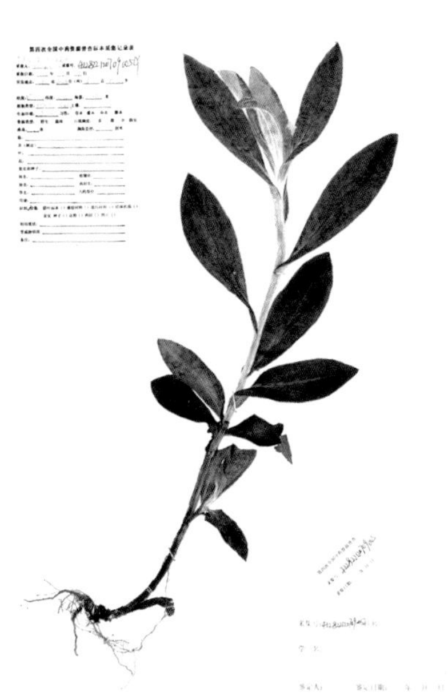

菊科 Compositae 山黄菊属 *Anisopappus*

山黄菊 *Anisopappus chinensis* (L.) Hook. et Arn.

| 药 材 名 | 山黄菊。

| 形态特征 | 一年生草本，根粗壮，直径 5 ~ 12 mm。茎直立，直径 2 ~ 6 mm，高 40 ~ 100 cm，单生稀簇生，基部几木质，有细条纹，被锈色尘状密柔毛或下部花期疏毛。基部及下部茎生叶花后脱落；中部茎生叶卵状披针形或狭长圆形，长 3 ~ 6 cm，宽 1 ~ 2 cm，纸质，两面被微柔毛，沿脉的毛较密，基部截形或宽楔形，边缘有钝锯齿，先端钝圆形；三出脉或离基三出脉，在叶下面凸起，网脉明显；上部

全国中药资源普查标本采集记录表

采集号：	421123131109184LY	采集人：	
采集日期：	2013年11月09日	海拔(m)：	239.5
经度：	115°16′26″	纬度：	30°55′40.5″
植物名：	山黄菊	科名：	菊科
学名：	Anisopappus chinensis (L.) Hook. et Arn.		
药材名：	山黄菊	药材别名：	
用途：	药用		
条形码：	421123LY0184		

湖北省罗田县

中国中医科学院中药资源中心 标本馆

标本鉴定签

叶渐小。头状花序单生或数个排列成顶生的伞房状花序，花序梗被锈色密柔毛。总苞半球形，长 0.6 ~ 1 cm；总苞片 3 层，狭披针形或宽线形，长 3 ~ 5 mm，宽 1.5 mm，先端钝，背面密被伏柔毛，边缘狭膜质，缝状。托片龙骨状，膜质，长 5 mm。雌花黄色，舌片倒长三角形，长 6.5 mm，宽约 2 mm，先端截形，有 3 齿；两性花花冠管状，长 3 mm，有短三角形裂片。瘦果圆柱形，被疏柔毛，先端截形，向下渐狭，雌花瘦果长 2 mm，两性花瘦果稍压扁，有 4 纵肋，长 1.5 mm。冠毛 4 ~ 5，污白色，膜片状，先端有伸长 1 mm 的细芒。花果期 8 ~ 11 月。

| 生境分布 | 生于海拔 840 ~ 2 100 m 的干燥山坡、沙地、荒地、草地上或潮湿山坡及林缘附近，或为杂草生路旁或宅旁。分布于湖北英山。

| 资源情况 | 野生资源丰富。药材主要来源于野生。

| 采收加工 | **叶：**夏、秋季采收，晒干。

| 功能主治 | 清热，化痰。用于感冒发热，肺热咳嗽，咽喉痛。

菊科 Compositae 牛蒡属 *Arctium*

牛蒡 *Arctium lappa* L.

| 药 材 名 | 牛蒡。

| 形态特征 | 二年生草本，具粗大的肉质直根，长达 15 cm，直径可达 2 cm，有分枝支根。茎直立，高达 2 m，粗壮，基部直径达 2 cm，通常带紫红色或淡紫红色，有多数高起的条棱，分枝斜升，多数，全部茎枝被稀疏的乳突状短毛及长蛛丝毛并混杂以棕黄色的小腺点。基生叶宽卵形，长达 30 cm，宽达 21 cm，边缘具稀疏的浅波状凹齿或齿尖，基部心形，有长达 32 cm 的叶柄，两面异色，上面绿色，有稀疏的短糙毛及黄色小腺点，下面灰白色或淡绿色，被薄绒毛或绒毛稀疏，有黄色小腺点，叶柄灰白色，被稠密的蛛丝状绒毛及黄色小腺点，但中下部常脱毛。茎生叶与基生叶同形或近同形，具等样的

及等量的毛被，接花序下部的叶小，基部平截或浅心形。头状花序多数或少数在茎枝先端排成疏松的伞房花序或圆锥状伞房花序，花序梗粗壮。总苞卵形或卵球形，直径 1.5 ～ 2 cm。总苞片多层，多数，外层三角状或披针状钻形，宽约 1 mm，中内层披针状或线状钻形，宽 1.5 ～ 3 mm；全部苞片近等长，长约 1.5 cm，先端有软骨质钩刺。小花紫红色，花冠长 1.4 cm，细管部长 8 mm，檐部长 6 mm，外面无腺点，花冠裂片长约 2 mm。瘦果倒长卵形或偏斜倒长卵形，长 5 ～ 7 mm，宽 2 ～ 3 mm，两侧压扁，浅褐色，有多数细脉纹，有深褐色的色斑或无色斑。冠毛多层，浅褐色；冠毛刚毛糙毛状，不等长，长达 3.8 mm，基部不连合成环，分散脱落。花果期 6 ～ 9 月。

| **生境分布** | 湖北有分布。

| **资源情况** | 野生资源丰富。药材主要来源于野生。

| **采收加工** | **果实、根、种子**：7 ～ 8 月果实呈灰褐色时，分批采摘堆积 2 ～ 3 天，暴晒，脱粒，扬净，再晒至全干。

| **功能主治** | 清热利咽。用于咽喉疾病，淋巴结肿痛，皮疹，皮肤瘙痒，丹毒等。

菊科 Compositae 蒿属 *Artemisia*

黄花蒿 *Artemisia annua* L.

| 药 材 名 | 黄花蒿。

| 形态特征 | 一年生草本，高达 1.5 m，全体近无毛。茎直立，圆柱形，表面具有纵浅槽，幼时绿色，老时变为枯黄色；下部木质化，上部多分枝。茎生叶互生；3 回羽状细裂，裂片先端尖，上面绿色，下面黄绿色，叶轴两侧有狭翅，茎上部的叶，向上渐小，分裂更细。头状花序球形，下垂，排列成金字塔形、具有叶片的圆锥花序，几密布在全植物体上部；每一头状花序有短花梗，基部具有或不具有线形苞片；总苞平滑无毛，苞片 2 ~ 3 层，背面中央部分为绿色，边缘呈淡黄色，膜质状而透明；花托矩圆形，花均为管状花，黄色，外围为雌花，仅有雌蕊 1；中央为两性花，花冠先端 5 裂，雄蕊 5，花药合生，花

丝细短，着生于花冠管内面中部，雌蕊 1，花柱丝状，柱头 2 裂，呈叉状。瘦果卵形，微小，淡褐色，表面具隆起的纵条纹。花期 8 ~ 10 月，果期 10 ~ 11 月。

| 生境分布 | 生于荒野、山坡、路边及河岸边。分布于湖北武汉及武昌。

| 资源情况 | 野生资源丰富。药材主要来源于栽培。

| 采收加工 | **全草：**花蕾期采收，切碎，晒干。

| 功能主治 | 清热截疟，祛风止痒。用于伤暑，疟疾，潮热，小儿惊风，热泻，恶疮疥癣。

菊科 Compositae 蒿属 *Artemisia*

奇蒿 *Artemisia anomala* S. Moore.

|药材名| 奇蒿。

|形态特征| 叶厚纸质或纸质，上面绿色或淡绿色，初时微有疏短柔毛，后无毛，背面黄绿色，初时微有蛛丝状绵毛，后脱落；下部叶卵形或长卵形，稀倒卵形，不分裂或先端有数枚浅裂齿，先端锐尖或长尖，边缘具细锯齿，基部圆形或宽楔形，具短柄，叶柄长 3 ~ 5 mm；中部叶卵形、长卵形或卵状披针形，长 9 ~ 15 cm，宽 2.5 ~ 5.5 cm，先端锐尖或长尖，边缘具细锯齿，基部圆形或宽楔形，叶柄长 2 ~ 4（~ 10）mm；上部叶与苞片叶小，无柄。头状花序长圆形或卵形，直径 2 ~ 2.5 mm，无梗或近无梗，在分枝上端或分枝的小枝上排成密集穗状花序，并在茎上端组成狭窄或稍开展的圆锥花序；总苞片

3 ~ 4 层，半膜质至膜质，背面淡黄色，无毛，外层总苞片小，卵形，中、内层总苞片长卵形、长圆形或椭圆形；雌花 4 ~ 6，花冠狭管状，檐部具 2 裂齿，花柱长，伸出花冠外，先端 2 叉，叉端钝尖；两性花 6 ~ 8，花冠管状，花药线形，先端附属物尖，长三角形，基部圆钝，花柱略长于花冠，先端 2 叉，叉端截形，并有睫毛。瘦果倒卵形或长圆状倒卵形。花果期 6 ~ 11 月。

| 生境分布 | 湖北有分布。

| 资源情况 | 野生资源丰富。药材主要来源于野生。

| 采收加工 | **全草：**夏、秋季花开时采收，连根拔起，洗净，鲜用，或晒干，打成捆备用，防夜露雨淋变黑。

| 功能主治 | 破瘀通经，止血消肿，消食化积。用于闭经，痛经，产后瘀滞腹痛，恶露不尽，跌打损伤，金疮出血，风湿痹痛，便血，尿血，痈肿疮毒，烫伤，食积腹痛，泄泻痢疾。

菊科 Compositae 蒿属 *Artemisia*

艾 *Artemisia argyi* Lévl. et Van.

｜药 材 名｜ 艾。

｜形态特征｜ 多年生草本，植株有浓烈香气。主根明显，略粗长，直径达 1.5 cm，侧根多；常有横卧地下根茎及营养枝。茎单生或少数，高 80 ~ 150（~ 250）cm，有明显纵棱，褐色或灰黄褐色，基部稍木质化，上部草质，并有少数短的分枝，枝长 3 ~ 5 cm；茎、枝均被灰色蛛丝状柔毛。叶厚纸质，上面被灰白色短柔毛，并有白色腺点与小凹点，背面密被灰白色蛛丝状密绒毛；基生叶具长柄，花期萎谢；茎下部叶近圆形或宽卵形，羽状深裂，每侧具裂片 2 ~ 3，裂片椭圆形或倒卵状长椭圆形，每裂片有 2 ~ 3 小裂齿，干后背面主、侧脉多为

深褐色或锈色，叶柄长 0.5 ~ 0.8 cm；中部叶卵形、三角状卵形或近菱形，长 5 ~ 8 cm，宽 4 ~ 7 cm，1（~ 2）回羽状深裂至半裂，每侧裂片 2 ~ 3，裂片卵形、卵状披针形或披针形，长 2.5 ~ 5 cm，宽 1.5 ~ 2 cm，不再分裂或每侧有 1 ~ 2 缺齿，叶基部宽楔形渐狭成短柄，叶脉明显，在背面凸起，干时锈色，叶柄长 0.2 ~ 0.5 cm，基部通常无假托叶或极小的假托叶；上部叶与苞片叶羽状半裂、浅裂或 3 深裂或 3 浅裂，或不分裂，而为椭圆形、长椭圆状披针形、披针形或线状披针形。头状花序椭圆形，直径 2.5 ~ 3（~ 3.5）mm，无梗或近无梗，数枚头状花序在分枝上排成小型的穗状花序或复穗状花序，并在茎上通常再组成狭窄、尖塔形的圆锥花序，花后头状花序下倾；总苞片 3 ~ 4 层，覆瓦状排列，外层总苞片小，草质，卵形或狭卵形，背面密被灰白色蛛丝状绵毛，边缘膜质，中层总苞片较外层长，长卵形，背面被蛛丝状绵毛，内层总苞片质薄，背面近无毛；花序托小；雌花 6 ~ 10，花冠狭管状，檐部具 2 裂齿，紫色，花柱细长，伸出花冠外甚长，先端 2 叉；两性花 8 ~ 12，花冠管状或高脚杯状，外面有腺点，檐部紫色，花药狭线形，先端附属物尖，长三角形，基部有不明显的小尖头，花柱与花冠近等长或略长于花冠，先端 2 叉，花后向外弯曲，叉端截形，并有睫毛。瘦果长卵形或长圆形。花果期 7 ~ 10 月。

| **生境分布** | 生于路旁、草地、荒野等处，亦有栽培者。湖北有分布。

| **资源情况** | 野生资源较丰富。药材主要来源于栽培。

| **采收加工** | **叶**：培育当年 9 月、第 2 年 6 月花未开时割取地上部分，摘取叶片嫩梢，晒干。

| **功能主治** | 散寒止痛，温经止血。用于少腹冷痛，经寒不调，宫冷不孕，吐血，衄血，崩漏经多，妊娠下血；外用于皮肤瘙痒。

菊科 Compositae 蒿属 *Artemisia*

暗绿蒿 *Artemisia atrovirens* Hand.-Mazz.

| 药材名 |

暗绿蒿。

| 形态特征 |

多年生草本。主根稍明显，侧根少数；根茎细或略粗，直径 3 ~ 6 mm，直立或倾斜。茎少数，成丛或单生，高 60 ~ 100（~ 130）cm，有细纵棱，紫褐色或暗褐色，初时被短柔毛与短腺毛，后柔毛渐脱落，分枝多，枝长 20 ~ 60 cm。叶纸质或厚纸质，正面深绿色，初时有丝状短柔毛、短腺毛与白色腺点，后柔毛渐脱落，背面初时除叶脉外密被灰白色绵毛与腺毛，后绵毛稀疏，腺毛宿存，脉上具腺毛；茎中部叶卵形或宽卵形，长 5 ~ 10 cm，宽 4 ~ 10 cm，1 ~ 2 回羽状深裂，中央裂片最长，稀叶不分裂，花期叶凋谢；中部叶卵形或长卵形，长（5 ~）6 ~ 8 cm，宽（3 ~）4 ~ 7 cm，1 回羽状深裂，每侧裂片 2 ~ 3，裂片椭圆形或倒卵状椭圆形，长 1.5 ~ 2.5 cm，宽（0.5 ~）1 ~ 1.5 cm，先端钝尖，并有短尖头，边缘具 1 ~ 2 浅裂齿，基部下延在叶轴或叶柄上成狭翅，叶柄长 1 ~ 2 cm，基部无假托叶；上部叶与苞片叶羽状深裂、3 深裂或不分裂，裂片或不分裂的苞片叶椭圆形，叶基部渐狭

成柄状。头状花序多数，长圆形或长卵形，直径 1.5 ~ 2（~ 2.5）mm，无梗或近无梗，有小型小苞片，在分枝端或分枝的小枝上偏向一侧，下垂，并排成穗状花序，而在茎上组成开展的圆锥花序；总苞片 3（~ 4）层，外层略小，外、中层总苞片卵形或长卵形，背面初时微有蛛丝状柔毛，后无毛，中肋绿色，边膜质，内层总苞片长卵形，半膜质；雌花 3 ~ 6，花冠狭管状或近狭圆锥状，檐部具 2 裂齿，花柱伸出花冠外，先端 2 叉，叉端钝尖；两性花 5 ~ 8，花冠管状，花药狭线形，先端附属物尖，长三角形，基部钝，花柱与花冠等长，先端 2 叉，叉端截形并有短睫毛。瘦果小，倒卵形或近倒卵形。花果期 8 ~ 10 月。

| 生境分布 | 生于海拔 1 200 m 的草地、山坡及路旁等。湖北有分布。

| 资源情况 | 野生资源较丰富。药材主要来源于野生。

| 采收加工 | 春季栽培的暗绿蒿 6 月上旬刈割 1 次后，秋季还可开花结实，667 m^2 收种子 7 ~ 10 kg，种子边成熟边脱落，应注意及时采收。

| 功能主治 | 清湿热，消肿毒。

菊科 Compositae 蒿属 *Artemisia*

茵陈蒿 *Artemisia capillaries* Thunb.

| 药材名 |

茵陈蒿。

| 形态特征 |

半灌木状草本，植株有浓烈的香气。主根明显木质，垂直或斜向下伸长；根茎直径 5 ~ 8 mm，直立，稀少斜上展或横卧，常有细的营养枝。茎单生或少数，高 40 ~ 120 cm 或更长，红褐色或褐色，有不明显的纵棱，基部木质，上部分枝多，向上斜伸展；茎、枝初时密生灰白色或灰黄色绢质柔毛，后渐稀疏或脱落无毛。营养枝端有密集叶丛，基生叶密集着生，常成莲座状；基生叶、茎下部叶与营养枝叶两面均被棕黄色或灰黄色绢质柔毛，后期茎下部叶被毛脱落，叶卵圆形或卵状椭圆形，长 2 ~ 5 cm，宽 1.5 ~ 3.5 cm，2（~ 3）回羽状全裂，每侧有裂片 2 ~ 3（~ 4），每裂片再 3 ~ 5 全裂，小裂片狭线形或狭线状披针形，通常细直，不弧曲，长 5 ~ 10 mm，宽 0.5 ~ 1.5（~ 2）mm，叶柄长 3 ~ 7 mm，花期上述叶均萎谢；中部叶宽卵形、近圆形或卵圆形，长 2 ~ 3 cm，宽 1.5 ~ 2.5 cm，（1 ~）2 回羽状全裂，小裂片狭线形或丝线形，通常细直、不弧曲，长 8 ~ 12 mm，宽 0.3 ~ 1 mm，

近无毛，先端微尖，基部裂片常半抱茎，近无叶柄；上部叶与苞片叶羽状 5 全裂或 3 全裂，基部裂片半抱茎。头状花序卵球形，稀近球形，多数，直径 1.5 ~ 2 mm，有短梗及线形的小苞叶，在分枝的上端或小枝端偏向外侧生长，常排成复总状花序，并在茎上端组成大型、开展的圆锥花序；总苞片 3 ~ 4 层，外层总苞片草质，卵形或椭圆形，背面淡黄色，有绿色中肋，无毛，边膜质，中、内层总苞片椭圆形，近膜质或膜质；花序托小，凸起；雌花 6 ~ 10，花冠狭管状或狭圆锥状，檐部具 2（~ 3）裂齿，花柱细长，伸出花冠外，先端 2 叉，叉端尖锐；两性花 3 ~ 7，不孕育，花冠管状，花药线形，先端附属物尖，长三角形，基部圆钝，花柱短，上端棒状，2 裂，不叉开，退化子房极小。瘦果长圆形或长卵形。花果期 7 ~ 10 月。

| **生境分布** | 生于低海拔地区河岸、海岸附近的湿润沙地、路旁及低山坡地区。湖北有分布。

| **资源情况** | 野生资源丰富。药材主要来源于野生。

| **采收加工** | **嫩茎叶**：春季幼苗高约 3 寸时采收，除去杂质，去净泥土，晒干。

| **功能主治** | 清热利湿。用于黄疸，小便不利，风痒疮疥。

菊科 Compositae 蒿属 *Artemisia*

青蒿 *Artemisia carvifolia* Buch.-Ham. ex Roxb.

| 药材名 | 青蒿。

| 形态特征 | 一年生或二年生草本，高 30 ～ 150 cm，全体平滑无毛。茎圆柱形，幼时青绿色，表面有细纵槽，下部稍木质化，上部叶腋间有分枝。叶互生；2 回羽状全裂，第 1 回裂片椭圆形，第 2 回裂片线形，全缘，或每边 1 ～ 3 羽状浅裂，先端尖，质柔，两面平滑无毛，青绿色。头状花序排列成总状圆锥花序，每一头状花序侧生，稍下垂，直径约 6 mm；总苞半球形，苞片 3 ～ 4 层，外层的苞片狭长，内层的卵圆形，边缘膜质；花托外围着生管状雌花，内仅雌蕊 1，柱头 2 裂；内部多为两性花，绿黄色，花冠管状，雄蕊 5，花丝细短，雌蕊 1，花柱丝状，柱头 2 裂，呈叉状。瘦果矩圆形至椭圆形，微小，褐色。

花果期 6 ~ 9 月。

| 生境分布 | 生长于河岸、沙地及海边。湖北有分布。

| 资源情况 | 野生资源丰富。药材主要来源于野生。

| 采收加工 | **地上部分：**秋季花盛开时采割，除去老茎，阴干。

| 功能主治 | 清热解暑，除蒸，截疟。用于暑邪发热，阴虚发热，夜热早凉，骨蒸劳热，疟疾寒热，湿热黄疸。

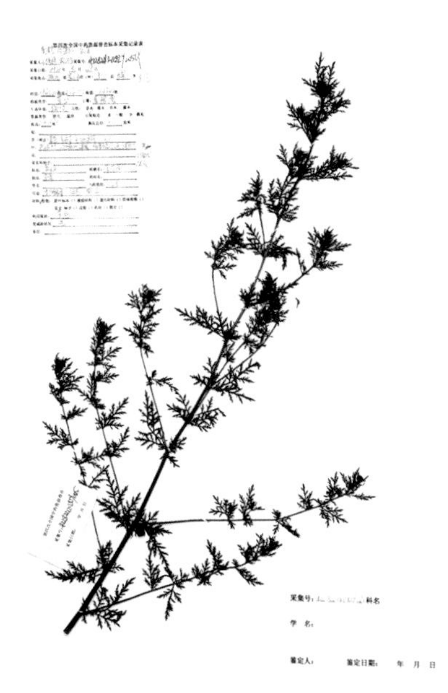

菊科 Compositae 蒿属 *Artemisia*

牛尾蒿 *Artemisia dubia* Wall. ex Bess.

| 药 材 名 | 牛尾蒿。

| 形态特征 | 半灌木状草本，高 80 ～ 120 cm。根茎粗短，有营养枝。茎丛生，紫褐色或绿褐色，纵棱明显，分枝长 15 ～ 35 cm 或更长；茎、枝幼时被短柔毛，后渐稀疏或无毛。叶互生，上面微被短柔毛，下面较密，宿存；基生叶与茎下部叶大，卵形或长圆形，羽状 5 深裂，有时裂片上还有 1 ～ 2 小裂片，无柄，花期叶凋谢；中部叶卵形，长 5 ～ 12 cm，宽 3 ～ 7 cm，羽状 5 深裂，裂片长 3 ～ 8 cm，宽 5 ～ 12 mm，先端尖，边缘无裂齿，基部渐狭成柄状，有小披针形或线形假托叶；上部叶与苞片叶指状 3 深裂或不分裂。头状花序多数，有短梗或近无梗，基部有小苞叶，在分枝的小枝上排成穗状花序或穗状花序状

的总状花序；总苞片 3 ~ 4 层，外层略短小，外、中层背面无毛，有绿色中肋，边膜质，内层半膜质；雌花 6 ~ 8，花冠檐部具 2 裂齿，花柱先端 2 叉，叉端尖；两性花 2 ~ 10，不育，花冠管状，花药线形，先端附属物尖，花柱短，先端 2 裂，不开叉。瘦果小，长圆形或倒卵形。花果期 8 ~ 10 月。

| 生境分布 | 生于低海拔至 3 100 m 地区的干山坡、草原、疏林下及林缘。湖北有分布。

| 资源情况 | 野生资源丰富。药材主要来源于野生。

| 采收加工 | **全草**：秋季采收，鲜用或扎把晾干。

| 功能主治 | 清热，凉血，解毒，杀虫。用于急性热病，肺热咳嗽，咽喉肿痛，鼻衄，血风疮，蛲虫病。

菊科 Compositae 蒿属 *Artemisia*

南牡蒿 *Artemisia eriopoda* Bunge

| 药材名 |

南牡蒿。

| 形态特征 |

多年生草本，高 30 ~ 70 cm。主根明显，粗短，有侧根；根茎稍粗短，肥厚。茎直立，单生或数个丛生，近无毛，基部常密被绒毛，上部或下部常生花序枝。叶片宽 2 ~ 5 cm，通常羽状深裂，裂片 5 ~ 7，宽倒卵形，基部楔形，先端又掌状分裂，有时匙形而边有齿或浅裂；上部叶三裂或不裂，裂片条形；全部叶上面无毛，下面被微柔毛。头状花序小，多数，卵球形或近球形，直径 1 ~ 1.5 mm，下垂，在茎顶或枝端排成复总状花序；无梗或有短梗，有条形苞叶；总苞卵形，长约 2 mm；总苞片 3 ~ 4 层，无毛，外层卵形，背面绿色，边缘稍膜质，内层长圆形，边缘宽，膜质；雌花 4 ~ 8，花冠狭圆锥状，花柱伸出，先端 2 叉；两性花 6 ~ 10，不孕育。瘦果小，长圆形。花果期 6 ~ 11 月。

| 生境分布 |

生于海拔 1 500 m 以下的林缘、路旁、草坡、灌丛、溪边、疏林内或林中空地。湖北有分布。

| **资源情况** | 野生资源丰富。药材主要来源于野生。

| **采收加工** | 夏季采收全草，切段，鲜用或晒干；秋季挖根，洗净晒干。

| **功能主治** | 祛风除湿，解毒。用于风湿关节痛，头痛，浮肿，毒蛇咬伤。

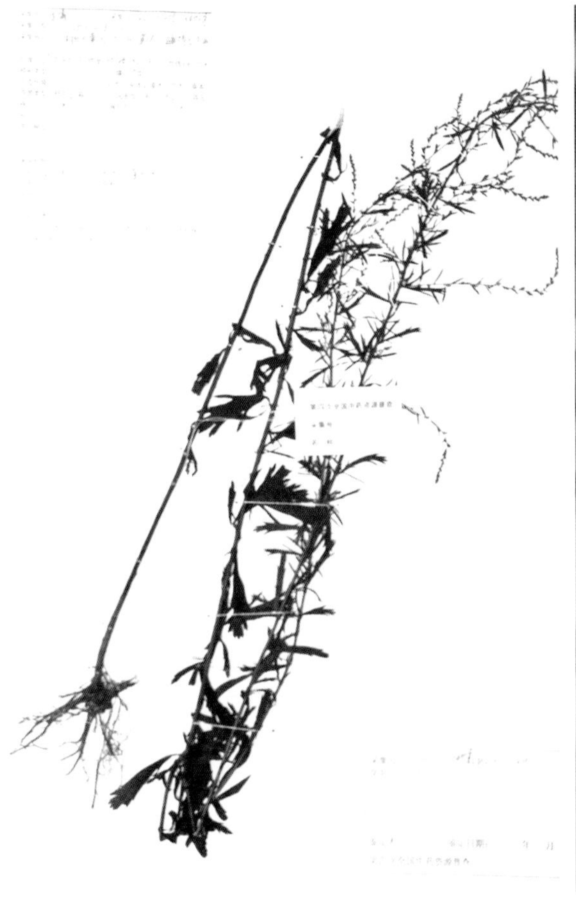

菊科 Compositae 蒿属 *Artemisia*

华北米蒿 *Artemisia giraldii* Pamp.

| 药 材 名 |

华北米蒿。

| 形态特征 |

半灌木状草本。主根明显，木质或稍木质化，侧根多。根茎稍粗短，直立或斜向上升，直径 4 ~ 10 mm。茎多数或少数，常成小丛，直立，高 50 ~ 80（~ 120）cm，具纵棱，下部稍木质化，分枝多，长 8 ~ 20 cm；茎、枝幼时被微柔毛，后渐稀疏或无毛。叶纸质，灰绿色，干后暗绿色或深绿褐色，叶面疏被灰白色或淡灰色短柔毛，背面初时密被灰白色微呈蛛丝状柔毛，后毛渐脱落；茎下部叶卵形或长卵形，指状 3 深裂，少数 5 深裂，裂片披针形或线状披针形，具短柄或近无柄，花期凋落；中部叶椭圆形，长 2 ~ 3 cm，宽 0.8 ~ 1.5 cm，指状 3 深裂，裂片线形或线状披针形，长 1 ~ 2 cm，宽 1 ~ 2 mm，先端尖，边略反卷或不反卷，叶基部渐狭成短柄状，基部无假托叶或假托叶极不明显；上部叶与苞片叶 3 深裂或不分裂，线形或线状披针形。头状花序多数，宽卵形、近球形或长圆形，直径 1.5 ~ 2 mm，无梗或具极短的梗，有小苞叶，下垂或斜展，在分枝上排成穗状花序式的总状花序或复总状花序，

而在茎上部组成开展的圆锥花序；总苞片 3 ~ 4 层，外层总苞片略短小，外、中层总苞片卵形、长卵形，背面无毛，有绿色中肋，边缘宽膜质，内层总苞片长椭圆形或长卵形，半膜质；雌花 4 ~ 8，花冠狭管状或狭圆锥状，檐部具 2 裂齿，花柱伸出花冠外，先端 2 叉，叉端尖；两性花 5 ~ 7，不育，花冠管状，檐部黄色或红色，花药线形，先端附属物尖，长三角形，基部钝圆，花柱短，先端棒状，通常不叉开，退化子房不明显。瘦果倒卵形。

| **生境分布** | 生于海拔 1 000 ~ 2 300 m 的山坡、干旱河谷、丘陵、路旁、滩地、林缘、森林草原、灌丛与林中空地等。湖北有分布。

| **资源情况** | 野生资源较丰富。药材主要来源于野生。

| **采收加工** | **全草**：夏末花未开时采收，阴干。

| **功能主治** | 清热，解毒，利肺。

菊科 Compositae 蒿属 *Artemisia*

锈苞蒿 *Artemisia imponens* Pamp.

| 药 材 名 | 锈苞蒿。

| 形态特征 | 多年生草本。主根细，垂直，侧根多；根茎细或略粗短，常有营养枝。茎少数或单一，高 70 ~ 100 cm，紫褐色，有纵纹，分枝多，开展，长 10 ~ 20 cm；茎、枝初时微有灰黄色或锈色、平贴短柔毛，后茎部毛脱落，上面疏被平贴绢质柔毛并有白色腺点，背面密被灰白色绵毛；茎下部叶卵形或宽卵形，2 ~ 3 回羽状全裂，小裂片狭，披针形或线状披针形，花期叶萎谢；中部叶宽卵形或长圆形，长 5 ~ 7 cm，宽 4 ~ 6 cm，2（~ 3）回羽状全裂，每侧具 4 ~ 5 裂片，再次羽状全裂或深裂，小裂片披针形或线状披针形，长 1 ~ 1.5 cm，宽 1.5 ~ 3 mm，先端具短尖头，边缘略反卷，中轴具狭翅状，无叶

柄；上部叶 1（～ 2）回羽状全裂；苞片叶羽状全裂、5 全裂至不分裂，裂片或不分裂之苞片叶披针形或线状披针形。头状花序半球形或近卵球形，直径 3 ～ 4（～ 5）mm，无梗，略下垂，具披针形或线形的小苞片，在分枝或茎端单生或 2 ～ 3 密集着生成穗状花序，并在茎上组成狭长或略开展的圆锥花序；总苞片 3 ～ 4 层，内、外层近等长或内层略长于外层，外、中层总苞片狭卵形或椭圆形，背面密被锈色绒毛，边缘膜质，内层总苞片长卵形或长圆形，半膜质，背面疏被锈色绒毛或近无毛；雌花 8 ～ 10，花冠狭圆锥状，檐部具 2 裂齿，花柱伸出花冠外，先端 2 叉，反卷；两性花 10 ～ 30，花冠管状，花药线形，先端附属物尖，长三角形，基部圆钝或微有短尖头，花柱与花冠近等长，先端稍叉开，叉端近截形。瘦果小，长圆形。花果期 8 ～ 10 月。

| 生境分布 | 生于高海拔地区的山坡、林缘及草地上。分布于湖北西部。

| 资源情况 | 野生资源一般。药材主要来源于野生。

| 功能主治 | 消炎，抗菌，清热解毒，降血压。用于急性炎症，痈疽疔疮，湿疹等。

菊科 Compositae 蒿属 *Artemisia*

牡蒿 *Artemisia japonica* Thunb.

| 药材名 | 牡蒿。

| 形态特征 | 多年生草本，植株有香气。主根稍明显，侧根多，常有块根；根茎稍粗短，直立或斜向上，直径 3 ~ 8 mm，常有若干营养枝。茎单生或少数，高 50 ~ 130 cm，有纵棱，紫褐色或褐色，上半部分枝，枝长 5 ~ 15（~ 20） cm，通常贴向茎或斜向上长；茎、枝初时被微柔毛，后渐稀疏或无毛。叶纸质，两面无毛或初时微有短柔毛，后无毛；基生叶与茎下部叶倒卵形或宽匙形，长 4 ~ 6（~ 7） cm，宽 2 ~ 2.5（~ 3） cm，自叶上端斜向基部羽状深裂或半裂，裂片上端常有缺齿或无缺齿，具短柄，花期凋谢；中部叶匙形，长 2.5 ~ 3.5（~ 4.5） cm，宽 0.5 ~ 1（~ 2） cm，上端有 3 ~ 5 斜向基部

的浅裂片或深裂片，每裂片的上端有 2 ~ 3 小锯齿或无锯齿，叶基部楔形，渐狭窄，常有小型、线形的假托叶；上部叶小，上端具 3 浅裂或不分裂；苞片叶长椭圆形、椭圆形、披针形或线状披针形，先端不分裂或偶有浅裂。头状花序多数，卵球形或近球形，直径 1.5 ~ 2.5 mm，无梗或有短梗，基部具线形的小苞叶，在分枝上通常排成穗状花序或穗状花序状的总状花序，并在茎上组成狭窄或中等开展的圆锥花序；总苞片 3 ~ 4 层，外层总苞片略小，外、中层总苞片卵形或长卵形，背面无毛，中肋绿色，边膜质，内层总苞片长卵形或宽卵形，半膜质；雌花 3 ~ 8，花冠狭圆锥状，檐部具 2 ~ 3 裂齿，花柱伸出花冠外，先端 2 叉，叉端尖；两性花 5 ~ 10，不孕育，花冠管状，花药线形，先端附属物尖，长三角形，基部钝，花柱短，先端稍膨大，2 裂，不叉开，退化子房不明显。瘦果小，倒卵形。花果期 7 ~ 10 月。

| 生境分布 | 生于山坡、路旁或荒地上。分布于湖北武汉。

| 资源情况 | 野生资源丰富。药材主要来源于野生。

| 采收加工 | **全草**：夏、秋季采收，晒干。

| 功能主治 | 清热凉血，解毒。用于夏季感冒，肺结核潮热，咯血，小儿疳热，衄血，便血，崩漏，带下，急性黄疸性肝炎，丹毒，毒蛇咬伤。

菊科 Compositae 蒿属 *Artemisia*

白苞蒿 *Artemisia lactiflora* Wall. ex DC.

| 药材名 | 白苞蒿。

| 形态特征 | 多年生草本，高 80 ~ 150 cm。茎直立，光滑，具纵槽，上部多分枝。下部叶花时凋落，中部叶有柄和假托叶，叶片广卵形，羽状分裂，裂片 3 ~ 5，卵状椭圆形或长椭圆状披针形，两面光滑无毛，先端圆钝或短尖，基部楔形，边缘具尖锐复锯齿，先端裂片通常 3 浅裂，上部叶无柄，3 裂。头状花序卵圆形，无柄，密集成穗状的圆锥花序；总苞钟状卵形，苞片 3 ~ 4 层，最外层者较短，卵形，内层苞片椭圆形，棕色，薄膜质；花杂性，外层雌花，长约 2 mm，中央两性花，长 2.5 mm，均为管状花，雄蕊 5，柱头 2 裂，裂片先端呈画笔状。瘦果椭圆形，长约 1.5 mm。花期 9 ~ 10 月。

| 生境分布 | 生于海拔 3 000 m 的林下、林缘、灌丛边缘、山谷等湿润或略微干燥地区。湖北有分布。

| 资源情况 | 野生资源较丰富。药材主要来源于野生。

| 采收加工 | 夏、秋季割取地上部分，晒干或鲜用；秋季采挖根，洗净，鲜用或晒干。

| 功能主治 | 活血散瘀，理气化湿。用于血瘀痛经，闭经，产后瘀滞腹痛，慢性肝炎，肝脾肿大，食积腹胀，寒湿泄泻，脚气，阴疽肿痛，跌打损伤，烫火伤。

菊科 Compositae 蒿属 *Artemisia*

矮蒿 *Artemisia lancea* Vant.

| 药 材 名 | 矮蒿。

| 形态特征 | 多年生草本。主根细长，侧根多；根茎细或略粗，直径 3 ~ 6 mm，直立或倾斜。茎多数，常成丛，高 80 ~ 150 cm，具细棱，褐色或紫红色；中部以上有多数向上斜展的分枝；茎、枝初时微被蛛丝状微柔毛，后毛渐脱落。叶上面初时微有蛛丝状短柔毛及白色腺点和小凹点，后毛与腺点渐脱落，背面密被灰白色或灰黄色蛛丝状毛；基生叶与茎下部叶卵圆形，长 3 ~ 5（~ 6）cm，宽 2.5 ~ 4（~ 5）m，2 回羽状全裂，每侧有裂片 3 ~ 4，中部裂片再次羽状深裂，每侧具小裂片 2 ~ 3，小裂片线状披针形或线形，长 3 ~ 6 mm，宽 2 ~ 3 mm，叶柄短，花期叶萎谢；中部叶长卵形或椭圆状卵形，长 1.5 ~ 2.5

（～3）cm，宽1～2（～2.5）cm，1（～2）回羽状全裂，稀深裂，每侧裂片2～3，裂片披针形或线状披针形，长1.5～2.5 cm，宽1～2 mm，先端锐尖，边缘外卷，基部1对裂片小；呈假托叶状，具短柄或近无柄；上部叶与苞片叶5或3全裂或不分裂，裂片或不分裂之苞片叶披针形或线状披针形，有时基部1对小裂片呈假托叶状。头状花序多数，卵形或长卵形，无梗，直径1～1.5 mm，在分枝上端或小枝上排成穗状花序或复穗状花序，而在茎上端组成狭长或稍开展的圆锥花序；总苞片3层，覆瓦状排列，外层总苞片小，狭卵形，背面初时微有短柔毛，后脱落无毛，中肋绿色，边缘狭膜质，中、内层总苞片长卵形或倒披针形，背面无毛，边缘宽膜质或全为半膜质；雌花1～3，花冠狭管状，檐部具2裂齿或无裂齿，紫红色，花柱细长，伸出花冠外，先端2叉，叉端尖，外卷；两性花2～5，花冠长管状，檐部紫红色，花药线形，先端附属物尖，长三角形，基部圆或有短尖头，花柱略长于花冠，先端2叉，叉端截形或扇形，并有睫毛。瘦果小，长圆形。花果期8～10月。

| 生境分布 | 生于低海拔至中海拔地区的林缘、路旁、荒坡及疏林下。湖北有分布。

| 资源情况 | 野生资源较丰富。药材主要来源于野生。

| 采收加工 | **带花全草**：7～8月初采收，晒干。

| 功能主治 | 散寒，温经，止血，安胎，清热，祛湿，消炎，驱虫。

菊科 Compositae 蒿属 *Artemisia*

野艾蒿 *Artemisia lavandulaefolia* DC.

| 药 材 名 | 野艾蒿。

| 形态特征 | 多年生草本，有时为半灌木状，植株有香气。主根稍明显，侧根多；根茎稍粗，直径 4 ~ 6 mm，常匍地，有细而短的营养枝。茎少数，成小丛，稀少单生，高 50 ~ 120 cm，具纵棱，分枝多，长 5 ~ 10 cm，斜向上伸展；茎、枝被灰白色蛛丝状短柔毛。叶纸质，上面绿色，具密集白色腺点及小凹点，初时疏被灰白色蛛丝状柔毛，后毛稀疏或近无毛，背面除中脉外密被灰白色密绵毛；基生叶与茎下部叶宽卵形或近圆形，长 8 ~ 13 cm，宽 7 ~ 8 cm，2 回羽状全裂或第 1 回全裂，第 2 回深裂，具长柄，花期叶萎谢；中部叶卵形、长圆形或近圆形，长 6 ~ 8 cm，宽 5 ~ 7 cm，（1 ~ ）2 回羽状全裂或第

2 回为深裂，每侧有裂片 2 ~ 3，裂片椭圆形或长卵形，长 3 ~ 5（~ 7）cm，宽 5 ~ 7（~ 9）mm，每裂片具 2 ~ 3 线状披针形或披针形的小裂片或深裂齿，长 3 ~ 7 mm，宽 2 ~ 3（~ 5）mm，先端尖，边缘反卷，叶柄长 1 ~ 2（~ 3）cm，基部有小型羽状分裂的假托叶；上部叶羽状全裂，具短柄或近无柄；苞片叶 3 全裂或不分裂，裂片或不分裂的苞片叶为线状披针形或披针形，先端尖，边反卷。头状花序极多数，椭圆形或长圆形，直径 2 ~ 2.5 mm，有短梗或近无梗，具小苞叶，在分枝的上半部排成密穗状或复穗状花序，并在茎上组成狭长或中等开展，稀为开展的圆锥花序，花后头状花序多下倾；总苞片 3 ~ 4 层，外层总苞片略小，卵形或狭卵形，背面密被灰白色或灰黄色蛛丝状柔毛，边缘狭膜质，中层总苞片长卵形，背面疏被蛛丝状柔毛，边缘宽膜质，内层总苞片长圆形或椭圆形，半膜质，背面近无毛，花序托小，凸起；雌花 4 ~ 9，花冠狭管状，檐部具 2 裂齿，紫红色，花柱线形，伸出花冠外，先端 2 叉，叉端尖；两性花 10 ~ 20，花冠管状，檐部紫红色；花药线形，先端附属物尖，长三角形，基部具短尖头，花柱与花冠等长或略长于花冠，先端 2 叉，叉端扁，扇形。瘦果长卵形或倒卵形。花果期 8 ~ 10 月。

| 生境分布 | 多生于低或中海拔地区的路旁、林缘、山坡、草地、山谷、灌丛及河湖滨草地等。湖北有分布。

| 资源情况 | 野生资源丰富。药材主要来源于野生。

| 采收加工 | **全草**：7 ~ 8 月初采收，晒干。

| 功能主治 | 理气血，逐寒湿，温经，止血，安胎。用于心腹冷痛，泄泻转筋，久痢，吐衄，下血，月经不调，崩漏，带下，胎动不安，痈疡，疥癣。

菊科 Compositae 蒿属 *Artemisia*

魁蒿 *Artemisia princeps* Pamp.

| 药 材 名 | 魁蒿。

| 形态特征 | 多年生草本。主根稍粗，侧根多；根茎直立或斜生，直径 3 ~ 7 mm，偶有营养枝。茎少数，成丛或单生，高 60 ~ 150 cm，紫褐色或褐色，纵棱明显，中上部以上分枝，枝长 5 ~ 10 cm，斜向茎端；茎、枝初时被蛛丝状薄毛，后茎下部毛渐脱落无毛。叶厚纸质或纸质，叶面深绿色，无毛，背面密被灰白色蛛丝状绒毛；下部叶卵形或长卵形，1 ~ 2 回羽状深裂，每侧有裂片 2，裂片长圆形或长圆状椭圆形，再次羽状浅裂，具长柄，花期叶萎谢；中部叶卵形或卵状椭圆形，长 6 ~ 12 cm，宽 4 ~ 8 cm，羽状深裂或半裂，偶有全裂，每侧有裂片 2（ ~ 3），裂片椭圆状披针形或椭圆形，疏离或紧密，中

央裂片通常较侧裂片大，而侧裂片中基部裂片通常较侧边的中部裂片大，先端钝或尖，不再分裂或每侧具 1 ~ 2 疏裂齿，叶柄长 1 ~ 2（~ 3）cm，基部有小型的假托叶；上部叶小，羽状深裂或半裂，每侧有裂片 1 ~ 2，裂片椭圆状披针形或披针形，具短柄；苞片叶 3 深裂或不分裂，裂片或不分裂的苞片叶为椭圆形或披针形，近无柄。头状花序多数，长圆形或长卵形，直径 1.5 ~ 2.5 mm，无梗或具极短的梗，密集，下倾，基部有细小的小苞叶，在分枝上排成穗状或穗状花序式，总状花序，而在茎上组成开展或中等开展的圆锥花序；总苞片 3 ~ 4 层，覆瓦状排列，外层总苞片较小，卵形或狭卵形，背面绿色微被蛛丝状毛，边缘狭膜质，中层总苞片长圆形或椭圆形，背面微被蛛丝状毛，有绿色中肋，边缘宽膜质，内层总苞片长圆状倒卵形，半膜质，边缘撕裂状；花序托小，凸起；雌花 5 ~ 7，花冠狭管状，檐部具 2 裂齿，花柱伸出花冠外，先端 2 叉，叉端尖；两性花 4 ~ 9，花冠管状，黄色或檐部紫红色，外面有疏腺点，花药线形，先端附属物尖，长三角形，基部有小尖头，花柱与花冠近等长，先端 2 叉，叉端截形，具睫毛。瘦果椭圆形或倒卵状椭圆形。花果期 7 ~ 11 月。

| **生境分布** | 湖北有分布。

| **资源情况** | 野生资源丰富。药材主要来源于野生。

| **采收加工** | **全草**：7 ~ 8 月初采收，晒干。

| **功能主治** | 祛风除湿，调经安胎。用于产后腹痛，月经过多，胎动不安，子宫出血，风湿痹痛。

菊科 Compositae 蒿属 *Artemisia*

红足蒿 *Artemisia rubripes* Nakai.

| 药材名 |

红足蒿。

| 形态特征 |

多年生草本，高 1 ~ 2 m，植株常带紫红色。根茎长，匍匐，有多数纤维根。茎直立，单一或上部分枝，有条棱，常无毛。基生叶及茎生叶具长柄，基部突然扩大，具托叶状裂片；叶片广卵状三角形，2 回羽状分裂，裂片线状披针形或长圆状披针形，宽 3 ~ 7 mm，全缘或具 1 ~ 2 锯齿，表面近无毛或疏被蛛丝状伏毛，背面密被蛛丝状白绒毛，侧脉稍明显；茎上部叶柄渐短至无柄，羽状分裂至不分裂，全缘。头状花序多数，直立，较密集，形成狭圆锥花序，总苞狭钟形，直径 1.5 mm，总苞片 3 层，覆瓦状排列，外层长圆形或广卵形，边缘膜质，内层较长，边缘宽膜质；边花 5 ~ 8（~ 10），雌性，花冠管状线形，中央花 9 ~ 15，两性，花冠管状钟形，花全部结实；花托裸露；瘦果长卵形，长 1 mm，淡褐色，无毛。花期 8 月，果期 9 ~ 10 月。

| 生境分布 |

生于低海拔地区的荒地、草坡、森林草原、

灌丛、林缘、路旁、河边及草甸等。分布于湖北神农架。

| 资源情况 | 野生资源一般。药材主要来源于野生。

| 采收加工 | **全草：**秋季采收，鲜用或切段晒干。

| 功能主治 | 温经，散寒，止血。

菊科 Compositae 蒿属 *Artemisia*

白莲蒿 *Artemisia sacrorum* Ledeb.

| 药材名 |

白莲蒿。

| 形态特征 |

半灌木状草本。根稍粗大，木质，垂直；根茎粗壮，直径可达 3 cm，常有多数、木质、直立或斜上长的营养枝。茎多数，常组成小丛，高 50 ~ 100（~ 150）cm，褐色或灰褐色，具纵棱，下部木质，皮常剥裂或脱落，分枝多而长；茎、枝初时被微柔毛，后下部脱落无毛，上部宿存或无毛，上面绿色，初时微有灰白色短柔毛，后渐脱落，幼时有白色腺点，后腺点脱落，留有小凹穴，背面初时密被灰白色平贴的短柔毛，后无毛。茎下部与中部叶长卵形、三角状卵形或长椭圆状卵形，长 2 ~ 10 cm，宽 2 ~ 8 cm，2 ~ 3 回栉齿状羽状分裂，第 1 回全裂，每侧有裂片 3 ~ 5，裂片椭圆形或长椭圆形，每裂片再次羽状全裂，小裂片栉齿状披针形或线状披针形，每侧具数枚细小三角形的栉齿或小裂片短小成栉齿状，叶中轴两侧具 4 ~ 7 栉齿，叶柄长 1 ~ 5 cm，扁平，两侧常有少数栉齿，基部有小型栉齿状分裂的假托叶；上部叶略小，1 ~ 2 回栉齿状羽状分裂，具短柄或近无柄；苞片叶栉齿状羽状分裂或不

分裂，为线形或线状披针形。头状花序近球形，下垂，直径 2 ~ 3.5（~ 4）mm，具短梗或近无梗，在分枝上排成穗状花序式的总状花序，并在茎上组成密集或略开展的圆锥花序；总苞片 3 ~ 4 层，外层总苞片披针形或长椭圆形，初时密被灰白色短柔毛，后脱落无毛，中肋绿色，边缘膜质，中、内层总苞片椭圆形，近膜质或膜质，背面无毛；雌花 10 ~ 12，花冠狭管状或狭圆锥状，外面微有小腺点，檐部具 2（~ 3）裂齿，花柱线形，伸出花冠外，先端 2 叉，叉端锐尖；两性花 20 ~ 40，花冠管状，外面有微小腺点，花药椭圆状披针形，先端附属物尖，长三角形，基部圆钝或有短尖头，花柱与花冠管近等长，先端 2 叉，叉端有短睫毛。瘦果狭椭圆状卵形或狭圆锥形。花果期 8 ~ 10 月。

| 生境分布 | 生于中、低海拔地区的山坡、路旁、灌丛地及森林草原。湖北有分布。

| 资源情况 | 野生资源较丰富。药材主要来源于野生。

| 采收加工 | **全草**：夏、秋季采收，阴干用。

| 功能主治 | 清热解毒，凉血止痛。用于肝炎，阑尾炎，小儿惊风，阴虚潮热；外用于创伤出血。

菊科 Compositae 蒿属 *Artemisia*

猪毛蒿 *Artemisia scoparia* Waldst. et Kit.

| 药材名 | 猪毛蒿。

| 形态特征 | 一年生草本，高 30 ~ 100 cm。枝淡绿色，生稀疏的短糙硬毛或无毛。叶丝状圆柱形，肉质，生短糙硬毛，长 2 ~ 5 cm，宽 0.5 ~ 1 mm，先端有硬针刺。花序穗状，生枝条上部；苞片宽卵形，先端有硬针刺；小苞片 2，狭披针形；花被片 5，膜质，披针形，结果后背部生短翅或革质突起；花药矩圆形，顶部无附属物；柱头丝形，长为花柱的 1.5 ~ 2 倍。瘦果倒卵形，果皮膜质。种子横生或斜生，先端平；胚螺旋状，无胚乳。花期 5 ~ 9 月。

| 生境分布 | 生于中、低海拔地区的山坡、旷野、路旁、灌丛地及森林草原等。分布于湖北松滋。

| 资源情况 | 野生资源丰富。药材主要来源于野生。

| 采收加工 | **全草：**夏、秋季开花时，割取地上部分，切段，晒干。

| 功能主治 | 降血压。用于高血压，头痛。

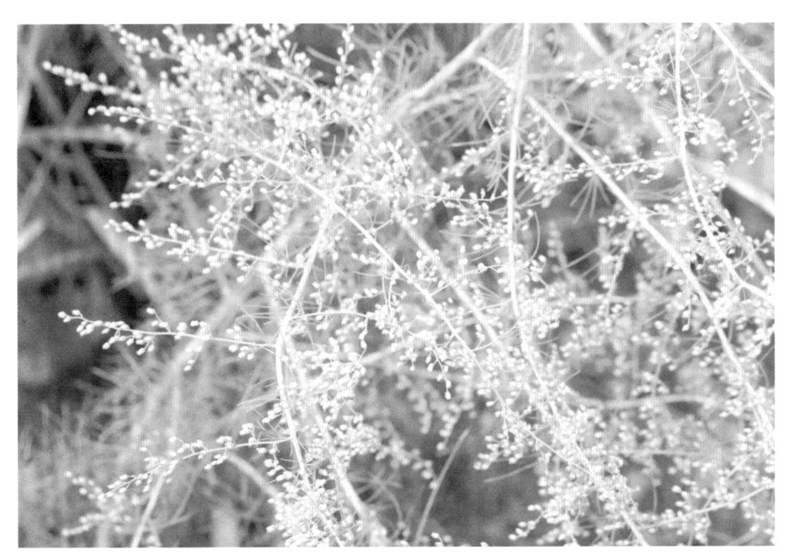

菊科 Compositae 蒿属 *Artemisia*

蒌蒿 *Artemisia selengensis* Turcz. ex Bess.

| 药材名 | 蒌蒿。

| 形态特征 | 多年生草本，高 60 ~ 150 cm。根茎稍粗，直立或斜向上，有匍匐地下茎。茎少数或单一，初时绿褐色，后为紫红色，无毛。有明显纵棱。叶互生；下部叶在花期枯萎，中部叶密集，羽状深裂，侧裂片 1 ~ 2 对，线状披针形或线形，边缘有疏尖齿，先端渐尖，基部渐狭成楔形短柄，无假托叶；上部叶 3 裂或线形而全缘，上面绿色，无毛，正面被白色蛛丝状平贴的绵毛。头状花序近球形，直径 3 ~ 3.5 mm，具细梗，小苞片小或无，在分枝上排成总状或复总状花序，并在茎上组成稍开展的圆锥花序，花后头状花序下垂；总苞片 3 ~ 4 层，外层卵形，黄褐色，被短绵毛，中层广卵形，内层椭

圆形，有宽膜质边缘；花黄色，外层雌性，内层两性，均结实。瘦果卵状椭圆形，略压扁，无毛。花果期 8 ~ 11 月。

| **生境分布** | 生于低海拔地区的山坡草地、路边荒野、河岸等处。分布于湖北武汉及阳新。

| **资源情况** | 野生资源丰富。药材主要来源于野生。

| **采收加工** | 春季采收嫩根苗，鲜用。

| **功能主治** | 利膈开胃。用于食欲不振。

菊科 Compositae 蒿属 *Artemisia*

大籽蒿 *Artemisia sieversiana* Ehrhart ex Willd.

| 药 材 名 | 大籽蒿。

| 形态特征 | 一年生、二年生草本。主根单一，垂直，狭纺锤形。茎单生，直立，高 50 ~ 150 cm，细，有时略粗，稀下部稍木质化，基部直径可达 2 cm，纵棱明显，分枝多；茎、枝被灰白色微柔毛。下部与中部叶宽卵形或宽卵圆形，两面被微柔毛，长 4 ~ 8（~ 13）cm，宽 3 ~ 6（~ 15）cm，2 ~ 3 回羽状全裂，稀深裂，每侧有裂片 2 ~ 3，裂片常再不规则地羽状全裂或深裂，基部侧裂片常有第三次分裂，小裂片线形或线状披针形，长 2 ~ 10 mm，宽 1 ~ 1.5（~ 2）mm，有时小裂片边缘有缺齿，先端钝或渐尖，叶柄长（1 ~）2 ~ 4 cm，基部有小型羽状分裂的假托叶；上部叶及苞片叶羽状全裂或不分裂，

椭圆状披针形或披针形，无柄。头状花序大，多数，半球形或近球形，直径（3 ~ ）4 ~ 6 mm，具短梗，稀近无梗，基部常有线形的小苞叶，在分枝上排成总状花序或复总状花序，在茎上组成开展或略狭窄的圆锥花序；总苞片3 ~ 4层，近等长，外层、中层总苞片长卵形或椭圆形，背面被灰白色微柔毛或近无毛，中肋绿色，边缘狭膜质，内层长椭圆形，膜质；花序托凸起，半球形，有白色托毛；雌花2（~ 3）层，20 ~ 30，花冠狭圆锥状，檐部具（2 ~ ）3 ~ 4裂齿，花柱线形，略伸出花冠外，先端2叉，叉端钝尖；两性花80 ~ 120，多层，花冠管状，花药披针形或线状披针形，上端附属物尖，长三角形，基部有短尖头，花柱与花冠等长，先端叉开，叉端截形，有睫毛。瘦果长圆形。花果期6 ~ 10月。

| 生境分布 | 生于路旁、荒地、河漫滩、草原、森林草原、干山坡或林缘等。湖北有分布。

| 资源情况 | 野生资源较丰富。药材主要来源于栽培。

| 采收加工 | **全草**：夏、秋季间开花期采收，鲜用或扎把晾干。

| 功能主治 | 清热利肺，凉血止血。用于肺热咳喘，咽喉肿痛，湿热黄疸，热痢，淋病，风湿痹痛，吐血，咯血，外伤出血，疥癞恶疮。

菊科 Compositae 蒿属 *Artemisia*

宽叶山蒿 *Artemisia stolonifera* (Maxim.) Kom.

| 药 材 名 | 宽叶山蒿。

| 形态特征 | 多年生草本。主根明显，直径 4 ~ 8 mm，侧根多，具多数细的纤维根。根茎横卧，细长，具营养枝及多数细长的匍匐枝。茎少数簇生或单生，高 50 ~ 120 cm，纵棱明显，上半部具着生头状花序的细短分枝，枝贴向茎生长；茎、枝初时被灰白色蛛丝状薄毛，后渐稀疏或无毛。叶厚纸质，叶面暗绿色，具小凹点及白色腺点，初时微有蛛丝状柔毛，后渐脱落，背面密生灰白色蛛丝状绒毛；基生叶、茎下部叶与营养枝叶椭圆形或椭圆状倒卵形，不分裂，边缘具疏裂齿或疏锯齿，少

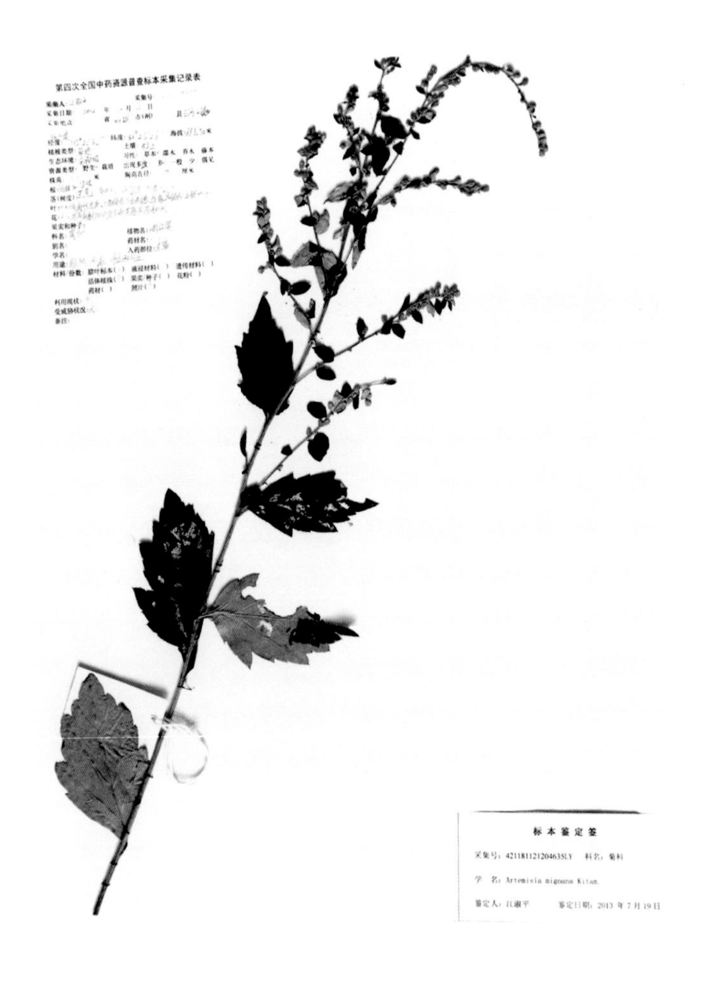

呈浅裂或深裂，叶基部渐狭成短柄，花期上述叶均萎谢；中部叶椭圆状倒卵形、长卵形或卵形，长 6 ~ 12 cm，宽 4 ~ 7 cm，先端尖，全缘或中部以上具 2 ~ 3 浅裂齿或深裂齿，并有少数疏或密的锯齿，叶下半部楔形，渐狭成短柄状，基部常有小型分裂、半抱茎的假托叶；上部叶小，卵形、长卵形或卵状披针形，有稀疏的粗锯齿或全缘，无柄，基部有小型假托叶；苞片叶椭圆形、卵状披针形或线状披针形，全缘。头状花序多数，长圆形或宽卵形，直径 3 ~ 4 mm，具短梗或近无梗，下倾，有小苞叶，在短的分枝上密集排成穗状花序或穗状花序状的总状花序，而在茎上部组成狭窄的圆锥花序；总苞片 3 ~ 4 层，外层总苞片较短，三角状卵形，背面深褐色，被蛛丝状绒毛，边狭膜质，中层总苞片倒卵形或长卵形，背面被蛛丝状毛，边宽膜质，内层总苞片长卵形或匙形，半膜质，背面近无毛；花序托圆锥形，凸起；雌花 10 ~ 12，花冠狭管状，檐部有 2 ~ 3 裂齿，花柱细长，伸出花冠外，先端 2 叉，叉端尖；两性花 12 ~ 15，花冠管状或高脚杯状，花药线形，先端附属物尖，长三角形，基部具短尖头，花柱与花冠等长，先端 2 叉，叉端截形，具睫毛，开花时花柱略伸出花冠外，外卷。瘦果呈卵形或椭圆形，略扁。花果期 7 ~ 11 月。

| 生境分布 | 生于低海拔湿润地区的林缘、疏林下、路旁、荒地、沟谷等。湖北有分布。

| 资源情况 | 野生资源丰富。药材主要来源于野生。

| 采收加工 | 叶：春、夏季花未开、叶茂盛时采收，晒干或阴干。

| 功能主治 | 理气血，温经脉，逐寒湿，止冷痛。

菊科 Compositae 蒿属 *Artemisia*

川藏蒿 *Artemisia tainingensis* Hand.-Mazz.

| 药材名 | 川藏蒿。

| 形态特征 | 多年生草本。根细；根茎细短，直径 3 ~ 5 mm。茎单生或少数，直立，高 15 ~ 30 cm，上部分枝，短；茎、枝被白色丝状绒毛。叶纸质，两面被白色绒毛；茎下部与中部叶椭圆形，长 1.5 ~ 3.5 cm，宽 1.2 ~ 1.8 cm，2 回羽状全裂，每侧具裂片 4 ~ 5（~ 6），裂片椭圆形或椭圆状卵形，长 1 ~ 1.5 cm，宽 0.5 ~ 1 cm，再次羽状

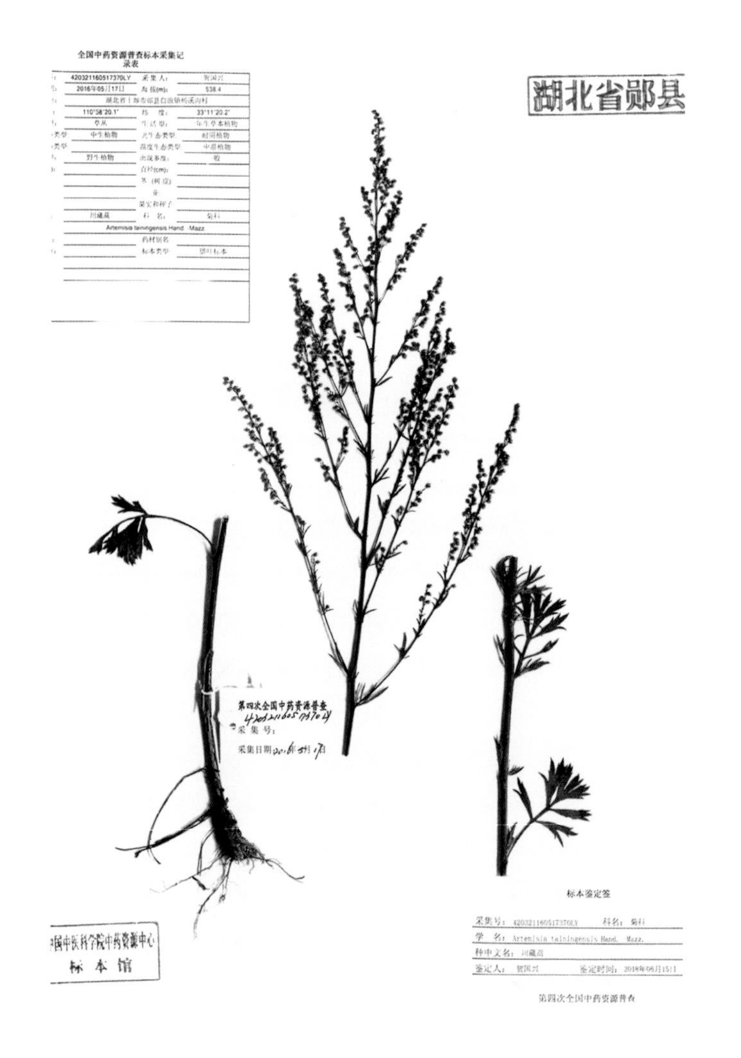

全裂或深裂，裂片每侧具 1 ~ 3 小裂片或为小裂齿，小裂片或小裂齿长椭圆形或椭圆状披针形，长（2 ~ ）5 ~ 8 mm，宽 0.5 ~ 1.3 mm，边不反卷或微反卷，中轴有狭翅，叶柄长 1 ~ 2 cm；上部叶与苞片叶小，卵形，1 ~ 2 回羽状全裂或深裂，无叶柄，基部裂片半抱茎。头状花序钟形或卵钟形，直径 3 ~ 4（ ~ 4.5 ）mm，无梗或近无梗，具小苞叶，单侧下倾，在茎端及短的分枝上单生或 2 ~ 3 集生，并在茎上组成穗状或穗状花序式的狭窄的圆锥花序；总苞片 3 ~ 4 层，内、外层总苞片近等长或外层略小，外、中层总苞片卵形或长卵形，背面棕褐色，被白色绒毛，内层总苞片倒卵状长圆形；雌花 13 ~ 16，花冠狭管状，檐部具 2 裂齿，花柱伸出花冠外，先端 2 叉，叉端尖；两性花 20 ~ 24，花冠管状，花药线形，先端附属物尖，长三角形，基部圆钝，花柱与花冠近等长，先端 2 叉，叉端截形并有睫毛。瘦果倒卵形。花果期 7 ~ 10 月。

| 生境分布 | 生于砾质山坡上。湖北有分布。

| 资源情况 | 野生资源较稀少。药材主要来源于野生。

| 功能主治 | 凉血止血。用于血热妄行所致的出血症，如鼻衄。

菊科 Compositae 蒿属 *Artemisia*

南艾蒿 *Artemisia verlotorum* Lamotte.

| 药 材 名 | 南艾蒿。

| 形态特征 | 多年生草本，植株有香气。主根稍明显，侧根多；根茎短，常具匍匐茎，并有营养枝。茎单生或少数，高 50 ~ 100 cm，具纵棱，中上部分枝，枝长 5 ~ 6（~ 8）cm，斜向上贴向茎部；茎、枝初时微有短柔毛，后脱落无毛。叶纸质，上面浓绿色，近无毛，被白色腺点及小凹点，干后常成黑色，背面除叶脉外密被灰白色绵毛；基生叶与茎下部叶卵形或宽卵形，1 ~ 2 回羽状全裂，具柄，花期叶均萎谢；中部叶卵形或宽卵形，长 5 ~ 10（~ 13）cm，宽 3 ~ 8 cm，1（~ 2）回羽状全裂，每侧有裂片 3 ~ 4，裂片披针形或线状披针形，稀线形，长 3 ~ 5 cm，宽 3 ~ 5 mm，先端锐尖，不分裂或偶有数枚浅裂齿，

边反卷，叶柄短或近无柄；上部叶 3 ～ 5 全裂或深裂；苞片叶不分裂，披针形或椭圆状披针形。头状花序椭圆形或长圆形，直径 2 ～ 2.5 mm，无梗，直立，在分枝上排成密或疏松的穗状花序，而在茎上组成狭而长或为中等开展的圆锥花序；总苞片 3 层，覆瓦状排列，外层总苞片略小，卵形，背面初时微有蛛丝状柔毛，后脱落无毛，边缘狭膜质，中、内层总苞片长卵形或椭圆状倒卵形，背面无毛，边缘宽膜质或全为半膜质；雌花 3 ～ 6，花冠狭管状，檐部具 2 裂齿，紫色，花柱长，伸出花冠外，先端 2 叉，叉端尖；两性花 8 ～ 18，花冠管状，檐部紫红色，花药线形，先端附属物尖，长三角形，基部钝，花柱与花冠等长，先端 2 叉，叉端扁，扇形，有睫毛。瘦果小，倒卵形或长圆形，稍压扁。花果期 7 ～ 10 月。

| 生境分布 | 生于低海拔至中海拔地区的山坡、路旁、田边等地。湖北有分布。

| 资源情况 | 野生资源丰富。药材主要来源于野生。

| 采收加工 | **全草：**8 月开花时，连根拔起，晒干，除去泥土，打成捆。

| 功能主治 | 消炎，止血。

菊科 Compositae 蒿属 *Artemisia*

北艾 *Artemisia vulgaris* L.

| 药材名 | 北艾。

| 形态特征 | 多年生草本。高 60 ~ 150 cm。主根单一，垂直，稍木质化，直径达 3 cm。根茎稍粗短，垂直。茎单一或 2 ~ 3，直立，密被灰白色短柔毛，上部斜向上分枝。茎下部叶 2 ~ 3 回羽状全裂，长卵形或卵形，长 8 ~ 12 cm，宽 7 ~ 9 cm，叶柄长 6 ~ 12 cm；中部叶长卵形或卵形，2 回羽状全裂，长 6 ~ 9 cm，宽 3 ~ 7 cm，叶柄长 2 ~ 6 cm；上部叶羽状全裂或 5 全裂，长 4 ~ 6 cm，宽 2 ~ 4 cm，近无柄；苞片叶 3 深裂或不分裂。头状花序球形或近球形，下垂，于茎端或分枝上排成穗状花序式的总状花序；总苞片 3 ~ 4 层，中、外层总苞片有白色柔毛，内层总苞片膜质，几无毛；花序托密生白

毛；雌花 15 ～ 25，1 层，花冠狭圆锥状，花冠檐部有 2 裂齿，花柱线形，伸出花冠外，先端分叉；两性花 30 ～ 90，4 ～ 6 层，花冠管状，花药披针形，花柱与花冠等长，先端 2 叉，柱头有睫毛。瘦果长圆形，先端微有不对称的冠状边缘。花果期 8 ～ 11 月。

| **生境分布** | 生于亚高山的草原、森林草原、林缘、谷地、荒坡及路旁等。湖北有分布。

| **资源情况** | 野生资源一般。药材主要来源于野生。

| **采收加工** | **花、枝、叶**：夏季花开前采收，晒干。

| **功能主治** | 清热燥湿，驱虫，健胃。用于关节肿痛，湿疹瘙痒，疖肿疮毒，蛔虫病，食欲不振。

菊科 Compositae 紫菀属 *Aster*

三脉紫菀 *Aster ageratoides* Turcz

| 药 材 名 | 野白菊花。

| 形态特征 | 多年生草本，根茎粗壮。茎直立，高 40 ~ 100 cm，细或粗壮，有棱及沟，被柔毛或粗毛，上部有时曲折，有上升或开展的分枝。下部叶在花期枯落，叶片宽卵圆形，急狭成长柄；中部叶椭圆形或长圆状披针形，长 5 ~ 15 cm，宽 1 ~ 5 cm，中部以上急狭成楔形具宽翅的柄，先端渐尖，边缘有 3 ~ 7 对浅或深锯齿；上部叶渐小，有浅齿或全缘，全部叶纸质，上面被短糙毛，下面浅色被短柔毛常有腺点，或两面被短茸毛而下面沿脉有粗毛，有离基（有时长达 7 cm）三出脉，侧脉 3 ~ 4 对，网脉常显明。头状花序直径 1.5 ~ 2 cm，排列成伞房状或圆锥伞房状，花序梗长 0.5 ~ 3 cm。总苞倒锥状或

半球状，直径 4 ~ 10 mm，长 3 ~ 7 mm；总苞片 3 层，覆瓦状排列，线状长圆形，下部近革质或干膜质，上部绿色或紫褐色，外层长达 2 mm，内层长约 4 mm，有短缘毛。舌状花十余个，管部长 2 mm，舌片线状长圆形，长达 11 mm，宽 2 mm，紫色、浅红色或白色，管状花黄色，长 4.5 ~ 5.5 mm，管部长 1.5 mm，裂片长 1 ~ 2 mm；花柱附片长达 1 mm。冠毛浅红褐色或污白色，长 3 ~ 4 mm。瘦果倒卵状长圆形，灰褐色，长 2 ~ 2.5 mm，有边肋，一面常有肋，被短粗毛。花果期 7 ~ 12 月。

| **生境分布** | 生于海拔 100 ~ 3 100 m 的林下、林缘、灌丛及山谷湿地。湖北有分布。

| **功能主治** | 清热解毒，利尿止血。用于咽喉肿痛，咳嗽痰喘，乳蛾，痄腮，乳痈，小便淋痛，痈疖肿毒，外伤出血。

菊科 Compositae 紫菀属 *Aster*

翼柄紫菀 *Aster alatipes* Hemsl.

|药材名| 翼柄紫菀。

|形态特征| 多年生草本。有根茎及细长的匍匐枝。茎直立，高 50 ~ 100 cm，较细，单生或少数丛生，被开展的粗毛，上部有分枝，有稍疏的叶。下部叶在花期枯萎，常较小，叶片圆形或稍心形，长达 3.5 cm，宽达 2 cm，急狭成具狭翅的长柄；中部叶卵圆状披针形，长 5 ~ 10 cm，宽 2 ~ 4 cm，下部急狭成长 1.5 ~ 2 cm 而具宽翅的柄，上部边缘有 7 ~ 10 对具小尖头的疏锯齿；上部叶渐小，有具宽翅的短柄；叶上面密生短糙毛，下面被短毛，稍有腺点，侧脉 3 ~ 4 对，弧曲，网脉不明显。头状花序直径 1.5 cm，在枝端排列成伞房状；花序梗长 5 ~ 25 mm，被密伏毛；总苞半球状，长 4 ~ 5 mm，直径 5 mm；

总苞片 3 层，覆瓦状排列，外层者长圆形，长 1.5 mm，多少草质，被短毛，内层者线状披针形，长 4 mm，宽 1 mm，先端绿色，宽膜质，有缘毛；舌状花约 10，管部长 2 mm，舌片浅紫色，长 9 mm，宽 1.5 mm；管状花长约 4 mm，管部长 1.5 mm，裂片长 0.7 mm；冠毛污白色或浅红色，约与管状花等长，有近等长的微糙毛；花柱附片长 0.5 mm。瘦果长圆形，长 2.5 ～ 3 mm，稍扁，一面有肋，被短粗毛。花果期 7 ～ 10 月。

| **生境分布** | 生于低山沟谷阴地或溪岸。分布于湖北秭归、房县。

| **功能主治** | 祛热，止渴，止汗，活血。用于疮疡等。

菊科 Compositae 紫菀属 *Aster*

小舌紫菀 *Aster albescens* (DC.) Hand.-Mazz.

| 药 材 名 | 小舌紫菀。

| 形态特征 | 多年生草本或灌木，高 30 ~ 180 cm。多分枝，老枝褐色，当年生枝黄褐色。叶近纸质，卵圆形至披针形，基部楔形或近圆形，先端尖，上部叶小。头状花序多数在茎和枝端排列成复伞房状；舌状花舌片白色至紫红色，管状花黄色，花柱附片宽三角形。瘦果长圆形，长 1.7 ~ 2.5 mm，宽 0.5 mm，有 4 ~ 6 肋，被白色短绢毛；冠毛污白色，后红褐色，1 层，长 4 mm，有多数近等长的微糙毛。花期 6 ~ 9 月，果期 8 ~ 10 月。

| **生境分布** | 生于海拔 500 ~ 1 700 m 的低山至高山林下、灌丛或路旁。湖北有分布。

| **功能主治** | 利湿退黄，解毒消肿，杀虫，止咳。用于黄疸。

菊科 Compositae 紫菀属 *Aster*

白舌紫菀 *Aster baccharoides* (Benth.) Steetz.

| 药 材 名 | 白舌紫菀。

| 形态特征 | 一年生或多年生木质草本或亚灌木，有粗壮扭曲的根。茎直立，高 50 ~ 100 cm，多分枝；老枝灰褐色，有棱，脱毛；幼枝直立，被多少卷曲的密短毛。下部叶匙状长圆形，上部有疏齿；中部叶长圆形或长圆状披针形，基部渐窄或急狭，无柄或有短柄，先端尖，全缘或上部有小尖头状疏锯齿；上部叶渐小，近全缘；全部叶上面被短糙毛，下面被短毛或有腺点；中脉在下面凸起，侧脉 3 ~ 4 对。头状花序在枝端排列成圆锥伞房状；总苞倒锥状，4 ~ 7 层，覆瓦状排列，外层卵圆形，长 1.5 mm，先端尖，内层长圆状披针形，先端钝，背面或上部被短密毛，边缘干膜质，有缘毛；舌状花 10 余，舌片白色；

管状花有微毛。瘦果狭长圆形，稍扁，有时两面有肋，被密短毛。花期 7 ~ 10 月，果期 8 ~ 11 月。

| **生境分布** | 生于海拔 200 ~ 1 700 m 的山坡路旁、草地和沙地。湖北有分布。

| **功能主治** | 清热解毒，止血生肌，杀虫。用于感冒。

菊科 Compositae 紫菀属 *Aster*

紫菀 *Aster tataricus* L. f.

|药材名|

紫菀。

|形态特征|

多年生草本，根茎斜升。茎直立，高 40 ~ 50 cm，粗壮，基部有纤维状枯叶残片且常有不定根，有棱及沟，被疏粗毛，有疏生的叶。基部叶在花期枯落，长圆状或椭圆状匙形，下半部渐狭成长柄，连柄长 20 ~ 50 cm，宽 3 ~ 13 cm，先端尖或渐尖，边缘有具小尖头的圆齿或浅齿。下部叶匙状长圆形，常较小，下部渐狭或急狭成具宽翅的柄，渐尖，边缘除顶部外有密锯齿；中部叶长圆形或长圆状披针形，无柄，全缘或有浅齿，上部叶狭小；全部叶厚纸质，上面被短糙毛，下面被稍疏的但沿脉被较密的短粗毛；中脉粗壮，与 5 ~ 10 对侧脉在下面凸起，网脉明显。头状花序多数，直径 2.5 ~ 4.5 cm，在茎和枝端排列成复伞房状；花序梗长，有线形苞叶。总苞半球形，长 7 ~ 9 mm，直径 10 ~ 25 mm；总苞片 3 层，线形或线状披针形，先端尖或圆形，外层长 3 ~ 4 mm，宽 1 mm，全部或上部草质，被密短毛，内层长达 8 mm，宽达 1.5 mm，边缘宽膜质且带紫红色，有草质中脉。有 20 余舌状花；

管部长 3 mm，舌片蓝紫色，长 15 ～ 17 mm，宽 2.5 ～ 3.5 mm，有 4 至多脉；管状花长 6 ～ 7 mm 且稍有毛，裂片长 1.5 mm；花柱附片披针形，长 0.5 mm。瘦果倒卵状长圆形，紫褐色，长 2.5 ～ 3 mm，两面各有 1 或少有 3 脉，上部被疏粗毛。冠毛污白色或带红色，长 6 mm，有多数不等长的糙毛。花期 7 ～ 9 月，果期 8 ～ 10 月。

| **生境分布** | 生于海拔 1 500 m 的山谷潮湿地。分布于湖北五峰、神农架等。

| **功能主治** | 润肺下气，消痰止咳。用于肺虚劳嗽，肺痿肺痈，咳吐脓血，小便不利，痰多喘咳，新久咳嗽，咯血。

菊科 Compositae 紫菀属 *Aster*

三基脉紫菀 *Aster trinervius* Roxb. ex D. Don

| 药 材 名 | 三基脉紫菀。

| 形态特征 | 多年生草本。根茎粗壮，常木质。茎直立，高 60 ~ 200 cm，粗壮，有棱及细沟，上部被细毛或全部被密粗毛，上部有分枝。下部叶在花期凋落；茎中部叶卵圆状披针形，长 4.5 ~ 11 cm，宽 1.5 ~ 4.5 cm，基部近圆形，急狭成短柄，先端渐尖，边缘有 4 ~ 7 对浅锯齿；上部叶卵圆形或披针形，有齿或全缘，无柄；全部叶厚质或近革质，有时薄质，上面被糙毛，下面色浅，被细毛或粗毛，有腺点，或近无毛，有基出脉 3 及 2 ~ 4 对侧脉，网脉明显。头状花序直径 2 cm，排列成伞房状或圆锥伞房状，有长花序梗；总苞倒锥状或半球状，直径 8 ~ 15 mm；总苞片 3 层，覆瓦状排列，匙状长圆形，

下部近革质，上部绿色，有时带红色，被短柔毛或无毛，长 4 ~ 7.5 mm，边缘膜质，常有缘毛；舌状花 10 或更多，管部长 2 ~ 3 mm，舌片常白色，有时浅黄色，线状长圆形，长达 10 mm，宽达 3 mm；管状花黄色，长 4 ~ 6.5 mm，管部长 2 mm，裂片长 1.2 ~ 2 mm，花柱附片长达 1 mm，冠毛污白色或带红褐色，长 4.5 ~ 6 mm。瘦果倒卵圆形，灰褐色，长 2.5 ~ 4 mm，有 2 边肋，有时一面有肋，被疏粗毛，有时有腺点。花果期 7 ~ 12 月。

| **生境分布** | 湖北有分布。

| **采收加工** | **根茎**：春、秋季采挖，除去茎叶及泥土，晒干，切段。

| **功能主治** | 温肺，下气，消痰，止咳。用于风寒咳嗽气喘，虚劳咳吐脓血，喉痹，小便不利。

菊科 Compositae 苍术属 *Atractylodes*

鄂西苍术 *Atractylodes carlinoides* (Hand.-Mazz.) Kitam.

| 药 材 名 | 鄂西苍术。

| 形态特征 | 多年生草本。高 30 ~ 50 cm。根茎匍匐，细，有等长等粗的不定根。茎直立，单生，不分枝，常红紫色，被稀疏蛛丝毛。基生叶多数，莲座状，长椭圆形或长倒披针形，基部渐狭成长柄或短柄，包括基部渐狭的叶柄长 15 ~ 21 cm，宽 3 ~ 4 cm，羽状半裂或浅裂，侧裂片多数，6 ~ 9 对，中部或中上部侧裂片稍大，向上及向下渐小，全部裂片三角形或顶部裂片长三角形，边缘具刺齿，但下部或基生侧裂片针刺状或具三角形刺齿；茎生叶少数，长椭圆形或披针形，长 5 ~ 12 cm，羽状深裂或浅裂，基部无柄，扩大半抱茎，裂片边缘具刺齿，先端具长针刺；全部叶质薄，纸质，两面同色，绿色，

无毛。头状花序单生于茎顶或植株生 2 头状花序；总苞钟状，直径 2.5 ~ 3 cm；苞叶长 2.8 cm，刺齿状羽状深裂；总苞片 4 ~ 5 层，覆瓦状排列，最外层及外层者椭圆形或长椭圆形，长 7 ~ 11 mm；中层者线状长椭圆形，长约 17 mm，内层者线形或宽线形，长 21 mm，上部常紫红色；中、外层苞片边缘或中上部边缘有白色蛛丝状毛；小花黄色，长 1.3 cm。瘦果长 6 mm，被稠密的顺向贴伏的长直毛；冠毛刚毛污白色，羽毛状，白色，基部联合成环。花果期 9 月。

| 生境分布 | 生于海拔 1 600 m 的山坡。分布于湖北秭归。

| 功能主治 | 祛风利湿。

菊科 Compositae 苍术属 *Atractylodes*

北苍术 *Atractylodes chinensis* (DC.) Koidz

| 药 材 名 | 北苍术。

| 形态特征 | 多年生草本。高 40 ~ 50 cm。根茎肥大，呈结节状。茎单一或茎上部稍分歧。叶互生，下部叶匙形，基部呈有翼的柄状，楔形至圆形，边缘有不连续的刺状牙齿，牙齿平展，叶革质，平滑。头状花序生于茎梢先端；基部叶状苞披针形，边缘为长栉齿状，比头状花序稍短；总苞长杯状，总苞片 7 ~ 8 列，生有微毛；管状花，花冠白色。瘦果长形，密生银白色柔毛；冠毛羽状。花期 7 ~ 8 月，果期 8 ~ 10 月。

| 生境分布 | 生于海拔 300 ~ 900 m 的干旱山坡、稀疏的阔叶林或针阔叶混交林下。

湖北有分布。

| **功能主治** | 燥湿健脾，祛风，散寒，明目。用于脘腹胀满，泄泻，水肿，脚气痿躄，风湿痹痛，风寒感冒，夜盲等。

菊科 Compositae 苍术属 *Atractylodes*

苍术 *Atractylodes lancea* (Thunb.) DC.

| 药 材 名 | 茅苍术。

| 形态特征 | 多年生草本，高 30 ~ 60 cm。茎直立或上部少分枝。叶互生，革质，卵状披针形或椭圆形，边缘具刺状齿，上部叶多不裂，无柄；下部

叶常 3 裂，有柄或无柄。头状花序顶生，下有羽裂叶状总苞 1 轮；总苞圆柱形，总苞片 6 ~ 8 层；花两性与单性，多异株；两性花有羽状长冠毛；花冠白色，细长管状。瘦果被黄白色毛。花期 8 ~ 10 月，果期 9 ~ 10 月。

| 生境分布 | 生于低山阴坡疏林边。湖北有分布。

| 采收加工 | 春、秋季采挖，除去泥沙，晒干，撞去须根。

| 功能主治 | 燥湿健脾，祛风散寒，明目。用于脘腹胀满，泄泻，水肿，风湿痹痛，风寒感冒，脾胃不和，暑温，痢疾，时行感冒，带下等。

菊科 Compositae 苍术属 *Atractylodes*

白术 *Atractylodes macrocephala* Koidz.

|药材名|

白术。

|形态特征|

多年生草本，高 20 ~ 60 cm，根茎结节状。茎直立，通常自中下部分枝，全部光滑无毛。中部茎生叶有长 3 ~ 6 cm 的叶柄，叶片通常 3 ~ 5 羽状全裂，极少兼杂不裂而叶为长椭圆形的。侧裂片 1 ~ 2 对，倒披针形、椭圆形或长椭圆形，长 4.5 ~ 7 cm，宽 1.5 ~ 2 cm；顶裂片比侧裂片大，倒长卵形、长椭圆形或椭圆形；自中部茎生叶向上向下，叶渐小，与中部茎生叶等样分裂，接花序下部的叶不裂，椭圆形或长椭圆形，无柄；或大部分茎生叶不裂，但总兼杂有 3 ~ 5 羽状全裂的叶。全部叶质地薄，纸质，两面绿色，无毛，边缘或裂片边缘有长或短针刺状缘毛或细刺齿。头状花序单生茎枝先端，植株通常有 6 ~ 10 头状花序，但不形成明显的花序式排列。苞叶绿色，长 3 ~ 4 cm，针刺状羽状全裂。总苞大，宽钟状，直径 3 ~ 4 cm。总苞片 9 ~ 10 层，覆瓦状排列；外层及中外层长卵形或三角形，长 6 ~ 8 mm；中层披针形或椭圆状披针形，长 11 ~ 16 mm；

最内层宽线形，长 2 cm，先端紫红色。全部苞片先端钝，边缘有白色蛛丝毛。小花长 1.7 cm，紫红色，冠檐 5 深裂。瘦果倒圆锥状，长 7.5 mm，被顺向顺伏的稠密白色的长直毛。冠毛刚毛羽毛状，污白色，长 1.5 cm，基部结合成环状。花果期 8 ～ 10 月。

| 生境分布 | 生于野山坡草地及山坡林下。湖北有分布。

| 功能主治 | 健脾益气，燥湿利水，化浊，止痛，止汗，安胎。用于脾虚食少，腹胀泄泻，痰饮眩悸，水肿，自汗，胎动不安。

菊科 Compositae 雏菊属 *Bellis*

雏菊 *Bellis perennis* L.

| 药 材 名 | 雏菊。

| 形态特征 | 多年生或一年生葶状草本，高 10 cm 左右。叶基生，匙形，先端圆钝，基部渐狭成柄，上半部边缘有疏钝齿或波状齿。头状花序单生，直径 2.5 ~ 3.5 cm，花葶被毛；总苞半球形或宽钟形；总苞片近 2 层，稍不等长，长椭圆形，先端钝，外面被柔毛。舌状花 1 层，雌性，舌片白色带粉红色，开展，全缘或有 2 ~ 3 齿，管状花多数，两性，均能结实。瘦果倒卵形，扁平，有边脉，被细毛，无冠毛。

| 生境分布 | 湖北有栽培。

| 功能主治 | 止血消肿。

菊科 Compositae 鬼针草属 *Bidens*

婆婆针 *Bidens bipinnata* L.

|药材名|

婆婆针。

|形态特征|

一年生草本。茎直立，高 30 ~ 120 cm，下部略具四棱，无毛或上部被稀疏柔毛，基部直径 2 ~ 7 cm。叶对生，具柄，柄长 2 ~ 6 cm，背面微凸或扁平，腹面沟槽，槽内及边缘具疏柔毛，叶片长 5 ~ 14 cm，2 回羽状分裂，第 1 次分裂深达中肋，裂片再次羽状分裂，小裂片三角状或菱状披针形，具 1 ~ 2 对缺刻或深裂，顶生裂片狭，先端渐尖，边缘有稀疏不规整的粗齿，两面均被疏柔毛。头状花序直径 6 ~ 10 mm；花序梗长 1 ~ 5 cm（果时长 2 ~ 10 cm）。总苞杯形，基部有柔毛，外层苞片 5 ~ 7，条形，开花时长 2.5 mm，果时长达 5 mm，草质，先端钝，被稍密的短柔毛，内层苞片膜质，椭圆形，长 3.5 ~ 4 mm，花后伸长为狭披针形，及果时长 6 ~ 8 mm，背面褐色，被短柔毛，具黄色边缘；托片狭披针形，长约 5 mm，果时长可达 12 mm。舌状花通常 1 ~ 3，不育，舌片黄色，椭圆形或倒卵状披针形，长 4 ~ 5 mm，宽 2.5 ~ 3.2 mm，先端全缘或具 2 ~ 3 齿，盘花筒状，黄色，长约 4.5 mm，冠檐 5 齿裂。瘦果条形，略扁，具 3 ~ 4 棱，长 12 ~ 18 mm，宽约 1 mm，具瘤状突起及小刚毛，先端芒刺 3 ~ 4，很少 2，长 3 ~ 4 mm，具倒刺毛。

| 生境分布 | 湖北有分布。

| 功能主治 | 清热解毒，散瘀活血。用于上呼吸道感染，咽喉肿痛，急性阑尾炎，急性黄疸性肝炎，胃肠炎，风湿关节痛，疟疾；外用于疮疖，毒蛇咬伤，跌打肿痛。

菊科 Compositae 鬼针草属 *Bidens*

金盏银盘 *Bidens biternata* (Lour.) Merr. et Sherff

|药材名|

金盏银盘。

|形态特征|

一年生草本。茎直立，高 30 ~ 150 cm，略具四棱，无毛或被稀疏卷曲短柔毛，基部直径 1 ~ 9 mm。叶为一回羽状复叶，顶生小叶卵形至长圆状卵形或卵状披针形，长 2 ~ 7 cm，宽 1 ~ 2.5 cm，先端渐尖，基部楔形，边缘具稍密且近均匀的锯齿，有时一侧深裂为 1 小裂片，两面均被柔毛，侧生小叶 1 ~ 2 对，卵形或卵状长圆形，近顶部的 1 对稍小，通常不分裂，基部下延，无柄或具短柄，下部的 1 对约与顶生小叶相等，具明显的柄，三出复叶状分裂或仅一侧具 1 裂片，裂片椭圆形，边缘有锯齿；总叶柄长 1.5 ~ 5 cm，无毛或被疏柔毛。头状花序直径 7 ~ 10 mm，花序梗长 1.5 ~ 5.5 cm，果时长 4.5 ~ 11 cm。总苞基部有短柔毛，外层苞片 8 ~ 10，草质，条形，长 3 ~ 6.5 mm，先端锐尖，背面密被短柔毛，内层苞片长椭圆形或长圆状披针形，长 5 ~ 6 mm，背面褐色，有深色纵条纹，被短柔毛。舌状花通常 3 ~ 5，不育，舌片淡黄色，长椭圆形，长约 4 mm，宽 2.5 ~ 3 mm，先端 3 齿裂，

或无舌状花；盘花筒状，长 4 ~ 5.5 mm，冠檐 5 齿裂。瘦果条形，黑色，长 9 ~ 19 mm，宽 1 mm，具四棱，两端稍狭，多少被小刚毛，先端芒刺 3 ~ 4，长 3 ~ 4 mm，具倒刺毛。

| 生境分布 | 生于路边、村旁及荒地中。分布于湖北汉阳、竹溪等。

| 采收加工 | 夏、秋季采收，晒干。

| 功能主治 | 清热解毒，散瘀活血。用于上呼吸道感染，咽喉肿痛，急性阑尾炎，急性黄疸性肝炎，胃肠炎，风湿关节痛，疟疾；外用于疮疖，毒蛇咬伤，跌打肿痛。

菊科 Compositae 鬼针草属 *Bidens*

大狼杷草 *Bidens frondosa* L.

| 药材名 |

大狼杷草。

| 形态特征 |

一年生草本。茎直立，分枝，高 20 ~ 120 cm，被疏毛或无毛，常带紫色。叶对生，具柄，为一回羽状复叶，小叶 3 ~ 5，披针形，长 3 ~ 10 cm，宽 1 ~ 3 cm，先端渐尖，边缘有粗锯齿，通常背面被稀疏短柔毛，至少顶生者具明显的柄。头状花序单生茎端和枝端，连同总苞片直径 12 ~ 25 mm，高约 12 mm。总苞钟状或半球形，外层苞片 5 ~ 10，通常 8，披针形或匙状倒披针形，叶状，边缘有缘毛，内层苞片长圆形，长 5 ~ 9 mm，膜质，具淡黄色边缘，无舌状花或舌状花不发育，极不明显，筒状花两性，花冠长约 3 mm，冠檐 5 裂。瘦果扁平，狭楔形，长 5 ~ 10 mm，近无毛或是糙伏毛，先端芒刺 2，长约 2.5 mm，有倒刺毛。

| 生境分布 |

生于田野湿润处、水边湿地、沟渠、山坡、山谷、溪边、浅水滩、草丛及路旁。分布于湖北通山。

| 功能主治 | 清热解毒。用于体虚乏力，盗汗，咯血，痢疾，疳积，丹毒。

菊科 Compositae 鬼针草属 *Bidens*

羽叶鬼针草 *Bidens maximowicziana* Oett.

| 药材名 | 羽叶鬼针草。

| 形态特征 | 一年生草本。茎直立，高 15 ~ 70 cm，略具 4 棱或呈近圆柱形，无毛或上部有稀疏粗短柔毛，基部直径 2 ~ 7 mm。茎中部叶具柄，柄长 1.5 ~ 3 cm，具极狭的翅，基部边缘有稀疏缘毛，叶片长 5 ~ 11 cm，三出复叶状分裂或羽状分裂，两面无毛，侧生裂片 1 ~ 3 对，疏离，通常条形至条状披针形，先端渐尖，边缘具稀疏内弯的粗锯齿，顶生裂片较大，狭披针形。头状花序单生于茎端及枝端，开花时直径约 1 cm，高 0.5 cm，果时直径 1.5 ~ 2 cm，高 7 ~ 10 mm；外层总苞片 8 ~ 10，叶状，条状披针形，长 1.5 ~ 3 cm，边缘具疏齿及缘毛，内层苞片膜质，披针形，果时长约 6 mm，先端短渐尖，淡褐色，具

黄色边缘；托叶条形，边缘透明，果时长约 6 mm；舌状花缺，盘花两性，长约 2.5 mm；花冠管细窄，长约 1 mm，冠檐壶状，4 齿裂；花药基部 2 裂，略钝，先端有椭圆形附属器。瘦果扁，倒卵形至楔形，长 3 ~ 4.5 mm，宽 1.5 ~ 2 mm，边缘浅波状，具瘤状小突起或呈啮齿状，具倒刺毛，先端芒刺 2，长 2.5 ~ 3 mm，有倒刺毛。

| **生境分布** | 生于路旁及河边湿地。湖北有分布。

| **功能主治** | 清热，解毒，散瘀，消肿。

菊科 Compositae 鬼针草属 *Bidens*

小花鬼针草 *Bidens parviflora* Willd.

| 药 材 名 | 小花鬼针草。

| 形态特征 | 一年生草本。茎高 20 ~ 90 cm，下部圆柱形，有纵条纹，中上部常为钝四方形，无毛或被稀疏短柔毛。叶对生，具柄，柄长 2 ~ 3 cm，背面微凸或扁平，腹面有沟槽，槽内及边缘有疏柔毛，叶片长 6 ~ 10 cm，2 ~ 3 回羽状分裂，第 1 次分裂深达中肋，裂片再次羽状分裂，小裂片具 1 ~ 2 粗齿或再作第 3 回羽裂，最后 1 次裂片条形或条状披针形，宽约 2 mm，先端锐尖，边缘稍向上反卷，上面被短柔毛，下面无毛或沿叶脉被稀疏柔毛，上部叶互生，2 回或 1 回羽状分裂。头状花序单生茎端及枝端，具长梗，开花时直径 1.5 ~ 2.5 mm，高 7 ~ 10 mm。总苞筒状，基部被柔毛，外层苞片 4 ~ 5，

草质，条状披针形，长约 5 mm，边缘被疏柔毛，及果时长可达 8 ~ 15 mm，内层苞片稀疏，常仅 1，托片状。托片长椭圆状披针形，开花时长 6 ~ 7 mm，膜质，具狭而透明的边缘，果时长 10 ~ 13 mm。无舌状花，盘花两性，6 ~ 12，花冠筒状，长 4 mm，冠檐 4 齿裂。瘦果条形，略具 4 棱，长 13 ~ 16 cm，宽 1 mm，两端渐狭，有小刚毛，先端芒刺 2，长 2 ~ 3.5 mm，有倒刺毛。

| 生境分布 | 生于路边荒地、林下、山坡湿地、多石质山坡、沟旁、耕地旁、荒地及盐碱地。湖北有分布。

| 功能主治 | 清热解毒，活血散瘀。用于感冒发热，咽喉肿痛，肠炎，阑尾炎，痔疮，跌打损伤，冻疮，毒蛇咬伤等。

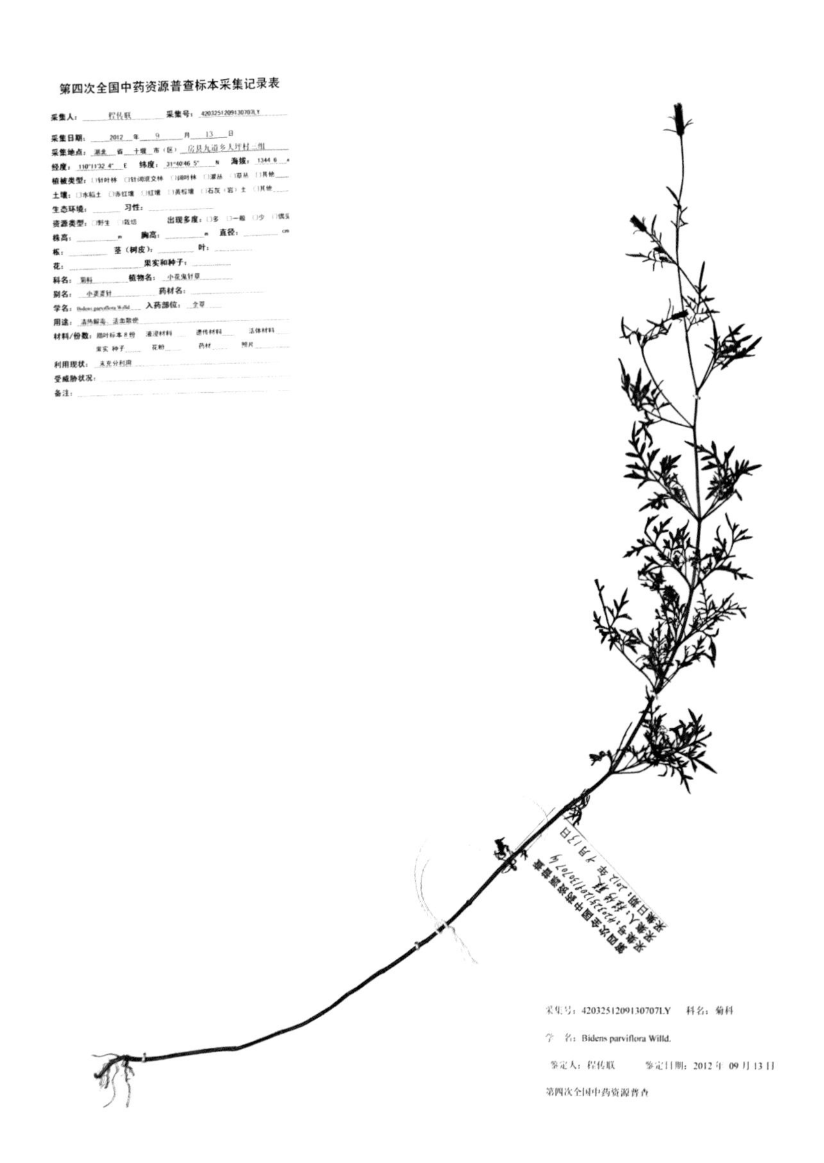

菊科 Compositae 鬼针草属 *Bidens*

鬼针草 *Bidens pilosa* L.

| 药 材 名 | 鬼针草。

| 形态特征 | 一年生草本，茎直立，高 30 ~ 100 cm，钝四棱形，无毛或上部被极稀疏的柔毛，基部直径可达 6 mm。茎下部叶较小，3 裂或不分裂，通常在开花前枯萎，中部叶具长 1.5 ~ 5 cm 无翅的柄，三出，小叶 3，很少为具 5（~ 7）小叶的羽状复叶，两侧小叶椭圆形或卵状椭圆形，长 2 ~ 4.5 cm，宽 1.5 ~ 2.5 cm，先端锐尖，基部近圆形或阔楔形，有时偏斜，不对称，具短柄，边缘有锯齿，顶生小叶较大，长椭圆形或卵状长圆形，长 3.5 ~ 7 cm，先端渐尖，基部渐狭或近圆形，具长 1 ~ 2 cm 的柄，边缘有锯齿，无毛或被极稀疏的短柔毛，上部叶小，3 裂或不分裂，条状披针形。头状花序直径 8 ~ 9 mm，有长

1 ~ 6 cm（果时长 3 ~ 10 cm）的花序梗。总苞基部被短柔毛，苞片 7 ~ 8，条状匙形，上部稍宽，开花时长 3 ~ 4 mm，果时长至 5 mm，草质，边缘疏被短柔毛或几无毛，外层托片披针形，果时长 5 ~ 6 mm，干膜质，背面褐色，具黄色边缘，内层较狭，条状披针形。无舌状花，盘花筒状，长约 4.5 mm，冠檐 5 齿裂。瘦果黑色，条形，略扁，具棱，长 7 ~ 13 mm，宽约 1 mm，上部具稀疏瘤状突起及刚毛，先端芒刺 3 ~ 4，长 1.5 ~ 2.5 mm，具倒刺毛。

| **生境分布** | 生于村旁、路边及荒坡。分布于湖北茅箭、松滋、仙桃等。

| **功能主治** | 清热，解毒，散瘀，消肿。

菊科 Compositae 鬼针草属 *Bidens*

白花鬼针草 *Bidens pilosa* L. var. *radiata* Sch.-Bip.

|药材名|

白花鬼针草。

|形态特征|

一年生直立草本，高 30 ~ 100 cm。茎钝四棱形，无毛或上部被极稀的柔毛。茎下部叶较小，3 裂或不分裂，通常在开花前枯萎；中部叶具长 1.5 ~ 5 cm 无翅的柄，三出；小叶常为 3，很少为具 5（~ 7）小叶的羽状复叶，两侧小叶椭圆形或卵状椭圆形，长 2 ~ 4.5 cm，宽 1.5 ~ 2.5 cm，先端锐尖，基部近圆形或阔楔形，有时偏斜，不对称，边缘有锯齿，顶生小叶较大，长椭圆形或卵状长圆形，长 3.5 ~ 7 cm，先端渐尖，基部渐狭或近圆形，具长 1 ~ 2 cm 的柄，边缘有锯齿，上部叶小，3 裂或不分裂，条状披针形。头状花序有长 1 ~ 6 cm（果时长 3 ~ 10 cm）的花序梗；总苞片 7 ~ 8，条状匙形，外层托片披针形，内层条状披针形；舌状花 5 ~ 7，舌片椭圆状倒卵形，白色，长 5 ~ 8 mm，宽 3.5 ~ 5 mm，先端钝或有缺刻；盘花筒状，长约 4.5 mm，冠檐 5 齿裂。瘦果黑色，条形，长 7 ~ 13 mm，先端芒刺 3 ~ 4，长 1.5 ~ 2.5 mm，具倒刺毛。

| 生境分布 | 生于村旁、路边及荒地。分布于湖北武昌、竹溪。

| 功能主治 | 清热解毒，散瘀活血。用于上呼吸道感染，咽喉肿痛，急性阑尾炎，急性黄疸性肝炎，胃肠炎，风湿关节痛，疟疾；外用于疮疖，毒蛇咬伤，跌打肿痛。

菊科 Compositae 鬼针草属 *Bidens*

狼杷草 *Bidens tripartita* L.

| 药 材 名 | 狼杷草。

| 形态特征 | 一年生草本，高 30 ~ 150 cm。叶对生，无毛，叶柄有狭翅，中部叶通常羽状，3 ~ 5 裂，先端裂片较大，椭圆形或长椭圆状披针形，边缘有锯齿；上部叶 3 深裂或不裂。头状花序顶生或腋生，直径 1 ~ 3 cm；总苞片多数，外层倒披针形，叶状，长 1 ~ 4 cm，有睫毛；花黄色，全为两性管状花。瘦果扁平，倒卵状楔形，边缘有倒刺毛，先端有芒刺 2，少有 3 ~ 4，两侧有倒刺毛。

| 生境分布 | 分布于湖北郧西、五峰。

| 采收加工 | 夏、秋季割取地上部分，晒干。

| 功能主治 | 清热解毒，养阴敛汗。用于感冒，扁桃体炎，咽喉炎，肠炎，痢疾，肝炎，尿路感染，肺结核盗汗，闭经；外用于疖肿，湿疹，皮癣。

菊科 Compositae 翠菊属 *Callistephus*

翠菊 *Callistephus chinensis* (L.) Nees

| 药 材 名 | 翠菊。

| 形态特征 | 一年生或二年生草本，高(15 ~)30 ~ 100 cm。茎直立，单生，有纵棱，被白色糙毛，基部直径 6 ~ 7 mm，或纤细达 1 mm，分枝斜升或不分枝。下部茎生叶花期脱落或生存；中部茎生叶卵形、菱状卵形或匙形或近圆形，长 2.5 ~ 6 cm，宽 2 ~ 4 cm，先端渐尖，基部截形、楔形或圆形，边缘有不规则的粗锯齿，两面被稀疏的短硬毛，叶柄长 2 ~ 4 cm，被白色短硬毛，有狭翼；上部的茎生叶渐小，菱状披针形，长椭圆形或倒披针形，边缘有 1 ~ 2 锯齿，或线形而全缘。头状花序单生于茎枝先端，直径 6 ~ 8 cm，有长花序梗。总苞半球形，宽 2 ~ 5 cm；总苞片 3 层，近等长，外层长椭圆状披针形或匙形，

叶质，长 1 ~ 2.4 cm，宽 2 ~ 4 mm，先端钝，边缘有白色长睫毛，中层匙形，较短，质地较薄，染紫色，内层苞片长椭圆形，膜质，半透明，先端钝。雌花 1 层，红色、淡红色、蓝色、黄色或淡蓝紫色，舌状，长 2.5 ~ 3.5 cm，宽 2 ~ 7 mm，有长 2 ~ 3 mm 的短管部；两性花花冠黄色，檐部长 4 ~ 7 mm，管部长 1 ~ 1.5 mm。瘦果长椭圆状倒披针形，稍扁，长 3 ~ 3.5 mm，中部以上被柔毛。外层冠毛宿存，内层冠毛雪白色，不等长，长 3 ~ 4.5 mm，先端渐尖，易脱落。花果期 5 ~ 10 月。

| 生境分布 | 生于海拔 30 ~ 2 700 m 的山坡撂荒地、山坡草丛、水边或疏林阴处。分布于湖北武昌及十堰。

| 功能主治 | 清肝明目。

菊科 Compositae 飞廉属 *Carduus*

节毛飞廉 *Carduus acanthoides* L.

| 药材名 | 节毛飞廉。

| 形态特征 | 二年生或多年生植物，高（10 ~ ）20 ~ 100 cm。茎单生，有条棱，有长分枝或不分枝，全部茎枝被稀疏或下部稍稠密的多细胞长节毛，接头状花序下部的毛通常密厚。基部及下部茎生叶长椭圆形或长倒披针形，长 6 ~ 29 cm，宽 2 ~ 7 cm，羽状浅裂、半裂或深裂，侧裂片 6 ~ 12 对，半椭圆形、偏斜半椭圆形或三角形，边缘有大小不等的钝三角形刺齿，齿顶及齿缘有黄白色针刺，齿顶针刺较长，长达 3 mm，少有长 5 mm 的，或叶边缘有大锯齿，不呈明显的羽状分裂；向上叶渐小，与基部及下部茎生叶同形并等样分裂，接头状花序下部的叶宽线形或线形，有时不裂。全部茎生叶两面同为绿色，沿脉

有稀疏的多细胞长节毛，基部渐狭，两侧沿茎下延成茎翼。茎翼齿裂，齿顶及齿缘有长达 3 mm 的针刺，少有几达 5 mm 长的针刺，头状花序下部的茎翼有时为针刺状。头状花序几无花序梗，3 ～ 5 集生或疏松排列于茎顶或枝端。总苞卵形或卵圆形，直径 1.5 ～ 2（～ 2.5）cm。总苞片多层，覆瓦状排列，向内层渐长；最外层线形或钻状长三角形，长约 7 mm，宽约 1 mm；中内层钻状三角形至钻状披针形，长 8 ～ 14 mm，宽 1.5 ～ 1.6 mm；最内层线形或钻状披针形，长 16 mm，宽约 1 mm；中外层苞片先端有长 1 ～ 2 mm 的褐色或淡黄色的针刺，最内层及近最内层向先端钻状长渐尖，无针刺。全部苞片无毛或被稀疏蛛丝毛。小花红紫色，长 1.7 cm，檐部长 9 mm，5 深裂，裂片线形，细管部长 8 mm。瘦果长椭圆形，但中部收窄，长 4 mm，浅褐色，有多数横皱纹，基底着生面平，先端截形，有蜡质果缘，果缘全缘，无齿裂。冠毛多层，白色，或稍带褐色，不等长，向内层渐长；冠毛刚毛锯齿状，长达 1.5 cm，先端稍扁平扩大。花果期 5 ～ 10 月。

｜生境分布｜ 生于海拔 260 ～ 3 100 m 的山坡、草地、林缘、灌丛、山谷、山沟、水边或田间。分布于湖北汉阳、武昌等。

｜采收加工｜ 夏、秋季花盛开时采割全草；春、秋季挖根，除去杂质，鲜用或晒干用。

｜功能主治｜ 祛风，清热，利湿，凉血止血，活血消肿。用于感冒咳嗽，头痛眩晕，尿路感染，乳糜尿，带下黄，风湿痛，吐血，尿血，月经过多，功能失调性子宫出血，跌打损伤，疔疮疖肿，痔疮肿痛，烧伤等。

菊科 Compositae 飞廉属 *Carduus*

丝毛飞廉 *Carduus crispus* L.

| 药材名 | 丝毛飞廉。

| 形态特征 | 二年生或多年生草本，高 40 ~ 150 cm。茎直立，有条棱，不分枝或最上部有极短或较长分枝，被稀疏的多细胞长节毛，上部或接头

状花序下部有稀疏或较稠密的蛛丝状毛或蛛丝状绵毛。下部茎生叶椭圆形、长椭圆形或倒披针形，长 5 ~ 18 cm，宽 1 ~ 7 cm，羽状深裂或半裂，侧裂片 7 ~ 12 对，偏斜半椭圆形、半长椭圆形、三角形或卵状三角形，边缘有大小不等的三角形或偏斜三角形刺齿，齿顶及齿缘有或浅褐色或淡黄色的针刺，齿顶针刺较长，长达 3.5 cm，齿缘针刺较短，或下部茎生叶不为羽状分裂，边缘大锯齿或重锯齿；中部茎生叶与下部茎生叶同形并等样分裂，但渐小，最上部茎生叶线状倒披针形或宽线形；全部茎生叶两面明显异色，上面绿色，有稀疏的多细胞长节毛，但沿中脉的毛较多，下面灰绿色或浅灰白色，被蛛丝状薄绵毛，沿脉有较多的多细胞长节毛，基部渐狭，两侧沿茎下延成茎翼。茎翼边缘齿裂，齿顶及齿缘有黄白色或浅褐色的针刺，针刺长 2 ~ 3 mm，极少长达 5 mm，上部或接头状花序下部的茎翼常为针刺状。头状花序梗极短，通常 3 ~ 5 集生于分

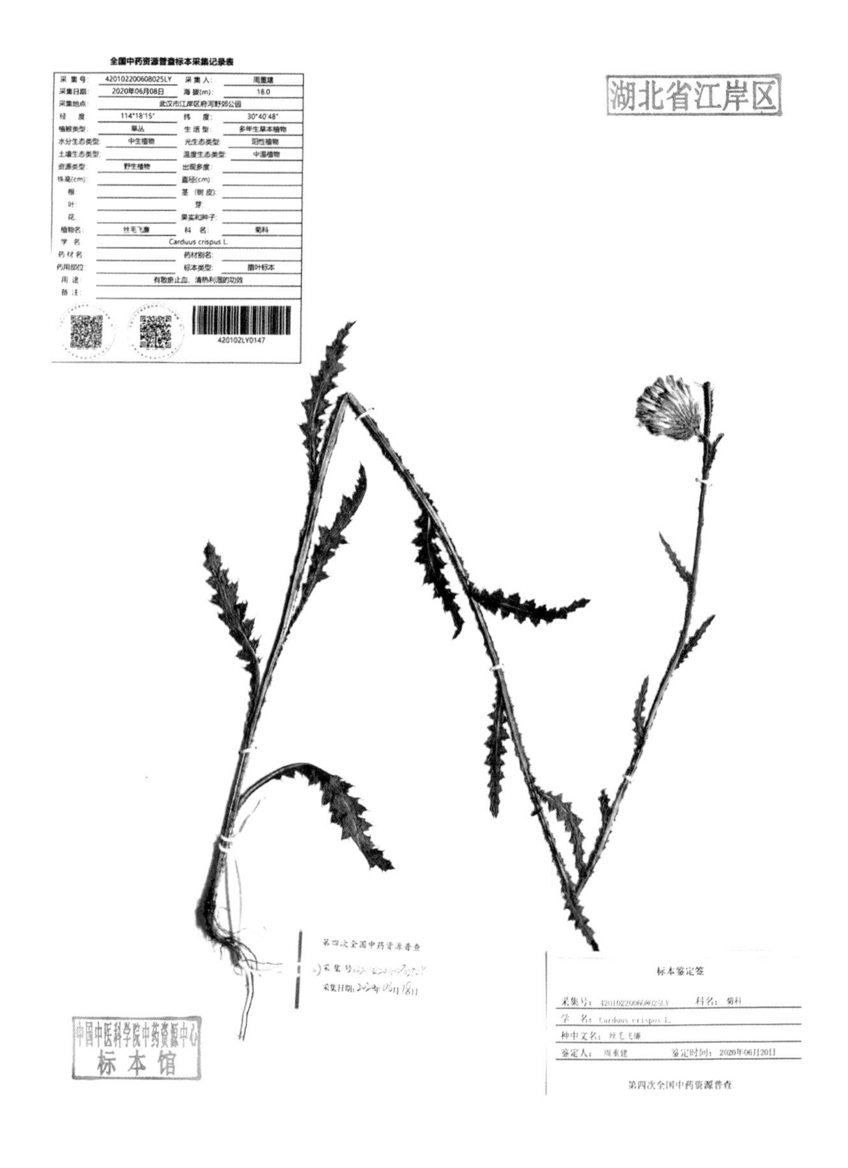

枝先端或茎端，或头状花序单生分枝先端，形成不明显的伞房花序。总苞卵圆形，直径 1.5 ~ 2（~ 2.5）cm。总苞片多层，覆瓦状排列，向内层渐长；最外层长三角形，长约 3 mm，宽约 0.7 mm；中内层苞片钻状长三角形或钻状披针形或披针形，长 4 ~ 13 mm，宽 0.9 ~ 2 mm；最内层苞片线状披针形，长 15 mm，宽不及 1 mm；中外层先端针刺状短渐尖或尖头，最内层及近最内层先端长渐尖，无针刺。全部苞片无毛或被稀疏的蛛丝毛。小花红色或紫色，长 1.5 cm，檐部长 8 mm，5 深裂，裂片线形，长达 6 mm，细管部长 7 mm。瘦果稍压扁，楔状椭圆形，长约 4 mm，有明显的横皱纹，基底着生面平，先端斜截形，有果缘，果缘软骨质，全缘，无锯齿。冠毛多层，白色或污白色，不等长，向内层渐长，冠毛刚毛锯齿状，长达 1.3 cm，先端扁平扩大，基部连合成环，整体脱落。花果期 4 ~ 10 月。

| 生境分布 | 生于海拔 400 ~ 3 100 m 的山坡草地、田间、荒地河旁及林下。分布于湖北宜昌、武昌等。

| 资源情况 | 野生资源丰富。

| 采收加工 | 春、夏季采收全草及花，秋季挖根，鲜用或除花阴干外，其余切段晒干。

| 功能主治 | 祛风，清热，利湿，凉血止血，活血消肿。用于感冒咳嗽，头痛眩晕，尿路感染，乳糜尿，带下，黄疸，风湿痹痛，吐血，衄血，尿血，月经过多，功能失调性子宫出血，跌打损伤，疔疮疖肿，痔疮肿痛，烧伤。

| 附　　注 | 血虚及脾胃功能弱者慎服。

菊科 Compositae 飞廉属 *Carduus*

飞廉 *Carduus nutans* L.

| 药材名 | 飞廉。

| 形态特征 | 二年生或多年生草本，高 30 ~ 100 cm。茎单生或少数茎簇生，通常多分枝，分枝细长，极少不分枝，全部茎枝有条棱，被稀疏的蛛丝毛和多细胞长节毛，上部或接头状花序下部常呈灰白色，被密厚的蛛丝状绵毛。中下部茎生叶长卵圆形或披针形，长（5 ~ ）10 ~ 40 cm，宽（1.5 ~ ）3 ~ 10 cm，羽状半裂或深裂，侧裂片 5 ~ 7 对，斜三角形或三角状卵形，先端有淡黄白色或褐色的针刺，针刺长 4 ~ 6 mm，边缘针刺较短；向上茎生叶渐小，羽状浅裂或不裂，先端及边缘具等样针刺，但通常比中下部茎生叶裂片边缘及先端的针刺为短。全部茎生叶两面同色，两面沿脉被多细胞长节毛，但上

面的毛稀疏，或两面兼被稀疏蛛丝毛，基部无柄，两侧沿茎下延成茎翼，但基部茎生叶的基部渐狭成短柄。茎翼连续，边缘有大小不等的三角形刺齿裂，齿顶和齿缘有黄白色或褐色的针刺，接头状花序下部的茎翼常呈针刺状。头状花序通常下垂或下倾，单生茎顶或长分枝的先端，但不形成明显的伞房花序排列，植株通常生 4 ~ 6 头状花序，极少多于 4 ~ 6 头状花序，更少植株含 1 头状花序的。总苞钟状或宽钟状；总苞直径 4 ~ 7 cm。总苞片多层，不等长，覆瓦状排列，向内层渐长；最外层长三角形，长 1.4 ~ 1.5 cm，宽 4 ~ 4.5 mm；中层及内层三角状披针形，长椭圆形或椭圆状披针形，长 1.5 ~ 2 cm，宽约 5 mm；最内层苞片宽线形或线状披针形，长 2 ~ 2.2 cm，宽 2 ~ 3 mm。全部苞片无毛或被稀疏蛛丝状毛，除最内层苞片以外，其余各层苞片中部或上部屈膝状弯曲，中脉高起，在先端呈长或短针刺状伸出。小花紫色，长 2.5 cm，檐部长 1.2 cm，5 深裂，裂片狭线形，长达 6.5 mm，细管部长 1.3 cm。瘦果灰黄色，楔形，稍压扁，长 3.5 mm，有多数浅褐色的细纵线纹及细横皱纹，下部收窄，基底着生面稍偏斜，先端斜截形，有果缘，果缘全缘，无锯齿。冠毛白色，多层，不等长，向内层渐长，长达 2 cm；冠毛刚毛锯齿状，向先端渐细，基部连合成环，整体脱落。花果期 6 ~ 10 月。

| 生境分布 | 生于海拔 540 ~ 2 300 m 的田野、路旁、山谷、田边、草地。湖北有分布。

| 采收加工 | 春、夏季采收全草及花，秋季挖根，鲜用或除花阴干外，其余切段晒干。

| 功能主治 | 祛风，清热，利湿，凉血止血，活血消肿。用于感冒咳嗽，头痛眩晕，尿路感染，乳糜尿，带下，黄疸，风湿痹痛，吐血，衄血，尿血，月经过多，功能失调性子宫出血，跌打损伤，疔疮疖肿，痔疮肿痛，烧伤。

菊科 Compositae 天名精属 *Carpesium*

天名精 *Carpesium abrotanoides* L.

| 药 材 名 | 天名精。

| 形态特征 | 多年生粗壮草本。茎高 60 ~ 100 cm，圆柱状，下部木质，近无毛，上部密被短柔毛，有明显的纵条纹，多分枝。基生叶于开花前凋萎，茎下部叶广椭圆形或长椭圆形，长 8 ~ 16 cm，宽 4 ~ 7 cm，先端钝或锐尖，基部楔形，三面深绿色，被短柔毛，老时脱落，几无毛，叶面粗糙，下面淡绿色，密被短柔毛，有细小腺点，边缘具不规整的钝齿，齿端有腺体状胼胝体；叶柄长 5 ~ 15 mm，密被短柔毛；茎上部节间长 1 ~ 2.5 cm，叶较密，长椭圆形或椭圆状披针形，先端渐尖或锐尖，基部阔楔形，无柄或具短柄。头状花序多数，生茎端及沿茎、枝生于叶腋，近无梗，呈穗状花序式排列，着生于茎端

及枝端者具椭圆形或披针形长 6 ~ 15 mm 的苞叶 2 ~ 4，腋生头状花序无苞叶或具 1 ~ 2 甚小的苞叶。总苞钟球形，基部宽，上端稍收缩，成熟时开展成扁球形，直径 6 ~ 8 mm；苞片 3 层，外层较短，卵圆形，先端钝或短渐尖，膜质或先端草质，具缘毛，背面被短柔毛，内层长圆形，先端圆钝或具不明显的啮蚀状小齿。雌花狭筒状，长 1.5 mm，两性花筒状，长 2 ~ 2.5 mm，向上渐宽，冠檐 5 齿裂。瘦果长约 3.5 mm。

| 生境分布 | 生于海拔 2 000 m 以下的村旁、路边荒地、溪边及林缘。分布于湖北武昌、竹溪等。

| 采收加工 | 7 ~ 8 月采收，洗净，鲜用或晒干。

| 功能主治 | 清热，化痰，解毒，杀虫，破瘀，止血。用于乳蛾，喉痹，急、慢惊风，牙痛，疔疮肿毒，痔瘘，皮肤痒疹，毒蛇咬伤，虫积，血瘕，吐血，衄血，血淋，创伤出血。

菊科 Compositae 天名精属 *Carpesium*

烟管头草 *Carpesium cernuum* L.

| 药 材 名 | 烟管头草。

| 形态特征 | 多年生草本。茎高 50 ~ 100 cm，下部密被白色长柔毛及卷曲的短柔毛，基部及叶腋尤密，常呈绵毛状，上部被疏柔毛，后渐脱落稀疏，有明显的纵条纹，多分枝。基生叶于开花前凋萎，稀宿存，茎下部叶较大，具长柄，柄长约为叶片的 2/3 或近等长，下部具狭翅，向叶基渐宽，叶片长椭圆形或匙状长椭圆形，长 6 ~ 12 cm，宽 4 ~ 6 cm，先端锐尖或钝，基部长渐狭下延，上面绿色，被稍密的倒伏柔毛，下面淡绿色，被白色长柔毛，沿叶脉较密，在中肋及叶柄上常密集成绒毛状，两面均有腺点，边缘有稍不规整具胼胝尖的锯齿，中部叶椭圆形至长椭圆形，长 8 ~ 11 cm，宽 3 ~ 4 cm，先端渐尖或锐

尖，基部楔形，具短柄，上部叶渐小，椭圆形至椭圆状披针形，近全缘。头状花序单生茎端及枝端，开花时下垂；苞叶多枚，大小不等，其中 2 ～ 3 苞叶较大，椭圆状披针形，长 2 ～ 5 cm，两端渐狭，具短柄，密被柔毛及腺点，其余苞叶较小，条状披针形或条状匙形，稍长于总苞。总苞壳斗状，直径 1 ～ 2 cm，长 7 ～ 8 mm；苞片 4 层，外层苞片叶状，披针形，与内层苞片等长或稍长，草质或基部干膜质，密被长柔毛，先端钝，通常反折，中层及内层干膜质，狭矩圆形至条形，先端钝，有不规整的微齿。雌花狭筒状，长约 1.5 mm，中部较宽，两端稍收缩，两性花筒状，向上增宽，冠檐 5 齿裂。瘦果长 4 ～ 4.5 mm。

| 生境分布 | 生于路边荒地及山坡、沟边等处。分布于湖北武汉等。

| 采收加工 | 夏季初开花时拔取全株，除去老茎及根，切成小段，晒干。或移栽当年的 10 月收获。割下全株，晒干或炕干。

| 功能主治 | 清热解毒，消肿止痛。用于感冒发热，咽喉肿痛，牙痛，急性肠炎，痢疾，尿路感染，淋巴结结核；外用于疮疖肿毒，乳腺炎，腮腺炎，带状疱疹，毒蛇咬伤。

菊科 Compositae 天名精属 *Carpesium*

金挖耳 *Carpesium divaricatum* Sieb. et Zucc.

| 药 材 名 | 金挖耳。

| 形态特征 | 多年生草本。茎直立，高 25 ~ 150 cm，被白色柔毛，初时较密，后渐稀疏，中部以上分枝，枝通常近平展。基生叶于开花前凋萎，下部叶卵形或卵状长圆形，长 5 ~ 12 cm，宽 3 ~ 7 cm，先端锐尖或钝，基部圆形或稍呈心形，有时呈阔楔形，边缘有粗大具胼胝尖的牙齿，上面深绿色，被具球状膨大基部的柔毛，老时脱落稀疏而留下膨大的基部，叶面稍粗糙，下面淡绿色，被白色短柔毛并杂以疏长柔毛，沿中肋较密；叶柄较叶片短或近等长，与叶片连接处有狭翅，下部无翅；中部叶长椭圆形，先端渐尖，基部楔形，叶柄较短，无翅，上部叶渐变小，长椭圆形或长圆状披针形，两端渐狭，几无

柄。头状花序单生茎端及枝端；苞叶 3 ～ 5，披针形至椭圆形，其中 2 苞叶较大，较总苞长 2 ～ 5 倍，密被柔毛和腺点。总苞卵状球形，基部宽，上部稍收缩，长 5 ～ 6 mm，直径 6 ～ 10 mm，苞片 4 层，覆瓦状排列，外层短（向内逐层增长），广卵形，干膜质或先端稍带草质，背面被柔毛，中层狭长椭圆形，干膜质，先端钝，内层条形。雌花狭筒状，长 1.5 ～ 2 mm，冠檐 4 ～ 5 齿裂，两性花筒状，长 3 ～ 3.5 mm，向上稍宽，冠檐 5 齿裂，筒部在放大镜下可见极少数柔毛。瘦果长 3 ～ 3.5 mm。

| 生境分布 | 生于路旁及山坡灌丛中。分布于湖北宜昌及房县、兴山等。

| 资源情况 | 野生资源，尚未由人工引种栽培。

| 采收加工 | 夏季初开花时拔取全株，除去老茎及根，切成小段，晒干。

| 功能主治 | 清热解毒。用于感冒，头风，泄泻，咽喉肿痛，赤眼，痈肿疮毒，痔核出血。

菊科 Compositae 天名精属 *Carpesium*

贵州天名精 *Carpesium faberi* Winkl.

| 药材名 |

贵州天名精。

| 形态特征 |

多年生草本。茎高 30 ~ 75 cm，通常带紫褐色，有不明显的纵条纹，下部被开展的白色长柔毛，上部毛较短而稍密，后渐脱落稀疏，中上部具多数分枝。基生叶于开花前枯萎，茎下部叶卵形至卵状披针形，长 4 ~ 7 cm，宽 2 ~ 3 cm，先端渐尖，基部阔楔形或近圆形，稍下延，边缘有稍不规整具胼胝尖的疏齿，上面深绿色，被倒伏的硬毛状毛，下面淡绿色，被白色疏长柔毛，沿叶脉较密；叶柄长 1 ~ 5 cm，被稀疏的白色长柔毛，上部由于叶基下延而具狭翅；中部叶披针形，长 5 ~ 9 cm，宽 1 ~ 2.5 cm，具短柄，边缘具稀疏锯齿或近全缘，上部叶渐变小，披针形至条状披针形，近全缘。头状花序多数，生茎、枝端及生于下部枝条的叶腋，几无梗，常呈穗状花序式排列；苞片 2 ~ 3，椭圆形至椭圆状披针形，长 6 ~ 15 mm，先端钝或具短尖头，基部渐狭，具短柄，两面被柔毛。总苞钟状，长约 5 mm，直径 3 ~ 5 mm；苞片 4 层，干膜质，外层较短，卵形，先端锐尖，背面被微毛，中层狭矩圆形，先端钝或

有细齿，内层条形。雌花狭筒状，长 1.2 ~ 1.5 mm，冠檐 4 ~ 5 齿裂，两性花筒状，长约 2 mm，向上稍增宽，冠檐 5 齿裂。瘦果长 2 ~ 2.5 mm。

| 生境分布 | 生于海拔 700 ~ 1 900 m 的路边旷地及林缘。湖北有分布。

| 功能主治 | 清热解毒，破血，止血，杀虫。用于乳蛾，喉痹，疟疾，急性肝炎，急、慢惊风，虫积，血瘕，衄血，血淋，疔肿疮毒。

菊科 Compositae 天名精属 *Carpesium*

长叶天名精 *Carpesium longifolium* Chen et C. M. Hu

| 药 材 名 | 长叶天名精。

| 形态特征 | 多年生草本。茎直立，高 50 ~ 100 cm，圆柱状，基部木质，直径 3 ~ 6 mm，几无毛，上部被稀疏紧贴的短柔毛，有明显纵条纹，中部以上分枝，枝细瘦，上部被较密的短柔毛。基生叶于开花前枯萎，茎下部及中部叶椭圆形或椭圆状披针形，长 10 ~ 23 cm，宽 3.5 ~ 6 cm，先端渐尖，基部长渐狭，边缘近全缘或具稀疏胼胝尖头，两面近无毛或具极稀疏的细长毛，上面深绿色，中肋紫色，下面淡绿色，具球状白色及金黄色小腺点；叶柄长 2 ~ 4 cm；上部叶披针形至狭披针形，长 8 ~ 15 cm，宽 1.5 ~ 3 cm，两端渐狭，近全缘，无柄或具短柄。头状花序呈穗状花序式排列，腋生者通常无苞叶或

具极小的苞叶，着生于茎端及枝端者具苞叶，苞叶 2 ~ 4，披针形，长 1.5 ~ 3.5 cm，两端渐狭，被疏柔毛。总苞半球形，长 6 ~ 7 mm，直径 8 ~ 12 mm；苞片 4 层，外层短，卵圆形，长约为内层的 1/2，先端锐尖，干膜质或先端稍带绿色，背面被稀疏短柔毛，中层矩圆形，长 5 ~ 6 mm，宽约 2 mm，先端圆钝，具缘毛或细齿，最内层条状披针形，宽约 1 mm，先端稍钝。雌花 3 ~ 4 层，花冠狭筒状，长约 2 mm，冠檐 5 齿裂，两性花筒状，长 3 ~ 3.5 mm，向上稍增宽，冠檐 5 齿裂。瘦果长约 3 mm。

| 生境分布 | 生于海拔 800 ~ 2 300 m 的山坡灌丛边及林下。湖北有分布。

| 功能主治 | 清热解毒。用于感冒，咽喉痛，痈肿，疮毒，毒蛇咬伤，咳嗽痰喘。

菊科 Compositae 天名精属 *Carpesium*

大花金挖耳 *Carpesium macrocephalum* Franch. et Sav.

|药材名|

大花金挖耳。

|形态特征|

多年生草本。茎高 60 ~ 140 cm，基部直径 6 ~ 9 mm，有纵条纹，被卷曲短柔毛，中上部分枝。茎生叶于花前枯萎，基下部叶大，具长柄，柄长 15 ~ 18 cm，具狭翅，向叶基部渐宽，叶片广卵形至椭圆形，长 15 ~ 20 cm，宽 10 ~ 15 cm，先端锐尖，基部骤然收缩成楔形，下延，边缘具粗大不规整的重牙齿，齿端有腺体状胼胝，上面深绿色，下面淡绿色，两面均被短柔毛，沿叶脉较密，侧脉在叶基部与中肋几成直角，在中上部弯拱上升，中部叶椭圆形至倒卵状椭圆形，先端锐尖，中部以下收缩渐狭，无柄，基部略呈耳状，半抱茎，上部叶长圆状披针形，两端渐狭。头状花序单生于茎端及枝端，开花时下垂；苞叶多枚，椭圆形至披针形，长 2 ~ 7 cm，叶状，边缘有锯齿。总苞盘状，直径 2.5 ~ 3.5 cm，长 8 ~ 10 mm，外层苞片叶状，披针形，长 1.5 ~ 2 cm，宽 5 ~ 9 mm，先端锐尖，两面密被短柔毛，中层长圆状条形，较外层稍短，先端草质，锐尖，被柔毛，下部干膜质，无毛，内层匙状条形，干膜质。

两性花筒状，长 4 ~ 5 mm，向上稍宽，冠檐 5 齿裂，花药基部箭形，具撕裂状的长尾，雌花较短，长 3 ~ 3.5 mm。瘦果长 5 ~ 6 mm。

| 生境分布 | 生于山坡灌丛及混交林边。分布于湖北竹溪、兴山、宣恩等。

| 采收加工 | 夏季采收，鲜用或晒干。

| 功能主治 | 凉血，散瘀，止血。用于跌打损伤，外伤出血，早泄，阳痿，月经不调。

菊科 Compositae 天名精属 *Carpesium*

小花金挖耳 *Carpesium minum* Hemsl.

| 药 材 名 | 小花金挖耳。

| 形态特征 | 多年生草本，高 15 ~ 45 cm。茎直立，常呈紫色，疏生长柔毛或下部毛脱落。叶柄短或近无柄；茎下部叶矩圆状披针形或卵状披针形，长 6 ~ 10 cm，宽 1 ~ 1.5 cm，先端渐尖或稍尖，基部狭成长叶柄，边缘有疏硬小齿；上部叶渐小，披针形或条状披针形，全缘，上面有疏短糙毛，下面疏生长柔毛。头状花序小，直径 3 ~ 7 mm，单生于茎枝先端，直立或有时下垂；花梗细长，有长柔毛和腺点；头状花序基部常有 2 ~ 3 不等长的小苞片；总苞宽钟状；总苞片 4 层，外层卵形，中层和内层长圆形，稍撕裂；花黄色，外围的雌花花冠圆柱形，3 ~ 4 齿裂；中央的两性花花冠筒状，先端有 5 裂片。瘦

果长约 1.8 mm，近圆柱状，先端有短喙，有腺点。

| **生境分布** | 生于灌丛中或山坡路旁草地。湖北有分布。

| **采收加工** | **全草：**春、夏季采收，鲜用或切段晒干。

| **功能主治** | 解毒消肿，清热凉血。用于吐血，咯血，尿血，血崩，无名肿毒，腮腺炎。

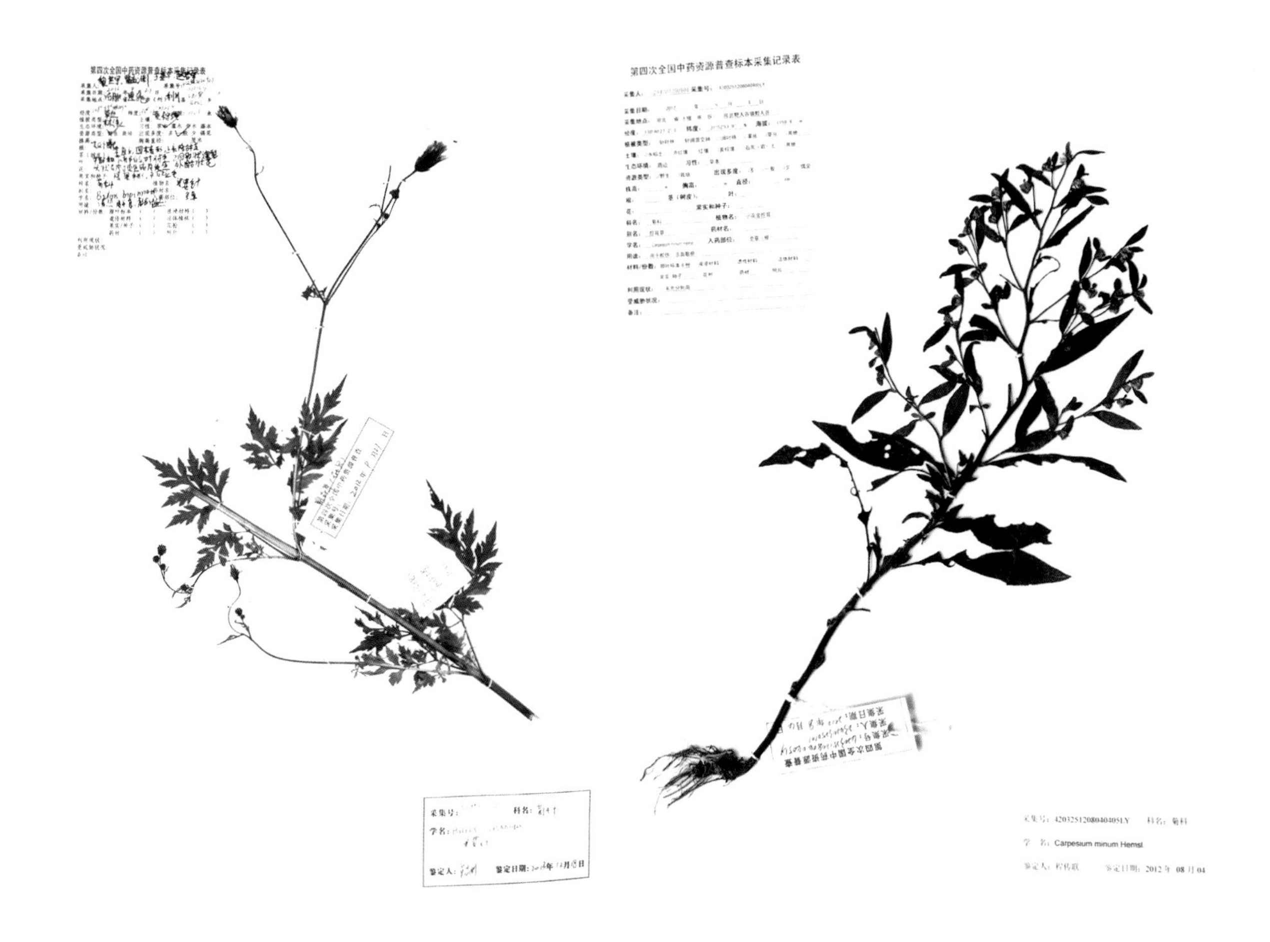

菊科 Compositae 天名精属 *Carpesium*

棉毛尼泊尔天名精 *Carpesium nepalense* Less. var. *lanatum* (Hook. f. et Thoms. ex C. B. Clarke) Kitam.

| 药 材 名 |

棉毛尼泊尔天名精。

| 形态特征 |

多年生草本。茎高 40 ~ 70 cm，被稀薄绵毛，有纵条纹，上部分枝。基生叶于开花前凋萎，茎下部叶卵形至卵状椭圆形，长 6 ~ 8 cm，宽 4 ~ 5 cm，先端渐尖，基部圆形或心形，边缘有稍不规整的锯齿，齿端有腺体状胼胝，上面深绿色，被疏柔毛，下面淡绿色，被稀疏长柔毛，有时甚密，两面均有小腺点；叶柄与叶片等长或稍长，基部及茎被绵毛，先端与叶片连接处有翅，渐狭下延至中部；中部叶椭圆形或椭圆状披针形，长约 8 cm，先端渐尖，基部近圆形或阔楔形，边缘有细锯齿或近全缘，具短柄，上部叶渐小，披针形，先端渐尖，基部楔形，几无柄。头状花序单生茎、枝端，开花时下垂；苞叶 4 ~ 6，椭圆形或披针形，大小不等，最长达 3 cm，先端渐尖，基部楔形，具短柄，两面均被稀疏柔毛。总苞盘状，长约 6 mm，直径 9 ~ 13 mm，苞片 4 层，近等长，外层草质，披针形，先端锐尖，背面被疏柔毛，中层披针形，锐尖，干膜质，先端稍带绿色，内层干膜质，先端有不规整的小齿。雌花狭筒状，长约 1.5 mm，两端稍收缩，两性花筒状，长约 2.5 mm，向上稍宽，冠檐 5 齿裂。未成熟瘦果长约 3.5 mm。全株被白色绵毛，茎上尤密；头状花序稍大，直径 12 ~ 20 mm，苞片锐尖；花冠有时被稀疏柔毛。

| 生境分布 | 生于山坡、路旁。湖北有分布。

| 功能主治 | 清热解毒。

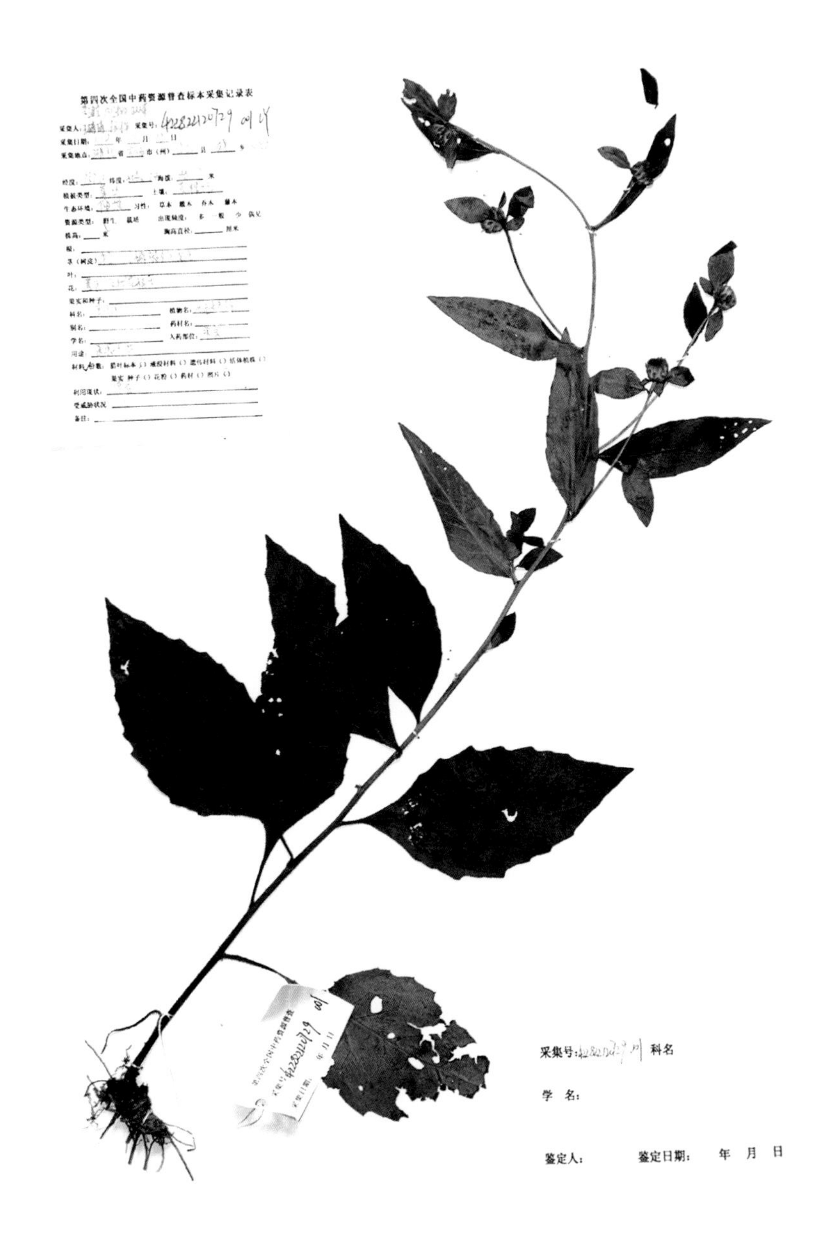

菊科 Compositae 天名精属 *Carpesium*

四川天名精 *Carpesium szechuanense* Chen et C. M. Hu

| 药 材 名 | 四川天名精。

| 形态特征 | 基生叶于开花前枯萎；茎下部及中部叶广卵形，长 9 ~ 12 cm，宽 6.5 ~ 12 cm，先端锐尖或短渐尖，基部心形或截形，上面深绿色，被稀疏倒伏的硬毛状毛，下面淡绿色，具白色球状小腺点，被稀疏短柔毛，但沿中肋及侧脉被极稀疏的白色长毛，边缘具不规整的粗齿，齿端有胼胝尖头；叶柄长 3 ~ 8 cm，无翅，密被短柔毛；上部叶椭圆形或椭圆状披针形，先端渐尖，基部楔形，近全缘，具短柄或近无柄。头状花序穗状花序式排列；生于茎端及枝端者具苞叶，苞叶 2 ~ 4，披针形或椭圆状披针形，大小不等，其中 1 ~ 2 较大，长 2 ~ 3 cm，两端渐狭，具短柄，两面被柔毛，其余较小，长 8 ~ 15 mm；生于

叶腋的头状花序苞叶小或不明显，总苞半球形，长约 7 mm，直径 8 ～ 10 mm，苞片 4 层，外层者较短，卵状披针形，长约 4 mm，先端草质，锐尖，基部干膜质，背面被疏毛，中层者干膜质，长约 5 mm，先端锐尖或钝，内层者条形。两性花筒状，长约 3 mm，向上稍增宽，5 齿裂；雌花 3 ～ 4 层，花冠狭筒状，长约 1.5 mm，先端稍收缩，5 齿裂。瘦果长约 2.5 mm。

| 生境分布 | 生于海拔 1 400 ～ 2 500 m 的山坡林缘或草丛中。湖北有分布。

| 功能主治 | 清热，化痰，解毒，杀虫，破瘀，止血。

菊科 Compositae 天名精属 *Carpesium*

暗花金挖耳 *Carpesium triste* Maxim.

|药材名|

暗花金挖耳。

|形态特征|

多年生草本。茎高 30 ~ 100 cm，被开展的疏长柔毛，近基部及叶腋较稠密，中部分枝或不分枝。基生叶宿存或于开花前枯萎，具长柄，柄与叶片等长或更长，上部具宽翅，向下渐狭，叶片卵状长圆形，长 7 ~ 16 cm，宽 3 ~ 8.5 cm，先端锐尖或短渐尖，基部近圆形，很少阔楔形，骤然下延，边缘有不规整具胼胝尖的粗齿，上面深绿色，被柔毛，下面淡绿色，被白色长柔毛，有时甚密；茎下部叶与基生叶相似，中部叶较狭，先端长渐尖，叶柄较短，上部叶渐变小，披针形至条状披针形，两端渐狭，几无柄。头状花序生茎、枝端及上部叶腋，具短梗，呈总状或圆锥花序式排列，开花时下垂；苞叶多枚，其中 1 ~ 3 较大，条状披针形，长 1.2 ~ 3 cm，宽 1.8 ~ 3 mm，被稀疏柔毛，其余约与总苞等长。总苞钟状，长 5 ~ 6 mm，直径 4 ~ 10 mm，苞片约 4 层，近等长，外层长圆状披针形或中部稍收缩而略呈匙形，上半部草质，先端钝或锐尖，被疏柔毛或几无毛，内层条状披针形，干膜质，先端钝或具细齿。

两性花筒状，长 3 ～ 3.5 mm，向上稍宽，冠檐 5 齿裂，无毛，雌花狭筒形，长约 2.5 mm。瘦果长 3 ～ 3.5 mm。

| 生境分布 | 生于林下及溪边。分布于湖北巴东、竹溪、神农架。

| 功能主治 | 清热解毒，消肿止痛，通淋利尿。

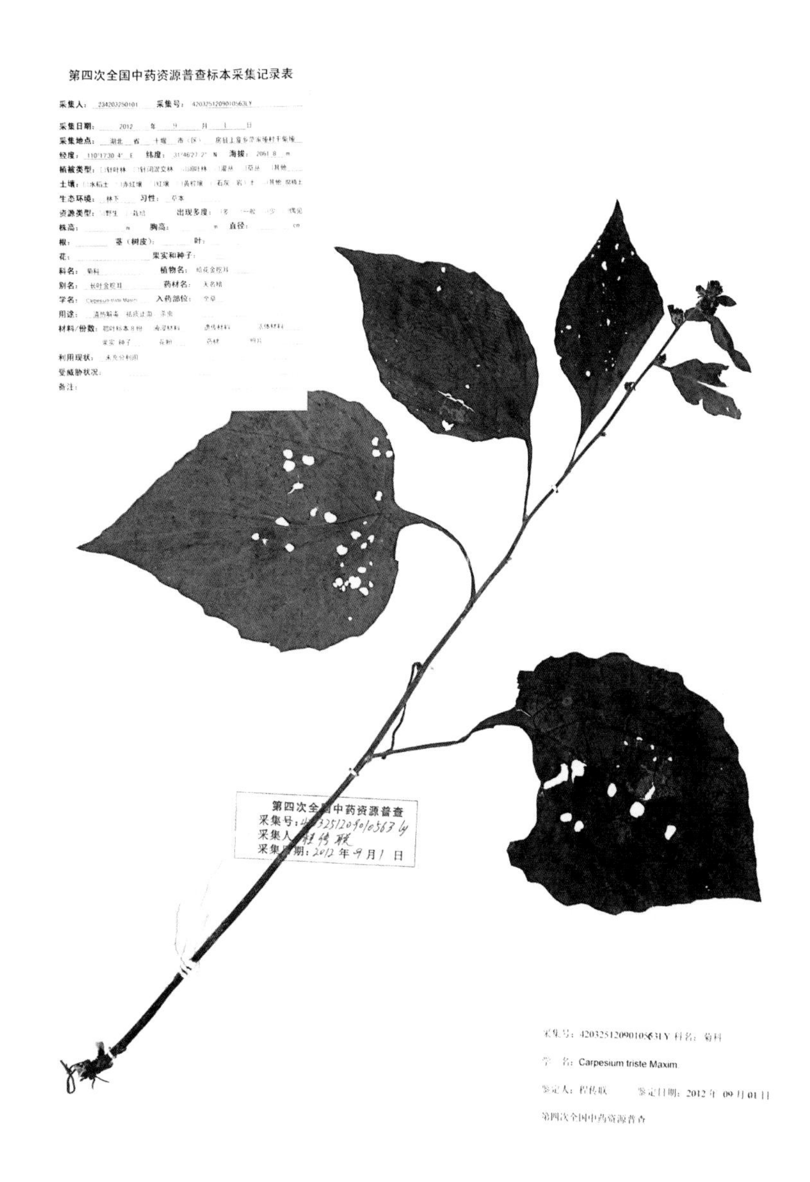

菊科 Compositae 红花属 *Carthamus*

红花 *Carthamus tinctorius* L.

|药 材 名| 红花。

|形态特征| 一年生草本。高（20 ～）50 ～ 100（～ 150）cm。茎直立，上部分枝，全部茎枝白色或淡白色，光滑，无毛。中下部茎生叶披针形、卵状披针形或长椭圆形，长 7 ～ 15 cm，宽 2.5 ～ 6 cm，边缘大锯齿、重锯齿、小锯齿至无锯齿而全缘，极少有羽状深裂的，齿顶有针刺，针刺长 1 ～ 1.5 mm，向上的叶渐小，披针形，边缘有锯齿，齿顶针刺较长，长达 3 mm。全部叶质地坚硬，革质，两面无毛，无腺点，有光泽，基部无柄，半抱茎。头状花序多数，在茎枝先端排成伞房花序，为苞叶所围绕，苞片椭圆形或卵状披针形，包括先端针刺长 2.5 ～ 3 cm，边缘有针刺，针刺长 1 ～ 3 mm，或

无针刺，先端渐长，有篦齿状针刺，针刺长 2 mm。总苞卵形，直径 2.5 cm。总苞片 4 层，外层竖琴状，中部或下部有收缢，收缢以上叶质，绿色，边缘无针刺或有篦齿状针刺，针刺长达 3 mm，先端渐尖，有长 1 ~ 2 mm，收缢以下黄白色；中内层硬膜质，倒披针状椭圆形至长倒披针形，长达 2.3 cm，先端渐尖。全部苞片无毛，无腺点。小花红色、橘红色，全部为两性，花冠长 2.8 cm，细管部长 2 cm，花冠裂片几达檐部基部。瘦果倒卵形，长 5.5 mm，宽 5 mm，乳白色，有 4 棱，棱在果顶伸出，侧生着生面。无冠毛。花果期 5 ~ 8 月。

| 生境分布 | 分布于湖北武汉及兴山等。

| 采收加工 | **花**：夏季花由黄变红时采摘，阴干或晒干。

| 功能主治 | 活血通经，散瘀止痛。用于闭经，痛经，恶露不行，癥瘕痞块，胸痹心痛，瘀滞腹痛，胸胁刺痛，跌打损伤，疮疡肿痛。

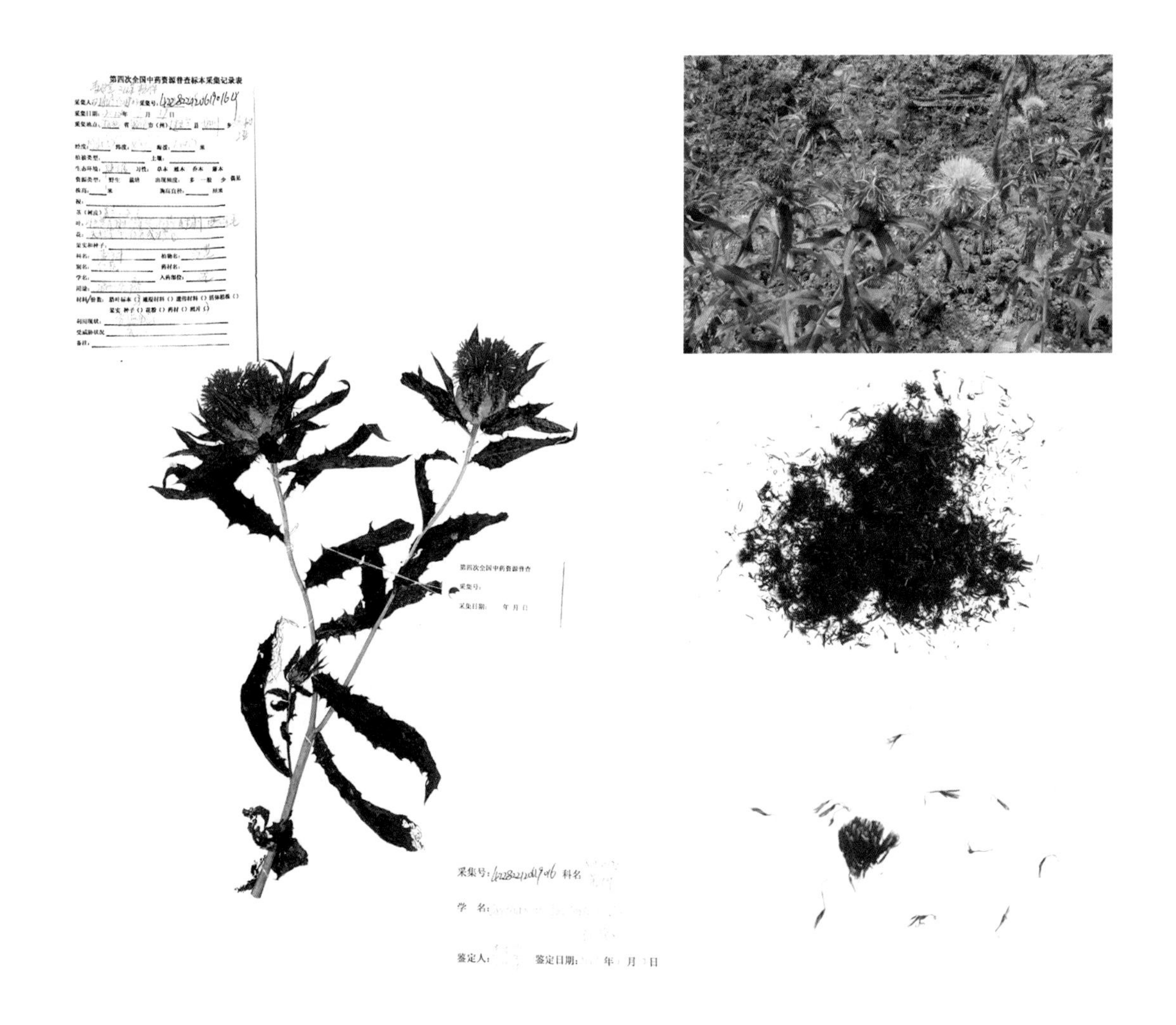

菊科 Compositae 矢车菊属 *Centaurea*

矢车菊 *Centaurea cyanus* L.

| 药 材 名 | 矢车菊。

| 形态特征 | 一年生、二年生或多年生草本。茎直立或匍匐，极少无茎。叶不裂至羽状分裂。头状花序异型，小或较大，含少数小花或多数小花，在茎枝先端通常排成圆锥花序、伞房花序或总状花序，极少植株仅有 1 头状花序。总苞球形、卵形或短圆柱状、碗状、钟状等。总苞片多层，覆瓦状排列，质地坚硬，形状不一，先端有各种各样的附属物，极少无附属物。花托有托毛。全部小花管状，花色多种。边花无性或雌性，通常为细丝状或细毛状，先端 4 ～ 10 裂；中央盘花两性。全部小花冠光滑无毛。花丝扁平，有乳突状毛或乳突。花药基部附属物极短小。花柱分枝极短，分枝基部有毛环。瘦果无肋棱，

但或有细脉纹，被稀疏的柔毛或脱毛，极少无毛，侧生着生面，先端截形，有果缘，果缘边缘有锯齿。冠毛 2 列，多层，白色或褐色，与瘦果等长或短于或长于瘦果，外列冠毛多层，向内层渐长，冠毛刚毛状，边缘呈锯齿状或糙毛状，内列冠毛 1 层，膜片状，极少为毛状，极少无冠毛。

| 生境分布 | 分布于湖北武昌。

| 功能主治 | 解毒利湿，活血止痛。

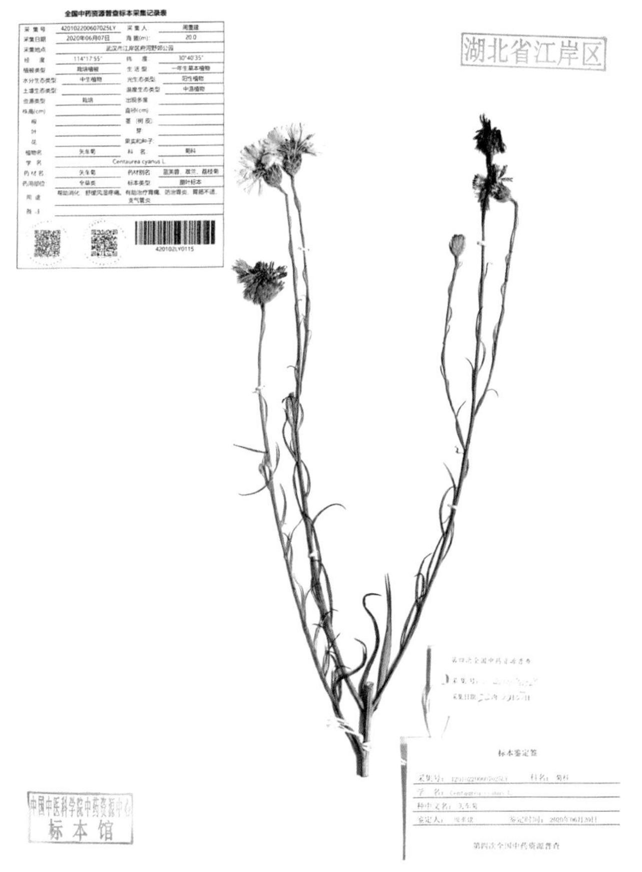

菊科 Compositae 茼蒿属 *Chrysanthemum*

茼蒿 *Chrysanthemum coronarium* L.

| 药 材 名 | 茼蒿。

| 形态特征 | 光滑无毛或几光滑无毛，高 20 ~ 70 cm。茎直立，通常自中上部分枝。基生叶花期枯萎。中下部茎生叶倒卵形至长椭圆形，长 8 ~ 10 cm。2 回羽状分裂，1 回深裂或几全裂，侧裂片 3 ~ 8 对。2 回为深裂或浅裂，裂片披针形、斜三角形或线形，宽 1 ~ 4 mm。头状花序通常 2 ~ 8 生茎枝先端，有长花梗，并不形成明显伞房花序，或头状花序单生茎顶。总苞直径 1.5 ~ 2.5 cm。总苞片 4 层，内层长约 1 cm。舌片长 15 ~ 25 mm。舌状花瘦果有 3 宽翅肋，特别是腹面的 1 翅肋延伸于瘦果先端并超出花冠基部，伸长成喙状或芒尖状，间肋不明显，或背面的间肋稍明显。管状花瘦果两侧压扁，有 2 凸起的肋，余肋

稍明显。

| 生境分布 | 湖北有栽培。

| 采收加工 | 春、夏季采收，鲜用。

| 功能主治 | 脾胃不和，二便不通，咳嗽痰多，烦热不安。

菊科 Compositae 菊苣属 *Cichorium*

菊苣 *Cichorium intybus* L.

| 药 材 名 | 菊苣。

| 形态特征 | 多年生草本，高 40 ~ 100 cm。茎直立，单生，分枝开展或极开展，全部茎枝绿色，有条棱，被极稀疏的长而弯曲的糙毛或刚毛或几无毛。基生叶莲座状，花期生存，倒披针状长椭圆形，包括基部渐狭的叶柄，全长 15 ~ 34 cm，宽 2 ~ 4 cm，基部渐狭有翼柄，大头状倒向羽状深裂或羽状深裂或不分裂而边缘有稀疏的尖锯齿，侧裂片 3 ~ 6 对或更多，顶侧裂片较大，向下侧裂片渐小，全部侧裂片镰形或不规则镰形或三角形。茎生叶少数，较小，卵状倒披针形至披针形，无柄，基部圆形或戟形扩大半抱茎。全部叶质地薄，两面被稀疏的多细胞长节毛，但叶脉及边缘的毛较多。头状花序多数，单生或数

个集生于茎顶或枝端，或 2 ~ 8 花序为 1 组沿花枝排列成穗状花序。总苞圆柱状，长 8 ~ 12 mm；总苞片 2 层，外层披针形，长 8 ~ 13 mm，宽 2 ~ 2.5 mm，上半部绿色，草质，边缘有长缘毛，背面有极稀疏的头状具柄的长腺毛或单毛，下半部淡黄白色，质地坚硬，革质；内层总苞片线状披针形，长达 1.2 cm，宽约 2 mm，下部稍坚硬，上部边缘及背面通常有极稀疏的头状具柄的长腺毛并杂有长单毛。舌状小花蓝色，长约 14 mm，有色斑。瘦果倒卵状、椭圆状或倒楔形，外层瘦果压扁，紧贴内层总苞片，3 ~ 5 棱，先端截形，向下收窄，褐色，有棕黑色色斑。冠毛极短，2 ~ 3 层，膜片状，长 0.2 ~ 0.3 mm。花果期 5 ~ 10 月。

| 生境分布 | 生于山坡、田野及荒地上。湖北有分布。

| 采收加工 | 夏季采收。

| 功能主治 | 清热解毒，利尿消肿，健胃。用于湿热黄疸，肾炎性水肿，胸闷，恶心，高热烦渴，肺热咳嗽等。

菊科 Compositae 蓟属 *Cirsium*

湖北蓟 *Cirsium hupehense* Pamp.

| 药 材 名 | 湖北蓟。

| 形态特征 | 多年生草本，高（30 ~ ）50 ~ 100（ ~ 150）cm。根直伸，直径可达1 cm，茎直立，基部直径可达1.3 cm，上部或自下部分枝，分枝斜升，或不分枝，全部茎枝有条棱，上部灰白色，被薄绒毛。中部茎生叶长椭圆形或长椭圆状披针形，长9 ~ 18 cm，宽1.5 ~ 3 cm，不分裂，边缘有针刺，针刺长短不等，相间排列，贴伏或斜伸，或下部边缘有三角形或斜三角形锯齿，锯齿或深或浅，但不构成明显的羽裂，针刺长者长2.5 mm，短者不足1 mm；向上的叶渐小，同形或长披针形、宽线形，并具有等样的针刺。全部叶质地厚，两面异色，上

面绿色，被稀疏的糠秕状糙伏毛，下面灰白色，被密厚的绒毛。头状花序在茎枝先端排成伞房花序，少有头状花序单生茎顶而植株只含有 1 头状花序的。总苞卵球形，直径 2 ~ 2.5 cm，无毛。总苞片约 6 层，覆瓦状排列，向内层渐长，最外层长三角形，长约 5 mm，宽约 1 mm，先端针刺长不足 1 mm；中层卵状三角形，包括先端针刺长 8 mm，宽 2 mm，先端针刺长 2 mm；内层及最内层三角状披针形或宽线形，长 1 ~ 1.5 cm，宽 1 ~ 1.5 mm，先端膜质，扩大。全部苞片外面沿中脉有黑色粘腺。小花紫红色或粉红色，花冠长 2.2 cm，檐部长 1.1 cm，不等 5 浅裂。瘦果偏斜楔状倒卵形，长 3.5 cm，宽 2 mm，压扁，先端斜截形。冠毛浅褐色，多层，基部连合成环，整体脱落；冠毛刚毛长羽毛状，长 1.5 cm，先端渐细。花果期 8 ~ 11 月。

| 生境分布 | 生于海拔 500 ~ 2 500 m 的山坡灌木林中、林缘、草丛、荒地或田间。湖北有分布。

| 资源情况 | 以野生为主。

| 功能主治 | 凉血，散瘀，消肿止痛。

菊科 Compositae 蓟属 *Cirsium*

蓟 *Cirsium japonicum* DC.

| 药材名 | 大蓟。

| 形态特征 | 多年生草本，块根纺锤状或萝卜状，直径达 7 mm。茎直立，高 30 ~ 80（~ 150）cm，分枝或不分枝，全部茎枝有条棱，被稠密或稀疏的多细胞长节毛，接头状花序下部灰白色，被稠密绒毛及多细胞节毛，基部有白色丝状毛。基部叶有柄，花时不凋落，倒披针形或倒卵状椭圆形，长 15 ~ 30 cm，表面绿色，疏生长毛，背面脉上有长毛，边缘羽状分裂，裂片 5 ~ 6 对，长椭圆形，裂片边缘有刺；中部叶长椭圆形，基部无柄，抱茎，边缘羽状深裂，有刺；上部叶渐小。头状花序顶生，球形；总苞长 2 ~ 3.5 cm，宽 3 ~ 4 cm，外面有蛛丝状毛，总苞片多层，线状披针形，外层较内层的短，先端渐

尖，有短刺，最内层较长，无刺；花紫色或玫瑰色，花冠管纤细，裂片长短不一。瘦果长椭圆形，冠毛羽状，较花冠略短，暗灰色。花期 6 ~ 8 月。

| **生境分布** | 生于荒地、草地、山坡林中、路旁、灌丛中、田间、林缘及溪旁。湖北有分布。

| **资源情况** | 以野生为主。

| **采收加工** | 全草于夏、秋季花盛开时采收，除去老茎，晒干，以秋季采收者为佳；根于 8 ~ 10 月采挖，除去泥土、残茎，洗净，晒干。

| **功能主治** | 全草，用于热性出血。叶，用于瘀血；外用于恶疮。根，凉血止血，祛瘀消肿。

| **附　　注** | 湖北有将本种的根误作小蓟使用的情况。

菊科 Compositae 蓟属 *Cirsium*

线叶蓟 *Cirsium lineare* (Thunb.) Sch.-Bip.

| 药材名 |

线叶蓟。

| 形态特征 |

多年生草本，高 60 ~ 150 cm。根直伸。茎直立，有条棱，上部有分枝，全部茎枝被稀疏的蛛丝状毛及多细胞长节毛或无毛至几无毛。下部和中部茎生叶长椭圆形、披针形或倒披针形，长 6 ~ 12（~ 23）cm，宽 2 ~ 2.5（~ 5）cm，向上的叶渐小，全部茎生叶不分裂，先端急尖或钝或尾状渐尖，基部渐狭成长或短翼柄，上部叶无柄，上面绿色，被双细胞长或短节毛，下面色淡或呈淡白色，被稀疏的蛛丝状毛，边缘有细密的针刺，稀在叶下部两侧边缘有凹缺状微浅齿。头状花序生茎枝端；总苞卵形或长卵形，直径 1 ~ 2 cm；总苞片约 6 层，向内层渐长，外层与中层先端有针刺，内层先端渐尖，最内层先端膜质，扩大，红色；花紫红色，花冠长约 2 cm，不等 5 深裂。瘦果倒金字塔状，长约 2.5 mm，先端截形；冠毛浅褐色，多层，刚毛长羽毛状，长达 1.5 cm。花果期 9 ~ 10 月。

| **生境分布** | 生于海拔 900 ~ 1 700 m 的山坡或路旁。湖北有分布。

| **采收加工** | 秋季采根，鲜用或晒干备用。

| **功能主治** | 活血散瘀，解毒消肿。用于月经不调，闭经，痛经，乳腺炎，跌打损伤，尿路感染，痈疖，神经性皮炎，毒蛇咬伤。

菊科 Compositae 蓟属 *Cirsium*

刺儿菜 *Cirsium setosum* (Willd.) MB.

药材名

刺儿菜。

形态特征

多年生草本。茎直立，高 30 ~ 120 cm，基部直径 3 ~ 5 mm，有时可达 1 cm，上部有分枝，花序分枝无毛或有薄绒毛。基生叶和中部茎生叶椭圆形、长椭圆形或椭圆状倒披针形，先端钝或圆形，基部楔形，有时有极短的叶柄，通常无叶柄，长 7 ~ 15 cm，宽 1.5 ~ 10 cm，上部茎生叶渐小，椭圆形、披针形或线状披针形。全部茎生叶不分裂，叶缘有细密的针刺，针刺紧贴叶缘，或叶缘有刺齿，齿顶针刺大小不等，针刺长达 3.5 mm；或大部分茎生叶羽状浅裂、半裂或边缘有粗大圆锯齿，裂片或锯齿斜三角形，先端钝，齿顶及裂片先端有较长的针刺，齿缘及裂片边缘的针刺较短且贴伏。全部茎生叶两面同为绿色或下面色淡，两面无毛；极少两面异色，上面绿色，无毛，下面被稀疏或稠密的绒毛而呈灰色；亦极少两面同为灰绿色，两面被薄绒毛。头状花序单生茎端，或少数或多数头状花序在茎枝先端排成伞房花序。总苞卵形、长卵形或卵圆形，直径 1.5 ~ 2 cm。总苞

片约 6 层，覆瓦状排列，向内层渐长，外层与中层宽 1.5 ~ 2 mm，包括先端针刺长 5 ~ 8 mm；中外层先端有长不足 0.5 mm 的短针刺；内层及最内层长椭圆形至线形，长 1.1 ~ 2 cm，宽 1 ~ 1.8 mm，渐尖，膜质，具短针刺。小花紫红色或白色，雌花花冠长 2.4 cm，檐部长 6 mm，细管部细丝状，长 18 mm；两性花花冠长 1.8 cm，檐部长 6 mm，细管部细丝状，长 1.2 mm。瘦果淡黄色，椭圆形或偏斜椭圆形，压扁，长 3 mm，宽 1.5 mm，先端斜截形。冠毛污白色，多层，整体脱落；冠毛刚毛长羽毛状，长 3.5 cm，先端渐细。花果期 5 ~ 9 月。

| 生境分布 | 生于海拔 170 ~ 2 650 m 的山坡、河旁、荒地、田间。湖北有分布。

| 采收加工 | 5 ~ 6 月花盛开期采收，鲜用或晒干。

| 功能主治 | 凉血止血，祛瘀消肿。用于衄血，吐血，尿血，便血，崩漏下血，外伤出血，痈肿疮毒。

菊科 Compositae 蓟属 *Cirsium*

绒背蓟 *Cirsium vlassovianum* Fisch. ex DC.

| 药 材 名 | 猫腿姑。

| 形态特征 | 多年生草本，有块根。茎直立，有条棱，单生，不分枝或上部伞房状花序分枝，高 25 ~ 90 cm，全部茎枝被稀疏的多细胞长节毛或上部混生稀疏绒毛。全部茎生叶披针形或椭圆状披针形，先端渐尖、急尖或钝，中部叶较大，长 6 ~ 20 cm，宽 2 ~ 3 cm，上部叶较小；全部叶不分裂，边缘有长约 1 mm 的针刺状缘毛，两面异色，上面绿色，被稀疏的多细胞长节毛，下面灰白色，被稠密的绒毛，下部叶有短或长叶柄，中部及上部叶耳状扩大或圆形扩大，半抱茎。头状花序单生茎顶或生花序枝端，少数排成疏松伞房花序或穗状花序而穗状花序下部的头状花序不发育或发育迟缓。总苞长卵形，直立，

直径 2 cm。总苞片约 7 层，紧密覆瓦状排列，向内层渐长，最外层长三角形，长 5 mm，宽 2 mm，先端急尖成短针刺，中内层披针形，长 9 ~ 12 mm，宽约 2 mm，先端急尖成短针刺，最内层宽线形，长 2 cm，宽 1.5 cm，先端膜质，长渐尖，中外层先端针刺长不及 1 mm，全部苞片外面有黑色粘腺。小花紫色，花冠长 1.7 cm，檐部长 1 cm，不等 5 深裂，细管部长 7 mm。瘦果褐色，稍压扁，倒披针状或偏斜倒披针状，长 4 mm，宽 2 mm，先端截形或斜截形，有棕色纹。冠毛浅褐色，多层，基部连合成环，整体脱落；冠毛刚毛长羽毛状，长 1.5 cm，向先端渐细。花果期 5 ~ 9 月。

| 生境分布 | 生于海拔 350 ~ 1 480 m 的山坡林中、林缘、河边或潮湿地。湖北有分布。

| 采收加工 | **块根：**春、秋季采挖，洗净，鲜用或晒干。

| 功能主治 | 祛风，除湿，止痛。用于风湿性关节炎，四肢麻木。

菊科 Compositae 白酒草属 *Conyza*

香丝草 *Conyza bonariensis* (L.) Cronq.

| 药材名 |

香丝草。

| 形态特征 |

一年生或二年生草本。根纺锤状，常斜升，具纤维状须根。茎直立或斜升，高 20 ~ 50 cm，稀更高，中部以上常分枝，常有斜上不育的侧枝，密被贴短毛，杂有开展的疏长毛。叶密集，基部叶花期常枯萎，下部叶倒披针形或长圆状披针形，长 3 ~ 5 cm，宽 0.3 ~ 1 cm，先端尖或稍钝，基部渐狭成长柄，边缘通常具粗齿或羽状浅裂，中部和上部叶具短柄或无柄，狭披针形或线形，长 3 ~ 7 cm，宽 0.3 ~ 0.5 cm，中部叶边缘具齿，上部叶全缘，两面均密被贴糙毛。头状花序多数，直径 8 ~ 10 mm，在茎端排列成总状或总状圆锥花序，花序梗长 10 ~ 15 mm；总苞椭圆状卵形，长约 5 mm，宽约 8 mm，总苞片 2 ~ 3 层，线形，先端尖，背面密被灰白色短糙毛，外层稍短或短于内层之半，内层长约 4 mm，宽 0.7 mm，具干膜质边缘；花托稍平，有明显的蜂窝孔，直径 3 ~ 4 mm；雌花多层，白色，花冠细管状，长 3 ~ 3.5 mm，无舌片或先端仅有 3 ~ 4 细齿；两性花淡黄色，花冠管状，长约 3 mm，管部上部被疏微毛，上端 5 齿裂。瘦果线状披针形，长 1.5 mm，扁压，被疏短毛；冠毛 1 层，淡红褐色，长约 4 mm。花期 5 ~ 10 月。

| 生境分布 | 生于路边、田野及山坡草地。湖北有分布。

| 功能主治 | 疏风解表，行气止痛，祛风除湿。用于风热感冒，脾胃气滞，风湿热痹。

菊科 Compositae 白酒草属 *Conyza*

小蓬草 *Conyza canadensis* (L.) Cronq.

| 药材名 | 小蓬草。

| 形态特征 | 一年生草本。根纺锤状，具纤维状须根。茎直立，高 50 ~ 100 cm 或更高，圆柱状，多少具棱，有条纹，被疏长硬毛，上部多分枝。叶密集，基部叶花期常枯萎，下部叶倒披针形，长 6 ~ 10 cm，宽 1 ~ 1.5 cm，先端尖或渐尖，基部渐狭成柄，边缘具疏锯齿或全缘，中部和上部叶较小，线状披针形或线形，近无柄或无柄，全缘或少具 1 ~ 2 齿，两面或仅上面被疏短毛，边缘常被上弯的硬缘毛。头状花序多数，小，直径 3 ~ 4 mm，排列成顶生的多分枝的大圆锥花序；花序梗细，长 5 ~ 10 mm；总苞近圆柱状，长 2.5 ~ 4 mm；总苞片 2 ~ 3 层，淡绿色，线状披针形或线形，先端渐尖，外层约短

于内层之半，背面被疏毛，内层长 3 ~ 3.5 mm，宽约 0.3 mm，边缘干膜质，无毛；花托平，直径 2 ~ 2.5 mm，具不明显的突起；雌花多数，舌状，白色，长 2.5 ~ 3.5 mm，舌片小，稍超出花盘，线形，先端具 2 钝小齿；两性花淡黄色，花冠管状，长 2.5 ~ 3 mm，上端 4 ~ 5 齿裂，管部上部被疏微毛。瘦果线状披针形，长 1.2 ~ 1.5 mm，稍扁压，被贴微毛；冠毛污白色，1 层，糙毛状，长 2.5 ~ 3 mm。花期 5 ~ 9 月。

| 生境分布 | 生于旷野、荒地、山坡、草地、田野、路旁。湖北有分布。

| 功能主治 | 清热利湿，散瘀消肿。用于痢疾，肠炎，肝炎，胆囊炎，跌打损伤，风湿骨痛，疮疖肿痛，外伤出血，牛皮癣。

菊科 Compositae 白酒草属 *Conyza*

白酒草 *Conyza japonica* (Thunb.) Less.

| 药 材 名 |

白酒草。

| 形态特征 |

一年生或二年生草本。根斜上，不分枝，稀丛生而呈纤维状。茎直立，高（15 ~ ）20 ~ 45 cm，或更高，有细条纹，基部直径 2 ~ 4 mm，自茎基部或在中部以上分枝，少有不分枝，枝斜上或开展，全株被白色长柔毛或短糙毛，或下部多少脱毛。叶通常密集于茎较下部，呈莲座状，基部叶倒卵形或匙形，先端圆形，基部长渐狭，长 6 ~ 7 cm，较下部叶有长柄，长 3 ~ 13 cm，叶片长圆形或椭圆状长圆形或倒披针形，先端圆形，基部楔形，常下延成具宽翅的柄，边缘有圆齿或粗锯齿，有 4 ~ 5 对侧脉，脉在下面明显，两面被白色长柔毛；中部叶疏生，倒披针状长圆形或长圆状披针形，无柄，长 3.5 ~ 5 cm，宽 5 ~ 15 mm，先端钝，基部宽而半抱茎，边缘有小尖齿；上部叶渐小，披针形或线状披针形，两面被长贴毛。头状花序较多数，通常在茎及枝端密集成球状或伞房状，干时直径 11 mm；花序梗纤细，长 4 ~ 6 mm，密被长柔毛；总苞半球形，长 5 ~ 5.5 mm，宽 8 ~ 10 mm；总苞片 3 ~ 4 层，覆瓦状，外层较短，卵状披针形，长约 2 mm，内层线状披针形，长 4 ~ 5 mm，先端尖或渐尖，边缘膜质或多少变紫色，背面沿中脉绿色，被长柔毛，干时常反折。花全部结实，黄色，外围的雌花极多数，花冠丝状，长 1.7 ~ 2 mm，先端有微毛，短于花柱的 2.5 倍；中央的两性花少数（15 ~ 16），花冠管状，长约 4 mm，上部膨大，有 5 卵形裂片，裂片先端有微毛；花托半球形，中央明显凸起，两性花的窝孔较雌花的大，具短齿。瘦果长圆形，黄色，长 1 ~ 1.2 mm，扁压，两端缩小，边缘脉状，两面无肋，有微毛；冠毛污白色或稍红色，长 4.5 mm，糙毛状，近等长，先端狭。花期 5 ~ 9 月。

| 生境分布 | 生于海拔 700 ~ 2 500 m 的山谷田边、山坡草地或林缘。湖北有分布。

| 采收加工 | 夏、秋季采收，切段晒干。

| 功能主治 | 清热止痛，祛风化痰。用于胸膜炎，肺炎，咽喉肿痛，小儿惊风。

菊科 Compositae 金鸡菊属 *Coreopsis*

金鸡菊 *Coreopsis drummondii* Torr. et Gray

| 药材名 | 金鸡菊。

| 形态特征 | 一年生或二年生草本。疏生柔毛，多分枝。叶具柄，叶片羽状分裂，裂片圆卵形至长圆形，或上部线形。头状花序单生枝端，或少数成伞房状，具长梗；外层总苞片与内层近等长；舌状花 8，黄色，基部紫褐色，先端具齿或裂片；管状花黑紫色。瘦果倒卵形，内弯，具 1 骨质边缘。花期 7 ～ 9 月。

| 生境分布 | 湖北有栽培。

| 功能主治 | 疏散风热。用于外感风热，温病初起，肝阳上亢之眩晕，目赤肿痛，近视，夜盲等。

菊科 Compositae 金鸡菊属 *Coreopsis*

剑叶金鸡菊 *Coreopsis lanceolata* L.

|药材名| 剑叶金鸡菊。

|形态特征| 多年生草本，高 30 ~ 70 cm，有纺锤状根。茎直立，无毛或基部被软毛，上部有分枝。叶较少数，在茎基部成对簇生，有长柄，叶片匙形或线状倒披针形，基部楔形，先端钝或圆形，长 3.5 ~ 7 cm，宽 1.3 ~ 1.7 cm；茎上部叶少数，全缘或 3 深裂，裂片长圆形或线状披针形，顶裂片较大，长 6 ~ 8 cm，宽 1.5 ~ 2 cm，基部窄，先端钝，叶柄通常长 6 ~ 7 cm，基部膨大，有缘毛；上部叶无柄，线形或线状披针形。头状花序在茎端单生，直径 4 ~ 5 cm。总苞片内外层近等长；披针形，长 6 ~ 10 mm，先端尖。舌状花黄色，舌片倒卵形或楔形；管状花狭钟形。瘦果圆形或椭圆形，长 2.5 ~ 3 mm，

边缘有宽翅，先端有 2 短鳞片。花期 5 ~ 9 月。

| 生境分布 | 湖北有栽培。

| 功能主治 | **全草：**清热解毒。

菊科 Compositae 秋英属 *Cosmos*

秋英 *Cosmos bipinnata* Cav.

| 药材名 | 秋英。

| 形态特征 | 一年生或多年生草本，高 1 ~ 2 m。根纺锤状，多须根，或近茎基部有不定根。茎无毛或稍被柔毛。叶 2 次羽状深裂，裂片线形或丝状线形。头状花序单生，直径 3 ~ 6 cm；花序梗长 6 ~ 18 cm。总苞片外层披针形或线状披针形，近革质，淡绿色，具深紫色条纹，上端长狭尖，较内层长或与内层等长，长 10 ~ 15 mm，内层椭圆状卵形，膜质。托片平展，上端呈丝状，与瘦果近等长。舌状花紫红色、粉红色或白色，舌片椭圆状倒卵形，长 2 ~ 3 cm，宽 1.2 ~ 1.8 cm，有 3 ~ 5 钝齿；管状花黄色，长 6 ~ 8 mm，管部短，上部圆柱形，有披针状裂片；花柱具短突尖的附器。瘦果黑紫色，长 8 ~ 12 mm，

无毛，上端具长喙，有 2 ~ 3 尖刺。花期 6 ~ 8 月，果期 9 ~ 10 月。

| 生境分布 | 生于海拔 2 700 m 以下的路旁、田埂、溪岸等地。湖北有分布。

| 功能主治 | 清热解毒，化湿。用于痢疾，目赤肿痛；外用于痈疮肿毒。

菊科 Compositae 野茼蒿属 *Crassocephalum*

野茼蒿 *Crassocephalum crepidioides* (Benth.) S. Moor

| 药 材 名 | 野茼蒿。

| 形态特征 | 直立草本，高 20 ~ 120 cm。茎有纵条棱，无毛。叶膜质，椭圆形或长圆状椭圆形，长 7 ~ 12 cm，宽 4 ~ 5 cm，先端渐尖，基部楔形，边缘有不规则锯齿或重锯齿，或基部羽状分裂，两面无毛或近无毛；叶柄长 2 ~ 2.5 cm。头状花序数个在茎端排成伞房状，直径约 3 cm，总苞钟状，长 1 ~ 1.2 cm，基部截形，有数枚不等长的线形小苞片；总苞片 1 层，线状披针形，等长，宽约 1.5 mm，具狭膜质边缘，先端有簇状毛；小花全部管状，两性，花冠红褐色或橙红色，檐部 5 齿裂，花柱基部呈小球状，分枝，先端尖，被乳头状毛。瘦果狭圆柱形，赤红色，有肋，被毛；冠毛极多数，白色，绢毛状，

易脱落。花期 7 ~ 12 月。

| **生境分布** | 生于海拔 300 ~ 1 800 m 的山坡路旁、水边、灌丛中。湖北有分布。

| **资源情况** | 以野生为主。

| **功能主治** | 健脾，消肿。用于消化不良，脾虚浮肿等。

菊科 Compositae 大丽花属 *Dahlia*

大丽花 *Dahlia pinnata* Cav.

| 药 材 名 | 大丽花。

| 形态特征 | 多年生草本，有巨大的棒状块根。茎直立，多分枝，高 1.5 ~ 2 m，粗壮。叶 1 ~ 3 回羽状全裂，上部叶有时不分裂，裂片卵形或长圆状卵形，下面灰绿色，两面无毛。头状花序大，有长花序梗，常下垂，宽 6 ~ 12 cm。总苞片外层约 5，卵状椭圆形，叶质，内层膜质，椭圆状披针形。舌状花 1 层，白色、红色或紫色，常卵形，先端有不明显的 3 齿，或全缘；管状花黄色，有时栽培种全部为舌状花。瘦果长圆形，长 9 ~ 12 mm，宽 3 ~ 4 mm，黑色，扁平，有 2 不明显的齿。花期 6 ~ 12 月，果期 9 ~ 10 月。

| 生境分布 | 湖北有栽培。

| 功能主治 | 活血散瘀。用于跌打损伤。

菊科 Compositae 菊属 *Dendranthema*

野菊 *Dendranthema indicum* L.

| 药材名 | 野菊花。

| 形态特征 | 多年生草本，高 0.25 ~ 1 m，有地下长或短匍匐茎。茎直立或铺散，分枝或仅在茎顶有伞房状花序分枝。茎枝被稀疏的毛，上部及花序枝上的毛稍多或较多。基生叶和下部叶花期脱落。中部茎生叶卵形、长卵形或椭圆状卵形，长 3 ~ 7（~ 10）cm，宽 2 ~ 4（~ 7）cm，羽状半裂、浅裂或分裂不明显而边缘有浅锯齿。基部截形或稍心形或宽楔形，叶柄长 1 ~ 2 cm，柄基无耳或有分裂的叶耳。两面同为淡绿色，或干后两面为橄榄色，有稀疏的短柔毛，或下面的毛稍多。头状花序直径 1.5 ~ 2.5 cm，多数在茎枝先端排成疏松的伞房圆锥花序或少数在茎顶排成伞房花序。总苞片约 5 层，外层卵形或卵状

三角形，长 2.5 ~ 3 mm，中层卵形，内层长椭圆形，长 11 mm。全部苞片边缘白色或褐色宽膜质，先端钝或圆。舌状花黄色，舌片长 10 ~ 13 mm，先端全缘或有 2 ~ 3 齿。瘦果长 1.5 ~ 1.8 mm。花期 6 ~ 11 月。

| 生境分布 | 生于山坡草地、灌丛、河边水湿地、滨海盐渍地、田边及路旁。分布于湖北武昌及宜昌等。

| 采收加工 | **花：** 秋、冬季花初开放时采摘，晒干或蒸后晒干。

| 功能主治 | 清热解毒，泻火平肝。用于疔疮痈肿，目赤肿痛，头痛眩晕。

菊科 Compositae 菊属 *Dendranthema*

甘野菊 *Dendranthema lavandulifolium* (Fisch. ex Trautv.) Ling et Shih var. *seticuspe* (Maxim.) Shih

| 药 材 名 | 甘野菊。

| 形态特征 | 茎下部叶花期枯萎；茎中部叶柄长 1.5 ~ 2 cm，密被白色绒毛；叶片质较薄，羽状深裂，长 4.5 ~ 6 cm，宽 4 ~ 6 cm，基部微心形或偏楔形，无羽轴，侧裂片 2 对，近等大，长圆形，先端钝，边

缘具粗大牙齿，表面疏被伏毛，背面密被叉状毛，沿脉尤多；茎上部叶向上渐小。头状花序半球形，直径约 1 cm，多数，于枝端密集成复伞房花序，花序梗长 1 ~ 2 cm，被短柔毛；总苞片 3 层，膜质，覆瓦状排列，外层较短，卵状长圆形，内层长圆形，长 5.5 mm，宽 1.5 mm；边花雌性，舌状，黄色，舌片长约 6 mm，先端不明显 3 裂；中央花两性，花冠管状钟形，长 3 mm，先端 5 齿裂；花柱分枝截形，具画笔状毛；花托稍凸起。瘦果倒卵形或长圆状倒卵形，长 1 mm，宽 0.5 mm，先端截形或斜截形，无冠毛。花期 8 ~ 9 月，果期 10 月。

| 生境分布 | 分布于山坡、林缘及路旁。湖北有分布。

| 功能主治 | 清热解毒。

菊科 Compositae 菊属 *Dendranthema*

菊花 *Dendranthema morifolium* (Ramat.) Tzvel.

| 药 材 名 | 菊花。

| 形态特征 | 多年生草本，高 60 ~ 150 cm。茎直立，分枝或不分枝，被柔毛。叶卵形至披针形，长 5 ~ 15 cm。羽状浅裂或半裂，有短柄，叶下面被白色短柔毛。头状花序直径 2.5 ~ 20 cm，大小不一。总苞片多层，外层外面被柔毛。舌状花颜色各种。管状花黄色。

| 生境分布 | **花**：分布于湖北武汉、宜昌、鄂州等。

| 采收加工 | 9 ~ 11 月花盛开时分批采收，阴干或焙干，或熏、蒸后晒干。

| 功能主治 | 疏风散热，平肝明目，清热解毒。用于风热感冒，头痛眩晕，目赤肿痛，双目昏花，疮痈肿毒。

菊科 Compositae 菊属 *Dendranthema*

毛华菊 *Dendranthema vestitum* (Hemsl.) Ling

| 药材名 | 毛华菊。

| 形态特征 | 多年生草本，高达 60 cm，有匍匐根茎。茎直立，上部有长粗分枝或仅在茎顶有短伞房状花序分枝。全部茎枝被稠密厚实贴伏的短柔毛，后毛变稀疏。下部茎生叶花期枯萎。中部茎生叶卵形、宽卵形、卵状披针形、近圆形或匙形，长 3.5 ~ 7 cm，宽 2 ~ 4 cm，边缘自中部以上有浅波状疏钝锯齿，极少有 2 ~ 3 浅钝裂的，叶片自中部向下楔形，叶柄长 0.5 ~ 1 cm，柄基偶有披针形叶耳。上部叶渐小，同形。全部叶下面灰白色，被稠密厚实贴伏的短柔毛，上面灰绿色，毛稀疏。中下部茎生叶的叶腋常有发育的叶芽。头状花序直径 2 ~ 3 cm，3 ~ 13 花序在茎枝先端排成疏松的伞房花序。总苞碟

状，直径 1 ～ 1.5 cm。总苞片 4 层，外层三角形或三角状卵形，长 3.5 ～ 4.5 cm，中层披针状卵形，长约 6.5 mm，内层倒卵形或倒披针状椭圆形，长 6 ～ 7 mm。中外层外面被稠密短柔毛，向内层毛渐稀疏。全部苞片边缘褐色膜质。舌状花白色，舌片长 1.2 cm。瘦果长约 1.5 mm。花果期 8 ～ 11 月。

| **生境分布** | 生于海拔 340 ～ 1 500 m 的低山山坡及丘陵。分布于湖北西部。

| **功能主治** | 清热解毒，清肝明目。

菊科 Compositae 鱼眼草属 *Dichrocephala*

鱼眼草 *Dichrocephala auriculata* (Thunb.) Druce

| 药 材 名 | 鱼眼草。

| 形态特征 | 一年生草本，直立或铺散，高 12 ~ 50 cm。茎通常粗壮，少有纤细的，不分枝或自基部分枝而铺散，或自中部分枝而斜升，基部直径 2 ~ 5 mm；茎枝被白色长或短绒毛，上部及接花序处的毛较密，或果期脱毛或近无毛。叶卵形、椭圆形或披针形；中部茎生叶长 3 ~ 12 cm，宽 2 ~ 4.5 cm，大头羽裂，顶裂片宽大，宽达 4.5 cm，侧裂片 1 ~ 2 对，通常对生而少有偏斜的，基部渐狭成具翅的长或短柄，柄长 1 ~ 3.5 cm。自中部向上或向下的叶渐小，同形；基部叶通常不裂，常卵形。全部叶边缘具重粗锯齿或呈缺刻状，稀有规则圆锯齿，叶两面被稀疏的短柔毛，下面沿脉的毛较密或稀疏或无

毛。中下部叶的叶腋通常有不发育的叶簇或小枝；叶簇或小枝被较密的绒毛。头状花序小，球形，直径 3 ~ 5 mm，生枝端，多数头状花序在枝端或茎顶排列成疏松或紧密的伞房状花序或伞房状圆锥花序；花序梗纤细，或长达 3 cm 或长达 2 mm。总苞片 1 ~ 2 层，膜质，长圆形或长圆状披针形，稍不等长，长约 1 mm，先端急尖，微锯齿状撕裂。外围雌花多层，紫色，花冠极细，线形，长 0.5 mm，先端通常具 2 齿；中央两性花黄绿色，少数，长 0.5 mm，管部短，狭细，檐部长钟状，先端具 4 ~ 5 齿。瘦果压扁，倒披针形，边缘脉状加厚。无冠毛，或两性花瘦果先端有 1 ~ 2 细毛状冠毛。花果期全年。

| 生境分布 | 生于海拔 200 ~ 2 000 m 的山坡、山谷阴处或阳处、山坡林下、平川耕地、荒地、水沟边。湖北有分布。

| 采收加工 | 夏季采收，晒干。

| 功能主治 | 清热解毒，利湿，祛翳。用于疟疾，痢疾，腹泻，肝炎，带下，目翳，口疮，疮疡。

菊科 Compositae 鱼眼草属 *Dichrocephala*

小鱼眼草 *Dichrocephala benthamii* C. B. Clarke

| 药 材 名 | 小鱼眼草。

| 形态特征 | 一年生草本，高 15 ~ 35 cm，少有高 6 cm 的，近直立或铺散。茎单生或簇生，通常粗壮，少有纤细的，常自基部长出多数密集匍匐且斜升的茎而无明显的主茎，或明显假轴分枝而主茎扭曲不显著，或有明显的主茎，主茎基部直径约 4 mm。整个茎枝被白色长或短柔毛，上部及接花序处的毛常稠密而开展，有时中下部毛稀疏或脱毛。叶倒卵形、长倒卵形、匙形或长圆形。中部茎生叶长 3 ~ 6 cm，宽 1.5 ~ 3 cm，羽裂或大头羽裂，侧裂片 1 ~ 3 对，向下渐收窄，基部扩大，耳状抱茎。自中部向上或向下的叶渐小，匙形或宽匙形，边缘具深圆锯齿。有时植株全部叶较小，匙形，长 2 ~ 2.5 cm，宽

约 1 cm。全部叶两面被白色疏或密的短毛，有时脱毛或几无毛。头状花序小，扁球形，直径约 5 mm，生枝端，少数或多数头状花序在茎顶和枝端排成疏松或紧密的伞房花序或圆锥状伞房花序；花序梗稍粗，被尘状微柔毛或几无毛。总苞片 1 ~ 2 层，长圆形，稍不等长，长约 1 mm，边缘锯齿状微裂。花托半圆球形凸起，先端平。外围雌花多层，白色，花冠卵形或坛形，基部膨大，上端收窄，长 0.6 ~ 0.7 mm，先端具 2 ~ 3 微齿。中央两性花少数，黄绿色，花冠管状，长 0.8 ~ 0.9 mm，管部短，狭细，檐部长钟状，有 4 ~ 5 裂齿。瘦果压扁，光滑，倒披针形，边缘脉状加厚。无冠毛，或两性花瘦果的先端有 1 ~ 2 细毛状冠毛。花果期全年。

| 生境分布 | 生于海拔 1 350 ~ 3 100 m 的山坡、山谷草地、河岸、溪旁、路旁或田边荒地。分布于湖北西部。

| 采收加工 | 夏季采收全草，洗净晒干。

| 功能主治 | 清热解毒，祛风明目。用于肝炎，小儿消化不良，小儿感冒发热，肺炎，痢疾，疟疾，牙痛，夜盲症；外用于疮疡，蛇咬伤，皮炎，湿疹，子宫脱垂，脱肛。

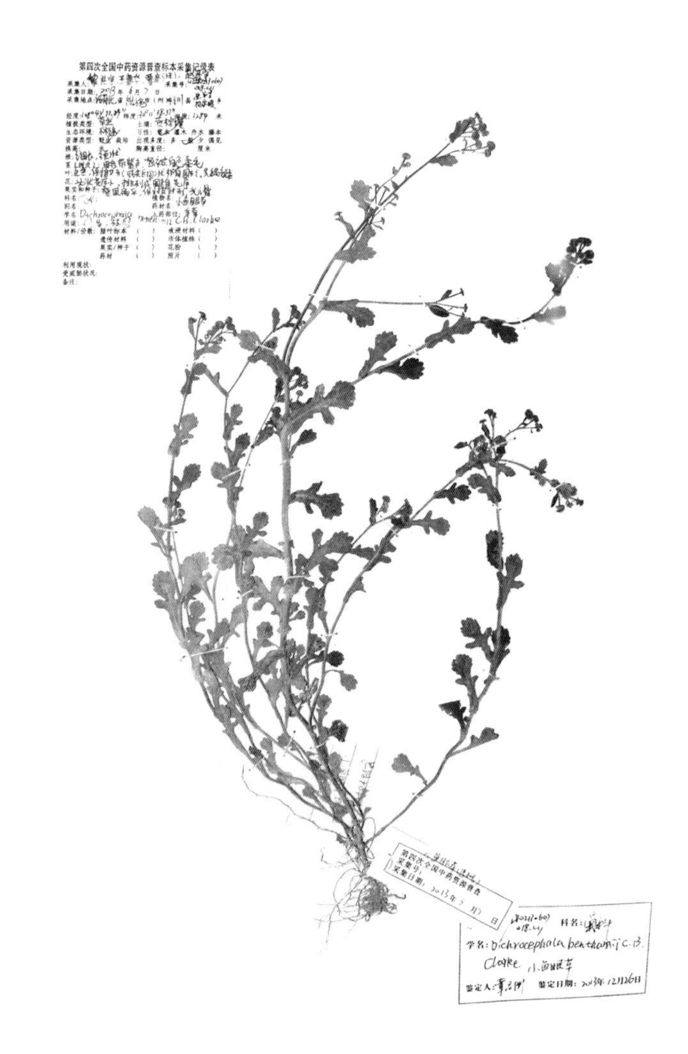

菊科 Compositae 蓝刺头属 *Echinops*

华东蓝刺头 *Echinops grijsii* Hance

| 药 材 名 | 华东蓝刺头。

| 形态特征 | 多年生草本，高 30 ～ 80 cm。茎直立，单生，上部通常有短或长花序分枝，基部通常有棕褐色的残存的纤维状撕裂的叶柄，全部茎枝被密厚的蛛丝状绵毛，下部花期变稀毛。叶质地薄，纸质。基部叶及下部茎生叶有长叶柄，椭圆形、长椭圆形、长卵形或卵状披针形，长 10 ～ 15 cm，宽 4 ～ 7 cm，羽状深裂；侧裂片 4 ～ 5（～ 7）对，卵状三角形、椭圆形、长椭圆形或线状长椭圆形；全部裂片边缘有均匀而细密的刺状缘毛。向上叶渐小。中部茎生叶披针形或长椭圆形，与基部及下部茎生叶等样分裂，无柄或有较短的柄。全部茎生叶两面异色，上面绿色，无毛，无腺点，下面白色或灰白色，

被密厚的蛛丝状绵毛。复头状花序单生枝端或茎顶，直径约 4 cm。头状花序长 1.5 ~ 2 cm，基毛多数，白色，不等长，扁毛状，长 7 ~ 8 mm，为总苞长度之半。外层苞片与基毛近等长，线状倒披针形，爪部中部以下有白色长缘毛，缘毛长达 6 mm，上部椭圆状扩大，褐色，边缘具短缘毛；中层长椭圆形，长约 1.3 cm，上部边缘有短缘毛，中部以上渐窄，先端芒刺状短渐尖；内层苞片长椭圆形，长 1.5 cm，先端芒状齿裂或芒状片裂。全部苞片 24 ~ 28，外面无毛，无腺点。小花长 1 cm，花冠 5 深裂，花冠管外面有腺点。瘦果倒圆锥状，长 1 cm，被密厚的顺向贴伏的棕黄色长直毛，不遮盖冠毛。冠毛量杯状，长 3 mm；冠毛膜片线形，边缘糙毛状，大部分结合。花果期 7 ~ 10 月。

| 生境分布 | 生于海拔 300 ~ 500 m 的山坡草丛中。湖北有分布。

| 功能主治 | 清热解毒，排脓止血，消痈下乳。用于诸疮痈肿，乳痈肿痛，乳汁不通，瘰疬疮毒。

菊科 Compositae 蓝刺头属 *Echinops*

蓝刺头 *Echinops sphaerocephalus* L.

| 药 材 名 | 追骨风。

| 形态特征 | 多年生草本，高 50 ~ 150 cm。茎单生，上部分枝长或短，粗壮，全部茎枝被稠密的多细胞长节毛和稀疏的蛛丝状薄毛。基部和下部茎生叶宽披针形，长 15 ~ 25 cm，宽 5 ~ 10 cm，羽状半裂，侧裂片 3 ~ 5 对，三角形或披针形，边缘具刺齿，先端针刺状渐尖，向上叶渐小，与基生叶及下部茎生叶同形并等样分裂。全部叶质地薄，纸质，两面异色，上面绿色，被稠密短糙毛，下面灰白色，被薄蛛丝状绵毛，但沿中脉有多细胞长节毛。复头状花序单生茎枝先端，直径 4 ~ 5.5 cm。头状花序长 2 cm。基毛长 1 cm，为总苞长度之半，白色，扁毛状，不等长。外层苞片稍长于基毛，长倒披针形，上部

椭圆形扩大，褐色，外面被稍稠密的短糙毛及腺点，边缘有稍长的缘毛，先端针芒状长渐尖，爪部下部有长达 4 mm 的长缘毛；中层苞片倒披针形或长椭圆形，长约 1.1 cm，边缘有长缘毛，外面有稠密的短糙毛；内层苞片披针形，长 8 mm，外面被稠密的短糙毛，先端芒齿裂或芒片裂，中间芒裂较长。全部苞片 14 ~ 18。小花淡蓝色或白色，花冠 5 深裂，裂片线形，花冠管无腺点或有稀疏腺点。瘦果倒圆锥状，长约 7 mm，被黄色稠密顺向贴伏的长直毛，不遮盖冠毛。冠毛量杯状，高约 1.2 mm；冠毛膜片线形，边缘糙毛状，大部分结合。花果期 8 ~ 9 月。

| **生境分布** | 生于林缘、干燥山坡、草丛向阳处。湖北有分布。

| **采收加工** | 春、秋季挖根，除去须根及泥沙，晒干。

| **功能主治** | 清热解毒，排脓止血，消痈下乳，活血止痛，驱蛔。用于骨折，创伤出血，乳痈肿痛，乳汁不通，瘰疬疮毒。

菊科 Compositae 鳢肠属 *Eclipta*

鳢肠 *Eclipta prostrata* (L.) L.

|药材名|

墨旱莲。

|形态特征|

一年生草本。茎直立，斜升或平卧，高达60 cm，通常自基部分枝，被贴生糙毛。叶长圆状披针形或披针形，无柄或有极短的柄，长3 ~ 10 cm，宽0.5 ~ 2.5 cm，先端尖或渐尖，边缘有细锯齿或呈波状，两面被密硬糙毛。头状花序直径6 ~ 8 mm，有长2 ~ 4 cm的细花序梗；总苞球状钟形，总苞片绿色，草质，5 ~ 6排成2层，长圆形或长圆状披针形，外层较内层稍短，背面及边缘被白色短伏毛；外围的雌花2层，舌状，长2 ~ 3 mm，舌片短，先端2浅裂或全缘，中央的两性花多数，花冠管状，白色，长约1.5 mm，先端4齿裂；花柱分枝钝，有乳头状突起；花托凸起，有披针形或线形的托片。托片中部以上有微毛；瘦果暗褐色，长2.8 mm，雌花的瘦果三棱形，两性花的瘦果扁四棱形，先端截形，具1 ~ 3细齿，基部稍缩小，边缘具白色的肋，表面有小瘤状突起，无毛。花期6 ~ 9月。

| 生境分布 | 生于河边、田边或路旁。湖北有分布。

| 功能主治 | 滋补肝肾，凉血止血，乌发。用于各种吐血，鼻出血，咯血，肠出血，尿血，痔疮出血，血崩等；外用促进毛发生长。

菊科 Compositae 一点红属 *Emilia*

一点红 *Emilia sonchifolia* (L.) DC.

| 药 材 名 | 一点红。

| 形态特征 | 一年生草本，根垂直。茎直立或斜升，高 25 ~ 40 cm，稍弯，通常自基部分枝，灰绿色，无毛或被疏短毛。叶质较厚，下部叶密集，大头羽状分裂，长 5 ~ 10 cm，宽 2.5 ~ 6.5 cm，顶生裂片大，宽卵状三角形，先端钝或近圆形，具不规则的齿，侧生裂片通常 1 对，长圆形或长圆状披针形，先端钝或尖，具波状齿，上面深绿色，下面常变紫色，两面被短卷毛；中部茎生叶疏生，较小，卵状披针形或长圆状披针形，无柄，基部箭状抱茎，先端急尖，全缘或有不规则细齿；上部叶少数，线形。头状花序长 8 mm，后伸长达 14 mm，在开花前下垂，花后直立，通常 2 ~ 5，在枝端排列成疏伞房状；

花序梗细，长 2.5 ～ 5 cm，无苞片，总苞圆柱形，长 8 ～ 14 mm，宽 5 ～ 8 mm，基部无小苞片；总苞片 1 层，8 ～ 9，长圆状线形或线形，黄绿色，约与小花等长，先端渐尖，边缘窄膜质，背面无毛。小花粉红色或紫色，长约 9 mm，管部细长，檐部渐扩大，具 5 深裂。瘦果圆柱形，长 3 ～ 4 mm，具 5 棱，肋间被微毛；冠毛丰富，白色，细软。花果期 7 ～ 10 月。

| 生境分布 | 生于海拔 800 ～ 2 100 m 的山坡荒地、田埂、路旁。湖北有分布。

| 采收加工 | **全草**：全年均可采收，洗净，鲜用或晒干。

| 功能主治 | 清热解毒，散瘀消肿，凉血止血，利水。用于上呼吸道感染，口腔溃疡，肺炎，乳腺炎，肠炎，细菌性痢疾，尿路感染，疮疖痈肿，湿疹，跌打损伤。

菊科 Compositae 菊芹属 *Erechtites*

梁子菜 *Erechtites hieracifolia* (L.) Raf. ex DC.

| 药 材 名 | 梁子菜。

| 形态特征 | 一年生草本，高 40 ~ 100 cm，不分枝或上部多分枝，具条纹，被疏柔毛。叶无柄，具翅，基部渐狭或半抱茎，披针形至长圆形，长 7 ~ 16 cm，宽 3 ~ 4 cm，先端急尖或短渐尖，边缘具不规则的粗齿，羽状脉，两面无毛或下面沿脉被短柔毛。头状花序较多数，长约 15 mm，宽 1.5 ~ 1.8 mm，在茎端排列成伞房状。总苞筒状，淡黄色至褐绿色，基部有数枚线形小苞片；总苞片 1 层，线形或线状披针形，长 8 ~ 11 mm，宽 0.5 ~ 1 mm，先端尖或稍钝，边缘窄膜质，外面无毛或被疏生短刚毛。小花多数，全部管状，淡绿色或带红色；外围小花 1 ~ 2 层，雌性，花冠丝状，长 7 ~ 11 mm，先端 4 ~ 5

齿裂；中央小花两性，花冠细管状，长 8 ~ 12 mm，先端 5 齿裂。瘦果圆柱形，长 2.5 ~ 3 mm，具明显的肋。冠毛丰富，白色，长 7 ~ 8 mm。花果期 6 ~ 10 月。

| 生境分布 | 生于海拔 1 000 ~ 1 400 m 的山坡、林下、灌丛中或湿地上。湖北有分布。

| 采收加工 | 春、夏季采收。

| 功能主治 | 杀虫，止血。用于旱蚂蟥咬后流血不止。

菊科 Compositae 飞蓬属 *Erigeron*

飞蓬 *Erigeron acer* L.

|药材名|

飞蓬。

|形态特征|

二年生草本。茎单生，稀数个，高 5 ~ 60 cm，基部直径 1 ~ 4 mm，直立，上部或下部有分枝，绿色或紫色，具明显的条纹，被较密而开展的硬长毛，杂有疏贴短毛，在头状花序下部常被具柄腺毛，或近无毛，节间长 0.5 ~ 2.5 cm；基部叶较密集，花期常生存，倒披针形，长 1.5 ~ 10 cm，宽 0.3 ~ 1.2 cm，先端钝或尖，基部渐狭成长柄，全缘或极少具 1 至数个小尖齿，具不明显的 3 脉，中部和上部叶披针形，无柄，长 0.5 ~ 8 cm，宽 0.1 ~ 0.8 cm，先端急尖，最上部和枝上的叶极小，线形，具 1 脉，全部叶两面被较密或疏开展的硬长毛；头状花序多数，在茎枝端排列成密而窄或少有疏而宽的圆锥花序，或头状花序较少数，伞房状排列，长 6 ~ 10 mm，宽 11 ~ 21 mm；总苞半球形，总苞片 3 层，线状披针形，绿色，稀紫色，先端尖，背面被密或较密的开展的长硬毛，杂有具柄的腺毛，内层常短于花盘，长 5 ~ 7 mm，宽 0.5 ~ 0.8 mm，边缘膜质，外层几短于内层的 1/2；外层的雌花舌状，

长 5 ~ 7 mm，管部长 2.5 ~ 3.5 mm，舌片淡红紫色，少有白色，宽约 0.25 mm，较内层的雌花细管状，无色，长 3 ~ 3.5 mm，花柱与舌片同色，伸出管部 1 ~ 1.5 mm；中央的两性花管状，黄色，长 4 ~ 5 mm，管部长 1.5 ~ 2 mm，上部被疏贴微毛，檐部圆柱形，裂片无毛；瘦果长圆状披针形，长约 1.8 mm，宽 0.4 mm，扁压，被疏贴短毛；冠毛 2 层，白色，刚毛状，外层极短，内层长 5 ~ 6 mm。花期 7 ~ 9 月。

| 生境分布 | 生于山坡林缘或草地。分布于湖北巴东等。

| 功能主治 | 散寒解表，祛风除湿，活血化瘀，消炎止痛，化痰止咳。用于各种炎症，心脑血管疾病等。

菊科 Compositae 飞蓬属 *Erigeron*

一年蓬 *Erigeron annuus* (L.) Pers.

| 药 材 名 | 一年蓬。

| 形态特征 | 一年生或二年生草本，茎粗壮，高 30 ～ 100 cm，基部直径 6 mm，直立，上部有分枝，绿色，下部被开展的长硬毛，上部被较密的上弯的短硬毛。基部叶花期枯萎，长圆形或宽卵形，少有近圆形，长 4 ～ 17 cm，宽 1.5 ～ 4 cm，或更宽，先端尖或钝，基部狭成具翅的长柄，边缘具粗齿，下部叶与基部叶同形，但叶柄较短，中部和上部叶较小，长圆状披针形或披针形，长 1 ～ 9 cm，宽 0.5 ～ 2 cm，先端尖，具短柄或无柄，边缘有不规则的齿或近全缘，最上部叶线形，全部叶边缘被短硬毛，两面被疏短硬毛，或近无毛。头状花序数个或多数，排列成疏圆锥花序，长 6 ～ 8 mm，宽 10 ～ 15 mm，总苞

半球形，总苞片 3 层，草质，披针形，长 3 ~ 5 mm，宽 0.5 ~ 1 mm，近等长或外层稍短，淡绿色或多少褐色，背面密被腺毛和疏长节毛；外围的雌花舌状，2 层，长 6 ~ 8 mm，管部长 1 ~ 1.5 mm，上部被疏微毛，舌片平展，白色或淡天蓝色，线形，宽 0.6 mm，先端具 2 小齿，花柱分枝线形；中央的两性花管状，黄色，管部长约 0.5 mm，檐部近倒锥形，裂片无毛；瘦果披针形，长约 1.2 mm，扁压，被疏贴柔毛；冠毛异形，雌花的冠毛极短，膜片状连成小冠，两性花的冠毛 2 层，外层鳞片状，内层为 10 ~ 15 刚毛，毛长约 2 mm。花期 6 ~ 9 月。

| 生境分布 | 生于山坡、路边及田野中。湖北有分布。

| 采收加工 | 夏、秋季采收，洗净，鲜用或晒干。

| 功能主治 | 消食止泻，清热解毒，截疟。用于消化不良，胃肠炎，齿龈炎，疟疾，毒蛇咬伤。

菊科 Compositae 泽兰属 *Eupatorium*

大麻叶泽兰 *Eupatorium cannabinum* L.

| 药 材 名 | 大麻叶泽兰。

| 形态特征 | 多年生草本，高 50 ~ 150 cm。根茎粗壮，有节，生多数细根。茎直立，全部或下部淡紫红色，不分枝或仅在茎顶有伞房状花序分枝，茎基部直径达 5 cm；全部茎枝被短柔毛，花序分枝及花梗上的毛较密，花期中下部脱毛。叶对生，有短柄，柄长 0.5 cm；中下部茎生叶三全裂；中裂片大，长 6 ~ 11 cm，宽 2 ~ 3 cm，长椭圆形或长披针形，基部楔形或宽楔形，先端渐尖或长渐尖，侧生裂片小，与中裂片同形。上部茎生叶渐小，三全裂或不分裂，下部茎生叶花期脱落。全部茎生叶两面粗涩，质地稍厚，被稀疏白色短柔毛及腺点，下面及下面沿脉的毛较密，羽状脉，侧脉 5 ~ 6 对，边缘有锯

齿。头状花序多数在茎顶及枝端排成密集的复伞房花序，花序直径 5 ~ 8 cm。总苞钟状，长 6 mm，含 3 ~ 7 小花；总苞片 9 ~ 10，2 ~ 3 层，覆瓦状排列；外层短，卵状披针形，长 2 mm，外面被短柔毛；中内层苞片渐长，披针形，长 5 ~ 6 mm，边缘膜质，先端急尖并染紫红色。花紫红色、粉红色或淡白色，花冠长约 5 mm，外被稀疏黄色腺点。瘦果黑褐色，圆柱状，长 3 mm，5 棱，散布黄色腺点；冠毛白色，长约 5 mm。

| 生境分布 | 生于小山山顶、山坡草丛或村落竹林内。湖北有分布。

| 功能主治 | **枝叶**：解表祛湿，和中化湿。

菊科 Compositae 泽兰属 *Eupatorium*

佩兰 *Eupatorium fortunei* Turcz.

|药材名|

佩兰。

|形态特征|

多年生草本，高 40 ~ 100 cm。根茎横走，淡红褐色。茎直立，绿色或红紫色，基部直径达 0.5 cm，分枝少或仅在茎顶有伞房状花序分枝。全部茎枝被稀疏的短柔毛，花序分枝及花序梗上的毛较密。中部茎生叶较大，三全裂或三深裂，总叶柄长 0.7 ~ 1 cm；中裂片较大，长椭圆形或长椭圆状披针形或倒披针形，长 5 ~ 10 cm，宽 1.5 ~ 2.5 cm，先端渐尖，侧生裂片与中裂片同形但较小，上部的茎生叶常不分裂；或全部茎生叶不裂，披针形或长椭圆状披针形或长椭圆形，长 6 ~ 12 cm，宽 2.5 ~ 4.5 cm，叶柄长 1 ~ 1.5 cm。全部茎生叶两面光滑，无毛，无腺点，羽状脉，边缘有粗齿或不规则的细齿。中部以下茎生叶渐小，基部叶花期枯萎。头状花序多数在茎顶及枝端排成复伞房花序，花序直径 3 ~ 6（~ 10）cm。总苞钟状，长 6 ~ 7 mm；总苞片 2 ~ 3 层，覆瓦状排列，外层短，卵状披针形，中内层苞片渐长，长约 7 mm，长椭圆形；全部苞片紫红色，外面无毛，无腺点，先端钝。花白色或带微红色，花冠长约 5 mm，外面无腺点。瘦果黑褐色，长椭圆形，5 棱，长 3 ~ 4 mm，无毛，无腺点；冠毛白色，长约 5 mm。花果期 7 ~ 11 月。

| 生境分布 | 生于路边灌丛、溪边及山沟路旁。湖北有栽培和分布。

| 资源情况 | 野生和栽培。野生者罕见，栽培者较多。

| 功能主治 | 用于湿浊中阻，脘痞呕恶，口中甜腻，口臭，多涎，暑湿伤寒，头胀胸闷。

菊科 Compositae 泽兰属 *Eupatorium*

白头婆 *Eupatorium japonicum* Thunb.

| 药 材 名 | 白头婆。

| 形态特征 | 多年生草本，高 50 ~ 200 cm。根茎短，有多数细长侧根。茎直立，下部或至中部或全部淡紫红色，基部直径达 1.5 cm，通常不分枝，或仅上部有伞房状花序分枝，全部茎枝被白色皱波状短柔毛，花序分枝上的毛较密，茎下部或全部花期脱毛或疏毛。叶对生，有叶柄，柄长 1 ~ 2 cm，质地稍厚；中部茎生叶椭圆形、长椭圆形、卵状长椭圆形或披针形，长 6 ~ 20 cm，宽 2 ~ 6.5 cm，基部宽或狭楔形，先端渐尖，羽状脉，侧脉约 7 对，在下面凸起；自中部向上及向下部的叶渐小，与茎中部叶同形，基部茎生叶花期枯萎；全部茎生叶两面粗涩，被皱波状长或短柔毛及黄色腺点，下面、下面沿脉及叶

柄上的毛较密，边缘有粗或重粗锯齿。头状花序在茎顶或枝端排成紧密的伞房花序，花序直径通常 3 ~ 6 cm，少有大型复伞房花序而花序直径达 20 cm 的。总苞钟状，长 5 ~ 6 mm，含 5 小花；总苞片覆瓦状排列，3 层；外层极短，长 1 ~ 2 mm，披针形；中层及内层苞片渐长，长 5 ~ 6 mm，长椭圆形或长椭圆状披针形；全部苞片绿色或带紫红色，先端钝或圆形。花白色或带红紫色或粉红色，花冠长 5 mm，外面有较稠密的黄色腺点。瘦果淡黑褐色，椭圆状，长 3.5 mm，5 棱，被多数黄色腺点，无毛；冠毛白色，长约 5 mm。花果期 6 ~ 11 月。

| 生境分布 | 生于海拔 120 ~ 3 000 m 的丘陵地带的山坡向阳草丛中、沟边、密疏林下、灌丛中、水湿地及河岸水旁。湖北有分布。

| 功能主治 | 清热解毒，祛暑发表，化湿和中，理气活血。用于暑湿伤寒，发热头痛，胸闷腹胀，消化不良，胃肠炎，感冒，咳嗽，咽喉炎，扁桃体炎，月经不调，跌打损伤，痈肿，蛇咬伤。

菊科 Compositae 牛膝菊属 *Galinsoga*

牛膝菊 *Galinsoga parviflora* Cav.

| 药 材 名 |

牛膝菊。

| 形态特征 |

一年生草本，高 10 ~ 80 cm。茎纤细，基部直径不足 1 mm，或粗壮，基部直径约 4 mm，不分枝或自基部分枝，分枝斜升，全部茎枝被疏散或上部稠密的贴伏短柔毛和少量腺毛，茎基部和中部花期脱毛或毛稀疏。叶对生，卵形或长椭圆状卵形，长 2.5 ~ 5.5 cm，宽 1.2 ~ 3.5 cm，基部圆形、宽或狭楔形，先端渐尖或钝，基出脉 3 或不明显 5 脉，在叶下面稍凸起，在上面平，有叶柄，柄长 1 ~ 2 cm；向上及花序下部的叶渐小，通常披针形；全部茎生叶两面粗涩，被白色稀疏贴伏的短柔毛，沿脉和叶柄上的毛较密，边缘具浅或钝锯齿或波状浅锯齿，在花序下部的叶有时全缘或近全缘。头状花序半球形，有长花梗，多数在茎枝先端排成疏松的伞房花序，花序直径约 3 cm。总苞半球形或宽钟状，宽 3 ~ 6 mm；总苞片 1 ~ 2 层，约 5，外层短，内层卵形或卵圆形，长 3 mm，先端圆钝，白色，膜质。舌状花 4 ~ 5，舌片白色，先端 3 齿裂，筒部细管状，外面被稠密白色短柔毛；管状花花冠长

约 1 mm，黄色，下部被稠密的白色短柔毛。托片倒披针形或长倒披针形，纸质，先端 3 裂或不裂或侧裂。瘦果长 1 ~ 1.5 mm，有 3 棱，或中央的瘦果 4 ~ 5 棱，黑色或黑褐色，常压扁，被白色微毛。舌状花冠毛毛状，脱落；管状花冠毛膜片状，白色，披针形，边缘流苏状，固结于冠毛环上，正体脱落。花果期 7 ~ 10 月。

| 生境分布 | 生林下、河谷地、荒野、河边、田间、溪边或市郊路旁。湖北有分布。

| 功能主治 | 清热解毒，止咳平喘，止血。用于扁桃体炎，咽喉炎，咳喘，肺结核，疔疮，外伤出血等。

菊科 Compositae 毛大丁草属 *Gerbera*

毛大丁草 *Gerbera piloselloides* (L.) Cass.

| 药材名 | 毛大丁草。

| 形态特征 | 多年生被毛草本。根茎短，粗直或呈曲膝状，为残存的叶柄所围裹，具较粗的须根。叶基生，莲座状，叶片干时上面变黑色，纸质，倒卵形、倒卵状长圆形或长圆形，稀卵形，长 6 ~ 16 cm，宽 2.5 ~ 5.5 cm，先端圆，基部渐狭或钝，全缘，上面被疏粗毛，老时脱毛，下面密被白色蛛丝状绵毛，边缘有灰锈色睫毛；中脉在下面粗壮，并显著凸起，侧脉 6 ~ 8 对，极纤细，基部与中脉平行并下延至下一侧脉基部汇合，网脉不明显；叶柄长短不等，长 1 ~ 7.5 cm，被绵毛。花葶单生或数个丛生，通常长 15 ~ 30 cm，有时长可达 45 cm，先端棒状增粗，无苞叶，罕有具 1 钻形苞叶者，密被毛，毛愈向顶部愈密，下部的呈灰白色，中部的淡锈色，上部的黄褐色。

头状花序单生于花葶之顶，花期直径 2.5 ~ 4 cm；总苞盘状，开展，长于冠毛而略短于舌状花冠；总苞片 2 层，线形或线状披针形，先端渐尖，外层的短而狭，长 8 ~ 11 mm，宽 0.7 ~ 1 mm，内层的长 14 ~ 18 mm，宽 1 ~ 1.5 mm，背面除干膜质的边缘外，被锈色绒毛；花托裸露，蜂窝状，直径约 6 mm；外围雌花 2 层，外层花冠舌状，长 16 ~ 18 mm，舌片上面白色，背面微红色，倒披针形或匙状长圆形，长为花冠管的数倍，先端有不明显的 3 细齿，檐部内 2 裂丝状，卷曲，长 2 ~ 3 mm，退化雄蕊丝状或毛状，隐藏于花冠管中；内层雌花花冠管状，二唇形，长 10 ~ 12 mm，外唇大，先端具 3 细齿，内唇短，2 深裂，退化雄蕊长圆形，基部有不明显的短尾，先端具钩；中央两性花多数，花冠长约 12 mm，冠檐扩大成二唇状，外唇 3 裂，内唇 2 深裂，裂片长 2 ~ 2.5 mm；花药长约 4.5 mm，先端平截，基部的尾长约 1 mm；花柱分枝略扁，先端钝，长约 1 mm。瘦果纺锤形，具 6 纵棱，被白色细刚毛，长 4.5 ~ 6.5 mm，先端具长 7 ~ 8 mm、无毛的喙；冠毛橙红色或淡褐色，微粗糙，宿存，长约 11 mm，基部联合成环。花期 2 ~ 5 月及 8 ~ 12 月。

| 生境分布 | 生于向阳山坡草地和林边。湖北有分布。

| 功能主治 | 宣肺，止咳，发汗，利水，行气，活血。用于伤风咳嗽，哮喘，水肿，胀满，小便不通，小儿食积，闭经，跌打损伤，痈疽，疔疮，流注。

菊科 Compositae 鼠麹草属 *Gnaphalium*

鼠麹草 *Gnaphalium affine* D. Don

| 药 材 名 | 鼠麹草。

| 形态特征 | 一年生草本。茎直立或基部发出的枝下部斜升，高 10 ~ 40 cm 或更高，基部直径约 3 mm，上部不分枝，有沟纹，被白色厚绵毛，节间长 8 ~ 20 mm，上部节间罕有达 5 cm。叶无柄，匙状倒披针形或倒卵状匙形，长 5 ~ 7 cm，宽 11 ~ 14 mm，上部叶长 15 ~ 20 mm，宽 2 ~ 5 mm，基部渐狭，稍下延，顶端圆，具刺尖头，两面被白色绵毛，上面常较薄，叶脉 1，脉在下面不明显。头状花序较多或较少，直径 2 ~ 3 mm，近无柄，在枝顶密集成伞房花序，花黄色至淡黄色；总苞钟形，直径 2 ~ 3 mm；总苞片 2 ~ 3 层，金黄色或柠檬黄色，膜质，有光泽，外层倒卵形或匙状倒卵形，背面基部被绵毛，

顶端圆，基部渐狭，长约 2 mm，内层长匙形，背面通常无毛，顶端钝，长 2.5 ~ 3 mm；花托中央稍凹入，无毛。雌花多数，花冠细管状，长约 2 mm，花冠顶端扩大，3 齿裂，裂片无毛。两性花较少，管状，长约 3 mm，向上渐扩大，檐部 5 浅裂，裂片三角状渐尖，无毛。瘦果倒卵形或倒卵状圆柱形，长约 0.5 mm，有乳头状突起。冠毛粗糙，污白色，易脱落，长约 1.5 mm，基部联合成 2 束。花期 1 ~ 4 月，果期 8 ~ 11 月。

| 生境分布 | 生于山谷荒地中。湖北有分布。

| 采收加工 | **全草**：5 ~ 6 月开花时采收，晒干或鲜用。

| 功能主治 | 疏风清热，利尿通淋，解毒，明目。用于结膜炎，角膜白斑，感冒，咳嗽，咽喉肿痛，尿道炎；外用于乳腺炎，痈疖肿毒，毒蛇咬伤，跌打损伤。

菊科 Compositae 鼠麹草属 *Gnaphalium*

秋鼠麹草 *Gnaphalium hypoleucum* DC.

| 药 材 名 | 秋鼠麹草。

| 形态特征 | 粗壮草本。茎高达 70 cm，基部木质，上部有斜升分枝，被白色厚绵毛。叶线形，长约 8 cm，基部稍抱茎，上面有腺毛，或沿中脉被疏蛛丝状毛，下面被白色绵毛，叶脉 1，无柄。头状花序直径约 4 mm，无或有短梗，在枝端密集成伞房状；花黄色；总苞球形，直径约 4 mm，总苞片 4 层，金黄色或黄色，有光泽，膜质或上半部膜质，外层倒卵形，背面被白色绵毛，内层线形，背面无毛。瘦果卵圆形或卵状圆柱形，先端平截，无毛，长约 0.4 mm；冠毛绢毛状，粗糙，污黄色，易脱落，基部分离。花期 8 ~ 12 月。

| 生境分布 | 生于海拔 200 ~ 800 m 的空旷沙土地或山地路旁及山坡上。分布于

湖北恩施等。

| 采收加工 | 全草：夏、秋季采收，鲜用或晒干备用。

| 功能主治 | 祛风止咳，清热利湿。用于感冒，肺热咳嗽，泄泻，痢疾，瘰疬，下肢溃疡。

| 附　　注 | 与本植物相近的有同属植物鼠麹草（*Gnaphalium affine* D. Don.），植物较矮，高 10 ~ 40 cm，茎自基部即分枝，叶两面密生白绵毛。春季开花。效用类似，民间常混用。

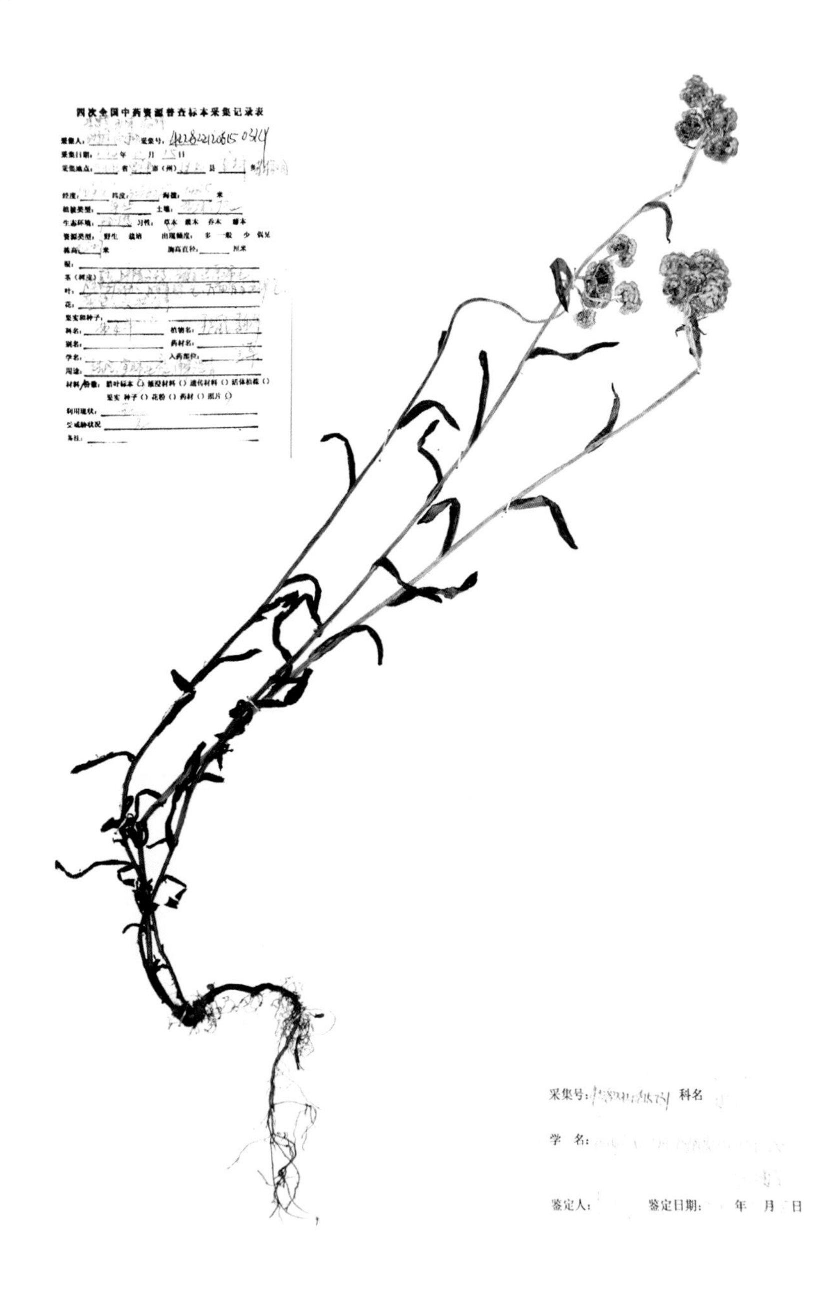

菊科 Compositae 鼠麹草属 *Gnaphalium*

细叶鼠麹草 *Gnaphalium japonicum* Thunb.

| 药 材 名 | 细叶鼠麹草。

| 形态特征 | 一年生细弱草本。茎稍直立，不分枝或自基部发出数条匍匐的小枝，高 8 ~ 27 cm，基部直径约 1 mm，有细沟纹，密被白色绵毛，基部节间不明显，花葶节间长 1 ~ 3 cm，紧接于花序下的最长，有时可达 9 cm。基生叶在花期宿存，呈莲座状、线状剑形或线状倒披针形，长 3 ~ 9 cm，宽 3 ~ 7 mm，基部渐狭，下延，先端具短尖头，边缘多少反卷，上面绿色，疏被绵毛，下面白色，厚被白色绵毛，叶脉 1，在上面常凹入或几不显著，在下面明显凸起，茎生叶（花葶的叶）少数，线状剑形或线状长圆形，长 2 ~ 3 cm，宽 2 ~ 3 mm，其余与基生叶相似；紧接复头状花序下面有 3 ~ 6 呈放射状或星芒

状排列的线形或披针形小叶。头状花序少数，直径 2 ~ 3 mm，无梗，在枝端密集成球状，作复头状花序式排列，花黄色；总苞近钟形，直径约 3 mm；总苞片 3 层，外层宽椭圆形，干膜质，带红褐色，长约 3 mm，先端钝，背面被疏毛，中层倒卵状长圆形，上部带红褐色，长约 4 mm，基部渐狭，先端钝或骤然紧缩而具短尖头，内层线形，长约 5 mm，先端钝而带红褐色，3/5 处以下为浅绿色。雌花多数，花冠丝状，长约 4 mm，先端 3 齿裂。两性花少数，花冠管状，长约 4 mm，顶部稍扩大，檐部 5 浅裂，裂片先端骤然紧缩而具短尖头。瘦果纺锤状圆柱形，长约 1 mm，密被棒状腺体。冠毛粗糙，白色，长约 4 mm。花期 1 ~ 5 月。

| **生境分布** | 生于海拔 500 ~ 1 500 m 的山坡草丛或路边。湖北有分布。

| **采收加工** | **全草**：春季开花后采收，晒干或鲜用。

| **功能主治** | 疏风清热，利尿通淋，解毒，明目。用于结膜炎，角膜白斑，感冒，咳嗽，咽喉肿痛，尿道炎；外用于乳腺炎，痈疖肿毒，毒蛇咬伤，跌打损伤。

菊科 Compositae 鼠麹草属 *Gnaphalium*

丝棉草 *Gnaphalium luteoalbum* L.

| 药材名 | 丝棉草。

| 形态特征 | 一年生草本。茎直立或基部倾斜，高 10 ~ 40 cm 或更高，基部直径 1 ~ 2 mm，不分枝或基部罕有少数分枝，有沟纹，被白色厚绵毛，节间长 1 ~ 2 cm，上部有时可达 5 cm。下部叶匙形，长 3 ~ 6 cm，宽 5 ~ 10 mm，基部稍狭，下延，先端钝圆，两面被白色厚绵毛，有时上面较薄，具 1 叶脉；上部叶匙状长圆形或罕有线形，长 2 ~ 5 cm，宽 2 ~ 7 mm，基部略抱茎，先端钝或短尖。头状花序较多或较少，直径 2 ~ 3 mm，近无柄，在枝顶密集成伞房花序，花淡黄色；总苞近钟形，长 2 ~ 3 mm；总苞片 2 ~ 3 层，黄白色、麦秆黄色或亮褐色，有光泽，外层倒卵形，背面脊上被绵毛，先端圆，

基部狭，具爪，长约 2 mm，内层长匙形，长 2.5 ~ 3 mm，背面无毛。雌花多数，花冠丝状，长约 2 mm，先端扩大呈喇叭状，檐部 3 ~ 4 齿裂，裂片无毛，花柱分枝先端钝。两性花少数，长约 3 mm，花冠管向上渐扩大，檐部 5 浅裂，裂片三角形，无毛。瘦果圆柱形或倒卵状圆柱形，长约 0.5 mm，有乳头状突起。冠毛粗糙，污白色，长 1.5 ~ 2 mm。花期 5 ~ 9 月。

| 生境分布 | 生于耕地、路旁、山坡草丛、湿润的丘陵和山坡草地、溪沟岸边、田埂。分布于湖北西部。

| 采收加工 | **全草：**春季开花时采收，去净杂质，晒干，贮藏干燥处。鲜品随采随用。

| 功能主治 | 化痰止咳，祛风除湿，解毒。用于咳喘痰多，风湿痹痛，泄泻，水肿，蚕豆病，赤白带下，痈肿疔疮，阴囊湿痒，荨麻疹，高血压。

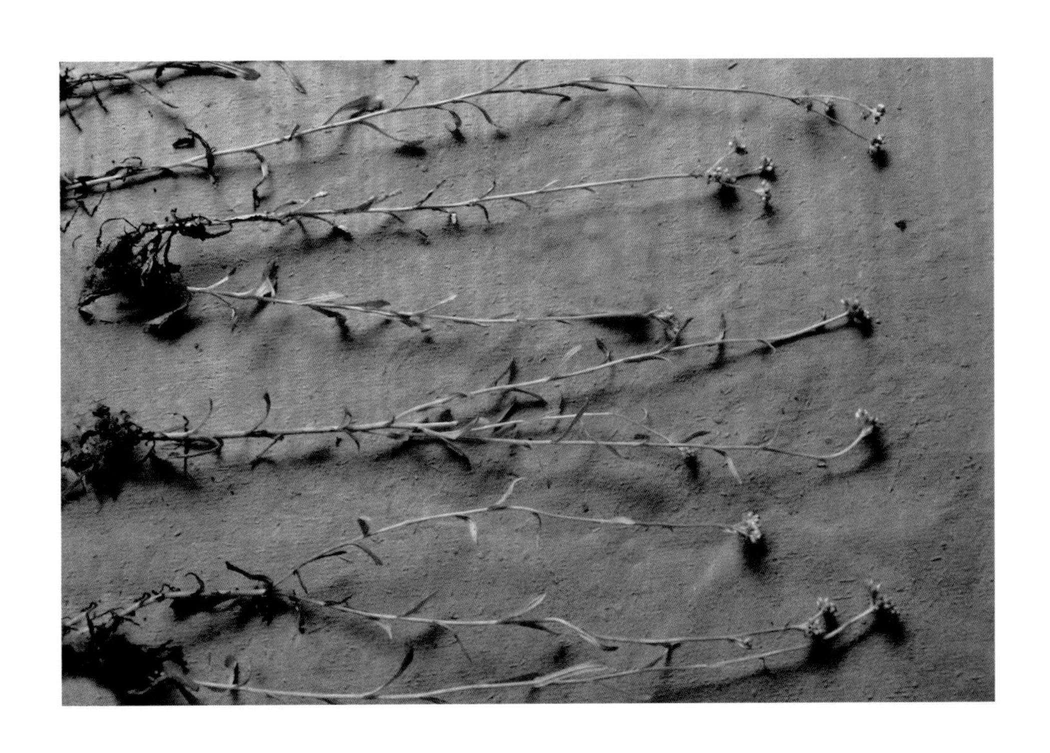

菊科 Compositae 鼠麴草属 *Gnaphalium*

南川鼠麴草 *Gnaphalium nanchuanense* Ling et Tseng (Compositae)

| 药 材 名 | 南川鼠麴草。

| 形态特征 | 直立草本，有纤细的须根。茎不分枝，高 30 ~ 40 cm，基部直径 3 ~ 4 mm，具细纵纹，密被白色绵毛，节间长 0.5 ~ 1 cm，下部节间极短，叶密集。基生叶簇生，较短，在花期凋萎或仅有少数的残存叶基，变黑褐色；茎生叶线形，长 4 ~ 6 cm，宽 2 ~ 3 mm，基部稍狭，先端尖或短尖，上面绿色，被疏毛，下面被白色厚绵毛，叶脉 1，明显，在下面稍凸起；上部叶渐小，近丝状，长约 3 cm，宽 1 ~ 1.5 mm。头状花序约由 65 小花所组成，直径 2 ~ 3 mm，在先端再密集成具叶的穗状花序；穗状花序长 3 ~ 5 cm，稀有达 8 cm，密集而宽，基部较狭；总苞圆筒状，直径 2 ~ 3 mm，长约

5 mm；总苞片 3 ～ 4 层，草质，黄褐色，先端通常有齿裂，外层卵形，长约 2 mm，先端带褐色，内层长圆形，长 3 ～ 5 mm，宽 0.5 ～ 1 mm，近先端有褐色条纹。雌花约 60，花冠丝状，长 3 ～ 4 mm，先端 2 ～ 3 浅裂，无毛。两性花约 5，花冠管状，与雌花近等长，先端多少扩大，檐部 5 浅裂，裂片卵状短尖，花柱分枝内藏，先端钝，头状；花药 5，先端三角形，基部具芒尖的尾部。瘦果圆柱形，长约 1 mm，被白色疏毛。冠毛污白色，糙毛状，长约 3 mm，基部连合成环。花期 7 ～ 8 月。

| **生境分布** | 生于海拔 2 000 ～ 2 200 m 的草坡上。分布于湖北西部。

| **采收加工** | **全草**：夏末花期采收，鲜用或晒干。

| **功能主治** | 疏风清热，利尿通淋，解毒，明目。用于结膜炎，角膜白斑，感冒，咳嗽，咽喉肿痛，尿道炎；外用于乳腺炎，痈疖肿毒，毒蛇咬伤，跌打损伤。

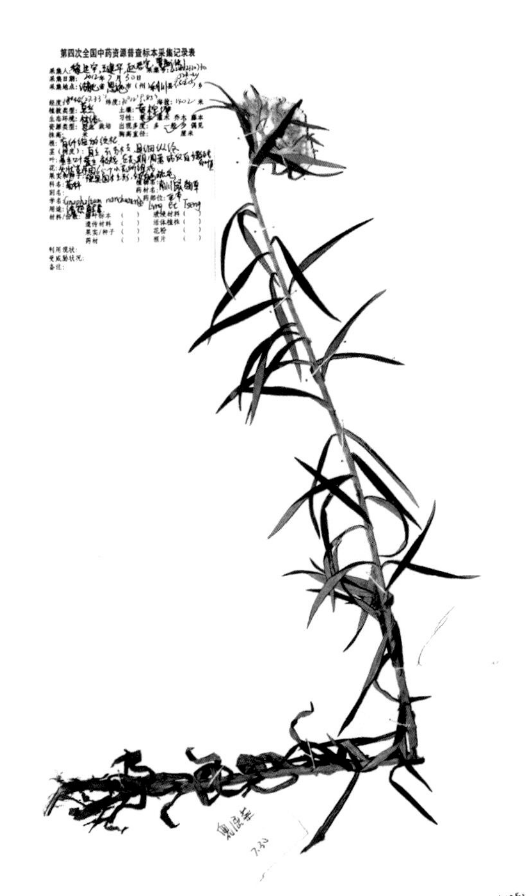

菊科 Compositae 鼠麴草属 *Gnaphalium*

匙叶鼠麴草 *Gnaphalium pensylvanicum* Willd.

| 药 材 名 | 匙叶鼠麴草、匙叶合冠鼠麴草。

| 形态特征 | 一年生草本。茎直立或斜升，高 30 ~ 45 cm，基部直径 3 ~ 4 mm，基部斜倾分枝或不分枝，有沟纹，被白色绵毛，节间长 2 ~ 3 cm。下部叶无柄，倒披针形或匙形，长 6 ~ 10 cm，宽 1 ~ 2 cm，基部长渐狭，下延，先端钝、圆，或有时中脉延伸呈刺尖状，全缘或微波状，上面被疏毛，下面密被灰白色绵毛，侧脉 2 ~ 3 对，细弱，

有时不明显；中部叶倒卵状长圆形或匙状长圆形，长 2.5 ~ 3.5 cm，叶片于中上部向下渐狭而长下延，先端钝、圆或中脉延伸呈刺尖状；上部叶小，与中部叶同形。头状花序多数，长 3 ~ 4 mm，宽约 3 mm，数个成束簇生，再排列成顶生或腋生、紧密的穗状花序；总苞卵形，直径约 3 mm；总苞片 2 层，污黄色或麦秆黄色，膜质，外层卵状长圆形，长约 3 mm，先端钝或略尖，背面被绵毛；内层与外层近等长，稍狭，线形，先端钝、圆，背面疏被绵毛；花托干时除四周边缘外几完全凹入，无毛。雌花多数，花冠丝状，长约 3 mm，先端 3 齿裂，花柱分枝较两性花的长。两性花少数，花冠管状，向上渐扩大，檐部 5 浅裂，裂片三角形或先端近浑圆，无毛。瘦果长圆形，长约 0.5 mm，有乳头状突起。冠毛绢毛状，污白色，易脱落，长约 2.5 mm，基部连合成环。花期 12 月至翌年 5 月。

| 生境分布 | 生于低海拔至中海拔地区的屋旁、田边与荒地上。湖北有分布。

| 功能主治 | 止咳化痰，平喘，降血压，祛风湿。用于感冒，风湿关节痛。

菊科 Compositae 田基黄属 *Grangea*

田基黄 *Grangea maderaspatana* (L.) Poir.

| 药 材 名 | 田基黄。

| 形态特征 | 一年生草本，高 10 ~ 30 cm。茎纤细，基部直径 1 ~ 2 mm，通常有铺展分枝，被白色长柔毛，或下部花期毛稀疏或光滑。叶两面被短柔毛及棕黄色小腺点，下面及沿脉的毛较密。叶倒卵形、倒披针形或倒匙形，长 3.5 ~ 7.5 cm，宽 1.5 ~ 2.5 cm，基生叶有时长达 10 cm、宽达 4 cm，无柄，基部通常耳状贴茎，中脉在下面微凸出，竖琴状半裂或大头羽状分裂；顶裂片倒卵形或几圆形，边缘有锯齿；侧裂片 2 ~ 5 对；上部叶渐小。头状花序中等大小，球形，直径 8 ~ 10 mm，单生于茎顶或枝端，稀 2 组生。总苞宽杯状；总苞片 2 ~ 3 层；外层苞片披针形或长披针形，长 4 ~ 8 mm，边缘有撕

裂状缘毛，内层苞片倒披针形或倒卵形，先端钝，基部有明显的爪。花托凸起。小花花冠外面被稀疏的棕黄色小腺点；雌花 2 ～ 6 层，花冠线形，长约 1 mm，黄色，先端有 3 ～ 4 短齿；两性花长约 1.5 mm，短钟状，先端有 5 卵状三角形的裂片。瘦果扁，通常多少有明显的加厚边缘，被多数棕黄色小腺点，先端截形，环状加厚，环缘有鳞片状、片毛状、锥状、齿状撕裂的冠毛。花果期 3 ～ 8 月。

| 生境分布 | 生于干燥荒地、河边沙滩、水旁向阳处及疏林灌丛中。湖北有分布。

| 采收加工 | **全草**：春、夏季开花时采收，晒干或鲜用。

| 功能主治 | 清热解毒，利湿退黄，消肿散瘀。用于湿热黄疸，肠痈，目赤肿痛，热毒疮肿，急、慢性肝炎，早期肝硬化，肝区疼痛，阑尾炎，乳腺炎，肺脓肿；外用于痈疖肿毒，外伤积瘀肿痛，毒蛇咬伤，带状疱疹。

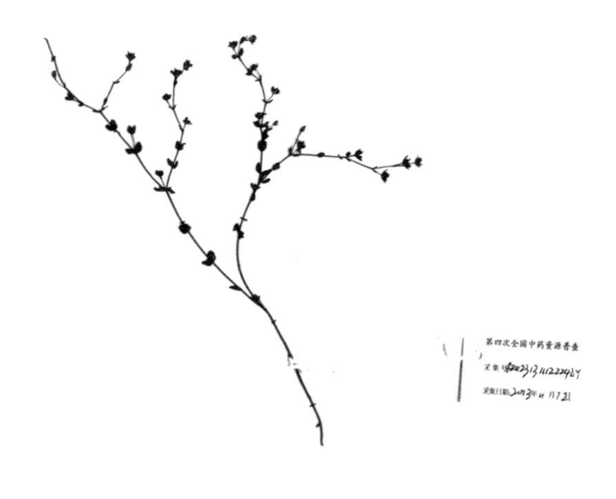

菊科 Compositae 菊三七属 *Gynura*

红凤菜 *Gynura bicolor* (Willd.) DC.

|药材名| 红凤菜。

|形态特征| 多年生草本植物。株高 0.5 ~ 1 m，全株无毛，茎为直立，上部是伞房状分枝，中部叶倒卵形或倒披针形，稀长圆状披针形，长 5 ~ 10 cm，基部渐窄成具翅叶柄，或近无柄而多少扩大，边缘有波状齿或小尖齿，稀近基部羽状浅裂，侧脉 7 ~ 9 对，两面无毛；上部叶和分枝叶披针形或线状披针形，具短柄或近无柄。头状花序多数，排成疏伞房状，花序梗有 1 ~ 2 丝状苞片；总苞窄钟状，长 1.1 ~ 1.5 cm，基部有 7 ~ 9 线形小苞片，总苞片约 13，线状披针形或线形，长 1.1 ~ 1.5 cm，背面无毛；小花橙黄色或红色，花冠伸出总苞，长 1.3 ~ 1.5 cm；瘦果圆柱形，淡褐色，具 10 ~ 15 肋，

无毛；冠毛易脱落。花果期 5 ~ 10 月。

| 生境分布 | 生于海拔 600 ~ 1 500 m 的山坡林下或河边湿处。分布于湖北神农架等。

| 采收加工 | **全草**：全年均可采收，鲜用或晒干。

| 功能主治 | 清热凉血，解毒消肿。用于咯血，崩漏，外伤出血，痛经，痢疾，疮疡肿毒，跌打损伤，溃疡久不收敛。

菊科 Compositae 菊三七属 *Gynura*

菊三七 *Gynura japonica* (L. f.) Juel

| 药 材 名 | 菊三七。

| 形态特征 | 高大多年生草本，高 60 ~ 150 cm，或更高。根粗大成块状，直径 3 ~ 4 cm，有多数纤维状根茎直立，中空，基部木质，直径达 15 mm，有明显的沟棱，幼时被卷柔毛，后变无毛，多分枝，小枝斜升。基部叶在花期常枯萎。基部和下部叶较小，椭圆形，不分裂至大头羽状分裂，顶裂片大，中部叶大，具长或短柄，叶柄基部有圆形、具齿或羽状分裂的叶耳，多少抱茎；叶片椭圆形或长圆状椭圆形，长 10 ~ 30 cm，宽 8 ~ 15 cm，羽状深裂，顶裂片大，倒卵形，长圆形至长圆状披针形，侧生裂片 3 ~ 6 对，椭圆形、长圆形至长圆状线形，长 1.5 ~ 5 cm，宽 0.5 ~ 2 cm，先端尖或渐尖，边

缘有大小不等的粗齿或锐锯齿、缺刻，稀全缘。上面绿色，下面绿色或变紫色，两面被贴生短毛或近无毛。上部叶较小，羽状分裂，渐变成苞叶。头状花序多数，直径 1.5 ~ 1.8 cm，花茎枝端排成伞房状圆锥花序；每一花序枝有 3 ~ 8 头状花序；花序梗细，长 1 ~ 3 cm，被短柔毛，有 1 ~ 3 线形的苞片；总苞狭钟状或钟状，长 10 ~ 15 mm，宽 8 ~ 15 mm，基部有 9 ~ 11 线形小苞片；总苞片 1 层，13，线状披针形，长 10 ~ 15 mm，宽 1 ~ 1.5 mm，先端渐尖，边缘干膜质，背面无毛或被疏毛。小花 50 ~ 100，花冠黄色或橙黄色，长 13 ~ 15 mm，管部细，长 10 ~ 12 mm，上部扩大，裂片卵形，先端尖；花药基部钝；花柱分枝有钻形附器，被乳头状毛。瘦果圆柱形，棕褐色，长 4 ~ 5 mm，具 10 肋，肋间被微毛。冠毛丰富，白色，绢毛状，易脱落。花果期 8 ~ 10 月。

| 生境分布 | 生于海拔 1 200 ~ 3 000 m 的山谷、山坡草地、林下或林缘。分布于湖北利川、当阳、神农架。

| 采收加工 | **根**：秋、冬季采挖，除去残茎、须根及泥土，晒干。

全草：夏、秋季采收，洗净，鲜用或晒干。

| 功能主治 | 散瘀止血，解毒消肿，止痛。用于跌打损伤，创伤出血，吐血，产后腹痛。

菊科 Compositae 旋覆花属 *Inula*

羊耳菊 *Inula cappa* (Buch.-Ham.) DC.

| 药 材 名 | 羊耳菊。

| 形态特征 | 亚灌木。根茎粗壮，多分枝。茎直立，高 70 ~ 200 cm，粗壮，全部被污白色或浅褐色绢状或棉状密茸毛，上部或从中部起有分枝，全部有多少密生的叶；下部叶在花期脱落后留有被白色或污白色绵毛的腋芽。叶多少开展，长圆形或长圆状披针形；中部叶长 10 ~ 16 cm，有长约 0.5 cm 的柄，上部叶渐小近无柄；全部叶基部圆形或近楔形，先端钝或急尖，边缘有小尖头状细齿或浅齿，上面被基部疣状的密糙毛，沿中脉被较密的毛，下面被白色或污白色绢状厚茸毛；中脉和 10 ~ 12 对侧脉在下面高起，网脉明显。头状花序倒卵圆形，宽 5 ~ 8 mm，多数密集于茎和枝端成聚伞圆锥花序；

被绢状密茸毛。有线形的苞叶。总苞近钟形，长 5 ~ 7 mm；总苞片约 5 层，线状披针形，外层是内层的 1/4 ~ 1/3，先端稍尖，外面被污白色或带褐色绢状茸毛。小花长 4 ~ 5.5 mm；边缘的小花舌片短小，有 3 ~ 4 裂片，或无舌片而有 4 退化雄蕊；中央的小花管状，上部有三角状卵圆形裂片；冠毛污白色，约与管状花花冠同长，具 20 余糙毛。瘦果长圆柱形，长约 1.8 mm，被白色长绢毛。花期 6 ~ 10 月，果期 8 ~ 12 月。

| 生境分布 | 生于海拔 500 ~ 3 100 m 的亚热带和热带的低山和亚高山的湿润或干燥丘陵地、荒地、灌丛或草地。湖北有分布。

| 采收加工 | 夏、秋季采割全草，春、秋季挖根，洗净鲜用或晒干备用。

| 功能主治 | 祛风，行气利湿，解毒消肿。用于风寒感冒，咳嗽，头痛，胃痛，风湿腰腿痛，疟疾，泄泻，痢疾，肝炎，产后感冒，月经不调，痔疮，疥癣，跌打肿痛。

菊科 Compositae 旋覆花属 *Inula*

土木香 *Inula helenium* L.

| 药材名 | 土木香。

| 形态特征 | 多年生草本，根茎块状，有分枝。茎直立，高 60 ~ 150 cm 或达 250 cm，粗壮，直径达 1 cm，不分枝或上部有分枝，被开展的长毛，下部有较疏的叶；节间长 4 ~ 15 cm，基部叶和下部叶在花期常生存，基部渐狭成具翅长达 20 cm 的柄，连同柄长 30 ~ 60 cm，宽 10 ~ 25 cm；叶片椭圆状披针形，边缘有不规则的齿或重齿，先端尖，上面被基部疣状的糙毛，下面被黄绿色密茸毛；中脉和近 20 对的侧脉在下面稍高起，网脉明显；中部叶卵圆状披针形或长圆形，长 15 ~ 35 cm，宽 5 ~ 18 cm，基部心形，半抱茎；上部叶较小，披针形。头状花序少数，直径 6 ~ 8 cm，排列成伞房状花序；花序

梗长 6 ~ 12 cm，为多数苞叶所围裹；总苞 5 ~ 6 层，外层草质，宽卵圆形，先端钝，常反折，被茸毛，宽 6 ~ 9 mm，内层长圆形，先端扩大成卵圆状三角形，干膜质，背面有疏毛，有缘毛，较外层长 3 倍，最内层线形，先端稍扩大或狭尖。舌状花黄色；舌片线形，长 2 ~ 3 cm，宽 2 ~ 2.5 mm，先端有 3 ~ 4 浅裂片；管状花长 9 ~ 10 mm，有披针形裂片。冠毛污白色，长 8 ~ 10 mm，有极多数具细齿的毛。瘦果四面形或五面形，有棱和细沟，无毛，长 3 ~ 4 mm。花期 6 ~ 9 月。

| 生境分布 | 生于海拔 1 800 ~ 2 000 m 的山沟、路边、荒地、溪边、河谷及田埂边。湖北有分布。

| 采收加工 | **根：**秋、冬季采挖，将根刨出，除去茎叶、泥沙和须根，将根切成 10 cm 左右长段，更大的要纵剖成瓣，风干、晒干或低温烘干，干燥后应撞去粗皮。

| 功能主治 | 健脾和胃，行气止痛。用于胸胁、脘腹胀痛，呕吐泻痢，气滞疼痛，胎动不安等。

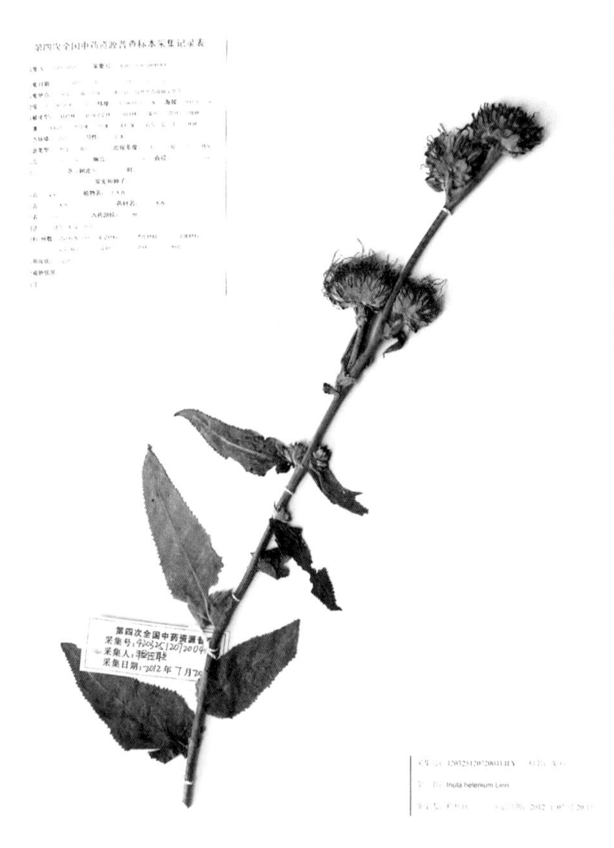

菊科 Compositae 旋覆花属 *Inula*

湖北旋覆花 *Inula hupehensis* (Ling) Ling

| 药材名 |

旋覆花。

| 形态特征 |

多年生草本。根茎横走；茎基部有不定根。茎从膝曲的基部直立或斜升，高 30 ~ 50 cm，基部直径达 5 mm，被柔毛，下部常脱毛，上部有较密的长柔毛，有细沟，上部有少数开展的伞房状分枝，节间长 1 ~ 2 cm。叶长圆状披针形至披针形，长 6 ~ 10 cm，宽 1.5 ~ 2.5 cm；下部叶较小，在花期枯萎，中部以上叶无柄，基部稍狭并扩大成圆耳形，抱茎，边缘有小尖头状疏锯齿，先端渐尖，下面有黄色腺点，脉上有短柔毛，上面无毛；中脉和 7 ~ 8 对侧脉在下面稍高起，网脉明显。头状花序单生于枝端，直径 2.5 ~ 3.5 cm。总苞半球形，直径 1 ~ 1.3 cm，长 5 ~ 7 mm；总苞片近等长，外层叶质或上部叶质，线状披针形，有腺点，被柔毛；内层线状披针形，无毛，边缘宽膜质，有缘毛。舌状花较总苞长 3 倍，舌片黄色，线形，长约 15 mm，先端有 3 齿；管状花花冠长约 3 mm，有披针形裂片，裂片有腺点；冠毛白色，约与花冠管部同长，有 5 或稍多的微糙毛。瘦果近圆柱形，先端截形，有 10 深陷的纵沟，无毛。花期 6 ~ 8 月，果期 8 ~ 9 月。

| **生境分布** | 生于海拔 1 300 ~ 1 900 m 的林下和山坡草地。分布于湖北西南部。

| **采收加工** | 夏、秋季采摘即将开放的花序，晒干。

| **功能主治** | 降气，消痰，行水，止呕。用于风寒咳嗽，痰饮蓄结，胸膈痞闷，咳喘痰多，呕吐噫气，心下痞硬。

菊科 Compositae 旋覆花属 *Inula*

旋覆花 *Inula japonica* Thunb.

|药 材 名| 旋覆花。

|形态特征| 多年生草本。根茎短，横走或斜升，有多少粗壮的须根。茎单生，有时 2 ~ 3 簇生，直立，高 30 ~ 70 cm，有时基部具不定根，基部直径 3 ~ 10 mm，有细沟，被长伏毛，或下部有时脱毛，上部有上升或开展的分枝，全部有叶；节间长 2 ~ 4 cm。基部叶常较小，在花期枯萎；中部叶长圆形、长圆状披针形或披针形，长 4 ~ 13 cm，宽 1.5 ~ 3.5 cm，稀 4 cm，基部多少狭窄，常有圆形半抱茎的小耳，无柄，先端稍尖或渐尖，边缘有小尖头状疏齿或全缘，上面有疏毛或近无毛，下面有疏伏毛和腺点；中脉和侧脉有较密的长毛；上部叶渐狭小，线状披针形。头状花序直径 3 ~ 4 cm，多数或少

数排列成疏散的伞房花序；花序梗细长。总苞半球形，直径 13 ~ 17 mm，长 7 ~ 8 mm；总苞片约 6 层，线状披针形，近等长，但最外层常叶质而较长；外层基部革质，上部叶质，背面有伏毛或近无毛，有缘毛；内层除绿色中脉外干膜质，渐尖，有腺点和缘毛。舌状花黄色，较总苞长 2 ~ 2.5 倍；舌片线形，长 10 ~ 13 mm；管状花花冠长约 5 mm，有三角状披针形裂片；冠毛 1 层，白色，有 20 余微糙毛，与管状花近等长。瘦果长 1 ~ 1.2 mm，圆柱形，有 10 沟，先端截形，被疏短毛。花期 6 ~ 10 月，果期 9 ~ 11 月。

| **生境分布** | 生于海拔 150 ~ 2 400 m 的山坡路旁、湿润草地、河岸和田埂上。湖北有分布。

| **采收加工** | **头状花序：**夏、秋季花开放时采收，除去杂质，阴干或晒干。

| **功能主治** | 降气，消痰，行水，止呕。用于风寒咳嗽，痰饮蓄结，胸膈痞闷，咳喘痰多，呕吐噫气，心下痞硬。

菊科 Compositae 旋覆花属 *Inula*

线叶旋覆花 *Inula linariifolia* Turcz.

| 药 材 名 | 线叶旋覆花。

| 形态特征 | 多年生草本，基部常有不定根。茎直立，单生或 2 ~ 3 簇生，高 30 ~ 80 cm，多少粗壮，有细沟，被短柔毛，上部常被长毛，杂有腺体，中部以上或上部有多数细长常稍直立的分枝，全部有稍密的叶，节间长 1 ~ 4 cm。基部叶和下部叶在花期常生存，线状披针形，有时椭圆状披针形，长 5 ~ 15 cm，宽 0.7 ~ 1.5 cm，下部渐狭成长柄，边缘常反卷，有不明显的小锯齿，先端渐尖，质较厚，上面无毛，下面有腺点，被蛛丝状短柔毛或长伏毛；中脉在上面稍下陷，网脉有时明显；中部叶渐无柄，上部叶渐狭小，线状披针形至线形。头状花序直径 1.5 ~ 2.5 cm，在枝端单生或 3 ~ 5 排列成伞房状；花

序梗短或细长。总苞半球形，长 5 ~ 6 mm；总苞片约 4 层，多少等长或外层较短，线状披针形，上部叶质，被腺点和短柔毛，下部革质，但有时最外层叶状，较总苞稍长；内层较狭，先端尖，除中脉外干膜质，有缘毛。舌状花较总苞长 2 倍；舌片黄色，长圆状线形，长达 10 mm。管状花长 3.5 ~ 4 mm，有尖三角形裂片。冠毛 1 层，白色，与管状花花冠等长，有多数微糙毛。子房和瘦果圆柱形，有细沟，被短粗毛。花期 7 ~ 9 月，果期 8 ~ 10 月。

| 生境分布 | 生于海拔 150 ~ 500 m 的山坡、荒地、路旁、河岸。

| 采收加工 | **全草**：9 ~ 10 月采收，晒干。

| 功能主治 | 散风寒，化痰饮，消肿毒，祛风湿。用于风寒咳嗽，伏饮痰喘，胁下胀痛，疔疮肿毒，风湿疼痛。

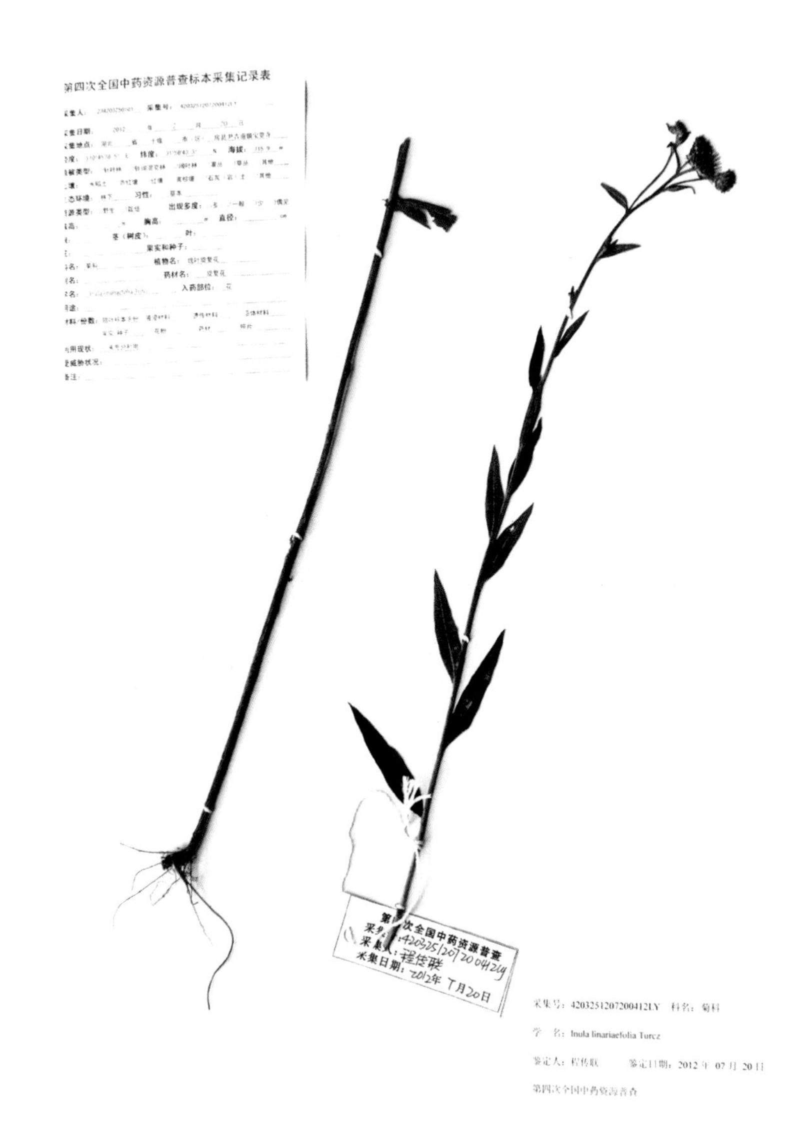

菊科 Compositae 旋覆花属 *Inula*

总状土木香 *Inula racemosa* Hook. f.

| 药 材 名 | 总状土木香。

| 形态特征 | 多年生高大草本，全株被毛。根圆锥形，多须根。茎直立，有纵沟纹。基生叶丛生，具长柄，叶片大，先端渐窄，基部下延，边缘有锯齿，上面粗糙，下面密被绒毛；茎生叶较小，近无柄，叶片长圆形，上部叶基部抱茎。头状花序大，直径常 4 ~ 9 cm，排成总状；总苞片 4 ~ 5 层，外层苞片叶质，通常外曲，被绒毛，上部三角状，

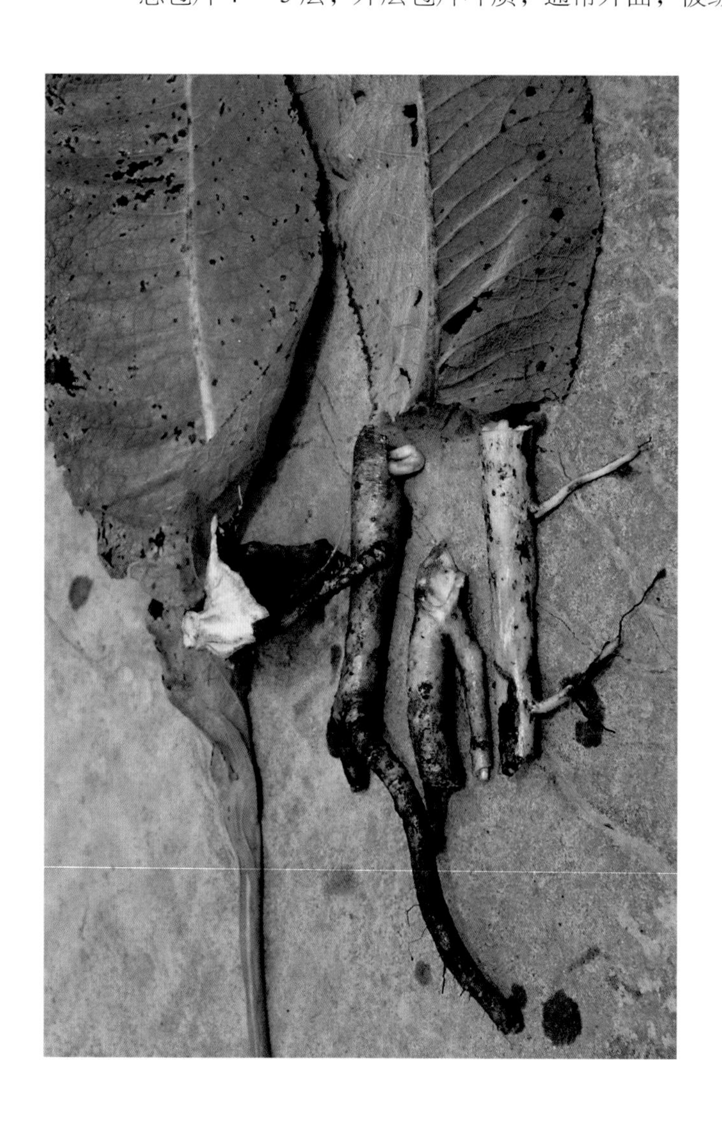

先端锐尖，内层苞片干膜质，线形，具锐尖头，常无毛，边花 1 层，舌状，黄色，雌性，舌片狭长，长约 2 cm，先端 3 齿裂；中央花管状，两性，5 齿裂，雄蕊 5，聚药，柱头 2 裂。瘦果，冠毛浅黄色，呈放射状。

| **生境分布** | 生于海拔 700 ~ 1 500 m 的水边荒地、河滩、湿润草地。湖北有栽培。

| **采收加工** | **根**：春初与秋末采挖，去净残茎，切片，晒干。

| **功能主治** | 健脾和胃，调气解郁，止痛安胎。藏药还用于清血热，祛风，治风热证、血热证。

菊科 Compositae 小苦荬属 *Ixeridium*

中华小苦荬 *Ixeridium chinense* (Thunb.) Tzvel.

| 药 材 名 |

中华小苦荬。

| 形态特征 |

多年生草本，高 5 ~ 47 cm。根垂直直伸，通常不分枝。根茎极短缩。茎直立单生或少数簇生，基部直径 1 ~ 3 mm，上部伞房花序状分枝。基生叶长椭圆形、倒披针形、线形或舌形，包括叶柄长 2.5 ~ 15 cm，宽 2 ~ 5.5 cm，先端钝或急尖或向上渐窄，基部渐狭成有翼的短或长柄，全缘，不分裂亦无锯齿，或边缘有尖齿或凹齿，或羽状浅裂、半裂或深裂，侧裂片 2 ~ 7 对，长三角形、线状三角形或线形，自中部向上或向下的侧裂片渐小，向基部的侧裂片常为锯齿状，有时为半圆形。茎生叶 2 ~ 4，极少 1 或无，长披针形或长椭圆状披针形，不裂，全缘，先端渐狭，基部扩大，耳状抱茎，或至少基部茎生叶的基部有明显的耳状抱茎；全部叶两面无毛。头状花序通常在茎枝先端排成伞房花序，含舌状小花 21 ~ 25。总苞圆柱状，长 8 ~ 9 mm；总苞片 3 ~ 4 层，外层及最外层宽卵形，长 1.5 mm，宽 0.8 mm，先端急尖，内层长椭圆状倒披针形，长 8 ~ 9 mm，宽 1 ~ 1.5 mm，先端急尖。舌状小花黄色，干时带红色。瘦果褐色，长椭圆形，长 2.2 mm，宽 0.3 mm，有 10 高起的钝肋，肋上有上指的小刺毛，先端急尖成细喙，喙细丝状，长 2.8 mm。冠毛白色，微糙，长 5 mm。花果期 1 ~ 10 月。

| **生境分布** | 生于山坡路旁、田野、河边灌丛或岩石缝隙中。分布于湖北武汉及红安、老河口等。

| **采收加工** | **全草**：春、夏、秋季均可采收，鲜用或晒干。

| **功能主治** | 清热解毒，消肿排脓，凉血止血。用于肠痈，肺脓肿，肺热咳嗽，肠炎，痢疾，胆囊炎，盆腔炎，疮疖肿毒，阴囊湿疹，吐血，衄血，血崩，跌打损伤。

菊科 Compositae 小苦荬属 *Ixeridium*

小苦荬 *Ixeridium dentatum* (Thunb.) Tzvel.

| 药 材 名 |

小苦荬。

| 形态特征 |

多年生草本，高 10 ~ 50 cm。根茎短缩，生多数等粗的细根。茎直立，单生，基部直径 1 ~ 3 mm，上部伞房花序状分枝或自基部分枝，全部茎枝无毛。基生叶长倒披针形、长椭圆形、椭圆形，长 1.5 ~ 15 cm，宽不足 1.5 cm，不分裂，先端急尖或钝，有小尖头，全缘，但通常中下部边缘或仅基部边缘有稀疏的缘毛状或长尖头状锯齿，基部渐狭成长或宽翼柄，翼柄长 2.5 ~ 6 cm，极少羽状浅裂或深裂，侧裂片 1 ~ 3 对，线状长三角形或偏斜三角形，通常集中在叶片的中下部；茎生叶少数，披针形或长椭圆状披针形或倒披针形，不分裂，基部扩大，耳状抱茎，中部以下边缘或基部边缘有缘毛状锯齿；全部叶两面无毛。

| 生境分布 |

生于海拔 380 ~ 1 050 m 的山坡、山坡林下、潮湿处或田边。湖北有分布。

| 采收加工 | 春、夏、秋季均可采收，鲜用或晒干备用。

| 功能主治 | 清热解毒，消痈散结。用于肠痈，肺痈高热，咳吐脓血，热毒疮痈，疔疖疼痛，胸腹疼痛，阑尾炎，肠炎，痢疾，产后腹痛，痛经。

菊科 Compositae 小苦荬属 *Ixeridium*

细叶小苦荬 *Ixeridium gracile* (DC.) Shih

| 药材名 | 细叶小苦荬。

| 形态特征 | 多年生草本，高 10 ~ 70 cm。根茎极短。茎直立，上部伞房花序状分枝或自基部分枝，全部茎枝无毛。基生叶长椭圆形、线状长椭圆形、线形或狭线形，长 4 ~ 15 cm，宽 0.4 ~ 1 cm，向两端渐狭，基部有长或短的狭翼柄；茎生叶少数，狭披针形、线状披针形或狭线形，上部渐狭，基部无柄；全部叶两面无毛，全缘。头状花序多数，在茎枝先端排成伞房花序或伞房圆锥花序，含 6 舌状小花，花序梗极纤细。总苞极小，圆柱状，长 6 mm；总苞片 2 层，外层少数且极小，2 ~ 3，卵形，长不足 1 mm，宽不足 0.5 mm，内层长，线状长椭圆形，长 6 mm，宽 0.8 mm。瘦果褐色，长圆锥状，长 3 mm，有细肋或细

脉10，向先端渐成细丝状的喙，喙弯曲，长1 mm。冠毛褐色或淡黄色，微糙毛状，长3 mm。花果期3 ~ 10月。

| 生境分布 | 生于海拔800 ~ 3 000 m的山坡、山谷林缘、林下、田间、荒地或草甸。湖北有分布。

| 采收加工 | **叶：**春、夏、秋季均可采收，鲜用或晒干备用。

| 功能主治 | 清热解毒，消肿排脓，凉血止血。用于肠痈，肺脓肿，肺热咳嗽，肠炎，痢疾，胆囊炎，盆腔炎，疮疖肿毒，阴囊湿疹，吐血，衄血，血崩，跌打损伤。

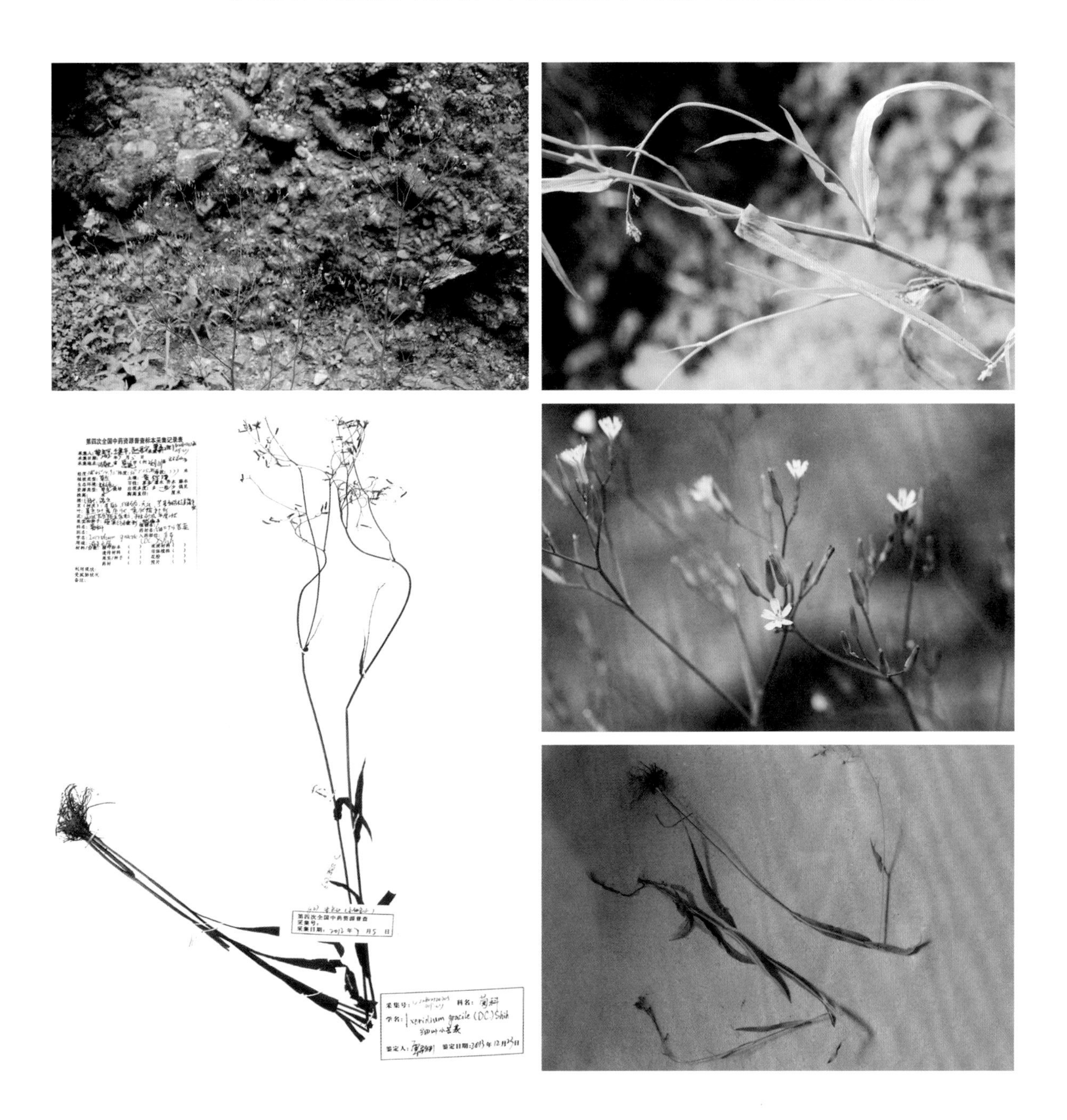

菊科 Compositae 小苦荬属 *Ixeridium*

抱茎小苦荬 *Ixeridium sonchifolium* (Maxim.) Shih

药材名

抱茎苦荬菜。

形态特征

多年生草本，高 15 ~ 60 cm。根垂直直伸，不分枝或分枝。根茎极短。茎单生，直立，基部直径 1 ~ 4 mm，上部伞房花序状或伞房圆锥花序状分枝，全部茎枝无毛。基生叶莲座状，匙形、长倒披针形或长椭圆形，包括基部渐狭的宽翼柄长 3 ~ 15 cm，宽 1 ~ 3 cm，或不分裂，边缘有锯齿，先端圆形或急尖，或大头羽状深裂，顶裂片大，近圆形、椭圆形或卵状椭圆形，先端圆形或急尖，边缘有锯齿，侧裂片 3 ~ 7 对，半椭圆形、三角形或线形，边缘有小锯齿；中下部茎生叶长椭圆形、匙状椭圆形、倒披针形或披针形，与基生叶等大或较小，羽状浅裂或半裂，极少大头羽状分裂，向基部扩大，心形或耳状抱茎；上部茎生叶及接花序分枝处的叶心状披针形，全缘，极少有锯齿或尖锯齿，先端渐尖，向基部心形或圆耳状扩大抱茎；全部叶两面无毛。头状花序多数或少数，在茎枝先端排成伞房花序或伞房圆锥花序，含舌状小花约 17。总苞圆柱形，长 5 ~ 6 mm；总苞片 3 层，外层及最外层短，卵形或长卵形，长 1 ~ 3 mm，宽 0.3 ~ 0.5 mm，先端急尖，内层长披针形，长 5 ~ 6 mm，宽 1 mm，先端急尖，全部总苞片外面无毛。舌状小花黄色。瘦果黑色，纺锤形，长 2 mm，宽 0.5 mm，有 10 高起的钝肋，上部沿肋有上指的小刺毛，向上渐尖成细喙，喙细丝状，长 0.8 mm。冠毛白色，微糙毛状，长 3 mm。花果期 3 ~ 5 月。

| 生境分布 | 生于海拔 100 ~ 2 700 m 的山坡或平原路旁、林下、河滩地或庭院中。分布于湖北宣恩、巴东及宜昌等。

| 采收加工 | 5 ~ 7 月采收，洗净，晒干或鲜用。

| 功能主治 | 止痛消肿，清热解毒。用于头痛，牙痛，胃痛，手术后疼痛，跌打损伤，阑尾炎，肠炎，肺脓肿，咽喉肿痛，痈肿疮疖。

菊科 Compositae 苦荬菜属 *Ixeris*

剪刀股 *Ixeris japonica* (Burm. f.) Nakai

| 药 材 名 |

剪刀股。

| 形态特征 |

多年生草本。根垂直直伸，生多数须根。茎基部平卧，高 12 ～ 35 cm，基部有匍匐茎，节上生不定根与叶。基生叶花期生存，匙状倒披针形或舌形，长 3 ～ 11 cm，宽 1 ～ 2 cm，基部渐狭成具狭翼的长或短柄，边缘有锯齿至羽状半裂或深裂，或大头羽状半裂或深裂，侧裂片 1 ～ 3 对，集中在叶片的中下部，偏斜三角形或椭圆形，先端急尖或钝，顶裂片椭圆形、长倒卵形或长椭圆形，先端钝或圆形，有小尖头；茎生叶少数，与基生叶同形或长椭圆形或长倒披针形，无柄或渐狭成短柄；花序分枝上或花序梗上的叶极小，卵形。头状花序 1 ～ 6 在茎枝先端排成伞房花序。总苞钟状，长 14 mm，宽约 7 mm；总苞片 2 ～ 3 层，外层极短，卵形，长 2 mm，宽 1.2 mm，先端急尖，内层长，长椭圆状披针形或长披针形，长 14 mm，宽 2 mm，先端钝，外面先端有小鸡冠状突起或无小鸡冠状突起。舌状小花 24，黄色。瘦果褐色，几纺锤形，长 5 mm，宽 1 mm，无毛，有 10 高起的尖翅肋，先端急尖成细喙，喙长 2 mm，细丝状。

冠毛白色，纤细，不等长，微糙，长 6.5 mm。花果期 3 ~ 5 月。

| 生境分布 | 生于海拔 1 400 m 以下的旷野、路旁、沟边、路边潮湿地及田边。分布于湖北鹤峰、恩施、建始、巴东、神农架、保康、潜江、英山，以及十堰、随州等。

| 采收加工 | **全草**：春季采收，洗净，鲜用或晒干。

| 功能主治 | 清热解毒，利尿消肿。用于肺脓肿，咽痛，目赤，乳腺炎，痈疽疮疡，水肿，小便不利。

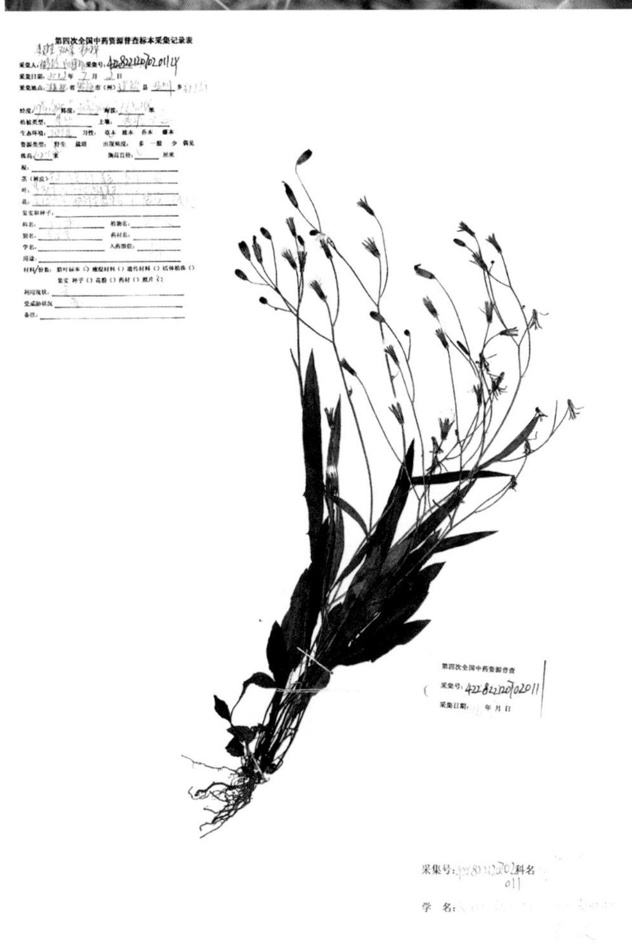

菊科 Compositae 苦荬菜属 *Ixeris*

苦荬菜 *Ixeris polycephala* Cass.

| 药材名 |

苦荬菜。

| 形态特征 |

一年生草本。根垂直直伸，生多数须根。茎直立，高 10 ~ 80 cm，基部直径 2 ~ 4 mm，上部伞房花序状分枝，或自基部多分枝或少分枝，分枝弯曲斜升，全部茎枝无毛。基生叶花期生存，线形或线状披针形，包括叶柄长 7 ~ 12 cm，宽 5 ~ 8 mm，先端急尖，基部渐狭成长柄或短柄；中下部茎生叶披针形或线形，长 5 ~ 15 cm，宽 1.5 ~ 2 cm，先端急尖，基部箭头状半抱茎，向上或最上部的叶渐小，与中下部茎生叶同形，基部箭头状半抱茎或长椭圆形，基部收窄，但不成箭头状半抱茎；全部叶两面无毛，全缘，极少下部边缘有稀疏的小尖头。头状花序多数，在茎枝先端排成伞房状花序，花序梗细。总苞圆柱状，长 5 ~ 7 mm，果期扩大成卵球形；总苞片 3 层，外层及最外层极小，卵形，长 0.5 mm，宽 0.2 mm，先端急尖，内层卵状披针形，长 7 mm，宽 2 ~ 3 mm，先端急尖或钝，外面近先端有鸡冠状突起或无鸡冠状突起。舌状小花黄色，极少白色，10 ~ 25。瘦果压扁，褐色，长椭圆形，长

2.5 mm，宽 0.8 mm，无毛，有 10 高起的尖翅肋，先端急尖成长 1.5 mm 的喙，喙呈细丝状。冠毛白色，纤细，微糙，不等长，长达 4 mm。花果期 3 ~ 6 月。

| **生境分布** | 生于海拔 300 ~ 2 200 m 的山坡林缘、灌丛、草地、田野路旁。湖北有分布。

| **采收加工** | **全草**：春季采收，鲜用或阴干。

| **功能主治** | 清热解毒，消肿止痛。

菊科 Compositae 马兰属 *Kalimeris*

马兰 *Kalimeris indica* (L.) Sch.-Bip.

| 药材名 | 马兰。

| 形态特征 | 根茎有匍匐枝，有时具直根。茎直立，高 30 ~ 70 cm，上部有短毛，上部或从下部起有分枝。基部叶在花期枯萎；茎部叶倒披针形或倒卵状矩圆形，长 3 ~ 6 cm，稀达 10 cm，宽 0.8 ~ 2 cm，稀达 5 cm，先端钝或尖，基部渐狭成具翅的长柄，边缘从中部以上具有小尖头的钝或尖齿或有羽状裂片，上部叶小，全缘，基部急狭无柄，全部叶稍薄质，两面或上面有疏微毛或近无毛，边缘及下面沿脉有短粗毛，中脉在下面凸起。头状花序单生于枝端并排列成疏伞房状。总苞半球形，直径 6 ~ 9 mm，长 4 ~ 5 mm；总苞片 2 ~ 3 层，覆瓦状排列；外层倒披针形，长 2 mm，内层倒披针状矩圆形，长达

4 mm，先端钝或稍尖，上部草质，有疏短毛，边缘膜质，有缘毛。花托圆锥形。舌状花 1 层，15 ~ 20，管部长 1.5 ~ 1.7 mm；舌片浅紫色，长达 10 mm，宽 1.5 ~ 2 mm；管状花长 3.5 mm，管部长 1.5 mm，被短密毛。瘦果倒卵状矩圆形，极扁，长 1.5 ~ 2 mm，宽 1 mm，褐色，边缘浅色而有厚肋，上部被腺及短柔毛。冠毛长 0.1 ~ 0.8 mm，弱而易脱落，不等长。花期 5 ~ 9 月，果期 8 ~ 10 月。

| 生境分布 | 生于沟边、路旁、湿地、田野、林缘、草丛、溪岸及房前屋后等地。湖北有分布。

| 采收加工 | **全草、根：**夏、秋季采收，鲜用或晒干。

| 功能主治 | 凉血止血，清热利湿，解毒消肿。用于吐血，衄血，血痢，崩漏，创伤出血，黄疸，水肿，淋浊，感冒，咳嗽，咽痛，喉痹，痔疮，痈肿，丹毒，疳积。

菊科 Compositae 马兰属 *Kalimeris*

全叶马兰 *Kalimeris integrtifolia* Turcz. ex DC.

|药 材 名| 全叶马兰。

|形态特征| 多年生草本，高 30 ~ 70 cm。茎直立，单生或数个丛生，中部以上有近直立的帚状分枝，被细硬毛。叶互生；中部叶多而密，无柄，叶片条状披针形、倒披针形或长圆形，长 2.8 ~ 4 cm，宽 0.4 ~ 0.6 cm，先端钝或渐尖，常有小尖头，基部渐狭，边缘稍反卷，下面灰绿，两面密被粉状短绒毛，中脉在下面凸起；上部叶较小，条形。头状花序单生枝端并排成疏伞房状；总苞半球形，直径 7 ~ 8 mm，长约 4 mm，总苞片 3 层，外层近条形，长约 1.5 mm，内层长圆状披针形，长达 4 mm，上部草质，具粗短毛及腺点；舌状花 1 层，管部长约 1 mm，具毛，舌片淡紫色，长约 11 mm，宽约 2.5 mm；管状花

花冠长约 3 mm，管部长约 1 mm，有毛。瘦果倒卵形，长约 2 mm，宽约 1.5 mm，浅褐色，扁平，有浅色边肋，或一面有肋而果呈三棱形，上部有短毛及腺；冠毛带褐色，长 0.3 ~ 0.5 mm，不等长，易脱落。花期 6 ~ 10 月，果期 7 ~ 11 月。

| **生境分布** | 生于山坡、林缘、灌丛、路旁。湖北有分布。

| **采收加工** | **全草**：8 ~ 9 月采收，洗净，晒干。

| **功能主治** | 清热解毒，止咳。用于感冒发热，咳嗽，咽炎。

菊科 Compositae 马兰属 *Kalimeris*

毡毛马兰 *Kalimeris shimadai* (Kitam.) Kitam.

|药材名|

毡毛马兰。

|形态特征|

多年生草本，有根茎。茎直立，高 50 ~ 120 cm，密被短粗毛，多分枝。下部叶在花期枯落；中部叶倒卵形、倒披针形或椭圆形，长 2.5 ~ 4 cm，宽 1.2 ~ 2 cm，基部渐狭，近无柄，从中部以上有 1 ~ 2 对浅齿或全缘；上部叶渐小，倒披针形或条形；全部叶质厚，两面被毡状密毛，下面沿脉及边缘被密糙毛，有在下面凸起的三出脉。头状花序直径 2 ~ 2.5 cm，单生于枝端且排成疏散的伞房状。总苞半球形，直径 0.8 ~ 1 cm，长 6 ~ 7 mm；总苞片 3 层，覆瓦状排列，外层狭矩圆形，长 2 ~ 3 mm，上部草质；内层倒披针状矩圆形，长约 5 mm，先端圆形而草质，边缘膜质，全部背面被密毛，有缘毛。舌状花 1 层，约 10 余，管部长 1.5 mm，有毛；舌片浅紫色，长 11 ~ 12 mm，宽 2 ~ 3 mm；管状花长 4 ~ 4.5 mm，管部长 1.5 mm，有毛。瘦果倒卵圆形，极扁，长 2.5 ~ 2.7 mm，灰褐色，边缘有肋，被短贴毛；冠毛膜片状，锈褐色，不脱落，长 0.3 mm，近等长。

| 生境分布 | 生于河边、田边、路旁、沟边、低草地及低湿处。湖北有分布。

| 采收加工 | **全草：**夏、秋季采收，洗净，鲜用或晒干。

| 功能主治 | 清热解毒，利尿，凉血，止血。用于目赤，吐血，衄血，血痢，崩漏，创伤出血，黄疸，水肿，淋浊，感冒，咳嗽，咽痛，喉痹，痔疮，丹毒。

菊科 Compositae 莴苣属 *Lactuca*

长叶莴苣 *Lactuca dolichophylla* Kitam.

| 药材名 | 长叶莴苣。

| 形态特征 | 一年生或二年生草本，高约 1 m。茎直立，单生，上部圆锥状花序分枝，全部茎枝无毛。全部茎生叶线形或线状长披针形，先端长渐尖，全缘，基部箭头状半抱茎，基部及下部茎生叶较大，向上的叶渐小，全部叶两面无毛。头状花序多数，在茎枝先端排成圆锥状花序，舌状小花 12 ~ 20。总苞果期卵状，长 1.2 cm，宽约 8 mm。总苞片约 4 层，外层小，卵状三角形或偏斜卵形，长 1.8 ~ 3 mm，宽不超过 1 mm，先端急尖，中内层渐长，长披针形或线状披针形，长 8 ~ 12 mm，宽 1.5 ~ 2 mm，先端急尖，全部总苞片外面无毛，先端染红紫色。舌状小花黄色。瘦果长椭圆形或倒披针形，长 4.8 mm，

宽约 1 mm，压扁，黑褐色，每面有 3 ～ 5 高起的细脉纹，先端急尖成细喙，喙细丝状，短于瘦果。冠毛白色，长 6 ～ 7 mm，几为单毛状。花果期 9 月。

| **生境分布** | 生于海拔 1 825 ～ 2 400 m 的沙地灌丛中。湖北有分布。

| **采收加工** | **茎、叶**：春、夏季采收，洗净，鲜用或晒干。

| **功能主治** | 用于小便不利，尿血，乳汁不通，蛇虫咬伤，肿毒。

菊科 Compositae 莴苣属 *Lactuca*

山莴苣 *Lactuca indica* L.

| 药 材 名 | 山莴苣。

| 形态特征 | 二年生草本，高 90 ~ 120 cm，或更高。茎无毛，上部有分枝。叶互生，无柄；叶形多变化，条形、长椭圆状条形或条状披针形，不分裂而基部扩大成戟形半抱茎至羽状或倒向羽状深裂或全裂，裂片边缘呈缺刻状或具锯齿状针刺；上部叶花期枯萎；上部叶较小，条状披针形或条形；全部叶有狭窄膜片状长毛。头状花序在茎枝先端排成宽或窄的圆锥花序；每个头状花序有小花 25，舌状花淡黄色或白色。瘦果黑色，压扁，边缘不明显，内弯，每面仅有 1 纵肋，喙短而明显，长约 1 mm，冠毛白色。花果期 9 ~ 11 月。

| 生境分布 | 生于海拔 850 ~ 1 500 m 的山坡草丛中。分布于湖北咸丰、恩施、

神农架及随州等。

| **采收加工** | **全草、根：**春、夏季采收，除去杂质，晒干或鲜用，置阴凉干燥处贮藏。

| **功能主治** | 清热解毒，活血祛瘀。用于阑尾炎，扁桃体炎，子宫颈炎，产后瘀血疼痛，崩漏，痔疮下血；外用于疮疖肿毒。

菊科 Compositae 莴苣属 *Lactuca*

莴苣 *Lactuca sativa* L.

| 药 材 名 | 莴苣。

| 形态特征 | 一年生或二年生草本，高 25 ~ 100 cm。根垂直直伸。茎直立，单生，上部圆锥状花序分枝，全部茎枝白色。基生叶及下部茎生叶大，不分裂，倒披针形、椭圆形或椭圆状倒披针形，长 6 ~ 15 cm，宽 1.5 ~ 6.5 cm，先端急尖、短渐尖或圆形，无柄，基部心形或箭头状半抱茎，边缘波状或有细锯齿，向上的渐小，与基生叶及下部茎生叶同形或披针形，圆锥花序分枝下部的叶及圆锥花序分枝上的叶极小，卵状心形，无柄，基部心形或箭头状抱茎，全缘，全部叶两面无毛。头状花序多数或极多数，在茎枝先端排成圆锥花序。总苞果期卵球形，长 1.1 cm，宽 6 mm；总苞片 5 层，最外层宽三角形，长约

1 mm，宽约 2 mm，外层三角形或披针形，长 5 ~ 7 mm，宽约 2 mm，中层披针形至卵状披针形，长约 9 mm，宽 2 ~ 3 mm，内层线状长椭圆形，长 1 cm，宽约 2 mm，全部总苞片先端急尖，外面无毛。舌状小花约 15。瘦果倒披针形，长 4 mm，宽 1.3 mm，压扁，浅褐色，每面有 6 ~ 7 细脉纹，先端急尖成细喙，喙细丝状，长约 4 mm，与瘦果几等长。冠毛 2 层，纤细，微糙毛状。花果期 2 ~ 9 月。

| 生境分布 | 湖北有栽培。

| 采收加工 | **茎、叶：**春季嫩茎肥大时采收，多为鲜用。

| 功能主治 | 利尿，通乳，清热解毒。用于小便不利，尿血，乳汁不通，蛇虫咬伤，肿毒。

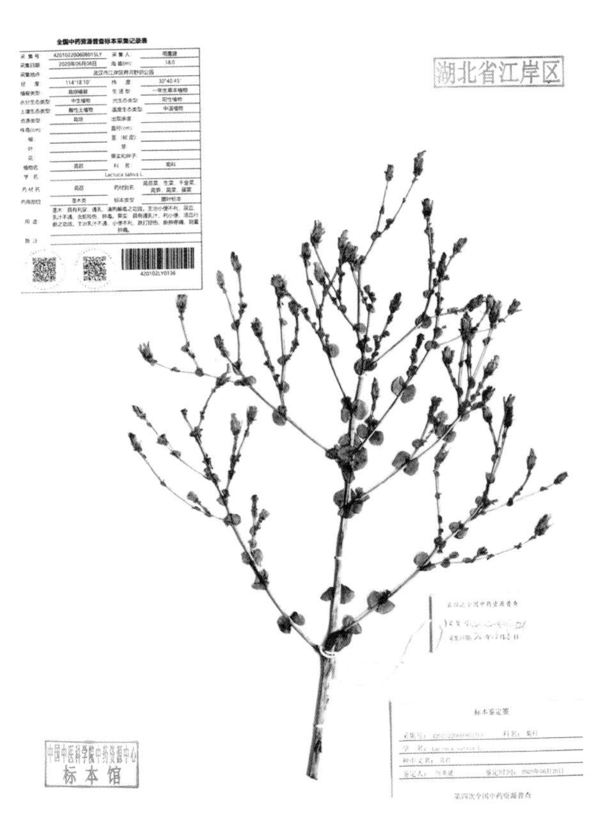

菊科 Compositae 莴苣属 *Lactuca*

野莴苣 *Lactuca seriola* Torner

|药材名| 丁萝卜。

|形态特征| 一年生草本，高 50 ~ 80 cm。茎单生，直立，无毛或有白色茎刺，上部圆锥状花序分枝或自基部分枝。中下部茎生叶倒披针形或长椭圆形，长 3 ~ 7.5 cm，宽 1 ~ 4.5 cm，倒向羽状或羽状浅裂、半裂或深裂，有时茎生叶不裂，宽线形，无柄，基部箭头状抱茎，顶裂片与侧裂片等大，三角状卵形或菱形，或侧裂片集中在叶的下部或基部而顶裂片较长，宽线形，侧裂片 3 ~ 6 对，镰形、三角状镰形或卵状镰形，最下部茎生叶及接圆锥花序下部的叶与中下部茎生叶同形或披针形、线状披针形、线形，全部叶或裂片全缘，或边缘有细齿、刺齿、细刺，下面沿中脉有刺毛，刺毛黄色。头状花序多

数，在茎枝先端排成圆锥状花序。总苞果期卵球形，长 1.2 cm，宽约 6 mm；总苞片约 5 层，外层及最外层小，长 1 ～ 2 mm，宽不超过 1 mm，中内层披针形，长 7 ～ 12 mm，宽至 2 mm，全部总苞片先端急尖，外面无毛。舌状小花 15 ～ 25，黄色。瘦果倒披针形，长 3.5 mm，宽 1.3 mm，压扁，浅褐色，上部有稀疏的上指的短糙毛，每面有 8 ～ 10 高起的细肋，先端急尖成细丝状的喙，喙长 5 mm。冠毛白色，微锯齿状，长 6 mm。花果期 6 ～ 8 月。

| 生境分布 | 生于海拔 500 ～ 1 680 m 的荒地、路旁、河滩砾石地、山坡石缝中及草地。分布于湖北恩施等。

| 采收加工 | **全草、根：**秋季采收，除去泥土，晒干或鲜用。

| 功能主治 | 清热解毒，消肿散瘀。用于蛇咬伤，感冒咳嗽，胃痛，急性乳腺炎和乳头炎等。

菊科 Compositae 六棱菊属 *Laggera*

六棱菊 *Laggera alata* (D. Don) Sch.-Bip. ex Oliv.

| 药材名 |

六棱菊。

| 形态特征 |

多年生草本。茎密被淡黄色腺状柔毛，茎翅全缘，宽 2 ~ 5 mm。叶长圆形或匙状长圆形，长 1.8 ~ 8 cm，边缘有疏细齿，基部沿茎下延成茎翅，两面密被贴生、扭曲或头状腺毛，侧脉 8 ~ 10 对，无柄；上部叶窄长圆形或线形，长 1.6 ~ 3.5 cm，宽 3 ~ 7 mm，疏生细齿或不显著。头状花序下垂，直径约 1 cm，呈总状着生具翅小枝叶腋，在茎枝先端排成总状圆锥花序，花序梗密被腺状柔毛；总苞近钟形，长约 1.2 cm，总苞片约 6 层，外层叶质，绿色或上部绿色，长圆形或卵状长圆形，长 5 ~ 6 mm，背面密被疣状腺体，兼有扭曲腺状柔毛，内层干膜质，先端通常紫红色，线形，长 0.7 ~ 1 cm，背面疏被腺点和柔毛，或无毛。花淡紫色；雌花多数，花冠丝状；两性花多数，花冠管状。瘦果圆柱形，长约 1 mm，被疏白色柔毛。花果期 10 月至翌年 2 月。

| 生境分布 | 生于海拔 180 ~ 440 m 的山坡草地、灌丛、河沟边、山野路旁、田埂。湖北有分布。

| 采收加工 | **全草：**秋季采收，鲜用或切段晒干。

根：秋季采收，洗净，鲜用或晒干。

| 功能主治 | 祛风，除湿，化滞，散瘀，消肿，解毒。用于感冒咳嗽身疼，腹痛泻痢，风湿关节痛，闭经，跌打损伤，疔痈瘰疬，湿毒瘙痒。

菊科 Compositae 大丁草属 *Leibnitzia*

大丁草 *Leibnitzia anandria* (L.) Turcz.

| 药 材 名 | 大丁草。

| 形态特征 | 多年生草本，有春型、秋型。春型植株较矮小，高 8 ~ 19 cm；花茎直立，初有白色蛛丝状毛密生，后渐脱落，上具线形苞片数枚；基部叶丛生，呈莲座状，椭圆状广卵形，长 2 ~ 5.5 cm，宽 1.5 ~ 4.5 cm，先端圆钝，基部心形。秋型植株高大，高 30 ~ 60 cm，基部叶倒披针状长椭圆形或椭圆状广卵形，长 5 ~ 16 cm，宽 3 ~ 5.5 cm，先端圆钝，基部逐渐狭窄成柄，边缘提琴状羽状分裂，先端裂片卵形，边缘具不规则的圆齿，齿端凸头，上面绿色，下面密具白色蛛丝状毛。头状花序单生，直径约 2 cm；总苞筒状钟形，长 8 ~ 10 mm，宽 5 ~ 10 mm；苞片约 3 层，外层苞片较短，线形，内层苞片线状

披针形；舌状花紫红色，长 10 ~ 12 mm；管状花长约 7 mm。瘦果长 4.5 ~ 6 mm，两端收缩；冠毛长 4.5 ~ 5 mm。

| 生境分布 | 生于海拔 650 ~ 2 580 m 的山顶、山谷丛林、荒坡、山坡、灌丛中、田野、路旁、沟边草丛中。分布于湖北宣恩、神农架、竹溪、南漳、谷城、蕲春等。

| 采收加工 | **全草**：一般 7 ~ 9 月采收，鲜用或晒干。

| 功能主治 | 清热利湿，解毒消肿。用于肺热咳嗽，湿热泻痢，热淋，风湿关节痛，痈疖肿毒，臁疮，蛇虫咬伤，烫火伤，外伤出血。

菊科 Compositae 火绒草属 *Leontopodium*

薄雪火绒草 *Leontopodium japonicum* Miq.

| 药 材 名 | 薄雪火绒草。

| 形态特征 | 多年生草本，高 10 ~ 80 cm。根茎分枝稍长，有数个簇生的花茎和不育基。茎直立，基部稍木质，上部被白色薄茸毛，下部不久脱毛，节间长 1 ~ 2 cm，或上部节间长达 4 cm。叶狭披针形、卵状披针形或下部叶倒卵状披针形，长 2.5 ~ 5.5 cm，宽 0.5 ~ 1.3 cm，基部急狭，无鞘部，先端尖，有长尖头，边缘平或稍波状反折，上面有疏蛛丝状毛或脱毛，下面被银白色或灰白色薄层密茸毛。苞叶多数，较茎上部叶常短小，卵圆形或长圆形，两面被灰白色密茸毛或上面被蛛丝状毛，排列成疏散而直径达 4 cm 的苞叶群，或有长花序梗而开展成直径达 10 cm 的复苞叶群。头状花序直径 3.5 ~ 4.5 mm，多数，

较疏散；总苞钟状或半球形，被白色或灰白色密茸毛，长约 4 mm；总苞片 3 层，先端钝，无毛，露出毛茸之上；小花异形或雌雄异株；花冠长约 3 mm；雄花花冠狭漏斗状，有披针形裂片；雌花花冠细管状；冠毛白色，基部稍浅红色；雄花冠毛稍粗厚，有锯齿；雌花冠毛细丝状，下部有锯齿；不育的子房有毛或无毛。瘦果常有乳头状突起或短粗毛。花期 6 ～ 9 月，果期 9 ～ 10 月。

| 生境分布 | 生于海拔 1 000 ～ 2 000 m 的山地灌丛、草坡和林下。湖北有分布。

| 采收加工 | **花**：秋季采收，洗净，晾干。

| 功能主治 | 润肺止咳。用于肺燥咳嗽。

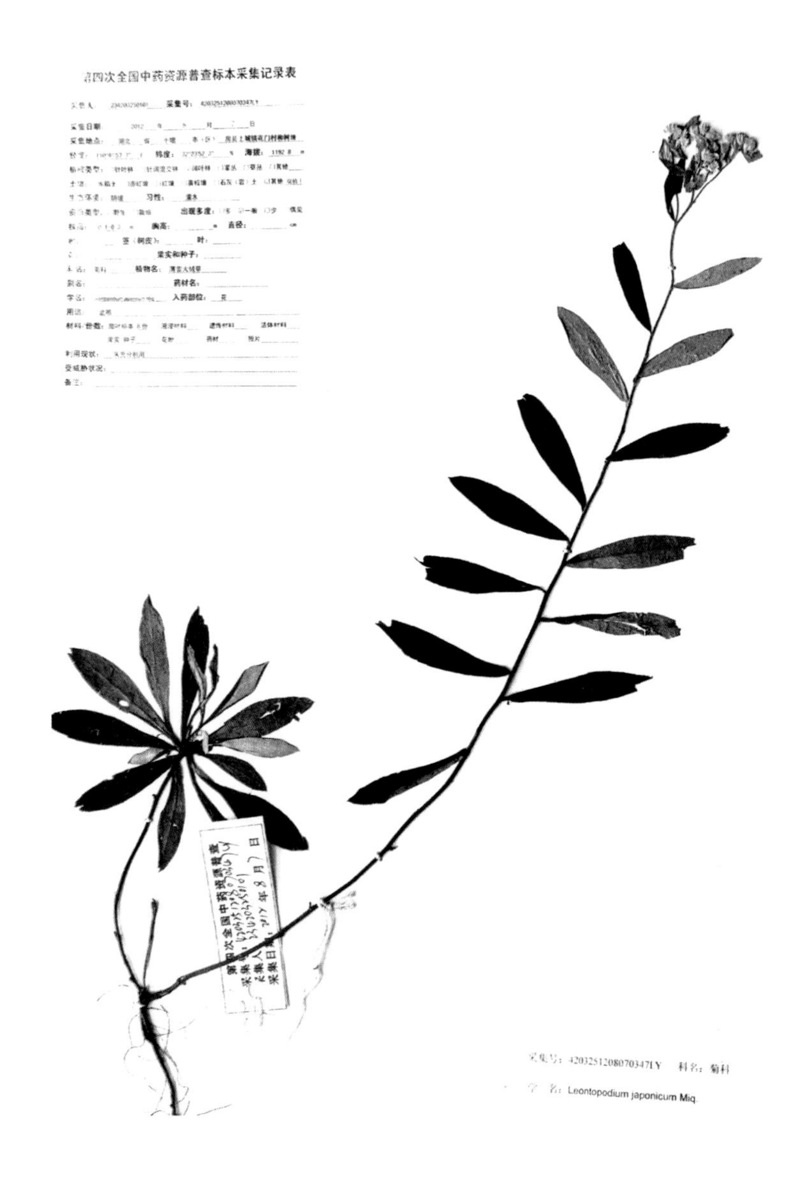

菊科 Compositae 橐吾属 *Ligularia*

齿叶橐吾 *Ligularia dentata* (A. Gray) Hara

药材名

齿叶橐吾。

形态特征

多年生草本。根肉质，多数，粗壮。茎直立，高 30 ~ 120 cm，上部有分枝，被白色蛛丝状柔毛和黄色有节的短柔毛，或下部光滑，基部直径达 1.2 cm，被枯叶柄包围，丛生叶与茎下部叶具柄，柄粗壮，长 22 ~ 60 cm，无翅，被白色蛛丝状柔毛，有细棱，基部膨大成鞘；叶片肾形，长 7 ~ 30 cm，宽 12 ~ 38 cm，先端圆形，边缘具整齐的齿，齿间具睫毛，基部弯缺宽，长为叶片的 1/3，上面绿色，光滑，下面近似灰白色，被白色蛛丝状柔毛，叶脉掌状，主脉 5 ~ 7，在下面明显凸起；茎中部叶与下部者同形，较小；上部叶肾形，近无柄，具膨大的鞘。伞房状或复伞房状花序开展，分枝叉开；花序梗长达 9 cm，被与茎上一样的毛；苞片及小苞片卵形至线状披针形；头状花序多数，辐射状；总苞半球形，宽大于长，长 1.5 ~ 2.5 cm，宽 1.8 ~ 3 cm，总苞片 8 ~ 14，2 层，排列紧密，背部隆起，两侧有脊，长圆形，宽至 1 cm，先端三角状急尖，具长尖头，有褐色睫毛，背部密被白色蛛丝状柔毛，内

层具宽的褐色膜质边缘。舌状花黄色，舌片狭长圆形，长达 5 cm，宽 0.4 ~ 0.7 cm，管部长 0.7 ~ 1.2 cm，先端急尖；管状花多数，长 1 ~ 1.8 cm，管部长 0.3 ~ 0.7 cm，冠毛红褐色，与花冠等长，瘦果圆柱形，长 7 ~ 10 mm，有肋，光滑。花果期 7 ~ 10 月。

| **生境分布** | 生于海拔 650 ~ 3 100 m 的山坡、水边、林缘和林中。湖北有分布。

| **采收加工** | **根**：夏、秋季采挖，除去茎叶，洗净，鲜用或切段晾干。

| **功能主治** | 舒筋活血，散瘀止痛。用于跌打损伤，疼痛。

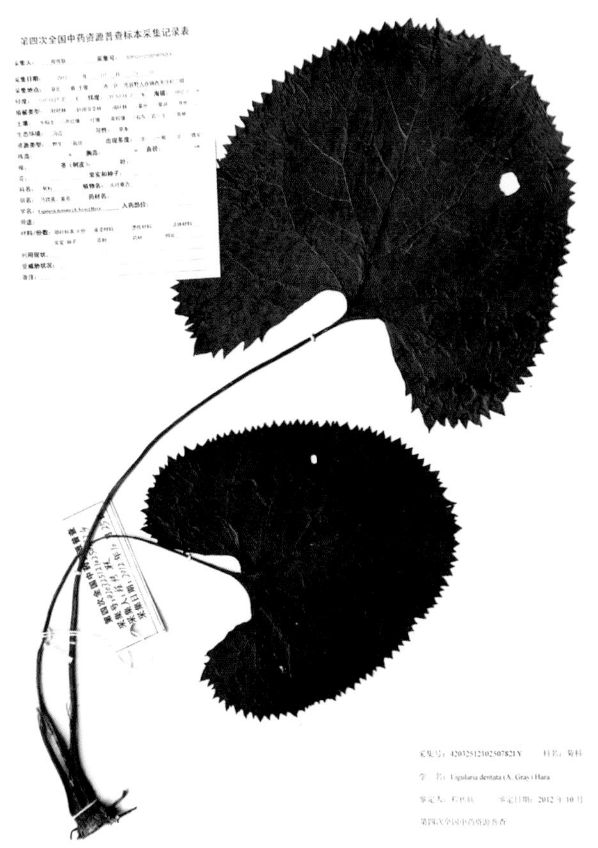

菊科 Compositae 橐吾属 *Ligularia*

蹄叶橐吾 *Ligularia fischeri* (Ledeb.) Turcz.

| 药 材 名 | 蹄叶橐吾。

| 形态特征 | 多年生草本，高 80 ~ 200 cm。根肉质，黑褐色，多数。茎高大，上部及花序被黄褐色有节的短柔毛，下部光滑，基部被褐色枯叶柄纤维包围。丛生叶与茎下部叶具柄，柄长 18 ~ 59 cm，基部鞘状；叶片肾形，长 10 ~ 30 cm，宽 13 ~ 40 cm，先端圆形，基部弯缺宽，边缘有整齐的锯齿；茎中上部叶具短柄，鞘膨大，宽大于长。总状花序长 25 ~ 75 cm；苞片草质，卵形或卵状披针形，向上渐小，边缘有齿；花序梗细，向上渐短；头状花序多数，辐射状；小苞片狭披针形；总苞钟形，总苞片 2 层；舌状花 5 ~ 9，黄色，舌片长圆形，先端钝圆；管状花多数，冠毛红褐色，短于管部。瘦果圆柱形，长

6 ~ 11 mm，光滑。花果期 7 ~ 10 月。

| 生境分布 | 生于海拔 100 ~ 2 700 m 的水边、草甸子、山坡、灌丛中、林缘及林下。湖北有分布。

| 采收加工 | 春、秋季采挖根，夏季采收全草，除去杂质，洗净泥土，晒干，切段或切片备用。

| 功能主治 | 祛痰，止咳，理气活血，止痛。用于咳嗽，气喘，百日咳，腰腿痛，劳伤，跌打损伤。

菊科 Compositae 橐吾属 *Ligularia*

鹿蹄橐吾 *Ligularia hodgsonii* Hook.

| 药 材 名 | 鹿蹄橐吾。

| 形态特征 | 多年生草本。茎上部被白色蛛丝状柔毛和黄色柔毛。丛生叶与茎下部叶肾形或心状肾形，长（2 ~ ）5 ~ 8 cm，宽 4.5 ~ 13.5 cm，具三角状齿或圆齿，两面光滑，叶脉掌状，叶柄长 10 ~ 30 cm，基部具窄鞘；茎中上部叶较小，具短柄或近无柄，鞘膨大。头状花序辐射状，单生或多数排成伞房状或复伞房状花序；苞片舟形，长 2 ~ 3 cm；小苞片线状钻形；总苞宽钟形，长 1 ~ 1.4 cm，直径 0.7 ~ 1 cm，总苞片 8 ~ 9，2 层，排列紧密，背部隆起，两侧有脊，长圆形，宽 3 ~ 4 mm，先端三角形，背部无毛或被白色蛛丝状柔毛，内层具膜质宽边。舌状花黄色。

| 生境分布 | 生于海拔 850 ～ 2 800 m 的山坡草地、河边或林下。湖北有分布。

| 采收加工 | **根、全草：**夏、秋季采收，切段，晒干备用。

| 功能主治 | 止咳化痰，解毒，祛瘀活血，止痛，止痢。用于跌打损伤，瘀血肿痛，腹痛，肺结核咯血，劳伤吐血，喉痹，风寒咳嗽，小便不利，月经不调，闭经痛经。

菊科 Compositae 橐吾属 *Ligularia*

狭苞橐吾 *Ligularia intermedia* Nakai

|药材名|

狭苞橐吾。

|形态特征|

多年生草本。根肉质，多数。茎直立，高达 100 cm，上部被白色蛛丝状柔毛，下部光滑，基部直径达 1 cm。丛生叶与茎下部叶具柄，叶柄长 16 ~ 43 cm，光滑，基部具狭鞘，叶片肾形或心形，长 8 ~ 16 cm，宽 12 ~ 23.5 cm，先端钝或有尖头，边缘具整齐的有小尖头的三角状齿或小齿，基部弯缺宽，长为叶片的 1/3，两面光滑，叶脉掌状；茎中上部叶与下部叶同形，较小，具短柄或无柄，鞘略膨大；茎最上部叶卵状披针形，苞叶状。总状花序长 22 ~ 25 cm；苞片线形或线状披针形，下部者长达 3 cm，向上渐短；花序梗长 3 ~ 10 mm，近光滑；头状花序多数，辐射状；小苞片线形；总苞钟形，长 8 ~ 11 mm，宽 4 ~ 5 mm；总苞片 6 ~ 8，长圆形，宽约 3 mm，先端三角状，急尖，背部光滑，边缘膜质。舌状花 4 ~ 6，黄色，舌片长圆形，长 17 ~ 20 mm，宽约 3 mm，先端钝，管部长达 7 mm；管状花 7 ~ 12，伸出总苞，长 10 ~ 11 mm，管部长约 6 mm，基部稍直，冠毛紫褐色，有时白色，比花冠管部短。瘦果圆柱形，长约 5 mm。花果期 7 ~ 10 月。

| **生境分布** | 生于海拔 120 ~ 3 100 m 的水边、山坡、林缘、林下及高山草原。湖北有分布。

| **采收加工** | **根茎**：夏、秋季采挖，除去茎叶，洗净，晾干。

| **功能主治** | 祛痰，止咳，理气活血，止痛。用于咳嗽，痰多气喘，百日咳，腰腿痛，劳伤，跌打损伤。阴虚、肺热、干咳者慎服。

菊科 Compositae 橐吾属 *Ligularia*

大头橐吾 *Ligularia japonica* (Thunb.) Less.

|药材名|

大头橐吾。

|形态特征|

多年生草本。根肉质，多数，粗壮。茎直立，高 50 ~ 100 cm，上部被白色蛛丝状柔毛或光滑，基部直径达 1 cm，被枯叶柄纤维。丛生叶与茎下部叶具柄，叶柄长 20 ~ 100 cm，无翅，光滑，灰绿色，具紫斑，基部鞘状抱茎，叶片肾形，直径约 40 cm，掌状 3 ~ 5 全裂，裂片长 14 ~ 18 cm，再作掌状浅裂，小裂片羽状或具齿，稀全缘，上面绿色，下面浅绿色，两面在幼时被白色柔毛，后脱毛，光滑，叶脉掌状；茎中上部叶较小，具短柄，鞘状抱茎；最上部叶无鞘，叶片掌状分裂。头状花序辐射状，2 ~ 8，排列成伞房状花序；常无苞片及小苞片；花序梗长达 20 cm，被卷曲的白色柔毛；总苞半球形，长 10 ~ 25 mm，宽 15 ~ 24 mm，总苞片 9 ~ 12，2 层，排列紧密，背部隆起，两侧有脊，宽长圆形，宽达 8 mm，先端三角形，具尖头，背部被白色柔毛，内层具宽膜质边缘。舌状花黄色，舌片长圆形，长 4 ~ 6.5 cm，宽约 1 cm，管部长 10 ~ 13 mm；管状花多数，长约 2 cm，管

部长约 1 cm，檐部筒形，冠毛红褐色，与花冠管部等长。瘦果细圆柱形，长达 1 cm，具纵肋，光滑。花果期 4 ~ 9 月。

| 生境分布 | 生于海拔 900 ~ 2 300 m 的山坡草地、水边或林下。分布于湖北东北部。

| 采收加工 | **全草、根：**夏、秋季采收，洗净，鲜用或切段晾干。

| 功能主治 | 舒筋活血，解毒消肿。用于跌打损伤，无名肿毒，毒蛇咬伤，痈疖，湿疹。

菊科 Compositae 橐吾属 *Ligularia*

莲叶橐吾 *Ligularia nelumbifolia* (Bur. et Franch.) Hand.-Mazz.

| 药 材 名 | 莲叶橐吾。

| 形态特征 | 多年生草本。根肉质，多数，簇生。茎直立，高 80 ~ 100 cm 或更高，上部被白色蛛丝状柔毛和黄褐色有节的短柔毛，基部直径达 1 cm。丛生叶、茎下部叶具柄，柄长 10 ~ 50 cm，无翅，被白色蛛丝状柔毛，基部有短鞘，鞘略膨大，叶片盾状着生，肾形，长 7 ~ 30 cm，宽 13 ~ 38 cm，最大直径达到 80 cm，先端圆形，边缘具尖锯齿，基部弯缺宽，长为叶片的 1/3，两侧裂片近圆形，上面光滑，下面被白色蛛丝状柔毛，叶脉掌状，在下面明显；茎上部叶具短柄，柄长 5 ~ 20 cm，具极度膨大的鞘，鞘长 4 ~ 6 cm，宽 2 ~ 2.5 cm，被白色蛛丝状柔毛，略近膜质。复伞房状聚伞花序开展，分枝极多，

叉开，黑紫红色，被白色蛛丝状毛和黄褐色有节的短毛；苞片和小苞片线状钻形，极短；花序梗黑紫色，长达 1.5 cm，常弯曲；头状花序多数，盘状，总苞狭筒形，长 10 ~ 12 mm，宽 3 ~ 4 mm，总苞片 5 ~ 7，2 层，长圆形，宽 2.5 ~ 3 mm，先端三角形，钝，具白色睫毛，背部光滑，内层具宽的褐色或黄色膜质边缘。小花 6 ~ 8，稀达 12，长 7 ~ 9 mm，稍伸出总苞之外，管部与檐部近等长，冠毛长 6 ~ 7 mm，短于花冠，达檐部的 1/2。未成熟瘦果表面光滑，倒圆锥状，有冠毛。花期 7 ~ 9 月。

| 生境分布 | 生于海拔 2 350 ~ 3 100 m 的山地林下及灌丛中。湖北有分布。

| 资源情况 | 野生品种，目前暂无人工栽培记录。

| 采收加工 | **根**：秋季采挖，除去茎叶，洗净，晒干。

| 功能主治 | 止咳化痰，祛风。用于肺结核，风寒咳嗽。

菊科 Compositae 橐吾属 *Ligularia*

掌叶橐吾 *Ligularia przewalskii* (Maxim.) Diels

| 药 材 名 | 掌叶橐吾。

| 形态特征 | 多年生草本。根肉质，细而多。茎直立，高 30 ~ 130 cm，细瘦，光滑，基部直径 3 ~ 4 mm，被长的枯叶柄纤维包围。丛生叶与茎下部叶具柄，柄细瘦，长达 50 cm，光滑，基部具鞘，叶片卵形，掌状 4 ~ 7 裂，长 4.5 ~ 10 cm，宽 8 ~ 18 cm，裂片 3 ~ 7 深裂，中裂片 2 回 3 裂，小裂片边缘具条裂齿，两面光滑，稀被短毛，叶脉掌状；茎中上部叶少而小，掌状分裂，常有膨大的鞘。总状花序长达 48 cm；苞片线状钻形；花序梗纤细，长 3 ~ 4 mm，光滑；头状花序多数，辐射状；小苞片常缺；总苞狭筒形，长 7 ~ 11 mm，宽 2 ~ 3 mm，总苞片（3 ~ ）4 ~ 6（ ~ 7），2 层，线状长圆形，宽约 2 mm，先端钝圆，

具褐色睫毛，背部光滑，边膜狭膜质。舌状花 2 ~ 3，黄色，舌片线状长圆形，长达 17 mm，宽 2 ~ 3 mm，先端钝，透明，管部长 6 ~ 7 mm；管状花常 3，远出于总苞之上，长 10 ~ 12 mm，管部与檐部等长，花柱细长，冠毛紫褐色，长约 4 mm，短于管部。瘦果长圆形，长约 5 mm，先端狭缩，具短喙。花果期 6 ~ 10 月。

| **生境分布** | 生于海拔 1 100 ~ 3 100 m 的河滩、山麓、山谷林地、草坡、溪岸、林缘及灌丛。分布于湖北西部。

| **功能主治** | 催吐。用于咳嗽，麻疹不透，痈肿。

菊科 Compositae 橐吾属 *Ligularia*

橐吾 *Ligularia sibirica* (L.) Cass.

药材名

橐吾。

形态特征

多年生草本。根肉质，细而多。茎直立，高 52 ~ 110 cm，最上部及花序被白色蛛丝状毛和黄褐色有节的短柔毛，下部光滑，基部直径 2.5 ~ 11 mm，被枯叶柄纤维包围。丛生叶、茎下部叶具柄，柄长 14 ~ 39 cm，光滑，基部鞘状，叶片卵状心形、三角状心形、肾状心形或宽心形，长 3.5 ~ 20 cm，宽 4.5 ~ 29 cm，先端圆形或钝，边缘具整齐的细齿，基部心形，弯缺长为叶片的 1/4 ~ 1/3，两侧裂片长圆形或近圆形，有时具大齿，两面光滑，叶脉掌状；茎中部叶与下部叶同形，具短柄，柄长 3 ~ 14 cm，鞘膨大，长 3 ~ 6 cm；茎最上部叶仅有叶鞘，鞘缘有时具齿。总状花序长 4.5 ~ 42 cm，常密集；苞片卵形或卵状披针形，下部叶长达 3 cm，宽 0.8 ~ 2 cm，向上渐小，全缘或有齿；花序梗长 4 ~ 12 mm，稀下部者长达 8 cm；头状花序多数，辐射状；小苞片狭披针形，全缘，光滑，近膜质；总苞宽钟形、钟形或钟状陀螺形，基部圆形，长 7 ~ 14 mm，

宽 6 ~ 11 mm，总苞片 7 ~ 10，2 层，披针形或长圆形，宽 2 ~ 5.5 mm，先端急尖、钝三角形或渐尖，背部光滑，边缘膜质，有时紫红色。舌状花 6 ~ 10，黄色，舌片倒披针形或长圆形，长 10 ~ 22 mm，宽 3 ~ 5 mm，先端钝，管部长 5 ~ 10 mm；管状花多数，长 8 ~ 13 mm，管部长 4 ~ 7 mm，冠毛白色，与花冠等长。瘦果长圆形，长达 10 mm，光滑。花果期 7 ~ 10 月。

| **生境分布** | 生于海拔 373 ~ 2 200 m 的沼地、湿草地、山坡、林缘及灌丛中。分布于湖北利川、建始、巴东、秭归、五峰、兴山、神农架、房县、罗田。

| **采收加工** | **叶、根、根茎**：开花时采收，去净杂质，晒干，贮藏干燥处。鲜品随采随用。

| **功能主治** | 润肺，化痰，定喘，止咳，止血，止痛。用于肺痨，急性支气管炎，肺结核，咳嗽，气逆，咳痰不畅，咳嗽咯血。

菊科 Asteraceae 橐吾属 *Ligularia*

窄头橐吾 *Ligularia stenocephala* (Maxim.) Matsum. et Koidz.

| 药 材 名 | 窄头橐吾。

| 形态特征 | 多年生草本。根肉质，细而长。茎直立，高 40 ~ 170 cm。总状花序长达 90 cm，近光滑，苞片卵状披针形至线形，下部苞片长达 5 cm，宽至 0.7 cm，上部苞片线形，短而窄，花序梗短，长 1 ~ 7 mm，有时下部花序梗可长达 30 mm；头状花序多数，辐射状，小苞片线形，总苞狭筒形至宽筒形，长 8 ~ 12 mm，有时长 17 ~ 18 mm，宽 2.5 ~ 4 mm，有时宽达 8 mm，总苞片 5（~ 6 ~ 7），2 层，长圆形，宽 1.5 ~ 3（~ 4 ~ 6）mm，先端三角状，急尖，背部光滑，内层边缘膜质；舌状花 1 ~ 4（~ 5），黄色，舌片线状长圆形或倒披针形，长 10 ~ 17 mm，宽 2 ~ 4 mm，先端钝，管部长 5 ~ 13 mm；

管状花 5 ~ 10，长 10 ~ 19 mm，管部长 6 ~ 13 mm，冠毛白色、黄白色或褐色，长 5 ~ 8 mm，比管部短。瘦果倒披针形，长 5 ~ 10 mm，光滑。花果期 7 ~ 12 月。

| **生境分布** | 生于海拔 850 m 以上的山坡、水边、林中及岩石下。湖北有分布。

| **采收加工** | **根**：夏、秋季采挖，洗净，晾干。

| **功能主治** | 清热，解毒，散结，利尿。用于乳痈，水肿，瘰疬，河豚中毒。

菊科 Asteraceae 橐吾属 *Ligularia*

离舌橐吾 *Ligularia veitchiana* (Hemsl.) Greenm.

| 药材名 | 离舌橐吾。

| 形态特征 | 多年生草本。根肉质，多数。茎直立，高 60 ~ 120 cm。茎中上部叶与下部叶同形，较小，具短柄或无柄，鞘膨大，全缘。总状花序长 13 ~ 40 cm，苞片常位于花序梗的中部，包被总苞，宽卵形至卵状披针形，长 0.8 ~ 3 cm，宽达 24 cm，向上渐小，先端渐尖，全缘或上半部有齿，近膜质，干时浅红褐色，花序梗长 0.5 ~ 3.5 cm，向上渐短；头状花序多数，辐射状，小苞片狭披针形至线形，总苞钟形或筒状钟形，长 8 ~ 10（~ 15）mm，宽 5 ~ 8 mm，总苞片 7 ~ 9，2 层，长圆形，宽 2 ~ 3 mm，先端急尖，背部被有节短柔毛，内层边缘膜质；舌状花 6 ~ 10，黄色，疏离，舌片狭倒披针形，长

13 ~ 22 mm，宽约 2 mm，先端圆形；管状花多数，檐部裂片先端被密的乳突，冠毛黄白色，有时污白色，与管部等长或长为管部的 1/2。瘦果（未成熟）光滑。花期 7 ~ 9 月。

| 生境分布 | 生于海拔 1 000 ~ 1 800 m 的河边、山坡及林下。湖北有分布。

| 采收加工 | **根、根茎：**夏、秋季采挖，洗净，晾干。

| 功能主治 | 润肺降气，祛痰止咳，活血祛瘀。

菊科 Asteraceae 橐吾属 *Ligularia*

川鄂橐吾 *Ligularia wilsoniana* (Hemsl.) Greenm.

| 药 材 名 | 川紫菀。

| 形态特征 | 多年生草本。茎直径 0.6 ~ 1 cm，被柔毛。从生叶与茎下部叶肾形，长 6.5 ~ 13.5 cm，宽 11 ~ 24 cm，边缘具密生尖齿，上面被柔毛，

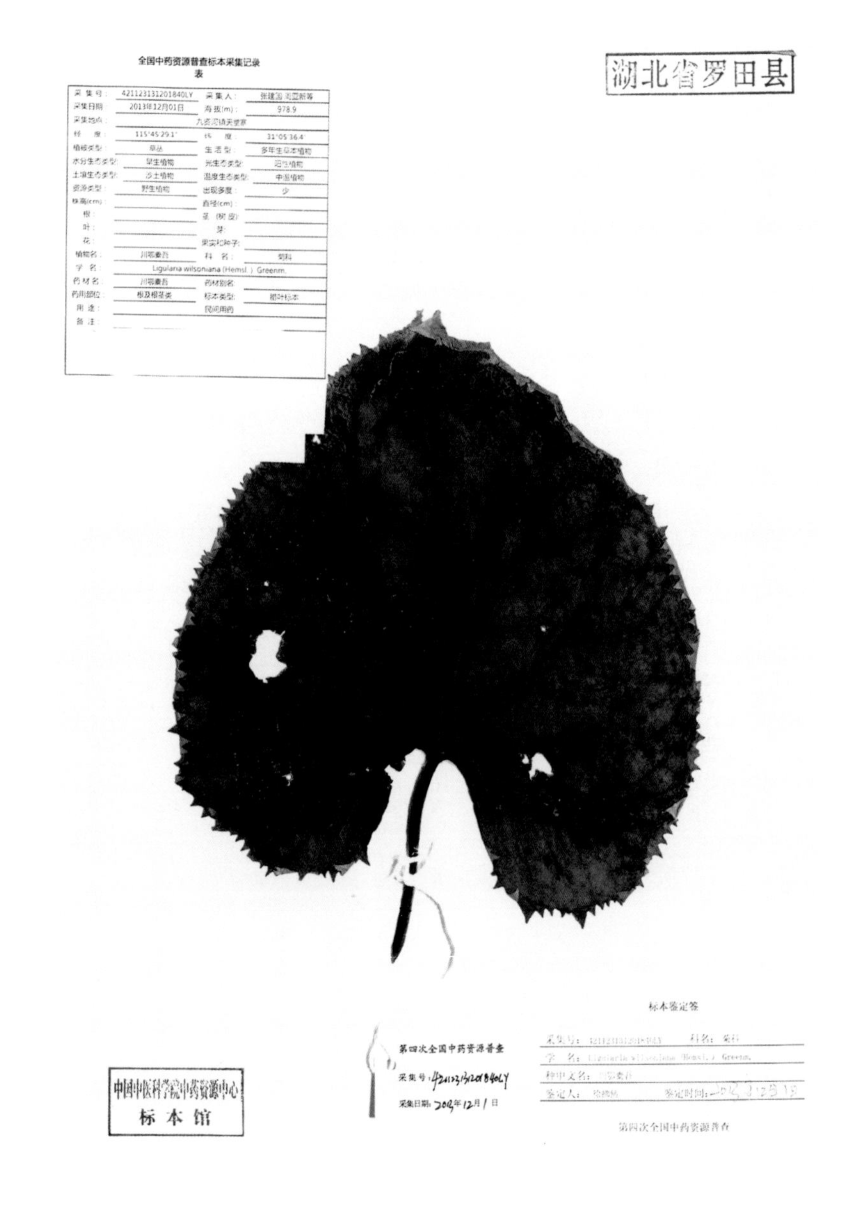

下面光滑，叶脉掌状，叶柄长 19 ~ 51 cm，基部具鞘；茎中部叶与下部叶同形，向上减缩。总状花序长 15 ~ 34 cm；苞片丝状，长达 2.5 cm，小苞片丝状钻形；头状花序多数，辐射状，总宽钟状陀螺形，长 7 ~ 8 mm，直径 6 ~ 7 mm；总苞片 7 ~ 9，2 层，长圆形或披针形，先端尖或三角形，背部无毛，内层具膜质边缘；舌状花 5 ~ 6，黄色，舌片长圆形，长 7 ~ 9 mm；管状花多数，黄色，长 6 ~ 7 mm。瘦果长圆形，长约 5 mm，光滑；冠毛白，与花冠等长。

| **生境分布** | 生于海拔 1 600 ~ 2 000 m 的草坡及林下。湖北有分布。

| **采收加工** | **根、根茎**：春、秋季采挖，去除杂质，洗净泥土，晒干，切段或切片。

| **功能主治** | 用于风寒感冒，咳嗽痰多，肺痈咯吐脓血，慢性咳喘，跌打损伤，腰腿痛。

菊科 Compositae 粘冠草属 *Myriactis*

圆舌粘冠草 *Myriactis nepalensis* Less.

| 药材名 | 圆舌粘冠草。

| 形态特征 | 多年生草本，通常粗壮，高达 1 m。根茎短，横走。茎直立，基部直径达 1 cm。自中部或基部分枝，分枝粗壮，斜升。全部茎枝无毛，光滑，或仅接头状花序处被稀疏短毛或糠秕状毛。中部茎生叶长椭圆形或卵状长椭圆形，长 4 ~ 10 cm，宽 2.5 ~ 4.5 cm，边缘有大锯齿或圆锯齿，下部沿叶柄下延成具翅的叶柄，柄基扩大贴茎；基生叶及茎下部的叶较大，间或浅裂或深裂，而侧裂片 1 ~ 2 对，极少有 3 对的，叶柄长达 10 cm；上部茎生叶渐小，长椭圆形或长披针形，渐无柄，基部扩大贴茎或耳状扩大抱茎，接花序下部的叶边缘有小齿或无齿；全部叶上面无毛，下面沿脉有极稀疏的短柔毛。头状花

序球形或半球形，直径 1 ~ 1.5 cm，单生茎顶或枝端，多数头状花序排列成疏松的伞房状或伞房状圆锥花序。总苞片 2 ~ 3 层，几等长，外面被微柔毛。边缘舌状雌花多层；舌片圆形，长、宽相当，先端圆形或微凹；两性花管状，檐部宽钟状，先端 4 齿裂，管部有微柔毛。瘦果压扁，边缘脉状加厚，先端有黏质分泌物。无冠毛。花果期 4 ~ 11 月。

| 生境分布 | 生于海拔 1 250 ~ 3 100 m 的山坡山谷林缘、林下、灌丛中，或近水潮湿地或荒地上。湖北有分布。

| 采收加工 | **根或全草：**夏、秋季采收，洗净，晾干。

| 功能主治 | 清热解毒，透疹，止痛。用于痢疾，肠炎，中耳炎，麻疹透发不畅，牙痛，关节肿痛。

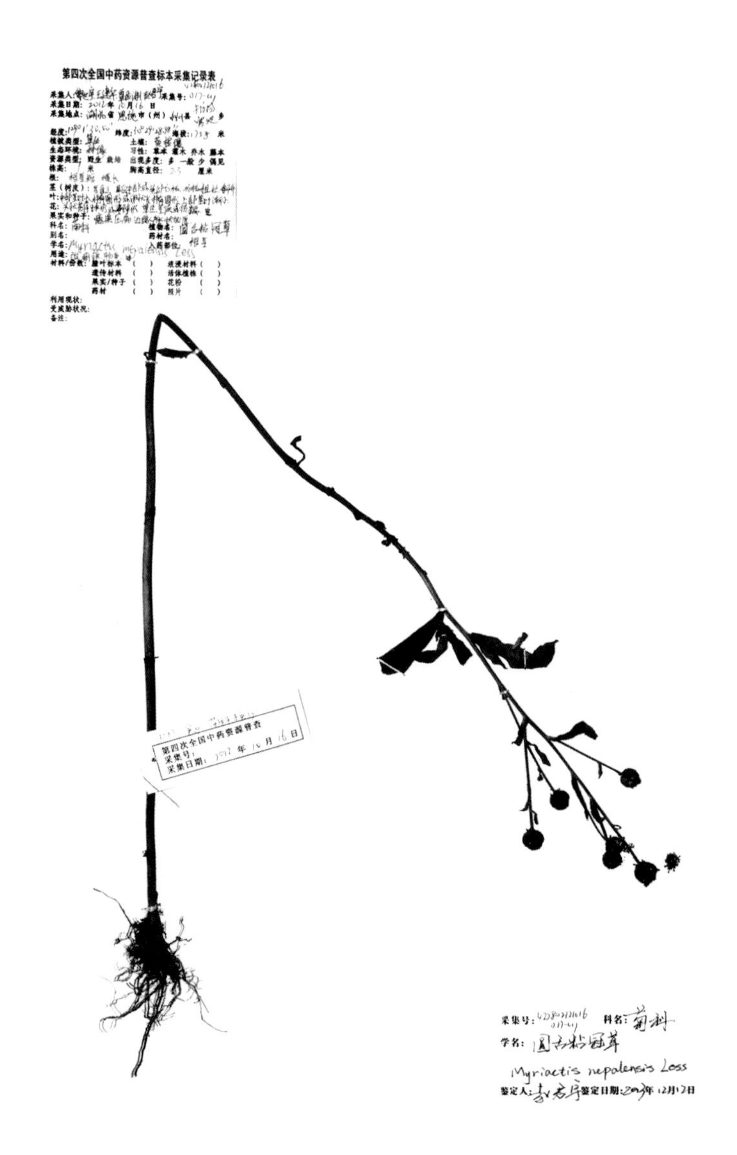

菊科 Compositae 紫菊属 *Notoseris*

多裂紫菊 *Notoseris henryi* (Dunn) Shih

| 药 材 名 | 多裂紫菊。

| 形态特征 | 多年生草本。高 0.5 ~ 2 m。茎直立，单生，基部直径 1 cm，上部圆锥花序状分枝，全部茎枝无毛。中、下部茎生叶羽状深裂或几全裂，卵形，长 12 ~ 22 cm，宽 8 ~ 18 cm，有长 10 ~ 17 cm 的长叶柄，顶部裂片椭圆形或不规则菱形，长 6 ~ 15 cm，宽 3 ~ 6.5 cm，先端钝、急尖或呈圆形，边缘有浅圆齿或不等大的三角形锯齿，齿顶及齿缘有小尖头，有时在顶部裂片基部具 1 对大锯齿或 1 对浅裂状或半裂状的椭圆形裂片，侧裂片 2 ~ 3 对，椭圆形、不规则菱形或倒卵形，长 5 ~ 10 cm，宽 2.5 ~ 6 cm，上方侧裂片较大，下方侧裂片较小，边缘有不等大的小锯齿或大锯齿，羽状浅裂或深裂，二回裂片椭圆

形或三角形，先端钝或圆，有小尖头；上部茎生叶与中、下部茎生叶同形并等样分裂，但渐小；花序分枝上的叶线形，基部渐狭，无柄，先端渐尖，边缘有小尖头状细锯齿；全部叶两面粗糙，有短糙毛。头状花序多数在茎枝先端排成圆锥状花序；总苞圆柱状，长 1.5 cm，宽 2 ~ 3 mm；总苞片 3 层，中、外层者小，长 2 ~ 6 mm，宽 1 ~ 1.5 mm，先端急尖或渐尖，内层者长椭圆形，长 1.5 cm，宽 2 mm，先端圆形；全部苞片无毛，紫红色；舌状小花 5，红色或粉红色。瘦果棕红色，压扁，倒披针形，长 5 mm，宽约 1 mm，先端截形，无喙，每面有 7 高起的纵肋；冠毛白色，2 层，细锯齿状，长 9 mm。花果期 8 ~ 12 月。

| 生境分布 | 生于海拔 600 ~ 800 m 的山坡草丛、林缘。分布于湖北宣恩、神农架。

| 采收加工 | **全草或根**：夏、秋季采收，洗净，鲜用或晒干。

| 功能主治 | 清热解毒，散瘀止血。用于乳痈，疮疖肿毒，毒蛇咬伤，痔疮出血，外伤出血。

菊科 Compositae 紫菊属 *Notoseris*

紫菊 *Notoseris psilolepis* Shih

| 药材名 | 紫菊。

| 形态特征 | 多年生草本，高 30 ~ 70 cm。根茎有匍匐枝。茎直立，上部有短毛，上部或从下部起有分枝。叶互生；基部渐狭成具翅的长柄；叶片倒披针形或倒卵状长圆形，长 3 ~ 6 cm，稀达 10 cm，宽 0.8 ~ 2 cm，稀达 5 cm，先端钝或尖，边缘从中部以上具有小尖头的钝或尖齿，或有羽状裂片，两面或上面具疏微毛或近无毛，薄质；上面叶小，无柄，全缘。头状花序单生于枝端并排列成疏伞房状；总苞半球形，直径 6 ~ 9 mm，长 4 ~ 5 mm；总苞片 2 ~ 3 层，覆瓦状排列，外层倒披针形，长约 2 mm，内层倒披针长圆形，长达 4 mm，先端钝或稍尖，上部草质，有疏短毛，边缘膜质，具缘毛；舌状花 1 层，15 ~ 20，

管部长 1.5 ~ 1.7 mm；舌片浅紫色，长达 10 mm，宽 1.5 ~ 2 mm；管状花长 3.5 mm，管部长约 1.5 mm，被短毛。瘦果倒卵状长圆形，极扁，长 1.5 ~ 2 mm，宽约 1 mm，褐色，边缘浅色而有厚肋，上部被腺毛及短柔毛，冠毛长 0.1 ~ 0.8 mm，易脱落，不等长。花期 5 ~ 9 月，果期 8 ~ 10 月。

| 生境分布 | 生于路边、田野、山坡上。湖北有分布。

| 采收加工 | 夏、秋季采收，鲜用或晒干。

| 功能主治 | 凉血止血，清热利湿，解毒消肿。用于吐血，衄血，血痢，崩漏，创伤出血，黄疸，水肿，淋浊，感冒，咳嗽，咽痛，喉痹，痔疮，痈肿，丹毒，疳积。

菊科 Compositae 黄瓜菜属 *Paraixeris*

黄瓜菜 *Paraixeris denticulata* (Houtt.) Nakai

| 药材名 | 黄瓜菜。

| 形态特征 | 一年生或二年生草本，高 30 ～ 120 cm。根垂直直伸，生多数须根。茎单生，直立，基部直径达 8 mm，上部或中部伞房花序状分枝，全部茎枝无毛。基生叶及下部茎生叶花期枯萎脱落；中下部茎生叶卵形、琴状卵形、椭圆形、长椭圆形或披针形，不分裂，长 3 ～ 10 cm，宽 1 ～ 5 cm，先端急尖或钝，有宽翼柄，基部圆形，耳部圆耳状扩大抱茎，或无柄，向基部稍收窄而基部突然扩大圆耳状抱茎，或向基部渐窄成长或短的不明显叶柄，基部稍扩大，耳状抱茎，边缘大锯齿或重锯齿或全缘；上部及最上部茎生叶与中下部茎生叶同形，但渐小，边缘大锯齿或重锯齿或全缘，无柄，向基部渐宽，基部耳

状扩大抱茎，全部叶两面无毛。头状花序多数，在茎枝先端排成伞房花序或伞房圆锥状花序，含 15 舌状小花。总苞圆柱状，长 7 ~ 9 mm；总苞片 2 层，外层极小，卵形，长、宽不足 0.5 mm，先端急尖，内层长，披针形或长椭圆形，长 7 ~ 9 mm，宽 1 ~ 1.4 mm，先端钝，有时在外面先端之下有角状突起，背面沿中脉海绵状加厚，全部总苞片外面无毛。舌状小花黄色。瘦果长椭圆形，压扁，黑色或黑褐色，长 2.1 mm，有 10 ~ 11 高起的钝肋，上部沿脉有小刺毛，向上渐尖成粗喙，喙长 0.4 mm。冠毛白色，糙毛状，长 3.5 mm。花果期 5 ~ 11 月。

| 生境分布 | 生于海拔 100 ~ 2 380 m 的阴湿草丛中、水沟边。分布于湖北建始、咸丰等。

| 功能主治 | 通结气，利肠胃。

菊科 Compositae 假福王草属 *Paraprenanthes*

假福王草 *Paraprenanthes sororia* (Miq.) Shih

| 药 材 名 | 假福王草。

| 形态特征 | 一年生草本，高 50 ~ 150 cm。茎直立，单生，上部圆锥状花序分枝，全部茎枝光滑无毛。基生叶花期枯萎；下部及中部茎生叶大头羽状半裂或深裂或几全裂，极少羽状深裂或几全裂，有长 4 ~ 7 cm 的狭或宽翼柄，顶裂片大，宽三角状戟形、三角状心形、三角形或宽卵状三角形，长 5.5 ~ 15 cm，宽 5.5 ~ 15 cm，先端急尖，边缘有大或小锯齿或重锯齿，齿顶及齿缘有小尖头，基部戟形或心形或平截，极少顶裂片与侧裂片等大或几等大，披针形或不规则菱状披针形，长 4 ~ 11 cm，宽 3 ~ 7 cm，侧裂片 1 ~ 2（~ 3）对，椭圆形，下方的侧裂片更小，三角状锯齿形，全部侧裂片先端圆形或急尖，有

小尖头，边缘有小尖头状锯齿；羽轴有宽或狭翼；上部茎生叶小，不裂，戟形、卵状戟形、披针形或长椭圆形，有短翼柄或无柄；全部叶两面无毛。头状花序多数，沿茎枝先端排成圆锥状花序。总苞圆柱状，长 1.1 cm，宽约 2 mm；总苞片 4 层，外层及最外层短，卵形至披针形，长 1 ~ 2 mm，宽不足 1 mm，先端急尖，内层及最内层长，长 1.1 cm，宽 1 mm，线状披针形，先端钝或圆；全部苞片外面无毛，有时淡紫红色。舌状小花约 10，粉红色。瘦果黑色，稍粗厚，压扁，纺锤状，先端窄，淡黄白色，长 4.3 ~ 5 mm，每面有 5 高起纵肋。冠毛 2 层，白色，长 7 mm，微糙毛状。花果期 5 ~ 8 月。

| 生境分布 | 生于海拔 200 ~ 3 100 m 的山坡、山谷灌丛、林下。分布于湖北宣恩等。

| 采收加工 | 夏、秋季采收，洗净，鲜用。

| 功能主治 | 清热解毒，止血，止咳润肺。用于疮疖肿毒，蝮蛇咬伤，外伤出血，骨痨，肺痨。

菊科 Compositae 蟹甲草属 *Parasenecio*

兔儿风蟹甲草 *Parasenecio ainsliiflorus* (Franch.) Y. L. Chen

| 药材名 | 兔儿风蟹甲草。

| 形态特征 | 多年生草本。根茎粗壮，有多数纤维状须根。茎单生，高 60 ~ 100 cm，直立，具纵条棱，下部无毛，上部和花序分枝被黄褐色短毛。下部叶在花期凋落；中部叶 5 ~ 8，具长柄，叶片心状肾形或圆肾形，长、宽均 8 ~ 12（~ 20）cm，先端急尖，基部宽心形或近截形，常有 5 ~ 7 三角形中裂，边缘有不规则锯齿，基出脉 5，侧脉向上叉状分枝，上面被贴生疏短毛或近无毛，下面仅沿脉被短柔毛，叶脉在上面凸起，叶柄长 5 ~ 10 cm，无翅；上部叶与中部叶同形，但较小，宽卵形，具 3 ~ 5 浅裂，叶柄短。头状花序小，多数，在茎端或上部叶腋排列成总状或复总状花序，花序分枝开展；花序梗

短或极短，长 1 ~ 4 mm，具 1 ~ 3 线形或线状钻形小苞片；花序轴和花序梗被黄褐色密短毛；总苞圆柱形，长 6 ~ 8 mm，宽 1.5 ~ 2 mm；总苞片 5，线形或线状披针形，先端钝或圆形，被微毛，边缘膜质，外面无毛；小花 5；花冠白色，长约 8 mm，管部细，长约 3 mm，檐部宽筒状，裂片三角状披针形，花药伸出花冠，基部具长尾；花柱分枝外卷，先端截形，被乳头状微毛。瘦果圆柱形，长 3 ~ 4 mm，无毛，具肋；冠毛白色或污白色，长 5 ~ 6 mm。花期 7 ~ 8 月，果期 9 ~ 10 月。

| 生境分布 | 生于海拔 1 500 ~ 2 600 m 的山坡林缘、林下、灌丛及草坪。分布于湖北兴山、巴东、房县、宣恩、鹤峰、建始、神农架、秭归、五峰、保康。

| 采收加工 | **根及根茎：**秋季采挖，洗净，鲜用或切片晒干。

| 功能主治 | 用于风湿浮肿，无名肿毒，癞癣，阳痿早泄，月经不调。

菊科 Compositae 蟹甲草属 *Parasenecio*

珠芽蟹甲草 *Parasenecio bulbiferoides* (Hand.-Mazz.) Y. L. Chen

| 药 材 名 | 珠芽蟹甲草。

| 形态特征 | 多年生草本。茎单生，具束生的须根，直立，高 85 cm，坚硬，具纵细槽棱，基部裸露，常变紫色，上部被蛛丝状毛。叶疏生，具叶柄，叶片宽三角状卵形或宽卵状心形，长 6 ~ 12 cm，宽 15 cm，先端钝或短尖，基部直角状心形，边缘具波状粗圆齿或 9 ~ 11 小裂片，具小尖的疏细齿，草质，掌状 5 ~ 7 脉和 1 ~ 2 侧脉，上面狭而下面宽并与细脉联结成疏网状，上面绿色，沿脉被疏褐色短毛，下面被疏蛛丝状毛，后变无毛，叶柄长 3 ~ 5 cm，无翅，上部的叶柄渐短，全部叶腋有卵圆形、长达 7 mm 的鳞芽；芽被褐色短绒毛。头状花序多数，在茎端排列成总状或复总状花序；花序长达 40 cm，下部

的苞片仅有极疏的小芽，最上部的苞片长达 8 cm，苞片披针形，长约 6 mm，近膜质；花序梗长 1 ~ 2 mm，被绒毛，具 1 小苞片。头状花序开展；总苞圆柱状钟形；总苞片 5 ~ 6，披针形，长 11 ~ 13 mm，先端钝，边缘狭膜质，外面无毛，小花 8 ~ 10，花冠黄色，长 10 mm，管部长 4 mm，丝状，檐部圆柱形，较宽，长约 6 mm，裂片线形，长 1 mm，卷曲；花药伸出花冠，干时紫色，基部具尾；花柱分枝先端截形，被乳头状微毛。子房无毛，圆柱形；冠毛白色，短于花冠。花期 9 月。

| 生境分布 | 生于海拔 1 000 ~ 2 200 m 的山坡、山谷湿地。分布于湖北神农架、郧阳、竹溪、保康、兴山等。

| 功能主治 | 疏风解表，除湿通络，活血散瘀。用于发热咳嗽，腰腿疼痛，跌打损伤。

| 附　　注 | 中国特有植物。

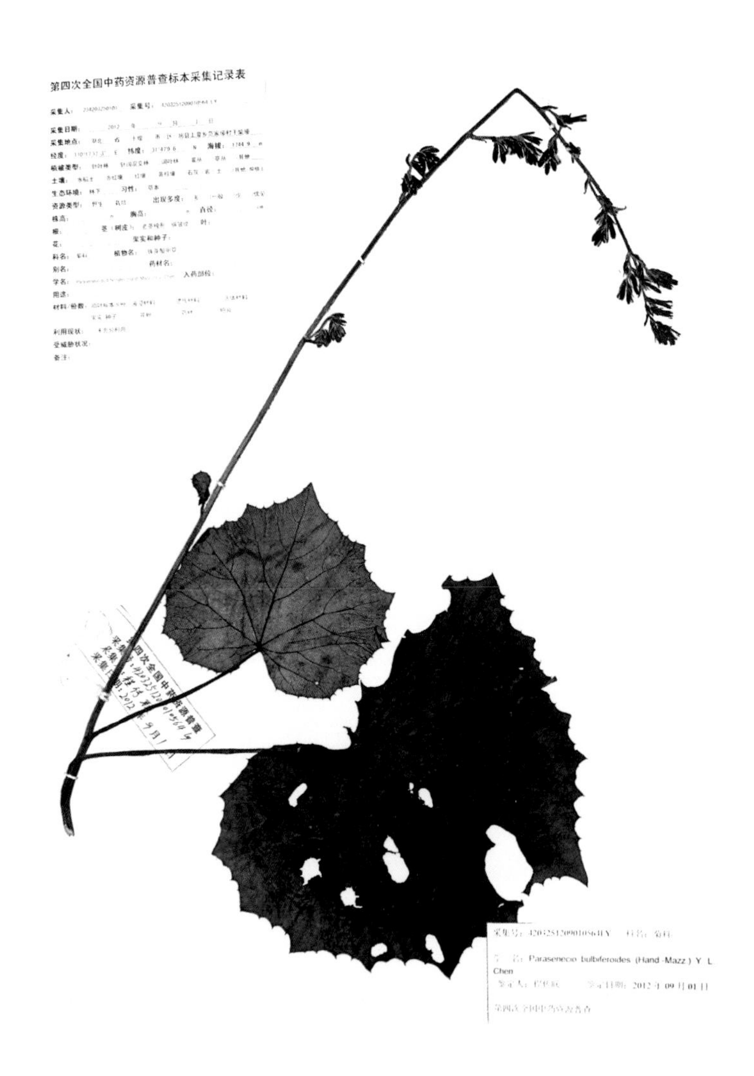

菊科 Compositae 蟹甲草属 *Parasenecio*

山尖子 *Parasenecio hastatus* (L.) H. Koyama

| 药 材 名 | 山尖子。

| 形态特征 | 多年生草本，根茎平卧，有多数纤维状须根。茎坚硬，直立，高 40 ~ 150 cm，不分枝，具纵沟棱，下部无毛或近无毛，上部被密腺状短柔毛。下部叶在花期枯萎凋落，中部叶片三角状戟形，长 7 ~ 10 cm，宽 13 ~ 19 cm，先端急尖或渐尖，基部戟形或微心形，沿叶柄下延成具狭翅的叶柄，叶柄长 4 ~ 5 cm，基部不扩大，边缘具不规则的细尖齿，基生侧裂片有时具缺刻的小裂片，上面绿色，无毛或被疏短毛，下面淡绿色，被密或较密的柔毛，上部叶渐小，基部裂片退化而成三角形或近菱形，先端渐尖，基部截形或宽楔形，最上部叶和苞片披针形至线形。头状花序多数，下垂，在茎端和上

部叶腋排列成塔状的狭圆锥花序；花序梗长 4 ~ 20 mm，被密腺状短柔毛。总苞圆柱形，长 9 ~ 11 mm，宽 5 ~ 8 mm；总苞片 7 ~ 8，线形或披针形，宽约 2 mm，先端尖，外面被密腺状短毛，基部有 2 ~ 4 钻形小苞片。小花 8 ~ 20，花冠淡白色，长 9 ~ 11 mm，管部长 4 mm，檐部窄钟状，裂片披针形，渐尖；花药伸出花冠，基部具长尾，花柱分枝细长，外弯，先端截形，被乳头状微毛。瘦果圆柱形，淡褐色，长 6 ~ 8 mm，无毛，具肋；冠毛白色，约与瘦果等长或短于瘦果。花期 7 ~ 8 月，果期 9 月。

| 生境分布 | 生于林下、林缘、灌丛、林间草地。分布于湖北神农架。

| 采收加工 | 夏、秋季采收，鲜用或切段阴干。

| 功能主治 | 解毒，利尿。用于伤口化脓，小便不利，肺结核，支气管炎，扁桃体炎。

菊科 Compositae 蟹甲草属 *Parasenecio*

白头蟹甲草 *Parasenecio leucocephalus* (Franch.) Y. L. Chen

| 药 材 名 | 白头蟹甲草。

| 形态特征 | 多年生草本，根茎平卧，有多数被绒毛的须根。茎单生，直立，高 40 ~ 80 cm，下部裸露，常带紫色，无毛，有明显的条纹，上部被白色蛛丝状毛或后多少脱毛。叶具长柄，下部叶在花期凋落，中部叶片卵状三角形或戟状三角形，稀卵状心形，长 8 ~ 12 cm，宽 14 ~ 18 cm，先端短急尖或尾状尖，基部心形或截形，边缘有不规则的锯齿，齿端具小尖，上面绿色，被疏短糙毛，下面被白色或灰白色蛛丝状毛，掌状 3 ~ 5 脉，侧脉弧状向上分叉；叶脉在两面明显；叶柄长 4 ~ 9 cm，无翅，无毛或近无毛；上部叶较小，叶柄较短。头状花序较多数，在茎端和上部叶腋排成窄圆锥花序；花序梗

长 2 ~ 17 mm，有 2 ~ 3 线形小苞片，密被绒毛。总苞圆柱形或圆柱状窄钟形，长 8 ~ 10 mm，宽 4 ~ 5 mm；总苞片 5，长圆形或长圆状披针形，长 8 ~ 10 mm，宽 2 ~ 4 mm，先端钝，边缘干膜质，外面被白色绵毛；小花 10 ~ 13，花冠黄色，长 8 ~ 11 mm，管部细，长约 3 mm，檐部筒状，裂片披针形；花药伸出花冠，基部具长尾；花柱分枝外弯，先端截形，被乳头状微毛。瘦果圆柱形，长 5 ~ 6 mm，无毛，具肋；冠毛雪白色，长 6 ~ 8 mm。花期 8 ~ 9 月，果期 10 月。

| 生境分布 | 生于海拔 1 250 ~ 3 000 m 的林下、林缘或草丛中。分布于湖北宜昌及兴山、巴东、神农架、南漳、保康等。

| 功能主治 | 利水消肿，清热。

| 附　　注 | 中国特有品种。

菊科 Compositae 蟹甲草属 *Parasenecio*

耳翼蟹甲草 *Parasenecio otopteryx* (Hand.-Mazz.) Y. L. Chen

| 药 材 名 |

耳翼蟹甲草。

| 形态特征 |

多年生草本。根茎不增粗，有多数须根。茎单生，直立，高 70 ~ 110 cm，具条纹，下部常紫色，无毛。下部叶在花期枯萎，茎生叶 4 ~ 6，具长叶柄，叶片纸质，宽卵状心形或宽心形，长 10 ~ 16 cm，宽 11 ~ 19 cm，先端急尖或短尖，基部心形，边缘有不规则波状锯齿，齿端具小尖，基出 3 脉，侧脉 3 ~ 4 对，向上分叉，上面绿色，被疏褐色短腺毛，下面灰绿色，被疏蛛丝状毛或近无毛；叶柄具宽 5 ~ 10 mm 的翅，基部扩大成抱茎的大叶耳。头状花序多数，在茎端排列成复总状花序；花序轴和花序梗被腺状短毛；花序梗基部有 1 ~ 2 披针状钻形小苞片，小苞片长 1 ~ 8 mm，开展或下垂；总苞圆柱形或窄钟状，长 5 ~ 7 mm，宽 2 ~ 2.5 mm；总苞片（3 ~ ）5，长圆状披针形，长 6 ~ 7 mm，宽 1 ~ 1.5 mm，先端钝，边缘膜质，外面被糠状短毛；小花 3 ~ 4，稀 5；花冠黄白色，长 7 ~ 8 mm，管部细，长 3 mm，檐部窄钟状，裂片披针形，长 1.5 mm；花药伸出花冠，基部具长尾；花柱分枝外弯，先端截形，被乳头状长微毛。瘦果圆柱形，长 4 ~ 5 mm，褐色，无毛，具肋；冠毛白色，长 6 ~ 7 mm。花果期 7 ~ 9 月。

| **生境分布** | 生于海拔 1 400 ~ 2 800 m 的山坡林下、林缘或灌丛中阴湿处。分布于湖北巴东、宣恩、咸丰、鹤峰、五峰、神农架、竹溪、当阳、长阳。

| **功能主治** | 用于痈疮，蛇咬伤，泄泻。

菊科 Compositae 蟹甲草属 *Parasenecio*

掌裂蟹甲草 *Parasenecio palmatisectus* (J. F. Jeffrey) Y. L. Chen

| 药 材 名 | 掌裂蟹甲草。

| 形态特征 | 多年生草本。根茎粗壮，有多数被绒毛的须根。茎单生，高 50 ~ 100 cm，直立，具条纹，被疏短柔毛或近无毛。叶具长柄，下部叶在花期凋落；中部叶叶片宽卵圆形或五角状心形，长 5 ~ 14 cm，宽 7 ~ 14 cm，羽状掌状 5 ~ 7 深裂，裂片长圆形、长圆状披针形或匙形，稀线形，长 2 ~ 9 cm，宽 2 ~ 4 cm，羽状浅裂或具 2 ~ 4 不等的角状齿，顶生裂片较大，侧生裂片窄小，上面绿色，被贴生疏短毛或无毛，下面淡绿色或灰绿色，沿脉被柔毛，叶柄无翅，长 4 ~ 7 cm，被疏短柔毛或近无毛；上部叶渐小，与中部叶同形，叶柄较短。头状花序多数，在茎端排列成总状或疏圆锥状花序，开展

或花后下垂；花序梗长 3 ~ 5（~ 7）mm，被短柔毛或近无毛，具 1 ~ 2 线形小苞片；总苞圆柱形，长 8 ~ 10 mm，宽 2.5 ~ 3 mm；总苞片 4，绿色或变紫色，线状长圆形，先端稍钝，边缘狭膜质，外面有疏短毛或近无毛；小花 4 ~ 5，稀 6 或 7；花冠黄色，长 8 ~ 12 mm，管部细，长约 3 mm，檐部窄钟状，裂片卵状披针形；花药伸出花冠，基部具尾尖；花柱分枝外卷，先端截形，被乳头状微毛。瘦果圆柱形，长 5 ~ 6 mm，无毛，具肋；冠毛白色，长 5 ~ 6 mm。花期 7 ~ 8 月，果期 9 ~ 10 月。

| 生境分布 | 生于海拔 2 600 ~ 3 100 m 的山坡林下、林缘或灌丛中。湖北有分布。

| 采收加工 | **全草**：秋季采收，洗净，晒干。

| 功能主治 | 疏风解表，除湿通络，活血散瘀。用于感冒头痛，发热咳嗽，腰腿疼痛，跌打损伤。

菊科 Compositae 蟹甲草属 *Parasenecio*

深山蟹甲草 *Parasenecio profundorum* (Dunn) Y. L. Chen

| 药 材 名 | 深山蟹甲草。

| 形态特征 | 多年生草本，根茎粗壮横卧。茎单生，高 50 ~ 120 cm，直立，下部常裸露，具纵条棱，被疏蛛丝状毛，后变无毛，上部被锈褐色腺状短柔毛。叶具长叶柄；叶片膜质，宽卵形或卵状菱形，基部截形或微心形，楔状急狭成具翅的叶柄，先端急尖或短尖，边缘有密或较密的尖齿，上面被疏短糙毛，下面被疏蛛丝状毛，后变无毛，中部茎生叶长 10 ~ 13 cm，宽 10 ~ 12 cm，基出脉 3，侧脉急叉状分枝，叶脉在下面明显凸起；叶柄长 5 ~ 8 cm，基部半抱茎，上部叶渐小，有短叶柄。头状花序多数，在茎端排列成疏散的圆锥花序；花序梗细，被疏腺状短柔毛，有 1 ~ 3 线形小苞片；总苞圆柱形，长 8 ~ 10 mm，

宽约 3 mm；总苞片 5，线状披针形，长 8 ~ 9 mm，宽 1.5 ~ 2 mm，先端钝，被微毛，边缘膜质，外面无毛或近无毛。小花 5，花冠黄色，长约 8 mm，管部细，长 3 mm，檐部宽管状，裂片披针形，长 1.5 ~ 2 mm；花药伸出花冠，基部尾状；花柱分枝外弯，先端截形，有乳头状微毛。瘦果圆柱形，长约 6 mm，无毛而具肋；冠毛白色，短于花冠或与花冠近等长。花果期 8 ~ 9 月。

| 生境分布 | 生于海拔 1 000 ~ 2 100 m 的山坡林缘或山谷潮湿处。分布于湖北鹤峰、秭归、神农架、保康等。

| 功能主治 | 清热解毒，消肿止痛。用于无名肿毒，头癣，跌打损伤。

菊科 Compositae 蜂斗菜属 *Petasites*

蜂斗菜 *Petasites japonicus* (Sieb et Zucc.) F. Schmidt (Maxim.)

|药 材 名| 蜂斗菜。

|形态特征| 多年生草本。根茎短粗，周围抽生横走的分枝，多少被白色茸毛或绵毛。花茎高 10 ~ 20 cm，中空，雌株花茎果期高达 60 cm，被白色茸毛或蛛丝状绵毛。叶基生，有长叶柄，长达 23 cm，初时表面有毛，叶片心形或肾形，于花后出现，长 2.8 ~ 8.6 cm，宽 12 ~ 15 cm，下面灰绿色，有蛛丝状毛，边缘有重锯齿。花雌雄异株；花茎从根部抽出，茎上互生鳞片状大苞片，有平行脉；头状花序排列成伞房状；雌花花冠细丝状，白色；总苞片 2 层，近等长，长椭圆形，先端钝；雄花花冠筒状或两性，5 齿裂，裂齿披针形，急尖，黄白色，不育。瘦果线形，光滑无毛，冠毛白色。花果期 4 ~

5 月。

| 生境分布 | 生于海拔 1 000 m 左右的向阳山坡林下、溪谷旁潮湿草丛中。湖北有分布。

| 采收加工 | 全年均可采收全草，春、秋季采挖根茎，洗净晒干。

| 功能主治 | 清热解毒，散瘀消肿。用于毒蛇咬伤，痈疖肿毒，跌打损伤，咽喉肿痛。

| 附　　注 | 中国特有植物。

菊科 Compositae 蜂斗菜属 *Petasites*

毛裂蜂斗菜 *Petasites tricholobus* Franch.

| 药 材 名 |

毛裂蜂斗菜。

| 形态特征 |

多年生草本，根茎短，有多数纤维状根，全株被薄蛛丝状白色绵毛。早春从根茎长出花茎，近雌雄异株；雌株花茎高 27 ~ 60 cm，具鳞片状叶；苞叶卵状披针形，长 3 ~ 4 cm，基生叶具长柄，叶片宽肾状心形，长 2 ~ 8 cm，边缘有细齿，齿端具软骨质小尖，叶脉掌状，两面被白色绵毛，或后多少脱毛；雌头状花序在花茎先端排成密集的聚伞状圆锥花序，直径 8 ~ 12 mm；花序梗长 1 ~ 2.5 cm，有 1 或数枚披针形苞叶；总苞钟状；总苞片 1 层，10 ~ 12，披针形，或披针状长圆形，长约 7 mm，外面有小苞片，雌花花冠先端 4 ~ 5 撕裂，裂片不等长，丝状或钻形；花柱伸出花冠；柱头 2 裂；雄头状花序在花茎端排成伞房状或圆锥状，花冠管状，裂片披针形；花柱伸出花冠外，柱头头状，略分枝，瘦果圆柱形，无毛；雌花的冠毛丰富，白色；雄花的冠毛较少，短于花冠。

| 生境分布 | 生于海拔 700 ～ 3 100 m 的山谷路旁或水旁。分布于湖北宜昌及利川。

| 采收加工 | 春季花开时采收，鲜用或晾晒干。

| 功能主治 | **根茎、全草：**消肿，解毒散瘀。

花蕾：化痰，止咳。

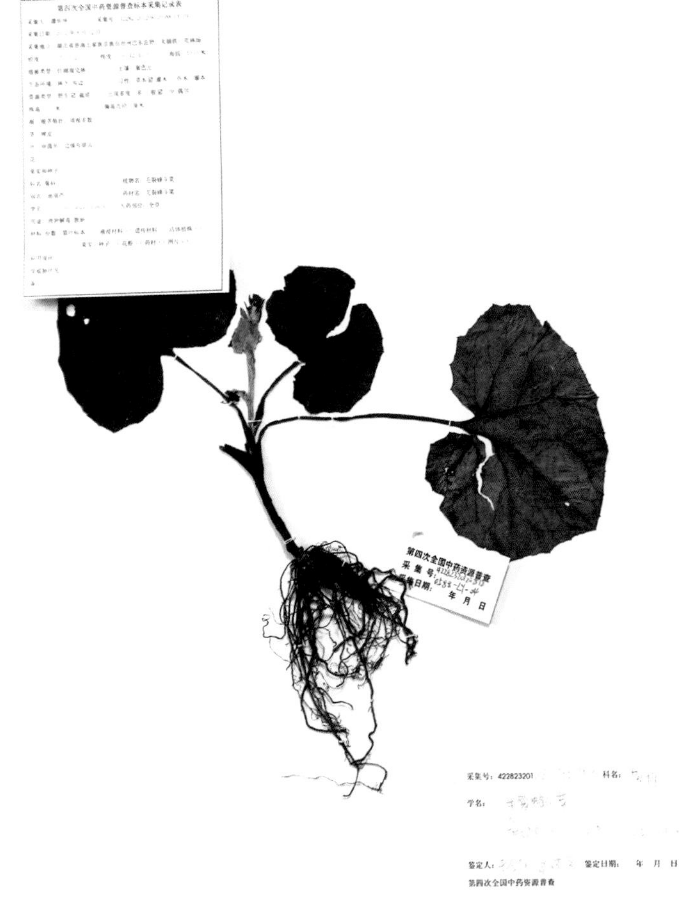

菊科 Compositae 毛连菜属 *Picris*

毛连菜 *Picris hieracioides* L.

|药材名|

毛连菜。

|形态特征|

二年生草本。高 16 ~ 120 cm。根垂直直伸，粗壮。茎直立，上部伞房状或伞房圆状分枝，有纵沟纹，被稠密或稀疏、亮色、钩状的分叉硬毛。基生叶花期枯萎脱落；下部茎生叶长椭圆形或宽披针形，长 8 ~ 34 cm，宽 0.5 ~ 6 cm，先端渐尖、急尖或钝，全缘、有尖锯齿或有大而钝的锯齿，基部渐狭成长或短的翼柄；中部和上部茎叶披针形或线形，较下部茎生叶小，无柄，基部半抱茎；最上部茎生叶小，全缘；全部茎生叶两面特别是沿脉被亮色、钩状分叉的硬毛。头状花序较多数，在茎枝先端排成伞房花序或伞房圆锥花序，花序梗细长；总苞圆柱状钟形，长达 1.2 cm；总苞片 3 层，外层线形，短，长 2 ~ 4 mm，宽不足 1 mm，先端急尖，内层线状披针形，长，长 10 ~ 12 mm，宽约 2 mm，边缘白色膜质，先端渐尖，全部总苞片外面被硬毛和短柔毛；舌状小花黄色，花冠筒被白色短柔毛。瘦果纺锤形，长约 3 mm，棕褐色，有纵肋，肋上有横皱纹；冠毛白色，外层极短，糙毛状，内层长，羽毛状，长约 6 mm。花果期 6 ~ 9 月。

| **生境分布** | 生于海拔 560 ~ 3 100 m 的山坡草地、林下、沟边、田间、撂荒地或沙滩地。分布于湖北竹溪、房县等。

| **采收加工** | **花序：** 夏季花开时采收，洗净，晒干。

| **功能主治** | 理肺止咳，化痰平喘，宽胸。用于咳嗽痰多，咳喘，嗳气，胸腹闷胀。

菊科 Compositae 福王草属 *Prenanthes*

福王草 *Prenanthes tatarinowii* Maxim.

|药材名| 福王草。

|形态特征| 多年生草本，高 0.5 ~ 1.5 m。茎直立，单生，基部直径达 1.3 cm，上部圆锥状花序分枝，极少不分枝，全部茎枝无毛或几无毛。中下部茎生叶或不裂，心形或卵状心形，长 8.5 ~ 14 cm，宽 6.5 ~ 12 cm，有长 8.5 ~ 14 cm 的叶柄，全缘或有锯齿或不等大的三角状锯齿，齿顶及齿缘有小尖头，或大头羽状全裂，有长柄，柄长 7 ~ 17 cm，顶裂片卵状心形、心形、戟状心形或三角状戟形，长 5 ~ 15 cm，宽 6 ~ 15 cm，先端长或短渐尖，基部心形或几心形或戟形，边缘有不等大的三角状锯齿，齿顶及齿缘有小尖头，侧裂片通常 1 对，稀少 2 ~ 3 对，椭圆形、卵状披针形、偏斜卵形或耳状，长 0.6 ~ 5.5 cm，

宽 0.4 ~ 4.5 cm，边缘有小尖头；向上的茎生叶渐小，同形并等样分裂，上部茎生叶与花序分枝下部或花序分枝上的与中下部茎生叶同形或宽三角状卵形、线状披针形、几菱形、宽卵形、卵形，但不裂，先端长或短渐尖，基部平截或楔形，有短柄；全部叶两面被稀疏的膜片短刚毛，叶柄有长或短糙毛或多细胞节毛。头状花序含 5 舌状小花，多数，沿茎枝排成疏松的圆锥状花序或少数沿茎排列成总状花序。总苞狭圆柱状，长 1 ~ 1.1 cm，宽 1 ~ 2 mm；总苞片 3 层，外层及最外层短小，卵形或长卵形，长 1 ~ 2 mm，宽 0.5 ~ 1 mm，先端急尖或钝，内层最长，5 苞片，线状长披针形或线形，长 1 cm，宽 1 mm，先端钝或圆形，外面被稀疏的短卷毛。舌状小花紫色、粉红色，极少白色或黄色。瘦果线形或长椭圆状，长 4.5 mm，紫褐色，向先端渐宽，先端截形，无喙，向下渐收窄，有 5 高起纵肋。冠毛 2 ~ 3 层，细锯齿状，长达 8 mm，浅土红色或褐色。花果期 8 ~ 10 月。

| 生境分布 | 生于海拔 510 ~ 2 980 m 的山谷、山坡林缘、林下、草地或水旁潮湿地。分布于湖北巴东、秭归等。

| 功能主治 | 抗肿瘤，抗病毒，抗溃疡，改善睡眠。

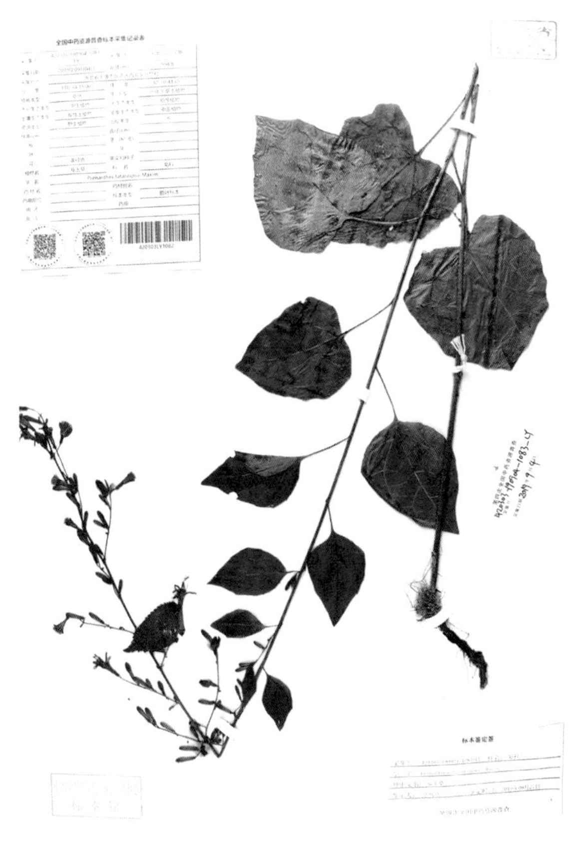

菊科 Compositae 翅果菊属 *Pterocypsela*

高大翅果菊 *Pterocypsela elata* (Hemsl.) Shih

| 药 材 名 |

高大翅果菊。

| 形态特征 |

多年生草本，根有时分枝成粗厚的萝卜状。茎直立，单生，高 80 ~ 200 cm，通常紫红色或带紫红色斑纹，有稀疏或稠密的多细胞节毛或脱毛而至无毛，上部狭圆锥花序状或总状圆锥花序状分枝。中下部茎生叶卵形、宽卵形、三角状卵形、椭圆形、长椭圆形或三角形，长 5 ~ 11 cm，宽 4 ~ 7.5 cm，顶裂急尖，少渐尖，基部宽或狭楔形，渐狭或急狭成宽或狭翼柄；向上的叶与中下部茎生叶同形或披针形，叶柄渐短至几无柄；全部叶两面粗糙，沿脉有稀疏或稠密的多细胞节毛，边缘有锯齿或无齿。头状花序多数，沿茎枝先端排成狭圆锥花序或总状圆锥花序，果期卵球形，长 1.1 cm，宽 5 mm。总苞片 4 层，外层卵形，长 1.5 ~ 3.5 mm，宽 1 ~ 2 mm，中内层长 1 ~ 1.1 cm，宽 1 ~ 1.8 mm。舌状小花约 20，黄色。瘦果椭圆形或长椭圆形，压扁，黑褐色，有棕色斑纹，边缘有宽厚翅，每面有 3 高起的细脉纹，先端急尖成长 0.5 mm 的粗喙。冠毛纤细，白色，微锯齿状，2 层，长 5 mm。花果期 6 ~ 10 月。

| 生境分布 | 生于山谷或山坡林缘、林下、灌丛中或路边。分布于湖北来凤等。

| 采收加工 | **根**：6 月采挖，晒干。

| 功能主治 | 止咳化痰，祛风。用于风寒咳嗽，肺痈。

菊科 Compositae 翅果菊属 *Pterocypsela*

台湾翅果菊 *Pterocypsela formosana* (Maxim.) Shih

|药材名|

台湾翅果菊。

|形态特征|

一年生草本，高 0.5 ~ 1.5 m，根分枝。茎直立，单生，基部直径达 7 mm，上部伞房花序状分枝，分枝长或短，上部茎枝有稠密或稀疏的长刚毛或脱毛而至无毛。下部及中部茎生叶椭圆形、长椭圆形、披针形或倒披针形，羽状深裂或几全裂，有长达 5 cm 的翼柄，柄基稍扩大抱茎，顶裂片长披针形或线状披针形或三角形，侧裂片 2 ~ 5 对，对生、偏斜或互生，椭圆形或宽镰状，上方侧裂片较大，下方侧裂片较小，全部裂片边缘有锯齿；上部茎生叶与中部茎生叶同形并等样分裂或不裂而为披针形，全缘，基部圆耳状扩大半抱茎；全部叶两面粗糙，下面沿脉有小刺毛。头状花序多数，在茎枝先端排成伞房状花序。总苞果期卵球形，长 1.5 cm，宽 8 mm；总苞片 4 ~ 5 层，最外层宽卵形，长 2 mm，宽 1 mm，先端长渐尖，外层椭圆形，长 7 mm，宽 1.8 mm，先端渐尖，中内层披针形或长椭圆形，长达 1.5 cm，宽 1 ~ 2 mm 或过之，先端渐尖。舌状小花约 21，黄色。瘦果椭圆形，长 4 mm，宽 2 mm，压扁，棕黑色，边缘有宽翅，先端急尖成长 2.8 mm 的细丝状喙，每面有一高起的细脉纹。冠毛白色，几为单毛状，长约 8 mm。花果期 4 ~ 11 月。

| 生境分布 | 生于海拔 140 ~ 2 000 m 的山坡草地及田间、路旁。分布于湖北武汉、宜昌及房县等。

| 功能主治 | 用于疥癣，疔疮痈肿，蛇咬伤。

菊科 Compositae 翅果菊属 *Pterocypsela*

翅果菊 *Pterocypsela indica* (L.) Shih

| 药 材 名 | 翅果菊。

| 形态特征 | 一年生或二年生草本，根垂直直伸，生多数须根。茎直立，单生，高 0.4 ~ 2 m，基部直径 3 ~ 10 mm，上部圆锥状或总状圆锥状分枝，全部茎枝无毛。全部茎生叶线形，中部茎生叶长达 21 cm 或过之，宽 0.5 ~ 1 cm，边缘大部分全缘或仅基部或中部以下两侧边缘有小尖头或稀疏细锯齿或尖齿，或全部茎生叶线状长椭圆形、长椭圆形或倒披针状长椭圆形，中下部茎生叶长 13 ~ 22 cm，宽 1.5 ~ 3 cm，边缘有稀疏的尖齿或几全缘或全部茎生叶椭圆形，中下部茎生叶长 15 ~ 20 cm，宽 6 ~ 8 cm，边缘有三角形锯齿或偏斜卵状大齿；全部茎生叶先端长渐急尖或渐尖，基部楔形渐狭，无柄，两面无毛。

头状花序果期卵球形，多数沿茎枝先端排成圆锥花序或总状圆锥花序。总苞长1.5 cm，宽9 mm，总苞片4层，外层卵形或长卵形，长3 ~ 3.5 mm，宽1.5 ~ 2 mm，先端急尖或钝，中内层长披针形或线状披针形，长1 cm或过之，宽1 ~ 2 mm，先端钝或圆形，全部苞片边缘染紫红色。舌状小花25，黄色。瘦果椭圆形，长3 ~ 5 mm，宽1.5 ~ 2 mm，黑色，压扁，边缘有宽翅，先端急尖或渐尖成0.5 ~ 1.5 mm细或稍粗的喙，每面有1细纵脉纹。冠毛2层，白色，几单毛状，长8 mm。花果期4 ~ 11月。

| 生境分布 | 生于山谷、山坡林缘及林下、灌丛中、水沟边、山坡草地、田间。湖北有分布。

| 采收加工 | 夏、秋季开花时采全草，秋后至翌年春、夏季开花前采挖根，除杂质，晒干。

| 功能主治 | **全草：**用于肠痈，乳痈，带下，产后腹痛，崩漏，痔疮下血，痈肿疔毒。
根：用于乳蛾，妇女血崩，疖肿，乳痈。

菊科 Compositae 匹菊属 *Pyrethrum*

除虫菊 *Pyrethrum cinerariifolium* Trev.

| 药材名 | 除虫菊。

| 形态特征 | 多年生草本。高 17 ~ 60 cm。根茎短。茎直立，单生或少数茎成簇生，不分枝或自基部分枝，银灰色，被贴伏的“丁”字形或先端分叉的短柔毛。基生叶花期生存，卵形或椭圆形，长 1.5 ~ 4 cm，宽 1 ~ 2 cm，2 回羽状分裂，一回为全裂，侧裂片 3 ~ 5 对，卵形或椭圆形，二回为深裂或几全裂，裂片全缘或有齿；中部茎生叶渐大，与基生叶同形并等样分裂；向上叶渐小，二回羽状或羽状分裂，或不裂；全部叶有叶柄，基生叶叶柄长 10 ~ 20 cm，中、上部茎生叶的叶柄长 2.5 ~ 5 cm；叶两面银灰色，被贴伏压扁的“丁”字形毛及先端分叉的短毛。头状花序单生于茎顶或茎生 3 ~ 10 头状花序，

排成疏松伞房花序；总苞直径 12 ~ 15 mm；总苞片约 4 层，外层者披针形，长约 4 mm，几无膜质狭边，中、内层者披针形至宽线形，长 5 ~ 6 mm，边缘白色狭膜质；全部苞片硬草质，外面有腺点及短毛，外层的毛较多；舌状花白色，舌片长 12 ~ 15 mm，宽 4 ~ 5 mm，先端平截或微凹。瘦果长 2.5 ~ 3.5 mm，具 5 ~ 7 椭圆形纵肋，舌状花瘦果的肋常集中于瘦果腹面；冠状冠毛长 0.8 ~ 1.5 mm，边缘浅齿裂。花果期 5 ~ 8 月。

| **生境分布** | 生于土层深厚、肥沃疏松、排水良好的砂壤土。湖北有分布。

| **功能主治** | 用于疥癣。

菊科 Compositae 秋分草属 *Rhynchospermum*

秋分草 *Rhynchospermum verticillatum* Reinw.

| 药 材 名 | 秋分草。

| 形态特征 | 多年生草本，高 25 ~ 100 cm。茎常单生，中部以上有叉状分枝，被尘状微柔毛。叶互生；下部茎生叶倒披针形或长椭圆形，长 4.5 ~ 14 cm，宽 2.5 ~ 4 cm，先端长渐尖或钝，边缘自中部以上有波状粗齿，基部狭楔形；叶柄长，具翅；上部叶渐小。头状花序，顶生、腋生、单生或 3 ~ 5 呈总状排列，直径约 5 mm，果期增大；花序梗密被锈色尖状短柔毛；总苞宽钟状；总苞片不等长，边缘撕裂；雌花 2 ~ 3 层，雌花冠舌状，白色，舌片先端 2 ~ 3 裂；盘花管状，两性。雌花瘦果扁平，果有长喙；两性花的瘦果无喙；冠毛 3 ~ 5，易脱落。花果期 8 ~ 11 月。

| **生境分布** | 生于海拔 400 ~ 2 500 m 的山坡半阴处、沟边、林缘或林下阴湿处。湖北有分布。

| **采收加工** | 夏、秋季采收，洗净，晒干。

| **功能主治** | 清热利湿，消肿，祛痰，平喘，止咳，抗炎，抗过敏，增强抵抗力，抗菌。用于湿热带下，急、慢性肝炎，肝硬化腹水。

| **附　　注** | 中国特有植物。

菊科 Compositae 金光菊属 *Rudbeckia*

黑心金光菊 *Rudbeckia hirta* L.

药材名

黑心金光菊。

形态特征

一年生或二年生草本，高 30 ~ 100 cm。茎不分枝或上部分枝，全株被粗刺毛。下部叶长卵圆形、长圆形或匙形，先端尖或渐尖，基部楔状下延，有三出脉，边缘有细锯齿，有具翅的柄，长 8 ~ 12 cm；上部叶长圆披针形，先端渐尖，边缘有细至粗疏锯齿或全缘，无柄或具短柄，长 3 ~ 5 cm，宽 1 ~ 1.5 cm，两面被白色密刺毛。头状花序直径 5 ~ 7 cm，有长花序梗。总苞片外层长圆形，长 12 ~ 17 mm；内层较短，披针状线形，先端钝，全部被白色刺毛。花托圆锥形；托片线形，对折呈龙骨瓣状，长约 5 mm，边缘有纤毛。舌状花鲜黄色；舌片长圆形，通常 10 ~ 14，长 20 ~ 40 mm，先端有 2 ~ 3 不整齐短齿。管状花暗褐色或暗紫色。瘦果四棱形，黑褐色，长约 2 mm，无冠毛。

生境分布

分布于湖北宣恩及武汉。湖北有栽培。

| **功能主治** | **花：** 清热解毒。用于湿热蕴结于胃肠之腹痛、泄泻、里急后重。

菊科 Compositae 金光菊属 *Rudbeckia*

金光菊 *Rudbeckia laciniata* L.

| 药 材 名 | 金光菊。

| 形态特征 | 多年生草本，高 50 ~ 200 cm。茎上部有分枝，无毛或稍有短糙毛。叶互生，无毛或被疏短毛。下部叶具叶柄，不分裂或羽状 5 ~ 7 深裂，裂片长圆状披针形，先端尖，边缘具不等的疏锯齿或浅裂；中部叶 3 ~ 5 深裂，上部叶不分裂，卵形，先端尖，全缘或有少数粗齿，背面边缘被短糙毛。头状花序单生于枝端，具长花序梗，直径 7 ~ 12 cm。总苞半球形；总苞片 2 层，长圆形，长 7 ~ 10 mm，上端尖，稍弯曲，被短毛。花托球形；托片先端截形，被毛，与瘦果等长。舌状花金黄色；舌片倒披针形，长约为总苞片的 2 倍，先端具 2 短齿；管状花黄色或黄绿色。瘦果无毛，压扁，稍有 4 棱，长

5 ~ 6 mm，先端有具 4 齿的小冠。花期 7 ~ 10 月。

| 生境分布 | 分布于湖北恩施。湖北有栽培。

| 采收加工 | 夏、秋季采集，洗净，鲜用或晒干。

| 功能主治 | 清热解毒。用于湿热蕴结于胃肠之腹痛、泄泻、里急后重。

根：用于跌打损伤。

花序：用于带下，咳嗽，感冒，头痛，疔疮。

叶：用于急性泄泻，疮痈。

菊科 Compositae 风毛菊属 *Saussurea*

翼柄风毛菊 *Saussurea alatipes* Hemsl.

| 药 材 名 | 翼柄风毛菊。

| 形态特征 | 多年生草本，高 15 ~ 30 cm。根茎斜升，颈部有褐色叶柄残迹。茎单生，直立，被稀疏的白色绵毛或脱毛，不分枝、少分枝或上部圆锥花序状分枝。基生叶与下部茎生叶有翼柄，翼柄长 3.5 ~ 11 cm，叶片大头羽状深裂，顶裂片大，卵形、卵状三角形或不明显心形，长 9 ~ 10 cm，宽 3.5 ~ 6 cm，边缘有锯齿，齿顶有尖头，侧裂片 1 ~ 2 对，偏斜三角形或锯齿状；中上部茎生叶渐小，有翼柄，叶片卵形或披针形；接花序枝叉上的叶更小，钻形，全部叶两面异色，上面绿色，无毛，下面灰绿色，被稠密的白色绒毛。头状花序单生茎顶，或茎生 2 头状花序，或头状花序多数，在茎枝先端呈圆锥花序状排列。

总苞圆柱状或钟状，直径 0.8 ～ 1 cm；总苞片 6 ～ 7 层，外层卵形，长 2 mm，宽 1 mm，先端急尖，中层长圆形或卵状长圆形，长 4 ～ 7 mm，宽 2 ～ 3 mm，先端急尖或钝，内层长圆形至线形，长 0.8 ～ 1.2 cm，宽 1 ～ 1.5 mm，先端急尖。小花淡紫色，长 9 mm，细管部长 3 mm，檐部长 6 mm。瘦果圆柱形，长 5 mm，无毛。冠毛白色，2 层，外层短，糙毛状，长 2 mm，内层长，羽毛状，长 1.3 cm。花果期 7 ～ 8 月。

| 生境分布 | 生于海拔 1 500 ～ 2 550 m 的山坡路旁、草地、林下。分布于湖北巴东、神农架等。

| 功能主治 | **全草**：活血化瘀，祛风除湿。用于风湿关节痛。

菊科 Compositae 风毛菊属 *Saussurea*

抱茎风毛菊 *Saussurea chingiana* Hand.-Mazz.

|药材名|

抱茎风毛菊。

|形态特征|

多年生草本，高 55 ~ 100 cm。茎直立，具翼，有棱，被稀疏的白色短柔毛，基部直径 9 mm，翼全缘或有稀疏的三角形锯齿，齿顶有时有刺状小尖头。基生叶花期枯萎脱落；中下部茎生叶无叶柄，叶片长椭圆形或卵状披针形，长 5 ~ 9 cm，宽 1 ~ 3 cm，通常羽状浅裂、深裂或全裂，极少不分裂，侧裂片 2 ~ 3 对，线形或狭三角形，全缘，中部的侧裂片较大，向两端的侧裂片较小，顶裂片线形，全缘；上部茎生叶与中下部茎生叶同形或宽线形，羽状分裂或不裂；全部叶基部下延成茎翼，两面同色，绿色，两面被稀疏的短硬毛或脱毛，下面或两面被稀疏的金黄色小腺点。头状花序多数或少数排成直径 4 ~ 20 cm 的顶生伞房花序。总苞钟状或圆柱状，直径 1 ~ 1.2 cm；总苞 4 ~ 6 层，外层长卵状三角形或长三角形，长 2.3 mm，宽 1 mm，先端急尖，染红紫色，中层长卵形或椭圆状披针形、长椭圆形，长 4 ~ 6 mm，宽 1 ~ 1.5 mm，先端有圆形的红紫色的膜质附片，内层线状长椭圆形，长 8 mm，

宽 1.5 mm，先端有圆形的红紫色的膜质附片。小花红紫色，长 1.4 cm，细管部长 6 mm，檐部长 8 mm。瘦果长 2.8 mm，倒卵状。冠毛淡褐色，2 层，外层短，糙毛状，长 3 mm，内层长，羽毛状，长 1.4 cm。花果期 7 月。

| **生境分布** | 生于海拔 2 500 ～ 3 100 m 的路边、杨树林下、沟堤。湖北有分布。

| **功能主治** | **根茎：**清热解毒，消肿散瘀。

| **附　　注** | 中国特有植物。

菊科 Compositae 风毛菊属 *Saussurea*

心叶风毛菊 *Saussurea cordifolia* Hemsl.

|药材名|

心叶风毛菊。

|形态特征|

多年生草本，高 40 ~ 150 cm。根茎粗厚。茎直立，无毛，上部伞房状或伞房圆锥花序状分枝。基生叶花期脱落；下部与中部茎生叶有长柄，柄长 8 ~ 10 cm，叶片心形，长、宽各 10 ~ 18 cm，先端渐尖，基部深心形，边缘有粗齿，上部茎生叶渐小，与下部及中部茎生叶同形或卵形，有短柄至无柄，基部心形或圆形或宽楔形，顶部渐尖或急尖，边缘有锯齿；花序枝叉上的叶更小，披针形或长椭圆形，全部叶两面绿色，下面色淡，上面被稀疏的糙毛，下面无毛。头状花序数个或多数在茎枝先端呈疏松伞房花序或伞房圆锥花序状排列，有长花梗。总苞钟状，直径 0.8 ~ 1.5 cm；总苞片 5 层，中部以上有短附属物，附属物草质，渐尖，反折或直立，外层卵形，长 7 mm，宽 3 mm，中层卵形至长圆形，长 8 ~ 11 mm，宽 4 mm，内层线形，长 1.3 cm，宽 2 mm。小花紫红色，长 1.2 cm，细管部与檐部各长 6 mm。瘦果圆柱状，褐色，长 6 mm，无毛。冠毛浅褐色，2 层，外层短，单毛状，长 3 mm，内层长，羽毛状，长 1.1 cm。

花果期 8 ~ 10 月。

| **生境分布** | 生于林缘或山坡草地。湖北有分布。

| **采收加工** | 夏、秋季采收，洗净，晾干。

| **功能主治** | 祛风，散寒，止痛。用于风湿痹痛，跌打损伤。

菊科 Compositae 风毛菊属 *Saussurea*

云木香 *Saussurea costus* (Falc.) Lipsch.

| 药材名 | 云木香。

| 形态特征 | 多年生高大草本，高 1.5 ~ 2 m。主根粗壮，直径 5 cm。茎直立，有棱，基部直径 2 cm，上部有稀疏的短柔毛，不分枝或上部有分枝。基生叶有长翼柄，翼柄圆齿状浅裂，叶片心形或戟状三角形，长 24 cm，宽 26 cm，先端急尖，边缘有大锯齿，齿缘有缘毛。下部与中部茎生叶有具翼的柄或无柄，叶片卵形或三角状卵形，长 30 ~ 50 cm，宽 10 ~ 30 cm，边缘有不规则的大或小锯齿；上部叶渐小，三角形或卵形，无柄或有短翼柄；全部叶上面褐色、深褐色或褐绿色，被稀疏的短糙毛，下面绿色，沿脉有稀疏的短柔毛。头状花序单生茎端或枝端，或 3 ~ 5 在茎端集成稠密的束生伞房花序。

总苞直径 3 ~ 4 cm，半球形，黑色，初时被蛛丝状毛，后变无毛；总苞片 7 层，外层长三角形，长 8 mm，宽 1.5 ~ 2 mm，先端短针刺状软骨质渐尖，中层披针形或椭圆形，长 1.4 ~ 1.6 cm，宽 3 mm，先端针刺状软骨质渐尖，内层线状长椭圆形，长 2 cm，宽 3 mm，先端软骨质针刺头短渐尖；全部总苞片直立。小花暗紫色，长 1.5 cm，细管部长 7 mm，檐部长 8 mm。瘦果浅褐色，三棱状，长 8 mm，有黑色色斑，先端截形，具有锯齿的小冠。冠毛 1 层，浅褐色，羽毛状，长 1.3 cm。花果期 7 月。

| 生境分布 | 生于海拔较高的山地。分布于湖北恩施、五峰。

| 采收加工 | 秋季至翌年春初采挖，除去茎叶泥土，切成短段，粗大者纵剖 2 ~ 4 块，晒干。

| 功能主治 | 行气止痛，温中和胃，解痉，降血压，抗菌。用于胸腹胀痛，呕吐，泄泻，痢疾里急后重。

| 附　　注 | 为野生资源引进栽培资源品种。

菊科 Compositae 风毛菊属 *Saussurea*

三角叶风毛菊 *Saussurea deltoidea* (DC.) Sch.-Bip.

|药材名|

三角叶风毛菊。

|形态特征|

多年生草本，高 80 ~ 150 cm。茎枝被蛛丝状绵毛和糠秕状短毛。叶互生；叶片长圆形、卵状心形或三角状心形，长 20 ~ 25 cm，不裂或提琴状羽裂，侧裂片 1 ~ 2 对，顶部裂片大，先端渐尖，基部下延成楔形的翼，边缘有粗锯齿，上部叶渐小，全部叶上面有糠秕状毛，下面密被灰白色柔毛；上部叶柄具翅。头状花序单生枝顶，直径 1 ~ 4 cm，总苞宽钟状，长约 1.5 cm，总苞片外面被蛛丝状绵毛；管状小花，多数，长 2 ~ 4 mm，具 4 棱，先端有具齿的小冠，冠毛白色，羽毛状。花期 8 ~ 9 月，果期 10 月。

|生境分布|

分布于湖北利川、秭归。

|采收加工|

夏、秋季采挖，洗净，晒干。

|功能主治|

祛风湿，通经络，健脾消疳。用于风湿痹痛，白带过多，腹泻，痢疾，疳积，胃寒疼痛。

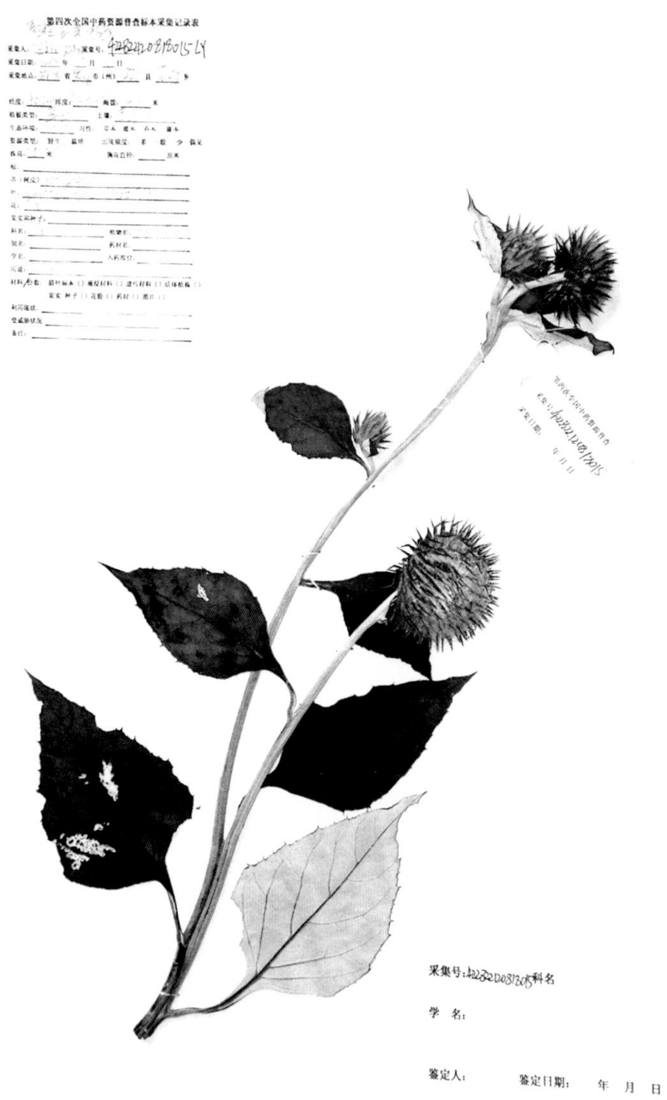

菊科 Compositae 风毛菊属 *Saussurea*

长梗风毛菊 *Saussurea dolichopoda* Diels

| 药材名 | 长梗风毛菊。

| 形态特征 | 多年生草本，高 80 ~ 100 cm。根茎斜升。茎直立，有细条纹，无毛，上部伞房状或伞房圆锥花序状分枝，分枝纤细。基生叶花期凋落；下部茎生叶未见；中部茎生叶有叶柄，柄长 1.5 ~ 2 cm，叶片长圆状披针形、卵状披针形或长圆形，长 12 ~ 14 cm，宽 5 ~ 6 cm，先端渐尖或尾状渐尖，基部楔形或偏斜圆形，边缘有细锯齿；上部茎生叶渐小，与中部茎生叶同形或长椭圆形，有短叶柄，全部叶两面绿色或下面色淡，无毛。头状花序多数或少数，在茎枝先端排成伞房状花序或伞房圆锥花序，有长粗花序梗，花序梗长 1.5 ~ 5 cm。总苞钟状或圆形，直径 5 ~ 7 mm，总苞片 4 ~ 6 层，外层卵形，长

2 mm，宽 1.8 mm，先端钝，中层长圆形，长 4 mm，宽 2 mm，先端钝，内层长椭圆形至宽线形，长 0.9 ~ 1.1 cm，宽 1 ~ 2 mm，先端钝或急尖，全部总苞片外面无毛。瘦果褐色，长 4 mm，无毛。冠毛 2 层，淡褐色，外层短，糙毛状，长 2 ~ 3 mm，内层长，羽毛状，长 7 ~ 8 mm。花果期 7 ~ 10 月。

| 生境分布 | 生于海拔 1 400 ~ 2 750 m 的山谷林下及山坡。湖北有分布。

| 功能主治 | **根茎：**清热解毒，消肿散瘀。用于痈肿疮疖，湿疹，毒蛇咬伤。

菊科 Compositae 风毛菊属 *Saussurea*

风毛菊 *Saussurea japonica* (Thunb.) DC.

| 药 材 名 |

风毛菊。

| 形态特征 |

二年生草本，高 50 ~ 150（~ 200）cm。根倒圆锥状或纺锤形，黑褐色，生多数须根。茎直立，基部直径 1 cm，通常无翼，极少有翼，被稀疏的短柔毛及金黄色的小腺点。基生叶与下部茎生叶有叶柄，柄长 3 ~ 6 cm，有狭翼，叶片椭圆形、长椭圆形或披针形，长 7 ~ 22 cm，宽 3.5 ~ 9 cm，羽状深裂，侧裂片 7 ~ 8 对，长椭圆形、椭圆形、偏斜三角形、线状披针形或线形，中部的侧裂片较大，向两端的侧裂片较小，全部侧裂片先端钝或圆形，全缘或极少边缘有少数大锯齿，顶裂片披针形或线状披针形，较长，极少基生叶不分裂，披针形或线状披针形，全缘或有大锯齿；中部茎生叶与基生叶及下部茎生叶同形并等样分裂，但渐小，有短柄；上部茎生叶与花序分枝上的叶更小，羽状浅裂或不裂，无柄；全部叶两面同为绿色，下面色淡，两面有稠密的凹陷性的淡黄色小腺点。头状花序多数，在茎枝先端排成伞房状或伞房圆锥花序，有小花梗。总苞圆柱状，直径 5 ~ 8 mm，被白色稀疏的蛛丝状毛；总苞

片 6 层，外层长卵形，长 2.8 mm，宽几 1 mm，先端微扩大，紫红色，中层与内层倒披针形或线形，长 4 ～ 9 mm，宽 0.8 ～ 1 mm，先端有扁圆形的紫红色的膜质附片，附片边缘有锯齿。小花紫色，长 10 ～ 12 mm，细管部长 6 mm，檐部长 4 ～ 6 mm。瘦果深褐色，圆柱形，长 4 ～ 5 mm。冠毛白色，2 层，外层短，糙毛状，长 2 mm，内层长，羽毛状，长 8 mm。花果期 6 ～ 11 月。

| 生境分布 | 生于海拔 200 ～ 2 800 m 的山坡、山谷、林下、荒坡、水旁、田中。分布于湖北恩施。

| 采收加工 | 夏、秋季采收，鲜用或晒干。

| 功能主治 | 祛风活血，散瘀止痛。用于牙龈炎，风湿痹痛，跌打损伤，麻风，感冒头痛，腰腿痛。

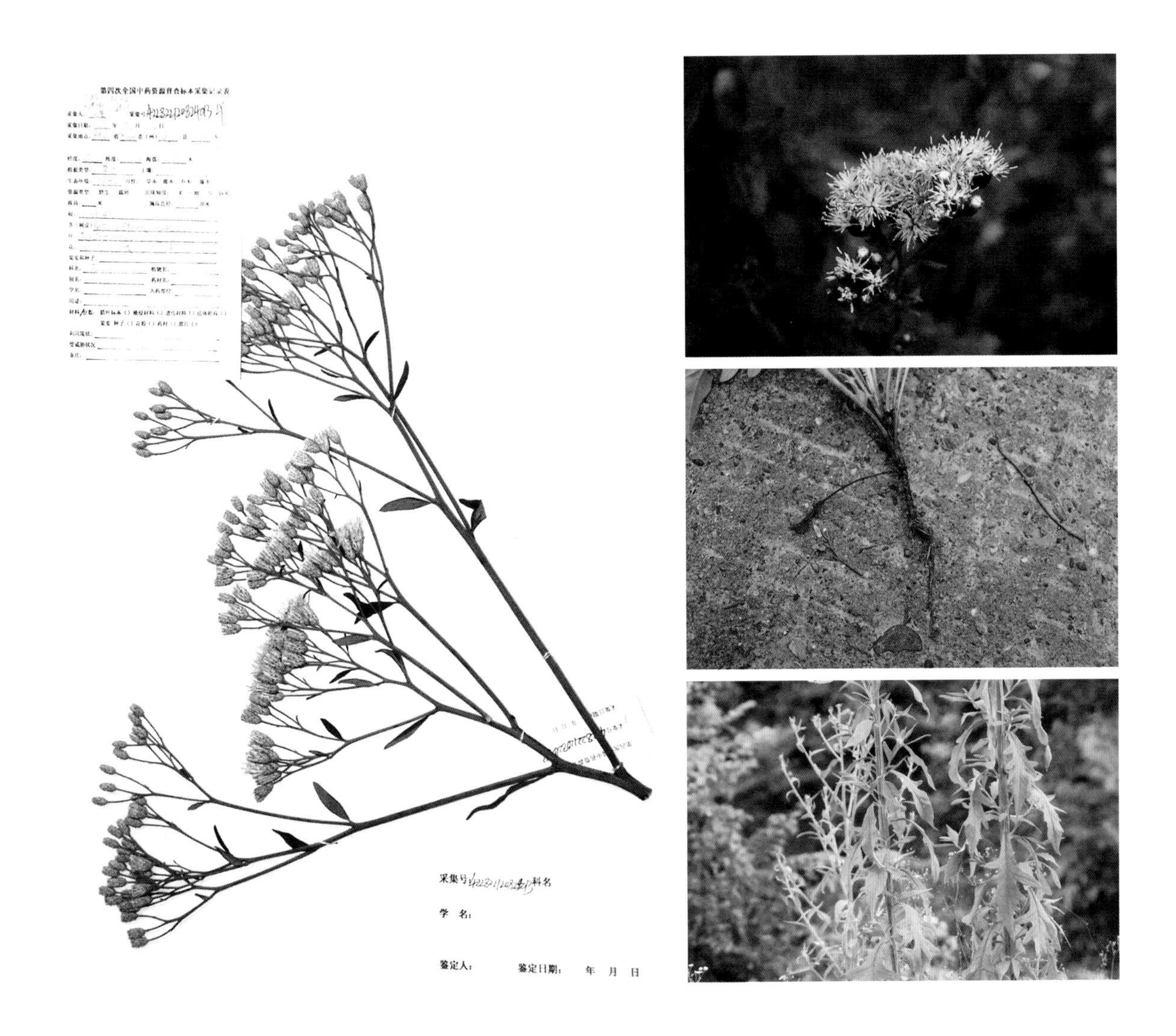

菊科 Compositae 风毛菊属 *Saussurea*

大耳叶风毛菊 *Saussurea macrota* Franch.

|药 材 名|

大耳叶风毛菊。

|形态特征|

多年生草本，高 25 ~ 75 cm。根茎粗壮，生多数不定根。茎单生，直立，被短糙毛或无毛，上部有伞房花序状分枝，无翼。基生叶花期凋落；下部与中部茎生叶无柄，叶片椭圆形或卵状椭圆形，长 10 ~ 22 cm，宽 3 ~ 6 cm，先端渐尖、急尖或微凹，基部深心形，有抱茎的大叶耳；上部茎生叶渐小，无柄，长圆状披针形，先端渐尖，全部叶质地薄，边缘有疏齿，齿端有小尖头，两面绿色，下面色淡，上面被稀疏的短糙毛，下面被稀疏的褐色腺毛。头状花序 2 ~ 10 在茎枝先端排列成稠密的伞房花序，花序梗长 2 ~ 20 mm，被稠密的或稀疏的短腺毛。总苞卵球形或花后圆柱状，直径 6 ~ 8 mm；总苞片 5 ~ 6 层，厚革质，边缘及先端常紫红色或褐色，被稀疏的蛛丝状毛或几无毛，外层卵形，长 4 mm，宽 2.5 mm，先端急尖，有小尖头，中层长卵形，长 7 mm，宽 3 mm，先端急尖，内层线形，长 1.2 cm，宽 1.5 mm，先端急尖。小花深紫色，长 1.2 cm，细管部长 5 mm，檐部长 7 mm。瘦果圆柱状，长 4.5 mm，有纵肋，无毛。冠毛 2 层，淡褐色，外层短，糙毛状，长 3 mm，内层长，羽毛状，长 1 cm。花果期 7 ~ 8 月。

| 生境分布 | 生于海拔 2 200 ~ 3 300 m 的山坡、林下及灌丛中。分布于湖北巴东、神农架等。

| 功能主治 | 祛寒，壮阳，调经，止血。

菊科 Compositae 风毛菊属 *Saussurea*

少花风毛菊 *Saussurea oligantha* Franch.

|药材名|

少花风毛菊。

|形态特征|

多年生草本。高 40 ~ 70 cm。根茎斜升。茎直立，有棱，被稀疏的多细胞节毛或后变无毛。基生叶花期脱落；下部与中部茎生叶有叶柄，叶柄长 9 ~ 15 cm，被褐色的多细胞节毛或无毛，柄基扩大，稍抱茎，叶片宽卵状心形，长、宽均 5 ~ 11 cm，先端渐尖，基部心形或戟形，边缘有粗锯齿，齿顶有小尖头；上部茎生叶渐小，无柄，叶片长卵形或披针形，顶部长渐尖；全部叶两面绿色，下面色淡，两面被稀疏的短糙毛或几无毛。头状花序 2 ~ 8 在茎枝先端排成疏松的伞房花序或圆锥花序；总苞倒圆锥状或钟状，直径 1.2 ~ 1.5 cm；总苞片 4 ~ 6 层，顶部有附属物，附属物绿色，渐尖，反折或直立，草质，外层者卵形或宽卵形，长 6 mm，宽 2 mm，中层者长圆形至椭圆形，长 8 ~ 10 mm，宽 3 ~ 3.5 mm，内层者线形，长 1 cm，宽 2 mm；小花紫色，长 1.1 cm，细管部长 6 mm，檐部长 5 mm。瘦果长圆形，长 3 ~ 4 mm，无毛；冠毛污白色，2 层，外层冠毛短，糙毛状，长 3 ~ 4 mm，内层冠毛长，羽毛状，长 9 mm。花果期 7 ~ 9 月。

| **生境分布** | 生于海拔 1 300 ~ 2 900 m 的山坡或山谷林缘及林下。分布于湖北鹤峰。

| **功能主治** | 用于泄泻。

菊科 Compositae 风毛菊属 *Saussurea*

松林风毛菊 *Saussurea pinetorum* Hand.-Mazz.

|药材名|

松林风毛菊。

|形态特征|

多年生草本。高 30 ~ 50 cm。根茎斜升，生有较粗的纤维状不定根。茎直立，被锈色的多细胞长节毛，自中部有总状花序式分枝，上部被白色蛛丝状毛。基生叶及下部茎生叶有翼柄，翼柄长 1.5 ~ 3 cm，柄翼有疏齿或全缘，沿茎下延成茎翼，叶片长圆形或卵形，长 3 ~ 10 cm，宽 2.5 ~ 6 cm，先端圆形、钝或急尖，基部几心形，少截形，边缘有小尖齿，齿顶有小尖头；中部、上部茎生叶与基生叶和下部茎生叶同形或长圆状披针形、披针形、线状披针形、线形，逐渐变小，有短翼柄或无翼柄，柄翼基部或叶片基部楔形渐狭，沿茎下沿成茎翼；全部叶两面异色，上面绿色，被稠密的锈色节毛，下面灰白色，被稠密的白色绒毛。头状花序 3 ~ 12，在茎枝先端排列成总状花序或狭总状圆锥花序；总苞椭圆状或长椭圆形，直径 7 ~ 9 mm；总苞片 5 层，外层者卵形，长 2.8 ~ 3 mm，宽 1.5 mm，先端钝或稍急尖，中层者椭圆形或长椭圆形，长 5 ~ 8 mm，宽 1.8 ~ 2 mm，先端钝，内层者宽线形，长

9 mm，宽 1 mm，先端钝或圆形，全部总苞片质薄，外面无毛或几无毛；小花紫色，长 1 cm，细管部与檐部均长 5 mm。瘦果浅褐色，有肋，长 2 ～ 3 mm，无毛；冠毛 2 层，白色，外层冠毛短，糙毛状，长 2 mm，内层冠毛长，羽毛状，长 9 mm。花果期 7 ～ 9 月。

| 生境分布 | 生于海拔 1 900 ～ 3 100 m 的松林下或草坡。湖北有分布。

| 功能主治 | 用于风湿关节痛，毒蛇咬伤。

菊科 Compositae 风毛菊属 *Saussurea*

多头风毛菊 *Saussurea polycephala* Hand.-Mazz.

|药材名|

多头风毛菊。

|形态特征|

多年生草本。高 60 ~ 100 cm。根茎稍粗。茎直立，单生，被稀疏蛛丝毛或无毛。基生叶及下部茎生叶花期脱落；中部茎生叶有叶柄，叶柄长 4 ~ 6 mm，叶片披针形、长椭圆状披针形或长椭圆形，长 10 ~ 15 cm，宽 2.5 ~ 3 cm，先端渐尖，基部楔形，边缘有小锯齿，齿顶有小尖头；上部茎生叶渐小，披针形；全部叶两面异色，上面绿色，被稀疏短糙毛，下面白色，被稠密的白色绒毛。头状花序 10 ~ 15，在茎枝先端排成伞房状花序；有花序梗；总苞圆柱状，直径 5 ~ 6 mm；总苞片 6 层，外层者卵形，长 2 mm，宽 1 mm，先端短渐尖，外面被稀疏蛛丝毛，中层者长椭圆形，长 6 mm，宽 1.5 mm，先端急尖，外面被白色稠密的长柔毛，内层者长椭圆形，长 7 mm，宽 1 mm，先端急尖，上部及上部边缘被白色稀疏长柔毛；小花紫色，长 10.5 mm，细管部长 6 mm，檐部长 4.5 mm。瘦果褐色，圆柱状，长 3 mm，有肋；冠毛白色，2 层，外层冠毛短，糙毛状，长 2 mm，内层冠毛长，羽毛状，长 8 mm。花果期 8 ~ 9 月。

| **生境分布** | 生于海拔 1 230 ~ 2 200 m 的山坡、山坡路边、山坡林缘、林中。分布于湖北兴山。

| **采收加工** | **全草或根**：夏、秋季采收，洗净，鲜用或晒干。

| **功能主治** | 用于肺热咳喘，湿热黄疸，痈肿，毒蛇咬伤。

菊科 Compositae 风毛菊属 *Saussurea*

杨叶风毛菊 *Saussurea populifolia* Hemsl.

| 药 材 名 | 杨叶风毛菊。

| 形态特征 | 多年生草本，高 30 ~ 90 cm。根茎细，斜升。茎直立，单生，上部有 1 ~ 2 分枝。基生叶花期枯萎；下部与中部茎生叶有叶柄，柄长 2 ~ 8 cm，叶片心形或卵状心形，长 5 ~ 11 cm，宽 3 ~ 8 cm，先端渐尖或长渐尖，基部心形或圆形，边缘有锯齿，齿端有尖头，两面绿色，下面色淡，上面密被糙毛，下面几无毛；上部茎生叶有短柄或几无柄，渐小，叶片卵形或卵状披针形，基部楔形，先端长渐尖。头状花序单生茎端或茎生 2 头状花序。总苞宽钟状，直径 2 ~ 2.5 cm；总苞片 5 ~ 7 层，带紫色，被短微毛，外层卵形，长 5 ~ 6 mm，宽 2 ~ 3 mm，中层长圆形，长 7 ~ 8 mm，宽 4 mm，内层线形，长

1.4 cm，宽 2 mm。小花紫色，长 1.1 cm，细管部长 9 mm，檐部长 2 mm。瘦果几圆柱形，褐色，有棱，长 5 mm，无毛。冠毛淡褐色，2 层，外层短，糙毛状，长 2 mm，内层长，羽毛状，长 1.3 cm。花果期 7 ~ 10 月。

| 生境分布 | 生于海拔 1 700 ~ 3 100 m 的山坡草地、沼泽地。分布于湖北巴东、神农架、兴山等。

| 功能主治 | 祛风除湿，活血散瘀。

菊科 Compositae 风毛菊属 *Saussurea*

华中雪莲 *Saussurea veitchiana* J. R. Dnunm et Hutch.

| 药 材 名 | 华中雪莲。

| 形态特征 | 多年生草本，高46～61 cm。根茎斜升。茎直立，被白色稀疏的长柔毛，中部以上紫色，基部被褐色的叶柄残迹。基生叶与下部的茎生叶线状披针形，长17～30 cm，宽1～1.5 cm，顶部长渐尖，基部渐狭成长4.5～8.5 cm的叶柄，边缘有稀疏的小锯齿，两面被稀疏的黄白色的长柔毛；中部茎生叶渐小，披针形，无柄，基部半抱茎；最上部茎生叶膜质，紫色，长圆状椭圆形或舟状，先端长渐尖，全缘或浅波状，包围总花序。头状花序在茎顶密集成伞房状总花序，有小花梗。总苞狭钟状，直径1 cm；总苞片约6层，全部或边缘紫红色，外面被稀疏的白色长柔毛，外层卵状披针形，长8 mm，宽2.8 mm，

先端渐尖，中层椭圆形，长 9 mm，宽 4 mm，先端长渐尖，内层线状披针形，长 1.2 cm，宽 2 mm，先端渐尖。小花紫红色，长 9 mm，管部长 5.5 mm，檐部长 3.5 mm。瘦果长圆形，长 6 mm，红褐色。冠毛淡褐色，2 层，外层短，糙毛状，长 3 mm，内层长，羽毛状，长 8 mm。花果期 7 ~ 9 月。

| 生境分布 | 生于风化带和雪线上的石隙、砾石及砂质湿地中。分布于湖北神农架、五峰等。

| 采收加工 | 6 ~ 7 月开花时拔取全株，除去泥土，晾干。

| 功能主治 | 补肾阳，调冲任，止血。用于腰膝酸软，筋骨无力等。

菊科 Compositae 鸦葱属 *Scorzonera*

华北鸦葱 *Scorzonera albicaulis* Bunge

| 药材名 |

笔管草。

| 形态特征 |

多年生草本。根基部有少数去年残叶。茎直立，高达 1 m，被密蛛丝状毛，后脱落几无毛。叶线形或宽线形，有 5 ～ 7 脉，无毛或微被蛛丝状毛；基生叶长达 40 cm，宽 4 ～ 8 mm；茎生叶稍小，基部稍抱茎。头状花序在茎枝顶排成伞房状花序；总苞圆柱形，花时长 4.5 cm，宽 1.5 cm，总苞片多层，有霉状蛛丝状毛或几无毛，外层的三角状卵形，小，中层的倒卵形，内层线状披针形，最长；花舌状，黄色。瘦果线形，长 2 cm，上部稍狭，有沟纹；冠毛污黄色，羽状。花期 5 ～ 6 月，果期 7 ～ 9 月。

| 生境分布 |

生于海拔 600 ～ 1 600 m 的山坡草丛中。分布于湖北建始、神农架、竹溪、郧西。

| 资源情况 |

野生资源量少。

| 采收加工 | **全草、根**：夏、秋季采挖，洗净，鲜用或晒干，或蒸后晒干。

| 功能主治 | 清热解毒，凉血散瘀。用于风热感冒，痈肿疔毒，带状疱疹，月经不调，乳少不畅，跌打损伤。

菊科 Compositae 鸦葱属 *Scorzonera*

鸦葱 *Scorzonera austriaca* Willd.

| 药 材 名 |

鸦葱。

| 形态特征 |

多年生草本，高 10 ～ 42 cm。根垂直直伸，黑褐色。茎多数，簇生，不分枝，直立，光滑无毛，茎基被稠密的棕褐色纤维状撕裂的鞘状残遗物。基生叶线形、狭线形、线状披针形、线状长椭圆形或长椭圆形，长 3 ～ 35 cm，宽 0.2 ～ 2.5 cm，先端渐尖或钝而有小尖头或急尖，向下部渐狭成具翼的长柄，柄基鞘状扩大或向基部直接形成扩大的叶鞘，3 ～ 7 出脉，侧脉不明显，边缘平或稍见皱波状，两面无毛或仅沿基部边缘有蛛丝状柔毛；茎生叶少数，2 ～ 3，鳞片状，披针形或钻状披针形，基部心形，半抱茎。头状花序单生茎端。总苞圆柱状，直径 1 ～ 2 cm。总苞片约 5 层，外层三角形或卵状三角形，长 6 ～ 8 mm，宽约 6.5 mm，中层偏斜披针形或长椭圆形，长 1.6 ～ 2.1 cm，宽 5 ～ 7 mm，内层线状长椭圆形，长 2 ～ 2.5 cm，宽 3 ～ 4 mm；全部总苞片外面光滑无毛，先端急尖、钝或圆形。舌状小花黄色。瘦果圆柱状，长 1.3 cm，有多数纵肋，无毛，无脊瘤。冠毛淡黄色，长 1.7 cm，

与瘦果连接处有蛛丝状毛环，大部分为羽毛状，羽枝蛛丝毛状，上部为细锯齿状。花果期 4 ~ 7 月。

| **生境分布** | 生于山坡草地。湖北有分布。

| **资源情况** | 野生资源量少。

| **采收加工** | 夏、秋季采收，洗净，鲜用或晒干。

| **功能主治** | 清热解毒，消肿散结。用于疔疮痈疽，乳痈，跌打损伤，劳伤。

菊科 Compositae 千里光属 *Senecio*

林荫千里光 *Senecio nemorensis* L.

|药 材 名| 林荫千里光。

|形态特征| 多年生草本，根茎短粗，具多数被绒毛的纤维状根。茎单生或数个，直立，高达 1 m，花序下不分枝，被疏柔毛或近无毛。基生叶和下部茎生叶在花期凋落；中部茎生叶多数，近无柄，披针形或长圆状披针形，长 10 ~ 18 cm，宽 2.5 ~ 4 cm，先端渐尖或长渐尖，基部楔状渐狭或多少半抱茎，边缘具密锯齿，稀粗齿，纸质，两面被疏短柔毛或近无毛，羽状脉，侧脉 7 ~ 9 对，上部叶渐小，线状披针形至线形，无柄。头状花序具舌状花，多数，在茎端或枝端或上部叶腋排成复伞房花序；花序梗细，长 1.5 ~ 3 mm，具 3 ~ 4 小苞片；小苞片线形，长 5 ~ 10 mm，被疏柔毛。总苞近圆柱形，长 6 ~ 7 mm，

宽 4 ~ 5 mm，具外层苞片；苞片 4 ~ 5，线形，短于总苞。总苞片 12 ~ 18，长圆形，长 6 ~ 7 mm，宽 1 ~ 2 mm，先端三角状渐尖，被褐色短柔毛，草质，边缘宽干膜质，外面被短柔毛。舌状花 8 ~ 10，管部长 5 mm；舌片黄色，线状长圆形，长 11 ~ 13 mm，宽 2.5 ~ 3 mm，先端具 3 细齿，具 4 脉；管状花 15 ~ 16，花冠黄色，长 8 ~ 9 mm，管部长 3.5 ~ 4 mm，檐部漏斗状，裂片卵状三角形，长 1 mm，尖，上端具乳头状毛。花药长约 3 mm，基部具耳；附片卵状披针形；颈部略粗短，基部稍膨大；花柱分枝长 1.3 mm，截形，被乳头状毛。瘦果圆柱形，长 4 ~ 5 mm，无毛；冠毛白色，长 7 ~ 8 mm。花期 6 ~ 12 月。

| 生境分布 | 生于海拔 770 ~ 3 000 m 的山林灌丛、草丛中。分布于湖北鹤峰、恩施、建始、长阳、罗田。

| 资源情况 | 野生资源量少。

| 采收加工 | 8 ~ 9 月采收，洗净，鲜用或晒干。

| 功能主治 | 清热解毒。用于热痢，眼肿，肠炎，肝炎，结膜炎，中耳炎，痈肿疔毒。

菊科 Compositae 千里光属 *Senecio*

千里光 *Senecio scandens* Buch.-Ham.

| 药 材 名 | 千里光。

| 形态特征 | 多年生攀缘草本，根茎木质，粗，直径达 1.5 cm。茎伸长，弯曲，长 2 ~ 5 m，多分枝，被柔毛或无毛，老时变木质，皮淡色。叶具柄，叶片卵状披针形至长三角形，长 2.5 ~ 12 cm，宽 2 ~ 4.5 cm，先端渐尖，基部宽楔形、截形、戟形，稀心形，通常具浅或深齿，稀全缘，有时具细裂或羽状浅裂，至少向基部具 1 ~ 3 对较小的侧裂片，两面被短柔毛至无毛；羽状脉，侧脉 7 ~ 9 对，弧状，叶脉明显；叶柄长 0.5 ~ 1（~ 2）cm，具柔毛或近无毛，无耳或基部有小耳；上部叶变小，披针形或线状披针形，长渐尖。头状花序有舌状花，多数，在茎枝端排列成顶生复聚伞圆锥花序；分枝和花序梗被密至

疏短柔毛；花序梗长 1 ～ 2 cm，具苞片，小苞片通常 1 ～ 10，线状钻形。总苞圆柱状钟形，长 5 ～ 8 mm，宽 3 ～ 6 mm，具外层苞片；苞片约 8，线状钻形，长 2 ～ 3 mm。总苞片 12 ～ 13，线状披针形，渐尖，上端和上部边缘有缘毛状短柔毛，草质，边缘宽干膜质，背面有短柔毛或无毛，具 3 脉。舌状花 8 ～ 10，管部长 4.5 mm；舌片黄色，长圆形，长 9 ～ 10 mm，宽 2 mm，钝，具 3 细齿，具 4 脉；管状花多数；花冠黄色，长 7.5 mm，管部长 3.5 mm，檐部漏斗状；裂片卵状长圆形，尖，上端有乳头状毛。花药长 2.3 mm，基部有钝耳；耳长约为花药颈部的 1/7；附片卵状披针形；花药颈部伸长，向基部略膨大；花柱分枝长 1.8 mm，先端截形，有乳头状毛。瘦果圆柱形，长 3 mm，被柔毛；冠毛白色，长 7.5 mm。

| 生境分布 | 生于海拔 1 500 m 以下的沟边、山坡草丛、灌丛中。分布于湖北咸丰、宣恩、房县、江夏、崇阳、罗田。

| 采收加工 | 9 ～ 10 月收割全草，鲜用或晒干。

| 功能主治 | 清热解毒，明目，利湿。用于痈肿疮毒，感冒发热，目赤肿痛，泄泻痢疾，湿疹。

菊科 Compositae 麻花头属 *Serratula*

麻花头 *Serratula centauroides* L.

| 药 材 名 | 麻花头。

| 形态特征 | 多年生草本，高 40 ~ 100 cm。根茎横走，黑褐色。茎直立，上部少分枝或不分枝，中部以下被稀疏或稠密的节毛，基部被残存的呈纤维状撕裂的叶柄。基生叶及下部茎生叶长椭圆形，长 8 ~ 12 cm，宽 2 ~ 5 cm，羽状深裂，有长 3 ~ 9 cm 的叶柄；侧裂片 5 ~ 8 对，全部裂片长椭圆形至宽线形，全缘或有锯齿或少锯齿，宽 0.4 ~ 0.8（~ 1.3）cm，先端急尖；中部茎生叶与基生叶及下部茎生叶同形，并等样分裂，无柄或有极短的柄，裂片全缘或少锯齿；上部的叶更小，5 ~ 7 羽状全裂，裂片全缘，或不裂，线形，边缘无锯齿；全部叶两面粗糙，被多细胞长节毛或短节毛。头状花序少数，单生于

茎枝先端，不形成明显的伞房花序，或植株含 1 头状花序，单生于茎端；花序梗或花序枝伸长，几裸露，无叶；总苞卵形或长卵形，直径 1.5 ~ 2 cm，上部有收缢或稍见收缢；总苞片 10 ~ 12 层，呈覆瓦状排列，向内层渐长，外层与中层三角形、三角状卵形至卵状披针形，长 4.5 ~ 8.5 mm，宽 3 ~ 3.5 mm，先端急尖，有长 2.5 mm 的短针刺或刺尖，内层及最内层椭圆形、披针形或长椭圆形至线形，长 1 ~ 2 cm，宽 1 ~ 4 mm，最内层最长，上部淡黄白色，硬膜质；全部小花红色、红紫色或白色，花冠长 2.1 cm，细管部长 9 mm，檐部长 1.2 cm，花冠裂片长 7 mm。瘦果楔状长椭圆形，褐色，有 4 高起的肋棱，长 5 mm，宽 2 mm；冠毛褐色或略带土红色，长达 7 mm，冠毛刚毛糙毛状，分散脱落。花果期 6 ~ 9 月。

| 生境分布 | 生于海拔 1 100 ~ 1 590 m 的山坡林缘、草甸、路旁或田间。湖北有分布。

| 资源情况 | 药材主要来源于野生。

| 采收加工 | **全草**：8 ~ 9 月采收，洗净，晒干。

| 功能主治 | 清热解毒，止血，止泻。用于痈肿，疔疮。

菊科 Compositae 麻花头属 *Serratula*

伪泥胡菜 *Serratula coronata* L.

| 药 材 名 |

伪泥胡菜。

| 形态特征 |

多年生草本，高 70 ~ 150 cm。根茎粗厚，横走。茎直立，上部有伞房状花序分枝，极少不分枝，全部茎枝无毛。基生叶与下部茎生叶长圆形或长椭圆形，长达 40 cm，宽达 12 cm，羽状全裂，有长 5 ~ 16 cm 的柄；侧裂片 8 对，全部裂片长椭圆形，宽 1.5 ~ 3 cm；中上部茎生叶与基生叶及下部茎生叶同形并等样分裂，但无柄，裂片倒披针形、披针形或椭圆形，接头状花序下部的叶有时大头羽状全裂，侧裂片 1 ~ 2 对。全部叶裂片边缘有锯齿或大锯齿，两面绿色，有短糙毛或脱毛。头状花序异型，少数在茎枝先端排成伞房花序，少有植株仅含有 1 头状花序而单生茎顶。总苞碗状或钟状，直径 1.5 ~ 3 cm，无毛，上部无收缢。总苞片约 7 层，覆瓦状排列，向内层渐长，外层三角形或卵形，长 1 ~ 7 mm，宽 1.5 ~ 4 mm，先端急尖；中层及内层椭圆形、长椭圆形至披针形，长 1 ~ 1.8 cm，宽 3 ~ 4 mm，先端渐尖或急尖；最内层线形，长 2 cm，宽 1 mm。全部苞片外面紫红色。边花雌性，

雄蕊发育不全，中央盘花两性，有发育的雌蕊和雄蕊，全部小花紫色，雌花花冠长 2.6 cm，细管部长 1.2 cm，檐部长 1.4 cm，花冠裂片线形，长 5 mm；两性小花花冠长 2 cm，檐部与细管部等长，花冠裂片披针形或线状披针形，长 5 mm。瘦果倒披针状长椭圆形，长 7 mm，宽 2 mm，有多数高起的细条纹。冠毛黄褐色，长达 1.2 cm；冠毛刚毛糙毛状，分散脱落。花果期 8 ~ 10 月。

| 生境分布 | 生于海拔 130 ~ 1 600 m 的山坡林下、林缘、草原、草甸或河岸。分布于湖北房县。

| 资源情况 | 野生资源量少。

| 功能主治 | 清热解毒。用于胃痛，呕吐，泄泻，淋病，肿瘤，感冒，咽痛，疟疾。

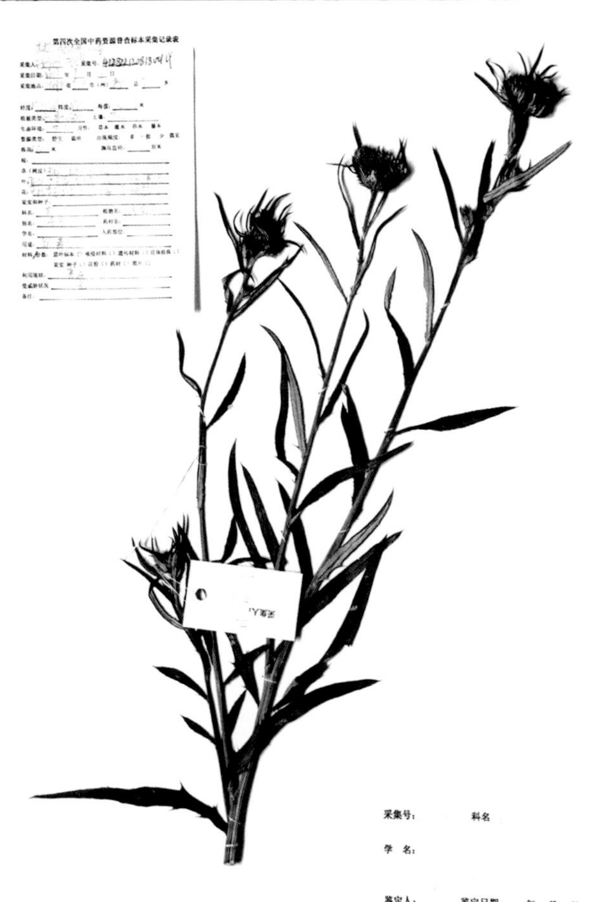

菊科 Compositae 豨莶属 *Siegesbeckia*

毛梗豨莶 *Siegesbeckia glabrescens* Makino.

| 药材名 |

毛梗豨莶。

| 形态特征 |

一年生草本。茎直立，较细弱，高 30 ~ 80 cm，通常上部分枝，被平伏短柔毛，有时上部毛较密。基部叶花期枯萎；中部叶卵圆形、三角状卵圆形或卵状披针形，长 2.5 ~ 11 cm，宽 1.5 ~ 7 cm，基部宽楔形或钝圆形，有时下延成具翼的长 0.5 ~ 6 cm 的柄，先端渐尖，边缘有规则的齿；上部叶渐小，卵状披针形，长 1 cm，宽 0.5 cm，边缘有疏齿或全缘，有短柄或无柄；全部叶两面被柔毛，基出脉 3，叶脉在叶下面稍凸起。头状花序直径 10 ~ 18 mm，多数头状花序在枝端排列成疏散的圆锥花序；花梗纤细，疏生平伏短柔毛。总苞钟状；总苞片 2 层，叶质，背面密被紫褐色头状有柄的腺毛；外层苞片 5，线状匙形，长 6 ~ 9 mm，内层苞片倒卵状长圆形，长 3 mm。托片倒卵状长圆形，背面疏被头状具柄腺毛。雌花花冠的管部长约 0.8 mm，两性花花冠上部钟状，先端 4 ~ 5 齿裂。瘦果倒卵形，4 棱，长约 2.5 mm，有灰褐色环状突起。花期 4 ~ 9 月，果期 6 ~ 11 月。

| 生境分布 | 生于海拔 400 ~ 1 000 m 的路边、沟边或草丛中。分布于湖北咸丰、利川、罗田。

| 资源情况 | 资源广布，可育苗和直播。

| 采收加工 | 夏季开花前或花期均可采收。割取地上部分，晒至半干时，放置干燥通风处，晾干。

| 功能主治 | 解毒，镇痛，降血压。用于全身酸痛，四肢麻痹。

菊科 Compositae 豨莶属 *Siegesbeckia*

豨莶 *Siegesbeckia orientalis* L.

| 药材名 | 豨莶。

| 形态特征 | 一年生草本。茎直立，高 30 ~ 100 cm，分枝斜升，上部的分枝常呈复二歧状；全部分枝被灰白色短柔毛。基部叶花期枯萎；中部叶三角状卵圆形或卵状披针形，长 4 ~ 10 cm，宽 1.8 ~ 6.5 cm，基部阔楔形，下延成具翼的柄，先端渐尖，边缘有规则的浅裂或粗齿，纸质，上面绿色，下面淡绿，具腺点，两面被毛，基出脉 3，侧脉及网脉明显；上部叶渐小，卵状长圆形，边缘呈浅波状或全缘，近无柄。头状花序直径 15 ~ 20 mm，多数聚生于枝端，排列成具叶的圆锥花序；花梗长 1.5 ~ 4 cm，密生短柔毛；总苞阔钟状；总苞片 2 层，叶质，背面被紫褐色头状具柄的腺毛；外层苞片 5 ~ 6，线状

匙形或匙形，开展，长 8 ～ 11 mm，宽约 1.2 mm；内层苞片卵状长圆形或卵圆形，长约 5 mm，宽约 1.5 ～ 2.2 mm。外层托片长圆形，内弯，内层托片倒卵状长圆形。花黄色；雌花花冠的管部长 0.7 mm；两性管状花上部钟状，上端有 4 ～ 5 卵圆形裂片。瘦果倒卵圆形，有 4 棱，先端有灰褐色环状突起，长 3 ～ 3.5 mm，宽 1 ～ 1.5 mm。花期 4 ～ 9 月，果期 6 ～ 11 月。

| 生境分布 | 生于海拔 1 450 m 以下的山坡、路旁或林缘。分布于湖北咸丰、鹤峰、巴东、秭归、通山、荆州，以及鄂州。

| 资源情况 | 资源广布，野生为主，可育苗和直播。

| 采收加工 | 夏季开花前或花期均可采收。割取地上部分，晒至半干时，放置干燥通风处，晾干。

| 功能主治 | 解毒，镇痛，降血压。用于全身酸痛，四肢麻痹。

| 附　　注 | 在广东、广西地区有以唇形科植物防风草的全草作豨莶草使用的情况；在云南地区有以唇形科植物多苞糙苏（又名香苏）的全草作豨莶草使用的情况。

菊科 Compositae 豨莶属 *Siegesbeckia*

腺梗豨莶 *Siegesbeckia pubescens* Makino.

| 药 材 名 |

腺梗豨莶。

| 形态特征 |

一年生草本。茎直立，粗壮，高 30 ~ 110 cm，上部多分枝，被开展的灰白色长柔毛和糙毛。基部叶卵状披针形，花期枯萎；中部叶卵圆形或卵形，开展，长 3.5 ~ 12 cm，宽 1.8 ~ 6 cm，基部宽楔形，下延成具翼而长 1 ~ 3 cm 的柄，先端渐尖，边缘有尖头状规则或不规则的粗齿；上部叶渐小，披针形或卵状披针形；全部叶上面深绿色，下面淡绿色，基出脉 3，侧脉和网脉明显，两面被平伏短柔毛，沿脉有长柔毛。头状花序直径 18 ~ 22 mm，多数生于枝端，排列成松散的圆锥花序；花梗较长，密生紫褐色头状具柄腺毛和长柔毛；总苞宽钟状；总苞片 2 层，叶质，背面无紫褐色头状具柄腺毛，外层线状匙形或宽线形，长 7 ~ 14 mm，内层卵状长圆形，长 3.5 mm。舌状花花冠管部长 1 ~ 1.2 mm，舌片先端 2 ~ 3 齿裂，有时 5 齿裂；两性管状花长约 2.5 mm，冠檐钟状，先端 4 ~ 5 裂。瘦果倒卵圆形，4 棱，先端有灰褐色环状突起。花期 5 ~ 8 月，果期 6 ~ 10 月。

| 生境分布 | 生于海拔 1 800 m 以下的山坡草地、路边或井旁。分布于湖北咸丰、鹤峰、利川、恩施、巴东、神农架、通山。

| 资源情况 | 资源广布，可育苗和直播。

| 采收加工 | 夏季开花前或花期均可采收。割取地上部分，晒至半干时，放置干燥通风处，晾干。

| 功能主治 | 解毒，镇痛，降血压。用于全身酸痛，四肢麻痹。

菊科 Compositae 华蟹甲属 *Sinacalia*

华蟹甲 *Sinacalia tangutica* (Maxim.) B. Nord.

| 药材名 | 华蟹甲。

| 形态特征 | 多年生草本。根茎块状，直径 1 ~ 1.5 cm，具多数纤维状根。茎粗壮，中空，高 50 ~ 100 cm，基部直径 5 ~ 6 mm，不分枝，幼时被疏蛛丝状毛，或基部无毛，上部被褐色腺状短柔毛。叶具柄，下部茎生叶花期常脱落，中部叶片厚纸质，卵形或卵状心形，长 10 ~ 16 cm，宽 10 ~ 15 cm，先端具小尖，羽状深裂，每边各有侧裂片 3 ~ 4，侧裂片近对生，狭至宽长圆形，先端具小尖，边缘常具数个小尖齿，基部截形或浅心形，上面深绿色，被疏贴生短硬毛，下面浅绿色，至少沿脉被短柔毛及疏蛛丝状毛，具明显羽状脉；叶柄较粗壮，长 3 ~ 6 cm，基部扩大且半抱茎，被疏短柔毛或近无

毛；上部茎生叶渐小，具短柄。头状花序小，多数常排成多分枝宽塔状复圆锥状，花序轴及花序梗被黄褐色腺状短柔毛；花序梗细，长 2 ~ 3 mm，具 2 ~ 3 线形渐尖的小苞片。总苞圆柱状，长 8 ~ 10 mm，宽 1 ~ 1.5 mm，总苞片 5，线状长圆形，长约 8 mm，宽 1 ~ 1.5 mm，先端钝，被微毛，边缘狭干膜质。舌状花 2 ~ 3，黄色，管部长 4.5 mm，舌片长圆状披针形，长 13 ~ 14 mm，宽 2 mm，先端具 2 小齿，具 4 脉；管状花 4，稀 7，花冠黄色，长 8 ~ 9 mm，管部长 2 ~ 2.5 mm，檐部漏斗状，裂片长圆状卵形，长 1.5 mm，先端渐尖。花药长圆形，长 3.5 ~ 3.7 mm，基部具短尾，附片长圆状渐尖；花柱分枝弯曲，长 1.5 mm，先端钝，被乳头状微毛。瘦果圆柱形，长约 3 mm，无毛，具肋；冠毛糙毛状，白色，长 7 ~ 8 mm。花期 7 ~ 9 月。

| 生境分布 | 生于海拔 400 ~ 2 200 m 的山坡沟旁草丛中、山坡杂林中。分布于湖北宣恩、来凤、房县和竹溪。

| 采收加工 | **根茎**：秋季采挖，洗净晒干，或刮去外皮，蒸透晒干。

| 功能主治 | 祛风镇静，清肺止咳。用于风湿疼痛，头痛眩晕，胸腔胀满，咳嗽痰多，偏瘫等。

菊科 Compositae 蒲儿根属 *Sinosenecio*

蒲儿根 *Sinosenecio oldhamianus* (Maxim.) B. Nord.

| 药 材 名 | 肥猪苗。

| 形态特征 | 多年生或二年生草本。根茎木质，粗，具多数纤维状根。茎单生或数个，直立，高 40 ~ 80 cm 或更高，基部直径 4 ~ 5 mm，不分枝，被白色蛛丝状毛及疏长柔毛，或多少脱毛至近无毛。基部叶在花期凋落，具长叶柄；下部茎生叶具柄，叶片卵状圆形或近圆形，长 3 ~ 5（~ 8）cm，宽 3 ~ 6 cm，先端尖或渐尖，基部心形，边缘具浅至深重齿或重锯齿，齿端具小尖，膜质，上面绿色，被疏蛛丝状毛至近无毛，下面被白蛛丝状毛，有时或多或少脱毛，掌状 5 脉，叶脉两面明显；叶柄长 3 ~ 6 cm，被白色蛛丝状毛，基部稍扩大，上部叶渐小，叶片卵形或卵状三角形，基部楔形，具短柄；最上部

叶卵形或卵状披针形。头状花序多数排列成顶生复伞房状花序；花序梗细，长1.5 ~ 3 cm，被疏柔毛，基部通常具1线形苞片。总苞宽钟状，长3 ~ 4 mm，宽2.5 ~ 4 mm，无外层苞片；总苞片约13，1层，长圆状披针形，宽约1 mm，先端渐尖，紫色，草质，具膜质边缘，外面被白色蛛丝状毛或短柔毛至无毛。舌状花约13，管部长2 ~ 2.5 mm，无毛，舌片黄色，长圆形，长8 ~ 9 mm，宽1.5 ~ 2 mm，先端钝，具3细齿，4脉；管状花多数，花冠黄色，长3 ~ 3.5 mm，管部长1.5 ~ 1.8 mm，檐部钟状；裂片卵状长圆形，长约1 mm，先端尖；花药长圆形，长0.8 ~ 0.9 mm，基部钝，附片卵状长圆形；花柱分枝外弯，长0.5 mm，先端截形，被乳头状毛。瘦果圆柱形，长1.5 mm，舌状花瘦果无毛，管状花瘦果被短柔毛；冠毛在舌状花缺，管状花冠毛白色，长3 ~ 3.5 mm。花期1 ~ 12月。

| 生境分布 | 生于林缘、溪边、草坡、田边。分布于湖北巴东、宣恩、利川、恩施、来凤，以及宜昌等。

| 资源情况 | 野生资源分布较广。

| 采收加工 | 夏季采收，洗净，鲜用或晒干。

| 功能主治 | 清热解毒，利湿，活血。用于痈肿疖毒，泌尿系统感染，湿疹，跌打损伤。

菊科 Compositae 包果菊属 *Smallanthus*

菊薯 *Smallanthus sonchifolius* (Poeppig) H. Robinson

| 药材名 | 菊薯。

| 形态特征 | 块根纺锤形，着生于根茎上。茎直立，圆形实心，紫红色，丛生，高 2 ~ 3 m。叶对生，宽心形，表面粗皱，稍厚，叶长 25 ~ 30 cm，宽 15 ~ 20 cm，叶柄长 7 ~ 12 cm。头状花序簇生于茎顶，花盘 3 ~ 6，舌状花，黄色。瘦果。

| 生境分布 | 湖北有栽培。

| 功能主治 | 降血糖，降血脂，抗氧化，抑菌。

菊科 Compositae 一枝黄花属 *Solidago*

一枝黄花 *Solidago decurrens* Lour.

|药材名|

一枝黄花。

|形态特征|

多年生草本，高 35 ~ 100 cm。茎直立，通常细弱，单生或少数簇生，不分枝或中部以上有分枝。中部茎生叶椭圆形、长椭圆形、卵形或宽披针形，长 2 ~ 5 cm，宽 1 ~ 1.5（~ 2）cm，下部楔形渐窄，有具翅的柄，仅中部以上边缘有细齿或全缘；向上叶渐小；下部叶与中部茎生叶同形，有长 2 ~ 4 cm 或更长的翅柄。全部叶质地较厚，叶两面、沿脉及叶缘有短柔毛或下面无毛。头状花序较小，长 6 ~ 8 mm，宽 6 ~ 9 mm，多数在茎上部排列成紧密或疏松的长 6 ~ 25 cm 的总状花序或伞房圆锥花序，少有排列成复头状花序的。总苞片 4 ~ 6 层，披针形或狭披针形，先端急尖或渐尖，中内层长 5 ~ 6 mm。舌状花，舌片椭圆形，长 6 mm。瘦果长 3 mm，无毛，极少有在先端被稀疏柔毛的。花果期 4 ~ 11 月。

| 生境分布 | 生于海拔 565 ~ 2 850 m 的阔叶林缘、林下、灌丛中及山坡草地上。分布于湖北利川、神农架、江夏。

| 采收加工 | 播种当年开花，9 ~ 10 月开花盛期，割取地上部分，或挖取根部，洗净，鲜用或晒干。

| 功能主治 | 清热解毒，疏散风热。用于喉痹，乳蛾，咽喉肿痛，疮疖肿毒，风热感冒。

菊科 Compositae 苦苣菜属 *Sonchus*

花叶滇苦菜 *Sonchus asper* (L.) Hill

| 药 材 名 | 花叶滇苦菜。

| 形态特征 | 一年生草本。根倒圆锥状，褐色，垂直直伸。茎单生或少数茎成簇生。茎直立，高 20 ~ 50 cm，有纵纹或纵棱，上部长或短总状或伞房状花序分枝，或花序分枝极短缩，全部茎枝光滑无毛或上部及花梗被头状具柄的腺毛。基生叶与茎生叶同型，但较小；中下部茎生叶长椭圆形、倒卵形、匙状或匙状椭圆形，包括渐狭的翼柄长 7 ~ 13 cm，宽 2 ~ 5 cm，先端渐尖、急尖或钝，基部渐狭成短或较长的翼柄，柄基耳状抱茎或基部无柄，耳状抱茎；上部茎生叶披针形，不裂，基部扩大，圆耳状抱茎。下部叶或全部茎生叶羽状浅裂、半裂或深裂，侧裂片 4 ~ 5 对，椭圆形、三角形、宽镰形或半圆形。全部叶

及裂片与抱茎的圆耳边缘有尖齿刺，两面光滑无毛，质地薄。头状花序少数（5）或较多（10）在茎枝先端排成稠密的伞房花序。总苞宽钟状，长约 1.5 cm，宽 1 cm；总苞片 3 ～ 4 层，向内层渐长，覆瓦状排列，绿色，草质，外层长披针形或长三角形，长 3 mm，宽不足 1 mm，中内层长椭圆状披针形至宽线形，长达 1.5 cm，宽 1.5 ～ 2 mm；全部苞片先端急尖，外面光滑无毛。舌状小花黄色。瘦果倒披针状，褐色，长 3 mm，宽 1.1 mm，压扁，两面各有 3 细纵肋，肋间无横皱纹。冠毛白色，长达 7 mm，柔软，彼此纠缠，基部连合成环。花果期 5 ～ 10 月。

| 生境分布 | 生于山坡草地。分布于湖北蔡甸、江夏。

| 资源情况 | 野生资源广布。

| 采收加工 | 春、夏季采收，鲜用或切段晒干。

| 功能主治 | 清热解毒，凉血止血。用于疮疡肿毒，小儿咳喘，肺痨咯血。

菊科 Compositae 苦苣菜属 *Sonchus*

苦苣菜 *Sonchus oleraceus* L.

| 药 材 名 |

苦苣菜。

| 形态特征 |

一年生至二年生草本，高 50 ~ 100 cm。茎直立，中空；基部无毛，先端及中上部或具有稀疏的腺毛。叶互生；长椭圆状广披针形，长 15 ~ 28 cm，宽 3 ~ 6 cm，羽裂或提琴状羽裂，边缘具不整齐的刺状尖齿；基部叶有短柄，茎上叶无柄、呈耳廓状抱茎。头状花序数枚，顶生，直径约 2 cm。总苞圆筒状，长 12 ~ 15 mm，基部具有脱落性的绢状毛，内层苞片线状披针形，先端尖锐，具疏生的长毛；花全部为舌状，黄色；雄蕊 5；子房下位，花柱细长，柱头 2 深裂。瘦果倒卵状椭圆形，扁平，每面除有 3 明显的纵纹外，并有粗糙的横纹，成熟后红褐色。冠毛白色，细软。花期 4 ~ 6 月。

| 生境分布 |

生于路边及田野间。分布于湖北宣恩、鹤峰、神农架、兴山、石首、江夏、阳新，以及宜昌、鄂州。

| 资源情况 | 野生资源广布。

| 采收加工 | 冬、春、夏季均可采收，鲜用或晒干。

| 功能主治 | 清热解毒，凉血止血。用于肠炎，痢疾，黄疸，淋证，咽喉肿痛，疮痈肿毒，乳腺炎，痔瘘，吐血，衄血，咯血，尿血，便血，崩漏。

菊科 Compositae 苦苣菜属 *Sonchus*

短裂苦苣菜 *Sonchus uliginosus* M. Bieb.

药材名

短裂苦苣菜。

形态特征

多年生草本。高 30 ~ 100 cm。根垂直，直伸。茎直立，单生，有纵条纹，上部有伞房状花序分枝，全部茎枝光滑无毛。基生叶多数，与中、下部茎生叶同形，长椭圆形、长倒披针形、长披针形或线状长椭圆形，长 5 ~ 23 cm，宽 1 ~ 10 cm，羽状分裂，侧裂片 2 ~ 4 对，偏斜卵形、卵形、宽三角形或半圆形，顶部裂片长三角形、长椭圆形或长披针形，全部叶裂片边缘有锯齿，先端急尖、渐尖、钝或圆形；茎上部叶及连接花序分叉处的叶与中、下部茎生叶不裂或等样分裂，无柄，基部圆耳状抱茎；全部叶两面光滑无毛。头状花序多数或少数在茎枝先端排成伞房状花序；总苞钟状，长 1.5 ~ 2 cm，宽约 1.5 cm；总苞片 3 ~ 4 层，向内层渐长，覆瓦状排列，外层者披针形或卵状披针形，长 7 ~ 10 mm，宽 2 ~ 3 mm，中、内层者长披针形至线状披针形，长 1.2 ~ 2 cm，宽 1 ~ 2 mm，全部苞片先端短渐尖或长急尖；舌状小花黄色。瘦果椭圆形，长 3 mm，宽约 1 mm，每面有 5 高起的纵肋，肋间有横皱纹；冠毛白色，单毛状，柔软，纤细，纠缠，长 7 mm。花果期 6 ~ 10 月。

| 生境分布 | 生于海拔 1 150 ~ 3 100 m 的田边、山坡、草地、湿地、荒地。湖北有分布。

| 资源情况 | 野生资源较少。

| 功能主治 | 清热解毒，活血祛瘀，消肿排脓。用于痈肿疮疡。

菊科 Compositae 苦苣菜属 *Sonchus*

苣荬菜 *Sonchus wightianus* DC.

| 药 材 名 | 苣荬菜。

| 形态特征 | 多年生草本，高 30 ～ 60 cm。全株具乳汁。地下根茎匍匐，着生多数须根。地上茎直立，少分枝，平滑。叶互生；无柄；叶片宽披针形或长圆状披针形，长 8 ～ 16 cm，宽 1.5 ～ 2.5 cm，先端有小尖刺，基部呈耳形抱茎，边缘呈波状尖齿或有缺刻，上面绿色，下面淡灰白色，两面均无毛。头状花序，少数，在枝顶排列成聚伞状或伞房状，头状花序直径 2 ～ 4 cm，总苞及花轴都具有白绵毛，总苞片 4 层，最多 1 层卵形，内层披针形，长于最外层；全部为舌状花，鲜黄色；舌片条形，先端齿裂；雄蕊 5，药合生；雌蕊 1，子房下位，花柱纤细，柱头 2 深裂，花柱及柱头皆被白色腺毛。瘦果，压扁，有棱，

有与棱平行的纵肋，先端有多层白色冠毛。花果期夏、秋季。

| 生境分布 | 生于路边、村旁、近水旁等地。分布于湖北竹溪。

| 资源情况 | 野生资源较少。

| 采收加工 | 春季开花前采收，鲜用或晒干。

| 功能主治 | 清热解毒，利湿排脓，凉血止血。用于咽喉肿痛，疮疖肿毒，痔疮，急性细菌性痢疾，肠炎，肺脓肿，急性阑尾炎，吐血，衄血，咯血，尿血，便血，崩漏。

菊科 Compositae 漏芦属 *Stemmacantha*

漏芦 *Stemmacantha uniflora* (L.) Dittrich

| 药 材 名 |

漏芦。

| 形态特征 |

多年生草本，高（6 ~ ）30 ~ 100 cm。根茎粗厚。根直伸，直径 1 ~ 3 cm。茎直立，不分枝，簇生或单生，灰白色，被绵毛，基部直径 0.5 ~ 1 cm，被褐色残存的叶柄。基生叶及下部茎生叶椭圆形、长椭圆形、倒披针形，长 10 ~ 24 cm，宽 4 ~ 9 cm，羽状深裂或几全裂，有长叶柄，叶柄长 6 ~ 20 cm。侧裂片 5 ~ 12 对，椭圆形或倒披针形，边缘有锯齿或锯齿稍大而使叶呈现 2 回羽状分裂状态，或边缘少锯齿或无锯齿，中部侧裂片稍大，向上或向下的侧裂片渐小，最下部的侧裂片小耳状，顶裂片长椭圆形或几匙形，边缘有锯齿。中上部茎生叶渐小，与基生叶及下部茎生叶同形并等样分裂，无柄或有短柄。全部叶质地柔软，两面灰白色，被稠密或稀疏的蛛丝毛及多细胞糙毛和黄色小腺点。叶柄灰白色，被稠密的蛛丝状绵毛。头状花序单生茎顶，花序梗粗壮，裸露或有少数钻形小叶。总苞半球形，直径 3.5 ~ 6 cm。总苞片约 9 层，覆瓦状排列，向内层渐长，外层不包括先端膜质附属物长三角形，长

4 mm，宽 2 mm；中层不包括先端膜质附属物椭圆形至披针形；内层及最内层不包括先端附属物披针形，长约 2.5 cm，宽约 5 mm。全部苞片先端有膜质附属物，附属物宽卵形或几圆形，长达 1 cm，宽达 1.5 cm，浅褐色。全部小花两性，管状，花冠紫红色，长 3.1 cm，细管部长 1.5 cm，花冠裂片长 8 mm。瘦果 3 ~ 4 棱，楔状，长 4 mm，宽 2.5 mm，先端有果缘，果缘边缘具细尖齿，侧生着生面。冠毛褐色，多层，不等长，向内层渐长，长达 1.8 cm，基部连合成环，整体脱落；冠毛刚毛糙毛状。花果期 4 ~ 9 月。

| 生境分布 | 生于海拔 390 ~ 2 700 m 的山坡丘陵地、松林下或桦木林下。分布于湖北郧西。

| 资源情况 | 野生资源量少。

| 采收加工 | 春、秋季采挖，除去须根和泥沙，晒干。

| 功能主治 | 清热解毒，消痈，下乳，舒筋通脉。用于乳痈肿痛，痈疽发背，瘰疬疮毒，乳汁不通，湿痹拘挛。

菊科 Compositae 甜叶菊属 *Stevia*

甜叶菊 *Stevia rebaudiana* (Bertoni) Hemsl.

|药材名|

甜叶菊。

|形态特征|

多年生草本。高 100 ~ 150 cm。根稍肥大，50 ~ 60 条，长可达 25 cm。茎直立，基部半木质化，直径约 1 cm，多分枝。叶对生；无柄；叶片倒卵形至宽披针形，长 5 ~ 10 cm，宽 1.5 ~ 3.5 cm，先端钝，基部楔形，上半部叶缘具粗锯齿。头状花序小，在枝端排成伞房状，每花序具 5 管状花，总苞圆筒状，长约 6 mm；总苞片 5 ~ 6，近等长，背面被短柔毛；小花管状，白色，先端 5 裂。瘦果，长纺锤形，长 2.5 ~ 3 mm，黑褐色；冠毛多条，长 4 ~ 5 mm，污白色。花期 7 ~ 9 月，果期 9 ~ 11 月。

|生境分布|

栽培种。湖北武汉、随州、荆州，以及当阳、蕲春等有栽培。

|采收加工|

叶：春、夏、秋季均可采收，除去茎枝，摘取叶片，鲜用或晒干。

| **功能主治** | 生津止渴，养阴潜阳。用于消渴，头晕。

菊科 Compositae 联毛紫菀属 *Symphyotrichum*

钻叶紫菀 *Symphyotrichum subulatum* (Michx.) G. L. Nesom

| 药 材 名 | 瑞连草。

| 形态特征 | 一年生草本植物。高 55 ~ 85 cm；茎上部有分枝；叶互生，全缘，无柄，基部叶倒披针形，中部叶线状披针形，上部叶渐狭线形。头

状花序排列成顶生的圆锥花序，总苞钟状，总苞片 3 ~ 4 层，外层较短，内层较长，线状钻形；舌状花细狭，小，白色或粉红色；管状花多数。瘦果略有毛。花果期 9 ~ 11 月。

| 生境分布 | 生于海拔 850 ~ 2 400 m 的地区。分布于湖北鹤峰、利川、恩施、巴东、神农架、罗田及随州。

| 采收加工 | 秋季采收，切段，鲜用或晒干。

| 功能主治 | 清热解毒。用于痈肿，湿疹。

菊科 Compositae 兔儿伞属 *Syneilesis*

兔儿伞 *Syneilesis aconitifolia* (Bge.) Maxim.

| 药 材 名 | 兔儿伞。

| 形态特征 | 多年生草本。根茎短，横走，具多数须根，茎直立，高 70 ~ 120 cm，下部直径 2.5 ~ 6 mm，紫褐色，无毛，具纵肋，不分枝。叶通常 2，疏生；下部叶具长柄；叶片盾状圆形，直径 20 ~ 30 cm，掌状深裂；裂片 7 ~ 9，每裂片再次 2 ~ 3 浅裂；小裂片宽 4 ~ 8 mm，线状披针形，边缘具不等长的锐齿，先端渐尖，初时反折呈闭伞状，密被蛛丝状绒毛，后开展成伞状，变无毛，上面淡绿色，下面灰色；叶柄长 10 ~ 16 cm，无翅，无毛，基部抱茎；中部叶较小，直径 12 ~ 24 cm；裂片通常 4 ~ 5；叶柄长 2 ~ 6 cm。其余的叶呈苞片状，披针形，向上渐小，无柄或具短柄。头状花序

多数，在茎端密集成复伞房状，干时宽 6 ~ 7 mm；花序梗长 5 ~ 16 mm，具数枚线形小苞片；总苞筒状，长 9 ~ 12 mm，宽 5 ~ 7 mm，基部有 3 ~ 4 小苞片；总苞片 1 层，5，长圆形，先端钝，边缘膜质，外面无毛。小花 8 ~ 10，花冠淡粉白色，长 10 mm，管部窄，长 3.5 ~ 4 mm，檐部窄钟状，5 裂；花药变紫色，基部短箭形；花柱分枝伸长，扁，先端钝，被笔状微毛。瘦果圆柱形，长 5 ~ 6 mm，无毛，具肋；冠毛污白色或变红色，糙毛状，长 8 ~ 10 mm。花期 6 ~ 7 月，果期 8 ~ 10 月。

| 生境分布 | 生于海拔 500 ~ 1 800 m 的山坡荒地林缘或路旁。分布于湖北鹤峰、利川、恩施、巴东、神农架、罗田、房县，以及襄阳、随州。

| 采收加工 | 夏、秋季采收全草，洗净，鲜用或晒干。

| 功能主治 | 祛风湿，舒筋活血，止痛。用于腰腿疼痛，跌打损伤。

菊科 Compositae 合耳菊属 *Synotis*

锯叶合耳菊 *Synotis nagensium* (C. B. Clarke) C. Jeffrey et Y. L. Chen

| 药 材 名 | 锯叶合耳菊。

| 形态特征 | 多年生灌木状草本或亚灌木。茎直立，高达 150 cm，不分枝或上部具花序枝，密被白色绒毛或黄褐色绒毛，下部在花期无叶。叶具短柄，倒卵状椭圆形，倒披针状椭圆形或椭圆形，长 7 ~ 23 cm，宽 2.5 ~ 8.5 cm，先端短渐尖，基部楔形或楔状狭成短柄，边缘有细至粗具小尖的锯齿或重锯齿，纸质，上面绿色，疏被蛛丝状绒毛及贴生短柔毛，下面密被白色绒毛或黄褐色绒毛及沿脉被褐色短硬毛，羽状脉，侧脉 10 ~ 13，稀 15 对，弧状上弯，叶脉在下面明显；叶柄长 5 ~ 25 mm，密被绒毛，常杂有红褐色短硬毛；上部及分枝上叶较小，狭椭圆形或披针形，具短柄。头状花序具异形小花，盘状

或不明显辐射状，多数，排成不分枝至开展的，顶生及上部腋生狭圆锥状圆锥聚伞花序；花序梗长 5 ~ 12 mm，密被绒毛，有时杂有锈褐色短硬毛，具线形苞片。总苞倒锥状钟形，长 7 ~ 8 mm，宽 4 ~ 6 mm，具外层苞片；苞片约 8，通常线形，与总苞片等长，或叶状，明显长于总苞片；总苞片 13 ~ 15，线形，宽 1 ~ 1.5 mm，先端尖，草质，边缘狭干膜质，外面被极密绒毛；边缘小花 12 ~ 13，花冠黄色，丝状或具细舌，长约 6 mm，具 3 细齿，或具有 3 细齿的舌片；管状花 12 ~ 20，花冠黄色，长约 6 mm，管部长 3 mm，檐部漏斗状；裂片卵状披针形，长 1.5 mm，尖。花药长 3 mm；花药尾部长约为颈部的 3/4 至 2 倍；附片卵状长圆形，颈部柱状，较长而狭，向基部略膨大。花柱分枝长 1.5 mm，先端截形，具短乳头状毛，中央的毛不明显。瘦果圆柱形，长 1.7 mm，疏被柔毛；冠毛白色，长约 5 mm。花期 8 月至翌年 3 月。

| 生境分布 | 生于海拔 100 ~ 2 000 m 的森林、灌丛及草地。分布于湖北鹤峰、利川、恩施、巴东、神农架、罗田，以及随州。

| 功能主治 | 祛风，清热，利尿。用于感冒发热，咳嗽痰喘，水肿，小便涩痛。

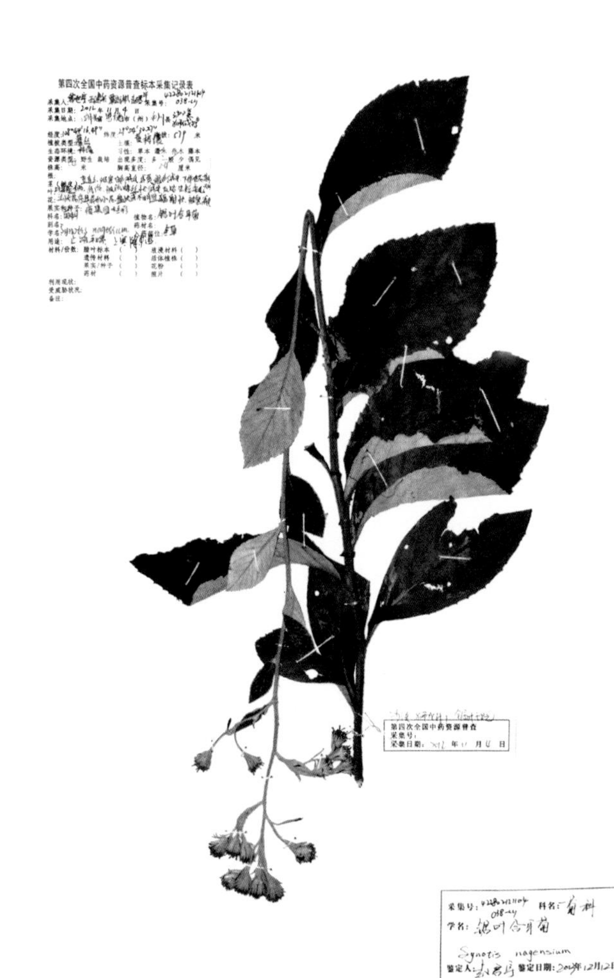

菊科 Compositae 山牛蒡属 *Synurus*

山牛蒡 *Synurus deltoides* (Ait.) Nakai

| 药 材 名 | 山牛蒡。

| 形态特征 | 多年生草本，高 0.7 ~ 1.5 m。根茎粗。茎直立，单生，粗壮，基部直径达 2 cm，上部分枝或不分枝，全部茎枝粗壮，有条棱，灰白色，被密厚绒毛或下部脱毛而至无毛。基部叶与下部茎生叶有长叶柄，叶柄长达 34 cm，有狭翼，叶片心形、卵形、宽卵形、卵状三角形或戟形，不分裂，长 10 ~ 26 cm，宽 12 ~ 20 cm，基部心形、戟形或平截，边缘有三角形或斜三角形粗大锯齿，但通常半裂或深裂，向上的叶渐小，卵形、椭圆形、披针形或长椭圆状披针形，边缘有锯齿或针刺，有短叶柄至无叶柄。全部叶两面异色，上面绿色，粗糙，有多细胞节毛，下面灰白色，被密厚的绒毛。头状花序大，下

垂，生枝头先端或植株仅含 1 头状花序而单生茎顶。总苞球形，直径 3 ~ 6 cm，被稠密而蓬松的蛛丝状毛或脱毛而至稀毛。总苞片多层多数，通常 13 ~ 15 层，向内层渐长，有时变紫红色，外层与中层披针形，长 0.7 ~ 2.3 cm，宽 3 ~ 4 mm；内层绒状披针形，长 2.3 ~ 2.5 cm，宽 1.5 ~ 2 mm。全部苞片上部长渐尖，中外层平展或下弯，内层上部外面有稠密短糙毛。小花全部为两性，管状，花冠紫红色，长 2.5 cm，细管部长 9 mm，檐部长 1.4 cm，花冠裂片不等大，三角形，长达 3 mm。瘦果长椭圆形，浅褐色，长 7 mm，宽约 2 mm，先端截形，有果缘，果缘边缘具细锯齿，侧生着生面。冠毛褐色，多层，不等长，向内层渐长，长 1.5 ~ 2 cm，基部连合成环，整体脱落；冠毛刚毛糙毛状。花果期 6 ~ 10 月。

| 生境分布 | 生于海拔 850 ~ 2 400 m 的山坡草地、草丛中。分布于湖北鹤峰、利川、恩施、巴东、神农架、罗田，以及随州。

| 资源情况 | 野生资源量少。

| 采收加工 | 夏、秋季采收，全草切段晒干，花阴干，种子晒干。

| 功能主治 | 清热解毒，消肿散结。用于感冒，咳嗽，瘰疬，腹痛，带下。

菊科 Compositae 万寿菊属 *Tagetes*

万寿菊 *Tagetes erecta* L.

| 药 材 名 | 万寿菊。

| 形态特征 | 一年生草本，高 50 ~ 150 cm。茎直立，粗壮，具纵细条棱，分枝向上平展。叶羽状分裂，长 5 ~ 10 cm，宽 4 ~ 8 cm，裂片长椭圆形或披针形，边缘具锐锯齿，上部叶裂片的齿端有长细芒；沿叶缘有少数腺体。头状花序单生，直径 5 ~ 8 cm，花序梗先端棍棒状膨大；总苞长 1.8 ~ 2 cm，宽 1 ~ 1.5 cm，杯状，先端具齿尖；舌状花黄色或暗橙色；长 2.9 cm，舌片倒卵形，长 1.4 cm，宽 1.2 cm，基部收缩成长爪，先端微弯缺；管状花花冠黄色，长约 9 mm，先端 5 齿裂。瘦果线形，基部缩小，黑色或褐色，长 8 ~ 11 mm，被短微毛；冠毛有 1 ~ 2 长芒和 2 ~ 3 短而钝的鳞片。花期 7 ~ 9 月。

| 生境分布 | 湖北有栽培。

| 资源情况 | 栽培资源丰富。

| 采收加工 | 夏、秋季采收，鲜用或晒干。

| 功能主治 | 清热解毒，化痰止咳。用于风热感冒，咳嗽，百日咳，痢疾，腮腺炎，乳痈，疖肿，牙痛，口腔炎，目赤肿痛。

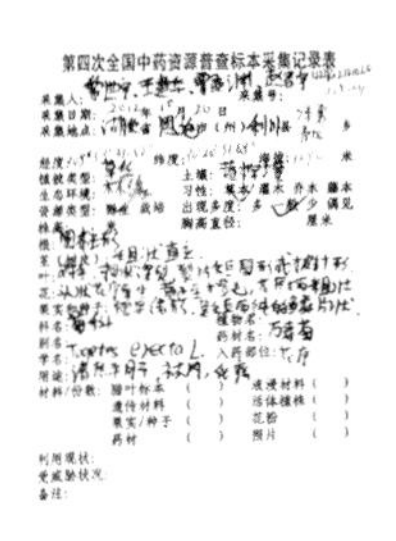

第四次全国中药资源普查标本采集记录表

采集人：
采集号：
采集日期：
采集地点：
经度： 纬度： 海拔： 米
植被类型： 土壤：
生态环境： 习性：草本 灌木 乔木 藤本
资源类型：野生 栽培 出现多度：多 一般 少 偶见
株高： 胸高直径： 厘米
根：
茎（树皮）：
叶：
花：
果实和种子：
科名： 植物名：
别名： 药材名：
学名： 入药部位：
用途：
材料/份数：腊叶标本（ ） 浸渍材料（ ）
遗传材料（ ） 活体植株（ ）
果实/种子（ ） 花粉（ ）
药材（ ） 照片（ ）
利用现状：
受威胁状况：
备注：

采集号： 科名：菊科
学名：Tagetes erecta L.
万寿菊
鉴定人： 鉴定日期： 年 1月15日

菊科 Compositae 蒲公英属 *Taraxacum*

蒲公英 *Taraxacum mongolicum* Hand.-Mazz.

| 药 材 名 |

蒲公英。

| 形态特征 |

多年生草本。根圆柱状，黑褐色，粗壮。叶倒卵状披针形、倒披针形或长圆状披针形，长 4 ~ 20 cm，宽 1 ~ 5 cm，先端钝或急尖，边缘有时具波状齿或羽状深裂，有时倒向羽状深裂或大头羽状深裂，先端裂片较大，三角形或三角状戟形，全缘或具齿，每侧裂片 3 ~ 5，裂片三角形或三角状披针形，通常具齿，平展或倒向，裂片间常夹生小齿，基部渐狭成叶柄，叶柄及主脉常带红紫色，疏被蛛丝状白色柔毛或几无毛。花葶 1 至数个，与叶等长或稍长，高 10 ~ 25 cm，上部紫红色，密被蛛丝状白色长柔毛；头状花序直径 30 ~ 40 mm；总苞钟状，长 12 ~ 14 mm，淡绿色；总苞片 2 ~ 3 层，外层总苞片卵状披针形或披针形，长 8 ~ 10 mm，宽 1 ~ 2 mm，边缘宽膜质，基部淡绿色，上部紫红色，先端增厚或具小到中等的角状突起；内层总苞片线状披针形，长 10 ~ 16 mm，宽 2 ~ 3 mm，先端紫红色，具小角状突起；舌状花黄色，舌片长约 8 mm，宽约 1.5 mm，边缘花舌片背面具紫红色条纹，花药和柱头暗绿色。瘦果倒卵状披针形，暗褐色，长 4 ~ 5 mm，宽 1 ~ 1.5 mm，上部具小刺，下部具成行排列的小瘤，先端逐渐收缩为长约 1 mm 的圆锥形至圆柱形喙基，喙长 6 ~ 10 mm，纤细；冠毛白色，长约 6 mm。花期 4 ~ 9 月，果期 5 ~ 10 月。

| 生境分布 | 生于中、低海拔地区的山坡草地、路边、田野、河滩。分布于湖北利川、恩施、神农架、兴山、房县、石首、江夏、阳新，以及荆门、咸宁。

| 资源情况 | 野生资源丰富。

| 采收加工 | 4 ~ 5 月开花前或刚开花时连根挖取，除净泥土，晒干。

| 功能主治 | 清热解毒，消肿散结，利尿通淋。用于疔疮肿毒，乳痈，瘰疬，目赤，咽痛，肺痈，肠痈，湿热黄疸，热淋涩痛。

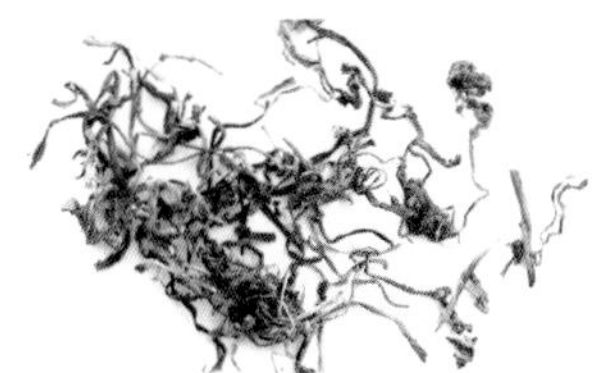

菊科 Compositae 蒲公英属 *Taraxacum*

白缘蒲公英 *Taraxacum platypecidum* Diels

|药材名| 蒲公英。

|形态特征| 多年生草本。根颈部有黑褐色残存叶柄。叶宽倒披针形或披针状倒披针形，长 10 ~ 30 cm，宽 2 ~ 4 cm，羽状分裂，每侧裂片 5 ~ 8，裂片三角形，全缘或有疏齿，侧裂片较大，三角形，疏被蛛丝状柔毛或几无毛。花葶 1 至数个，高达 45 cm，上部密被白色蛛丝状绵毛；头状花序大型，直径 40 ~ 45 mm；总苞宽钟状，长 15 ~ 17 mm，总苞片 3 ~ 4 层，先端有或无小角；外层总苞片宽卵形，中央有暗绿色宽带，边缘为宽白色膜质，上端粉红色，疏被睫毛，内层总苞片长圆状线形或线状披针形，长约为外层总苞片的 2 倍；舌状花黄色，边缘花舌片背面有紫红色条纹，花柱和柱头暗绿色，干时多少

黑色。瘦果淡褐色，长约 4 mm，宽 1 ~ 1.4 mm，上部有刺状小瘤，先端突然缢缩为圆锥形至圆柱形的喙基，喙基长约 1 mm，喙纤细，长 8 ~ 12 mm；冠毛白色，长 7 ~ 10 mm。花果期 3 ~ 6 月。

| 生境分布 | 生于海拔 1 900 ~ 3 100 m 的山坡草地或路旁。湖北有分布。

| 采收加工 | 4 ~ 5 月开花前或刚开花时连根挖取，除净泥土，晒干。

| 功能主治 | 清热解毒，消肿散结，利尿通淋。用于疔疮肿毒，乳痈，瘰疬，目赤，咽痛，肺痈，肠痈，湿热黄疸，热淋涩痛。

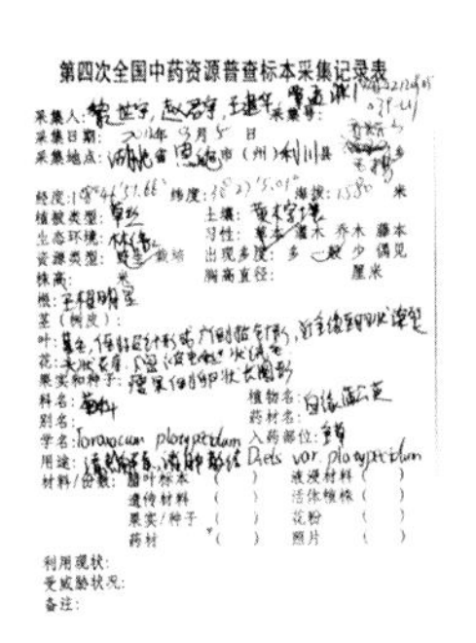
第四次全国中药资源普查标本采集记录表
采集人：
采集号：
采集日期：2012年5月5日
采集地点：湖北省恩施市（州）利川县
经度：　纬度：　海拔：1580 米
植被类型：　土壤：
生态环境：　习性：草本 灌木 乔木 藤本
资源类型：野生 栽培　出现多度：多 一般 少 偶见
株高：　米　胸高直径：　厘米
根：
茎（树皮）：
叶：
花：
果实和种子：
科名：菊科　植物名：
别名：　药材名：
学名：Taraxacum platypecidum Diels var. platypecidum　入药部位：
用途：
材料/份数：腊叶标本（ ）　液浸材料（ ）
遗传材料（ ）　活体植株（ ）
果实/种子（ ）　花粉（ ）
药材（ ）　照片（ ）
利用现状：
受威胁状况：
备注：

采集号：　科名：菊科
学名：Taraxacum platypecidum Diels var. platypecidum
鉴定人：　鉴定日期：2012 年 12 月 18 日

菊科 Compositae 狗舌草属 *Tephroseris*

狗舌草 *Tephroseris kirilowii* (Turcz. ex DC.) Holub

药材名

狗舌草。

形态特征

多年生草本，根茎斜升，常覆盖以褐色宿存叶柄，具多数纤维状根。茎单生，稀 2 ~ 3，近葶状，直立，高 20 ~ 60 cm，不分枝，被密白色蛛丝状毛，有时或多或少脱毛。基生叶数个，莲座状，具短柄，在花期生存，长圆形或卵状长圆形，长 5 ~ 10 cm，宽 1.5 ~ 2.5 cm，先端钝，具小尖，基部楔状至渐狭成具狭至宽翅叶柄，两面被密或疏白色蛛丝状绒毛；茎生叶少数，向茎上部渐小，下部叶倒披针形，或倒披针状长圆形，长 4 ~ 8 cm，宽 0.5 ~ 1.5 cm，钝至尖，无柄，基部半抱茎，上部叶小，披针形，苞片状，先端尖。头状花序直径 1.5 ~ 2 cm，3 ~ 11 花序排列成伞形状顶生伞房花序；花序梗长 1.5 ~ 5 cm，密被蛛丝状绒毛，多少被黄褐色腺毛，基部具苞片，上部无小苞片。总苞近圆柱状钟形，长 6 ~ 8 mm，宽 6 ~ 9 mm，无外层苞片；总苞片 18 ~ 20，披针形或线状披针形，宽 1 ~ 1.5 mm，先端渐尖或急尖，绿色或紫色，草质，具狭膜质边缘，外面被密或疏蛛丝状毛，或多少脱毛。舌状花

13 ~ 15，管部长 3 ~ 3.5 mm；舌片黄色，长圆形，长 6.5 ~ 7 mm，宽 2.5 ~ 3 mm，先端钝，具 3 细齿，4 脉。管状花多数，花冠黄色，长约 8 mm，管部长 4 mm，檐部漏斗状；裂片卵状披针形，长 1.2 mm，急尖，先端具乳头状毛。花药长 2.2 mm，基部钝，附片卵状披针形；花柱分枝长约 1 mm。瘦果圆柱形，长 2.5 mm，被密硬毛。冠毛白色，长约 6 mm。花期 2 ~ 8 月。

| 生境分布 | 生于海拔 250 ~ 2 000 m 的草地山坡或山顶阳处。湖北有分布。

| 采收加工 | 春、夏季采收，洗净，鲜用或晒干。

| 功能主治 | 清热解毒，利水消肿，杀虫。用于脓疡疖肿，尿路感染，肾炎性水肿，口腔炎，跌打损伤，湿疹，疥疮，阴道滴虫病。

菊科 Compositae 女菀属 *Turczaninowia*

女菀 *Turczaninowia fastigiata* (Fisch.) DC.

| 药 材 名 |

女菀。

| 形态特征 |

根茎粗壮。茎直立，高 30 ~ 100 cm，被短柔毛，下部常脱毛，上部有伞房状细枝。下部叶在花期枯萎，条状披针形，长 3 ~ 12 cm，宽 0.3 ~ 1.5 cm，基部渐狭成短柄，先端渐尖，全缘，中部以上叶渐小，披针形或条形，下面灰绿色，被密短毛及腺点，上面无毛，边缘有糙毛，稍反卷；中脉及三出脉在下面凸起。头状花序直径 5 ~ 7 mm，多数在枝端密集；花序梗纤细，有长 1 ~ 2 mm 的苞叶。总苞长 3 ~ 4 mm；总苞片被密短毛，先端钝，外层矩圆形，长约 1.5 mm；内层倒披针状矩圆形，上端及中脉绿色。花 10 余；舌状花白色，管部长 2 ~ 3 mm；管状花长 3 ~ 4 mm。冠毛约与管状花花冠等长。瘦果矩圆形，基部尖，长约 1 mm，被密柔毛或有时稍脱毛。花果期 8 ~ 10 月。

| 生境分布 |

生于海拔 50 ~ 150 m 的荒地、山坡、路旁。分布于湖北神农架。

| 采收加工 | 春、夏季采收全草。秋季采根，切段晒干。

| 功能主治 | 温肺化痰，健脾利湿。用于咳嗽气喘，泄泻痢疾，小便短涩。

菊科 Compositae 款冬属 *Tussilago*

款冬 *Tussilago farfara* L.

| 药 材 名 | 款冬花。

| 形态特征 | 多年生草本。根茎横生地下，褐色。早春花叶抽出数个花葶，高 5 ~ 10 cm，密被白色茸毛，有鳞片状、互生的苞叶，苞叶淡紫色。头状花序单生先端，直径 2.5 ~ 3 cm，初时直立，花后下垂；总苞片 1 ~ 2 层，总苞钟状，结果时长 15 ~ 18 mm，总苞片线形，先端钝，常带紫色，被白色柔毛及脱毛，有时具黑色腺毛；边缘有多层雌花，花冠舌状，黄色，子房下位；柱头 2 裂；中央的两性花少数，花冠管状，先端 5 裂；花药基部尾状；柱头头状，通常不结实。瘦果圆柱形，长 3 ~ 4 mm；冠毛白色，长 10 ~ 15 mm。后生出基生叶阔心形，具长叶柄，叶片长 3 ~ 12 cm，宽 4 ~ 14 cm，边缘有波状、先端增

厚的疏齿，掌状网脉，下面被密白色茸毛；叶柄长 5 ~ 15 cm，被白色绵毛。

| 生境分布 | 常生于山谷湿地或林下。湖北神农架有栽培。

| 采收加工 | 在 12 月花尚未出土时挖取花蕾，不宜用手摸或水洗，以免变色，放通风处阴干，待半干时筛去泥土，去净花梗，再晾至全干备用。不宜日晒及用手翻动，并防止雨雪冰冻，否则变色发黑。

| 功能主治 | 润肺下气，化痰止咳。用于新久咳嗽，气喘，劳嗽咯血。

菊科 Compositae 斑鸠菊属 *Vernonia*

夜香牛 *Vernonia cinerea* (L.) Less.

| 药 材 名 | 伤寒草。

| 形态特征 | 一年生或多年生草本，高 20 ~ 100 cm。根垂直，多少木质，分枝，具纤维状须根。茎直立，通常上部分枝，稀自基部分枝而呈铺散状，具条纹，被灰色贴生短柔毛，具腺。下部和中部叶具柄，菱状卵形、菱状长圆形或卵形，长 3 ~ 6.5 cm，宽 1.5 ~ 3 cm，先端尖或稍钝，基部楔状狭成具翅的柄，边缘有具小尖的疏锯齿，或波状，侧脉 3 ~ 4 对，上面绿色，被疏短毛，下面特别沿脉被灰白色或淡黄色短柔毛，两面均有腺点；叶柄长 10 ~ 20 mm；上部叶渐尖，狭长圆状披针形或线形，具短柄或近无柄；头状花序多数，稀少数，直径 6 ~ 8 mm，具 19 ~ 23 花，在茎枝端排列成伞房状圆锥花序；花序梗细，长

5 ~ 15 mm，具线形小苞片或无苞片，被密短柔毛；总苞钟状，长 4 ~ 5 mm，宽 6 ~ 8 mm；总苞片 4 层，绿色或变紫色，背面被短柔毛和腺，外层线形，长 1.5 ~ 2 mm，先端渐尖，中层线形，内层线状披针形，先端刺状尖，具 1 脉或上部具多少明显 3 脉；花托平，有边缘具细齿的窝孔；花淡红紫色，花冠管状，长 5 ~ 6 mm，被疏短微毛，具腺，上部稍扩大，裂片线状披针形，先端外面被短微毛及腺；瘦果圆柱形，长约 2 mm，先端截形，基部缩小，被密短毛和腺点；冠毛白色，2 层，外层多数而短，内层近等长，糙毛状，长 4 ~ 5 mm。花期全年。

| 生境分布 | 生于山坡旷野、荒地、田边、路旁。湖北有分布。

| 功能主治 | 疏风清热，除湿，解毒。用于外感发热，咳嗽，急性黄疸性肝炎，湿热腹泻，带下，疔疮肿毒，乳腺炎，鼻炎，毒蛇咬伤。

菊科 Compositae 斑鸠菊属 *Vernonia*

南漳斑鸠菊 *Vernonia nantcianensis* (Pamp.) Hand.-Mazz.

| 药 材 名 | 南漳斑鸠菊。

| 形态特征 | 一年生草本，高 50 ~ 80（~ 100）cm。茎直立或斜升，上部分枝，具明显的条纹，被疏糙短毛和无柄的腺毛，少有近无毛；叶具柄，薄纸质，卵状或披针状椭圆形，长 3 ~ 10 cm，宽 1 ~ 4 cm，先端长或短渐尖，基部楔状狭成长 0.5 ~ 1.5 cm 的叶柄，边缘中部或中部以上有疏锯齿；侧脉 5 ~ 7 对，主脉和侧脉在下面不明显或几不凸起，上面疏被贴生短糙毛，下面沿叶脉被短柔毛和腺点。头状花序较大，在枝端或叶腋单生，直径 1.3 ~ 1.5 cm；花序梗粗壮，上部稍扩大，被密短柔毛和腺毛；总苞宽钟状，长 10 ~ 13 mm，宽 12 ~ 15 mm；总苞片 5 ~ 6 层，卵形至卵状长圆形，下部绿色，上

部及边缘紫红色，先端具锐尖头，常短于花盘，背面被密柔毛；花托稍凸起，有具边缘的小窝孔；花多数，全部结实，花冠管状，粉紫色，长 12 mm，管部细，长 7 ~ 8 mm，檐部钟状，裂片线状披针形，有腺点。瘦果圆柱形，暗褐色，长 4 mm，具 10 纵肋，被短微毛；冠毛淡黄褐色，2 层，外层短，刚毛状，易脱落，内层糙毛状，长 7 ~ 8 mm。花果期 8 ~ 10 月。

| 生境分布 | 生于海拔 700 ~ 1 950 m 的山谷、山坡、林缘。分布于湖北神农架、秭归、南漳。

| 功能主治 | 用于蛇咬伤。

附录 湖北省中药资源名录

湖北省第四次中药资源普查调查到植物类资源 4 834 种、动物类资源 396 种、矿物类资源 49 种。其中具有药用历史的植物类资源 4 346 种、动物类资源 396 种、矿物类资源 49 种。因编写力量有限或缺少照片、参考资料等，本书仅收录 3 298 种植物类资源，而将未收录的中药资源物种列在下方，以供读者参考。

附表 1 湖北省植物类中药资源

科名	科拉丁学名	属名	属拉丁学名	种名	种拉丁学名	是否有药用历史
念珠藻科	Nostocaceae	念珠藻属	*Nostoc*	地木耳	*Nostoc commune*	是
石蕊科	Cladoniaceae	石蕊属	*Cladonia*	石蕊	*Cladonia rangiferina*	是
地茶科	Thamnoliaceae	地茶属	*Thamnolia*	雪地茶	*Thamnolia subuliformis*	是
松萝科	Usneaceae	树发属	*Alectoria*	亚洲树发	*Alectoria asiatica*	是
白齿藓科	Leucodontaceae	白齿藓属	*Leucodon*	偏叶白齿藓	*Leucodon secundus*	是
柳叶藓科	Amblystegiaceae	牛角藓属	*Cratoneuron*	牛角藓	*Cratoneuron filicinum*	是
瓶尔小草科	Ophioglossaceae	瓶尔小草属	*Ophioglossum*	心叶瓶尔小草	*Ophioglossum reticulatum*	是
膜蕨科	Hymenophyllaceae	假脉蕨属	*Crepidomanes*	翅柄假脉蕨	*Crepidomanes latealatum*	否
膜蕨科	Hymenophyllaceae	膜蕨属	*Hymenophyllum*	长柄蕗蕨	*Hymenophyllum polyanthos*	是
蚌壳蕨科	Dicksoniaceae	金毛狗属	*Cibotium*	金毛狗	*Cibotium barometz*	是
姬蕨科	Dennstaedtiaceae	碗蕨属	*Dennstaedtia*	碗蕨	*Dennstaedtia scabra*	是
稀子蕨科	Monachosoraceae	稀子蕨属	*Monachosorum*	稀子蕨	*Monachosorum henryi*	是
蕨科	Pteridiaceae	蕨属	*Pteridium*	蕨	*Pteridium aquilinum* var. *latiusculum*	是
蕨科	Pteridiaceae	蕨属	*Pteridium*	毛轴蕨	*Pteridium revolutum*	是
凤尾蕨科	Pteridaceae	铁线蕨属	*Adiantum*	普通铁线蕨	*Adiantum edgeworthii*	是
凤尾蕨科	Pteridaceae	铁线蕨属	*Adiantum*	月芽铁线蕨	*Adiantum refractum*	是
凤尾蕨科	Pteridaceae	铁线蕨属	*Adiantum*	陇南铁线蕨	*Adiantum roborowskii*	否
凤尾蕨科	Pteridaceae	粉背蕨属	*Aleuritopteris*	中国蕨	*Aleuritopteris grevilleoides*	否
凤尾蕨科	Pteridaceae	水蕨属	*Ceratopteris*	水蕨	*Ceratopteris thalictroides*	是
凤尾蕨科	Pteridaceae	凤了蕨属	*Coniogramme*	尾尖凤了蕨	*Coniogramme caudiformis*	否
凤尾蕨科	Pteridaceae	凤了蕨属	*Coniogramme*	峨眉凤了蕨	*Coniogramme emeiensis*	是
凤尾蕨科	Pteridaceae	凤了蕨属	*Coniogramme*	普通凤了蕨	*Coniogramme intermedia*	是
凤尾蕨科	Pteridaceae	凤了蕨属	*Coniogramme*	无毛凤了蕨	*Coniogramme intermedia* var. *glabra*	否
凤尾蕨科	Pteridaceae	凤了蕨属	*Coniogramme*	凤了蕨	*Coniogramme japonica*	是
凤尾蕨科	Pteridaceae	凤了蕨属	*Coniogramme*	黑轴凤了蕨	*Coniogramme robusta*	否
凤尾蕨科	Pteridaceae	凤了蕨属	*Coniogramme*	疏网凤了蕨	*Coniogramme wilsonii*	否
凤尾蕨科	Pteridaceae	黑心蕨属	*Doryopteris*	黑心蕨	*Doryopteris concolor*	是
凤尾蕨科	Pteridaceae	金粉蕨属	*Onychium*	狭叶金粉蕨	*Onychium angustifrons*	否
凤尾蕨科	Pteridaceae	金粉蕨属	*Onychium*	栗柄金粉蕨	*Onychium japonicum* var. *lucidum*	是

续表

科名	科拉丁学名	属名	属拉丁学名	种名	种拉丁学名	是否有药用历史
凤尾蕨科	Pteridaceae	金粉蕨属	*Onychium*	金粉蕨	*Onychium siliculosum*	是
凤尾蕨科	Pteridaceae	凤尾蕨属	*Pteris*	猪鬃凤尾蕨	*Pteris actiniopteroides*	是
凤尾蕨科	Pteridaceae	凤尾蕨属	*Pteris*	欧洲凤尾蕨	*Pteris cretica*	是
凤尾蕨科	Pteridaceae	凤尾蕨属	*Pteris*	番蜈蚣凤尾蕨	*Pteris longifolia*	是
凤尾蕨科	Pteridaceae	凤尾蕨属	*Pteris*	蜈蚣凤尾蕨	*Pteris vittata*	是
蹄盖蕨科	Athyriaceae	安蕨属	*Anisocampium*	日本安蕨	*Anisocampium niponicum*	是
蹄盖蕨科	Athyriaceae	安蕨属	*Anisocampium*	华东安蕨	*Anisocampium sheareri*	是
蹄盖蕨科	Athyriaceae	对囊蕨属	*Deparia*	绿叶介蕨	*Deparia viridifrons*	否
蹄盖蕨科	Athyriaceae	双盖蕨属	*Diplazium*	双盖蕨	*Diplazium donianum*	是
蹄盖蕨科	Athyriaceae	双盖蕨属	*Diplazium*	菜蕨	*Diplazium esculentum*	是
蹄盖蕨科	Athyriaceae	双盖蕨属	*Diplazium*	格林短肠蕨	*Diplazium glingense*	否
蹄盖蕨科	Athyriaceae	双盖蕨属	*Diplazium*	薄盖短肠蕨	*Diplazium hachijoense*	否
金星蕨科	Thelypteridaceae	茯蕨属	*Leptogramma*	峨眉茯蕨	*Leptogramma scallanii*	否
铁角蕨科	Aspleniaceae	铁角蕨属	*Asplenium*	云南铁角蕨	*Asplenium exiguum*	是
铁角蕨科	Aspleniaceae	铁角蕨属	*Asplenium*	过山蕨	*Asplenium ruprechtii*	是
铁角蕨科	Aspleniaceae	铁角蕨属	*Asplenium*	细茎铁角蕨	*Asplenium tenuicaule*	否
铁角蕨科	Aspleniaceae	膜叶铁角蕨属	*Hymenasplenium*	齿果膜叶铁角蕨	*Hymenasplenium cheilosorum*	否
乌毛蕨科	Blechnaceae	狗脊属	*Woodwardia*	狗脊	*Woodwardia japonica*	是
乌毛蕨科	Blechnaceae	狗脊属	*Woodwardia*	顶芽狗脊	*Woodwardia unigemmata*	是
鳞毛蕨科	Dryopteridaceae	复叶耳蕨属	*Arachniodes*	刺头复叶耳蕨	*Arachniodes aristata*	是
鳞毛蕨科	Dryopteridaceae	复叶耳蕨属	*Arachniodes*	中华复叶耳蕨	*Arachniodes chinensis*	是
鳞毛蕨科	Dryopteridaceae	复叶耳蕨属	*Arachniodes*	假斜方复叶耳蕨	*Arachniodes hekiana*	否
鳞毛蕨科	Dryopteridaceae	复叶耳蕨属	*Arachniodes*	长尾复叶耳蕨	*Arachniodes simplicior*	是
鳞毛蕨科	Dryopteridaceae	复叶耳蕨属	*Arachniodes*	华东复叶耳蕨	*Arachniodes tripinnata*	否
鳞毛蕨科	Dryopteridaceae	复叶耳蕨属	*Arachniodes*	紫云山复叶耳蕨	*Arachniodes ziyunshanensis*	否
鳞毛蕨科	Dryopteridaceae	肋毛蕨属	*Ctenitis*	亮鳞肋毛蕨	*Ctenitis subglandulosa*	是
鳞毛蕨科	Dryopteridaceae	贯众属	*Cyrtomium*	披针贯众	*Cyrtomium devexiscapulae*	是
鳞毛蕨科	Dryopteridaceae	贯众属	*Cyrtomium*	阔羽贯众	*Cyrtomium yamamotoi*	是
鳞毛蕨科	Dryopteridaceae	鳞毛蕨属	*Dryopteris*	阔叶鳞毛蕨	*Dryopteris campyloptera*	是
鳞毛蕨科	Dryopteridaceae	鳞毛蕨属	*Dryopteris*	中华鳞毛蕨	*Dryopteris chinensis*	是
鳞毛蕨科	Dryopteridaceae	鳞毛蕨属	*Dryopteris*	桫椤鳞毛蕨	*Dryopteris cycadina*	是
鳞毛蕨科	Dryopteridaceae	鳞毛蕨属	*Dryopteris*	齿头鳞毛蕨	*Dryopteris labordei*	是
鳞毛蕨科	Dryopteridaceae	鳞毛蕨属	*Dryopteris*	太平鳞毛蕨	*Dryopteris pacifica*	是
鳞毛蕨科	Dryopteridaceae	鳞毛蕨属	*Dryopteris*	稀羽鳞毛蕨	*Dryopteris sparsa*	是
鳞毛蕨科	Dryopteridaceae	鳞毛蕨属	*Dryopteris*	变异鳞毛蕨	*Dryopteris varia*	是
鳞毛蕨科	Dryopteridaceae	耳蕨属	*Polystichum*	刺叶耳蕨	*Polystichum acanthophyllum*	是
鳞毛蕨科	Dryopteridaceae	耳蕨属	*Polystichum*	大叶耳蕨	*Polystichum grandifrons*	否
鳞毛蕨科	Dryopteridaceae	耳蕨属	*Polystichum*	草叶耳蕨	*Polystichum herbaceum*	否
鳞毛蕨科	Dryopteridaceae	耳蕨属	*Polystichum*	宁陕耳蕨	*Polystichum ningshenense*	否
鳞毛蕨科	Dryopteridaceae	耳蕨属	*Polystichum*	戟叶耳蕨	*Polystichum tripteron*	是
肾蕨科	Nephrolepidaceae	肾蕨属	*Nephrolepis*	肾蕨	*Nephrolepis cordifolia*	是
水龙骨科	Polypodiaceae	瓦韦属	*Lepisorus*	狭叶瓦韦	*Lepisorus angustus*	是

续表

科名	科拉丁学名	属名	属拉丁学名	种名	种拉丁学名	是否有药用历史
水龙骨科	Polypodiaceae	瓦韦属	*Lepisorus*	稀鳞瓦韦	*Lepisorus oligolepidus*	是
水龙骨科	Polypodiaceae	瓦韦属	*Lepisorus*	盾蕨	*Lepisorus ovatus*	是
水龙骨科	Polypodiaceae	瓦韦属	*Lepisorus*	表面星蕨	*Lepisorus superficialis*	否
水龙骨科	Polypodiaceae	修蕨属	*Selliguea*	喙叶假瘤蕨	*Selliguea rhynchophylla*	是
水龙骨科	Polypodiaceae	修蕨属	*Selliguea*	屋久假瘤蕨	*Selliguea yakushimensis*	否
苹科	Marsileaceae	苹属	*Marsilea*	苹	*Marsilea quadrifolia*	是
槐叶苹科	Salviniaceae	槐叶苹属	*Salvinia*	槐叶苹	*Salvinia natans*	是
石松科	Lycopodiaceae	石杉属	*Huperzia*	长柄石杉	*Huperzia javanica*	否
石松科	Lycopodiaceae	石松属	*Lycopodium*	多穗石松	*Lycopodium annotinum*	否
石松科	Lycopodiaceae	马尾杉属	*Phlegmariurus*	马尾杉	*Phlegmariurus phlegmaria*	是
卷柏科	Selaginellaceae	卷柏属	*Selaginella*	异穗卷柏	*Selaginella heterostachys*	是
卷柏科	Selaginellaceae	卷柏属	*Selaginella*	中华卷柏	*Selaginella sinensis*	是
木贼科	Equisetaceae	木贼属	*Equisetum*	披散问荆	*Equisetum diffusum*	是
合囊蕨科	Marattiaceae	观音座莲属	*Angiopteris*	披针观音座莲	*Angiopteris caudatiformis*	是
苏铁科	Cycadaceae	苏铁属	*Cycas*	越南叉叶苏铁	*Cycas micholitzii*	是
松科	Pinaceae	松属	*Pinus*	湿地松	*Pinus elliottii*	是
松科	Pinaceae	松属	*Pinus*	矮松	*Pinus virginiana*	是
柏科	Cupressaceae	扁柏属	*Chamaecyparis*	日本扁柏	*Chamaecyparis obtusa*	是
柏科	Cupressaceae	落羽杉属	*Taxodium*	线叶池杉	*Taxodium ascendens* cv. Xianyechisha	否
罗汉松科	Podocarpaceae	竹柏属	*Nageia*	竹柏	*Nageia nagi*	是
红豆杉科	Taxaceae	榧属	*Torreya*	巴山榧	*Torreya fargesii*	是
红豆杉科	Taxaceae	榧属	*Torreya*	榧	*Torreya grandis*	是
香蒲科	Typhaceae	香蒲属	*Typha*	水烛	*Typha angustifolia*	是
泽泻科	Alismataceae	泽泻属	*Alisma*	膜果泽泻	*Alisma lanceolatum*	是
泽泻科	Alismataceae	泽泻属	*Alisma*	泽泻	*Alisma plantago-aquatica*	是
泽泻科	Alismataceae	慈姑属	*Sagittaria*	利川慈姑	*Sagittaria lichuanensis*	否
泽泻科	Alismataceae	慈姑属	*Sagittaria*	欧洲慈姑	*Sagittaria sagittifolia*	是
水鳖科	Hydrocharitaceae	黑藻属	*Hydrilla*	黑藻	*Hydrilla verticillata*	是
水鳖科	Hydrocharitaceae	水鳖属	*Hydrocharis*	水鳖	*Hydrocharis dubia*	是
水鳖科	Hydrocharitaceae	茨藻属	*Najas*	小茨藻	*Najas minor*	否
水鳖科	Hydrocharitaceae	水车前属	*Ottelia*	龙舌草	*Ottelia alismoides*	是
禾本科	Poaceae	看麦娘属	*Alopecurus*	日本看麦娘	*Alopecurus japonicus*	是
禾本科	Poaceae	看麦娘属	*Alopecurus*	长芒看麦娘	*Alopecurus longearistatus*	是
禾本科	Poaceae	野古草属	*Arundinella*	刺芒野古草	*Arundinella setosa*	否
禾本科	Poaceae	簕竹属	*Bambusa*	绿竹	*Bambusa oldhamii*	是
禾本科	Poaceae	臂形草属	*Brachiaria*	臂形草	*Brachiaria eruciformis*	否
禾本科	Poaceae	臂形草属	*Brachiaria*	毛臂形草	*Brachiaria villosa*	是
禾本科	Poaceae	短柄草属	*Brachypodium*	短柄草	*Brachypodium sylvaticum*	否
禾本科	Poaceae	寒竹属	*Chimonobambusa*	平竹	*Chimonobambusa communis*	是
禾本科	Poaceae	单蕊草属	*Cinna*	单蕊草	*Cinna latifolia*	否
禾本科	Poaceae	鸭茅属	*Dactylis*	鸭茅	*Dactylis glomerata*	否

续表

科名	科拉丁学名	属名	属拉丁学名	种名	种拉丁学名	是否有药用历史
禾本科	Poaceae	野青茅属	*Deyeuxia*	野青茅	*Deyeuxia pyramidalis*	否
禾本科	Poaceae	马唐属	*Digitaria*	升马唐	*Digitaria ciliaris*	是
禾本科	Poaceae	画眉草属	*Eragrostis*	长画眉草	*Eragrostis brownii*	是
禾本科	Poaceae	画眉草属	*Eragrostis*	宿根画眉草	*Eragrostis perennans*	是
禾本科	Poaceae	野黍属	*Eriochloa*	高野黍	*Eriochloa procera*	否
禾本科	Poaceae	甜茅属	*Glyceria*	甜茅	*Glyceria acutiflora* subsp. *japonica*	否
禾本科	Poaceae	异燕麦属	*Helictotrichon*	光花山燕麦	*Helictotrichon leianthum*	否
禾本科	Poaceae	猬草属	*Hystrix*	猬草	*Hystrix duthiei*	否
禾本科	Poaceae	白茅属	*Imperata*	大白茅	*Imperata cylindrica* var. *major*	是
禾本科	Poaceae	箬竹属	*Indocalamus*	箬叶竹	*Indocalamus longiauritus*	否
禾本科	Poaceae	鸭嘴草属	*Ischaemum*	有芒鸭嘴草	*Ischaemum aristatum*	否
禾本科	Poaceae	千金子属	*Leptochloa*	千金子	*Leptochloa chinensis*	是
禾本科	Poaceae	黑麦草属	*Lolium*	多花黑麦草	*Lolium multiflorum*	是
禾本科	Poaceae	狼尾草属	*Pennisetum*	御谷	*Pennisetum glaucum*	是
禾本科	Poaceae	狼尾草属	*Pennisetum*	象草	*Pennisetum purpureum*	是
禾本科	Poaceae	虉草属	*Phalaris*	虉草	*Phalaris arundinacea*	是
禾本科	Poaceae	梯牧草属	*Phleum*	高山梯牧草	*Phleum alpinum*	否
禾本科	Poaceae	刚竹属	*Phyllostachys*	龟甲竹	*Phyllostachys edulis* cv. Heterocycla	否
禾本科	Poaceae	刚竹属	*Phyllostachys*	桂竹	*Phyllostachys reticulata*	是
禾本科	Poaceae	刚竹属	*Phyllostachys*	刚竹	*Phyllostachys sulphurea* var. *viridis*	是
禾本科	Poaceae	苦竹属	*Pleioblastus*	菲白竹	*Pleioblastus fortunei*	否
禾本科	Poaceae	早熟禾属	*Poa*	法氏早熟禾	*Poa faberi*	否
禾本科	Poaceae	早熟禾属	*Poa*	锡金早熟禾	*Poa sikkimensis*	否
禾本科	Poaceae	雷文竹属	*Ravenochloa*	雷文竹	*Ravenochloa wilsonii*	是
禾本科	Poaceae	狗尾草属	*Setaria*	莩草	*Setaria chondrachne*	否
禾本科	Poaceae	狗尾草属	*Setaria*	粱	*Setaria italica*	是
禾本科	Poaceae	狗尾草属	*Setaria*	粟	*Setaria italica* var. *germanica*	否
禾本科	Poaceae	狗尾草属	*Setaria*	褐毛狗尾草	*Setaria pallide-fusca*	是
禾本科	Poaceae	狗尾草属	*Setaria*	巨大狗尾草	*Setaria viridis* subsp. *pycnocoma*	是
禾本科	Poaceae	高粱属	*Sorghum*	甜高粱	*Sorghum bicolor* cv. Dochna	否
禾本科	Poaceae	高粱属	*Sorghum*	工艺高粱	*Sorghum dochna* var. *technicum*	否
禾本科	Poaceae	高粱属	*Sorghum*	苏丹草	*Sorghum sudanense*	否
禾本科	Poaceae	小麦属	*Triticum*	一粒小麦	*Triticum monococcum*	否
莎草科	Cyperaceae	三棱草属	*Bolboschoenus*	扁秆荆三棱	*Bolboschoenus planiculmis*	是
莎草科	Cyperaceae	三棱草属	*Bolboschoenus*	荆三棱	*Bolboschoenus yagara*	是
莎草科	Cyperaceae	球柱草属	*Bulbostylis*	丝叶球柱草	*Bulbostylis densa*	是
莎草科	Cyperaceae	薹草属	*Carex*	禾状薹草	*Carex alopecuroides*	否
莎草科	Cyperaceae	薹草属	*Carex*	基花薹草	*Carex basiflora*	否

续表

科名	科拉丁学名	属名	属拉丁学名	种名	种拉丁学名	是否有药用历史
莎草科	Cyperaceae	薹草属	*Carex*	短芒薹草	*Carex breviaristata*	否
莎草科	Cyperaceae	薹草属	*Carex*	亚澳薹草	*Carex brownii*	是
莎草科	Cyperaceae	薹草属	*Carex*	丝叶薹草	*Carex capilliformis*	否
莎草科	Cyperaceae	薹草属	*Carex*	秦岭薹草	*Carex diplodon*	否
莎草科	Cyperaceae	薹草属	*Carex*	细叶薹草	*Carex duriuscula* subsp. *tenophylloides*	否
莎草科	Cyperaceae	薹草属	*Carex*	亮绿薹草	*Carex finitima*	是
莎草科	Cyperaceae	薹草属	*Carex*	亲族薹草	*Carex gentilis*	否
莎草科	Cyperaceae	薹草属	*Carex*	长芒薹草	*Carex gmelinii*	否
莎草科	Cyperaceae	薹草属	*Carex*	长叶薹草	*Carex hattoriana*	否
莎草科	Cyperaceae	薹草属	*Carex*	长安薹草	*Carex heudesii*	否
莎草科	Cyperaceae	薹草属	*Carex*	弯喙薹草	*Carex laticeps*	否
莎草科	Cyperaceae	薹草属	*Carex*	尖嘴薹草	*Carex leiorhyncha*	否
莎草科	Cyperaceae	薹草属	*Carex*	豌豆形薹草	*Carex pisiformis*	否
莎草科	Cyperaceae	薹草属	*Carex*	类白穗薹草	*Carex polyschoenoides*	否
莎草科	Cyperaceae	薹草属	*Carex*	粉被薹草	*Carex pruinosa*	否
莎草科	Cyperaceae	薹草属	*Carex*	硬果薹草	*Carex sclerocarpa*	是
莎草科	Cyperaceae	薹草属	*Carex*	长茎薹草	*Carex setigera*	是
莎草科	Cyperaceae	薹草属	*Carex*	藏薹草	*Carex thibetica*	否
莎草科	Cyperaceae	薹草属	*Carex*	沙坪薹草	*Carex wui*	否
莎草科	Cyperaceae	莎草属	*Cyperus*	长尖莎草	*Cyperus cuspidatus*	是
莎草科	Cyperaceae	莎草属	*Cyperus*	旋鳞莎草	*Cyperus michelianus*	是
莎草科	Cyperaceae	莎草属	*Cyperus*	断节莎	*Cyperus odoratus*	是
莎草科	Cyperaceae	莎草属	*Cyperus*	窄穗莎草	*Cyperus tenuispica*	是
莎草科	Cyperaceae	荸荠属	*Eleocharis*	渐尖穗荸荠	*Eleocharis attenuata*	否
莎草科	Cyperaceae	荸荠属	*Eleocharis*	羽毛荸荠	*Eleocharis wichurae*	否
莎草科	Cyperaceae	飘拂草属	*Fimbristylis*	拟二叶飘拂草	*Fimbristylis diphylloides*	否
莎草科	Cyperaceae	扁莎属	*Pycreus*	矮扁莎	*Pycreus pumilus*	否
莎草科	Cyperaceae	藨草属	*Scirpus*	百穗藨草	*Scirpus ternatanus*	否
莎草科	Cyperaceae	蔺藨草属	*Trichophorum*	玉山蔺藨草	*Trichophorum subcapitatum*	是
棕榈科	Arecaceae	棕竹属	*Rhapis*	棕竹	*Rhapis excelsa*	是
棕榈科	Arecaceae	棕榈属	*Trachycarpus*	山棕榈	*Trachycarpus martianus*	否
棕榈科	Arecaceae	棕榈属	*Trachycarpus*	龙棕	*Trachycarpus nanus*	是
天南星科	Araceae	菖蒲属	*Acorus*	菖蒲	*Acorus calamus*	是
天南星科	Araceae	菖蒲属	*Acorus*	金钱蒲	*Acorus gramineus*	是
天南星科	Araceae	海芋属	*Alocasia*	海芋	*Alocasia odora*	是
天南星科	Araceae	魔芋属	*Amorphophallus*	魔芋	*Amorphophallus konjac*	是
天南星科	Araceae	天南星属	*Arisaema*	东北南星	*Arisaema amurense*	是
天南星科	Araceae	天南星属	*Arisaema*	刺柄南星	*Arisaema asperatum*	是
天南星科	Araceae	天南星属	*Arisaema*	灯台莲	*Arisaema bockii*	是
天南星科	Araceae	天南星属	*Arisaema*	棒头南星	*Arisaema clavatum*	是
天南星科	Araceae	天南星属	*Arisaema*	奇异南星	*Arisaema decipiens*	是

续表

科名	科拉丁学名	属名	属拉丁学名	种名	种拉丁学名	是否有药用历史
天南星科	Araceae	天南星属	*Arisaema*	刺棒南星	*Arisaema echinatum*	是
天南星科	Araceae	天南星属	*Arisaema*	象南星	*Arisaema elephas*	是
天南星科	Araceae	天南星属	*Arisaema*	一把伞南星	*Arisaema erubescens*	是
天南星科	Araceae	天南星属	*Arisaema*	螃蟹七	*Arisaema fargesii*	是
天南星科	Araceae	天南星属	*Arisaema*	花南星	*Arisaema lobatum*	是
天南星科	Araceae	天南星属	*Arisaema*	全缘灯台莲	*Arisaema sikokianum*	是
天南星科	Araceae	天南星属	*Arisaema*	鄂西南星	*Arisaema silvestrii*	是
天南星科	Araceae	芋属	*Colocasia*	野芋	*Colocasia antiquorum*	是
天南星科	Araceae	芋属	*Colocasia*	芋	*Colocasia esculenta*	是
天南星科	Araceae	芋属	*Colocasia*	紫芋	*Colocasia esculenta* cv. Tonoimo	是
天南星科	Araceae	芋属	*Colocasia*	假芋	*Colocasia fallax*	否
天南星科	Araceae	斑萍属	*Landoltia*	少根萍	*Landoltia punctata*	是
天南星科	Araceae	大野芋属	*Leucocasia*	大野芋	*Leucocasia gigantea*	是
天南星科	Araceae	半夏属	*Pinellia*	滴水珠	*Pinellia cordata*	是
天南星科	Araceae	半夏属	*Pinellia*	虎掌	*Pinellia pedatisecta*	是
天南星科	Araceae	大薸属	*Pistia*	大薸	*Pistia stratiotes*	是
天南星科	Araceae	犁头尖属	*Typhonium*	犁头尖	*Typhonium blumei*	是
鸭跖草科	Commelinaceae	鸭跖草属	*Commelina*	竹节菜	*Commelina diffusa*	是
鸭跖草科	Commelinaceae	水竹叶属	*Murdannia*	牛轭草	*Murdannia loriformis*	是
雨久花科	Pontederiaceae	凤眼莲属	*Eichhornia*	凤眼莲	*Eichhornia crassipes*	是
雨久花科	Pontederiaceae	雨久花属	*Monochoria*	雨久花	*Monochoria korsakowii*	是
雨久花科	Pontederiaceae	雨久花属	*Monochoria*	鸭舌草	*Monochoria vaginalis*	是
灯心草科	Juncaceae	灯心草属	*Juncus*	翅茎灯心草	*Juncus alatus*	是
灯心草科	Juncaceae	灯心草属	*Juncus*	葱状灯心草	*Juncus allioides*	是
灯心草科	Juncaceae	灯心草属	*Juncus*	小灯心草	*Juncus bufonius*	是
灯心草科	Juncaceae	灯心草属	*Juncus*	疏花灯心草	*Juncus decipiens*	否
灯心草科	Juncaceae	灯心草属	*Juncus*	星花灯心草	*Juncus diastrophanthus*	是
灯心草科	Juncaceae	灯心草属	*Juncus*	灯心草	*Juncus effusus*	是
灯心草科	Juncaceae	灯心草属	*Juncus*	细茎灯心草	*Juncus gracilicaulis*	是
灯心草科	Juncaceae	灯心草属	*Juncus*	扁茎灯心草	*Juncus gracillimus*	是
灯心草科	Juncaceae	灯心草属	*Juncus*	笄石菖	*Juncus prismatocarpus*	是
灯心草科	Juncaceae	灯心草属	*Juncus*	野灯心草	*Juncus setchuensis*	是
灯心草科	Juncaceae	地杨梅属	*Luzula*	散序地杨梅	*Luzula effusa*	是
灯心草科	Juncaceae	地杨梅属	*Luzula*	羽毛地杨梅	*Luzula plumosa*	是
百部科	Stemonaceae	百部属	*Stemona*	百部	*Stemona japonica*	是
百部科	Stemonaceae	百部属	*Stemona*	大百部	*Stemona tuberosa*	是
百合科	Liliaceae	肺筋草属	*Aletris*	肺筋草	*Aletris spicata*	是
百合科	Liliaceae	肺筋草属	*Aletris*	狭瓣肺筋草	*Aletris stenoloba*	是
百合科	Liliaceae	芦荟属	*Aloe*	芦荟	*Aloe vera*	是
百合科	Liliaceae	老鸦瓣属	*Amana*	老鸦瓣	*Amana edulis*	是
百合科	Liliaceae	天门冬属	*Asparagus*	攀缘天门冬	*Asparagus brachyphyllus*	是

续表

科名	科拉丁学名	属名	属拉丁学名	种名	种拉丁学名	是否有药用历史
百合科	Liliaceae	天门冬属	*Asparagus*	天门冬	*Asparagus cochinchinensis*	是
百合科	Liliaceae	天门冬属	*Asparagus*	非洲天门冬	*Asparagus densiflorus*	是
百合科	Liliaceae	天门冬属	*Asparagus*	羊齿天门冬	*Asparagus filicinus*	是
百合科	Liliaceae	天门冬属	*Asparagus*	短梗天门冬	*Asparagus lycopodineus*	是
百合科	Liliaceae	天门冬属	*Asparagus*	密齿天门冬	*Asparagus meioclados*	是
百合科	Liliaceae	天门冬属	*Asparagus*	石刁柏	*Asparagus officinalis*	是
百合科	Liliaceae	天门冬属	*Asparagus*	南玉带	*Asparagus oligoclonos*	是
百合科	Liliaceae	天门冬属	*Asparagus*	文竹	*Asparagus setaceus*	是
百合科	Liliaceae	天门冬属	*Asparagus*	滇南天门冬	*Asparagus subscandens*	是
百合科	Liliaceae	蜘蛛抱蛋属	*Aspidistra*	蜘蛛抱蛋	*Aspidistra elatior*	是
百合科	Liliaceae	蜘蛛抱蛋属	*Aspidistra*	九龙盘	*Aspidistra lurida*	是
百合科	Liliaceae	大百合属	*Cardiocrinum*	荞麦叶大百合	*Cardiocrinum cathayanum*	是
百合科	Liliaceae	大百合属	*Cardiocrinum*	大百合	*Cardiocrinum giganteum*	是
百合科	Liliaceae	吊兰属	*Chlorophytum*	南非吊兰	*Chlorophytum capense*	是
百合科	Liliaceae	吊兰属	*Chlorophytum*	吊兰	*Chlorophytum comosum*	是
百合科	Liliaceae	山菅兰属	*Dianella*	山菅兰	*Dianella ensifolia*	是
百合科	Liliaceae	竹根七属	*Disporopsis*	散斑竹根七	*Disporopsis aspersa*	是
百合科	Liliaceae	竹根七属	*Disporopsis*	竹根七	*Disporopsis fuscopicta*	是
百合科	Liliaceae	万寿竹属	*Disporum*	短蕊万寿竹	*Disporum bodinieri*	是
百合科	Liliaceae	万寿竹属	*Disporum*	万寿竹	*Disporum cantoniense*	是
百合科	Liliaceae	万寿竹属	*Disporum*	长蕊万寿竹	*Disporum longistylum*	是
百合科	Liliaceae	万寿竹属	*Disporum*	大花万寿竹	*Disporum megalanthum*	是
百合科	Liliaceae	万寿竹属	*Disporum*	少花万寿竹	*Disporum uniflorum*	是
百合科	Liliaceae	万寿竹属	*Disporum*	宝珠草	*Disporum viridescens*	是
百合科	Liliaceae	鹭鸶草属	*Diuranthera*	鹭鸶草	*Diuranthera major*	是
百合科	Liliaceae	贝母属	*Fritillaria*	川贝母	*Fritillaria cirrhosa*	是
百合科	Liliaceae	贝母属	*Fritillaria*	米贝母	*Fritillaria davidii*	是
百合科	Liliaceae	贝母属	*Fritillaria*	天目贝母	*Fritillaria monantha*	是
百合科	Liliaceae	贝母属	*Fritillaria*	浙贝母	*Fritillaria thunbergii*	是
百合科	Liliaceae	贝母属	*Fritillaria*	平贝母	*Fritillaria ussuriensis*	是
百合科	Liliaceae	萱草属	*Hemerocallis*	黄花菜	*Hemerocallis citrina*	是
百合科	Liliaceae	萱草属	*Hemerocallis*	小萱草	*Hemerocallis dumortieri*	是
百合科	Liliaceae	萱草属	*Hemerocallis*	萱草	*Hemerocallis fulva*	是
百合科	Liliaceae	萱草属	*Hemerocallis*	常绿萱草	*Hemerocallis fulva* var. *aurantiaca*	是
百合科	Liliaceae	萱草属	*Hemerocallis*	北黄花菜	*Hemerocallis lilioasphodelus*	是
百合科	Liliaceae	异黄精属	*Heteropolygonatum*	金佛山鹿药	*Heteropolygonatum ginfushanicum*	是
百合科	Liliaceae	玉簪属	*Hosta*	紫玉簪	*Hosta albomarginata*	是
百合科	Liliaceae	玉簪属	*Hosta*	玉簪	*Hosta plantaginea*	是
百合科	Liliaceae	玉簪属	*Hosta*	紫萼	*Hosta ventricosa*	是
百合科	Liliaceae	百合属	*Lilium*	条叶百合	*Lilium callosum*	是

续表

科名	科拉丁学名	属名	属拉丁学名	种名	种拉丁学名	是否有药用历史
百合科	Liliaceae	百合属	*Lilium*	渥丹	*Lilium concolor*	是
百合科	Liliaceae	百合属	*Lilium*	川百合	*Lilium davidii*	是
百合科	Liliaceae	百合属	*Lilium*	绿花百合	*Lilium fargesii*	是
百合科	Liliaceae	百合属	*Lilium*	湖北百合	*Lilium henryi*	是
百合科	Liliaceae	百合属	*Lilium*	卷丹	*Lilium lancifolium*	是
百合科	Liliaceae	百合属	*Lilium*	宜昌百合	*Lilium leucanthum*	是
百合科	Liliaceae	百合属	*Lilium*	山丹	*Lilium pumilum*	是
百合科	Liliaceae	百合属	*Lilium*	南川百合	*Lilium rosthornii*	是
百合科	Liliaceae	百合属	*Lilium*	淡黄花百合	*Lilium sulphureum*	是
百合科	Liliaceae	山麦冬属	*Liriope*	短莛山麦冬	*Liriope muscari*	是
百合科	Liliaceae	舞鹤草属	*Maianthemum*	管花鹿药	*Maianthemum henryi*	是
百合科	Liliaceae	舞鹤草属	*Maianthemum*	鹿药	*Maianthemum japonicum*	是
百合科	Liliaceae	舞鹤草属	*Maianthemum*	丽江鹿药	*Maianthemum lichiangense*	是
百合科	Liliaceae	舞鹤草属	*Maianthemum*	窄瓣鹿药	*Maianthemum tatsienense*	是
百合科	Liliaceae	沿阶草属	*Ophiopogon*	沿阶草	*Ophiopogon bodinieri*	是
百合科	Liliaceae	沿阶草属	*Ophiopogon*	长丝沿阶草	*Ophiopogon clarkei*	否
百合科	Liliaceae	重楼属	*Paris*	滇重楼	*Paris polyphylla* var. *yunnanensis*	是
百合科	Liliaceae	万年青属	*Rohdea*	开口箭	*Rohdea chinensis*	是
百合科	Liliaceae	万年青属	*Rohdea*	筒花开口箭	*Rohdea delavayi*	是
百合科	Liliaceae	万年青属	*Rohdea*	剑叶开口箭	*Rohdea ensifolia*	是
百合科	Liliaceae	菝葜属	*Smilax*	尖叶菝葜	*Smilax arisanensis*	是
百合科	Liliaceae	菝葜属	*Smilax*	云南肖菝葜	*Smilax binchuanensis*	是
百合科	Liliaceae	菝葜属	*Smilax*	西南菝葜	*Smilax biumbellata*	是
百合科	Liliaceae	菝葜属	*Smilax*	密疣菝葜	*Smilax chapaensis*	是
百合科	Liliaceae	菝葜属	*Smilax*	柔毛菝葜	*Smilax chingii*	是
百合科	Liliaceae	菝葜属	*Smilax*	银叶菝葜	*Smilax cocculoides*	是
百合科	Liliaceae	菝葜属	*Smilax*	小果菝葜	*Smilax davidiana*	是
百合科	Liliaceae	菝葜属	*Smilax*	托柄菝葜	*Smilax discotis*	是
百合科	Liliaceae	菝葜属	*Smilax*	长托菝葜	*Smilax ferox*	是
百合科	Liliaceae	菝葜属	*Smilax*	土茯苓	*Smilax glabra*	是
百合科	Liliaceae	菝葜属	*Smilax*	黑果菝葜	*Smilax glaucochina*	是
百合科	Liliaceae	菝葜属	*Smilax*	肖菝葜	*Smilax japonica*	是
百合科	Liliaceae	菝葜属	*Smilax*	马甲菝葜	*Smilax lanceifolia*	是
百合科	Liliaceae	菝葜属	*Smilax*	粗糙菝葜	*Smilax lebrunii*	是
百合科	Liliaceae	菝葜属	*Smilax*	防已叶菝葜	*Smilax menispermoidea*	是
百合科	Liliaceae	菝葜属	*Smilax*	小叶菝葜	*Smilax microphylla*	是
百合科	Liliaceae	菝葜属	*Smilax*	黑叶菝葜	*Smilax nigrescens*	是
百合科	Liliaceae	菝葜属	*Smilax*	白背牛尾菜	*Smilax nipponica*	是
百合科	Liliaceae	菝葜属	*Smilax*	武当菝葜	*Smilax outanscianensis*	是
百合科	Liliaceae	菝葜属	*Smilax*	红果菝葜	*Smilax polycolea*	是
百合科	Liliaceae	菝葜属	*Smilax*	牛尾菜	*Smilax riparia*	是

续表

科名	科拉丁学名	属名	属拉丁学名	种名	种拉丁学名	是否有药用历史
百合科	Liliaceae	菝葜属	*Smilax*	短梗菝葜	*Smilax scobinicaulis*	是
百合科	Liliaceae	菝葜属	*Smilax*	密刚毛菝葜	*Smilax setiramula*	是
百合科	Liliaceae	菝葜属	*Smilax*	华东菝葜	*Smilax sieboldii*	是
百合科	Liliaceae	菝葜属	*Smilax*	鞘柄菝葜	*Smilax stans*	是
百合科	Liliaceae	菝葜属	*Smilax*	三脉菝葜	*Smilax trinervula*	是
百合科	Liliaceae	菝葜属	*Smilax*	青城菝葜	*Smilax tsinchengshanensis*	否
百合科	Liliaceae	岩菖蒲属	*Tofieldia*	岩菖蒲	*Tofieldia thibetica*	是
百合科	Liliaceae	油点草属	*Tricyrtis*	油点草	*Tricyrtis macropoda*	是
百合科	Liliaceae	油点草属	*Tricyrtis*	黄花油点草	*Tricyrtis pilosa*	是
百合科	Liliaceae	延龄草属	*Trillium*	延龄草	*Trillium tschonoskii*	是
百合科	Liliaceae	郁金香属	*Tulipa*	郁金香	*Tulipa gesneriana*	是
百合科	Liliaceae	藜芦属	*Veratrum*	毛叶藜芦	*Veratrum grandiflorum*	是
百合科	Liliaceae	藜芦属	*Veratrum*	毛穗藜芦	*Veratrum maackii*	是
百合科	Liliaceae	藜芦属	*Veratrum*	藜芦	*Veratrum nigrum*	是
百合科	Liliaceae	藜芦属	*Veratrum*	长梗藜芦	*Veratrum oblongum*	是
百合科	Liliaceae	丫蕊花属	*Ypsilandra*	丫蕊花	*Ypsilandra thibetica*	是
百合科	Liliaceae	丝兰属	*Yucca*	软叶丝兰	*Yucca flaccida*	否
百合科	Liliaceae	丝兰属	*Yucca*	凤尾丝兰	*Yucca gloriosa*	是
石蒜科	Amaryllidaceae	葱属	*Allium*	洋葱	*Allium cepa*	是
石蒜科	Amaryllidaceae	葱属	*Allium*	火葱	*Allium cepa* var. *aggregatum*	否
石蒜科	Amaryllidaceae	葱属	*Allium*	藠头	*Allium chinense*	是
石蒜科	Amaryllidaceae	葱属	*Allium*	玉簪叶山葱	*Allium funckiifolium*	是
石蒜科	Amaryllidaceae	葱属	*Allium*	球序韭	*Allium thunbergii*	是
石蒜科	Amaryllidaceae	葱属	*Allium*	韭	*Allium tuberosum*	是
石蒜科	Amaryllidaceae	葱属	*Allium*	合被韭	*Allium tubiflorum*	否
石蒜科	Amaryllidaceae	石蒜属	*Lycoris*	乳白石蒜	*Lycoris* × *albiflora*	是
石蒜科	Amaryllidaceae	石蒜属	*Lycoris*	玫瑰石蒜	*Lycoris* × *rosea*	是
石蒜科	Amaryllidaceae	石蒜属	*Lycoris*	石蒜	*Lycoris radiata*	是
石蒜科	Amaryllidaceae	石蒜属	*Lycoris*	稻草石蒜	*Lycoris straminea*	否
薯蓣科	Dioscoreaceae	薯蓣属	*Dioscorea*	参薯	*Dioscorea alata*	是
鸢尾科	Iridaceae	番红花属	*Crocus*	番红花	*Crocus sativus*	是
鸢尾科	Iridaceae	鸢尾属	*Iris*	华夏鸢尾	*Iris cathayensis*	否
鸢尾科	Iridaceae	鸢尾属	*Iris*	长柄鸢尾	*Iris henryi*	否
鸢尾科	Iridaceae	鸢尾属	*Iris*	矮鸢尾	*Iris kobayashii*	否
鸢尾科	Iridaceae	鸢尾属	*Iris*	马蔺	*Iris lactea*	是
鸢尾科	Iridaceae	鸢尾属	*Iris*	小鸢尾	*Iris proantha*	是
鸢尾科	Iridaceae	鸢尾属	*Iris*	黄菖蒲	*Iris pseudacorus*	是
鸢尾科	Iridaceae	鸢尾属	*Iris*	小花鸢尾	*Iris speculatrix*	是
鸢尾科	Iridaceae	鸢尾属	*Iris*	白花鸢尾	*Iris tectorum* f. *alba*	否
芭蕉科	Musaceae	芭蕉属	*Musa*	芭蕉	*Musa basjoo*	是
姜科	Zingiberaceae	山姜属	*Alpinia*	山姜	*Alpinia japonica*	是
姜科	Zingiberaceae	山姜属	*Alpinia*	华山姜	*Alpinia oblongifolia*	是

续表

科名	科拉丁学名	属名	属拉丁学名	种名	种拉丁学名	是否有药用历史
姜科	Zingiberaceae	舞花姜属	*Globba*	舞花姜	*Globba racemosa*	是
姜科	Zingiberaceae	舞花姜属	*Globba*	双翅舞花姜	*Globba schomburgkii*	是
姜科	Zingiberaceae	喙花姜属	*Rhynchanthus*	喙花姜	*Rhynchanthus beesianus*	是
姜科	Zingiberaceae	姜属	*Zingiber*	紫色姜	*Zingiber montanum*	是
美人蕉科	Cannaceae	美人蕉属	*Canna*	大花美人蕉	*Canna* × *generalis*	是
美人蕉科	Cannaceae	美人蕉属	*Canna*	美人蕉	*Canna indica*	是
美人蕉科	Cannaceae	美人蕉属	*Canna*	蕉芋	*Canna indica* cv. Edulis	是
美人蕉科	Cannaceae	美人蕉属	*Canna*	黄花美人蕉	*Canna indica* var. *flava*	是
竹芋科	Marantaceae	叠苞竹芋属	*Calathea*	绒叶肖竹芋	*Calathea zebrina*	是
兰科	Orchidaceae	白及属	*Bletilla*	小白及	*Bletilla formosana*	是
兰科	Orchidaceae	白及属	*Bletilla*	黄花白及	*Bletilla ochracea*	是
兰科	Orchidaceae	虾脊兰属	*Calanthe*	疏花虾脊兰	*Calanthe henryi*	否
兰科	Orchidaceae	虾脊兰属	*Calanthe*	大黄花虾脊兰	*Calanthe sieboldii*	否
兰科	Orchidaceae	虾脊兰属	*Calanthe*	长距虾脊兰	*Calanthe sylvatica*	否
兰科	Orchidaceae	头蕊兰属	*Cephalanthera*	头蕊兰	*Cephalanthera longifolia*	是
兰科	Orchidaceae	蛤兰属	*Conchidium*	高山蛤兰	*Conchidium japonicum*	否
兰科	Orchidaceae	杜鹃兰属	*Cremastra*	斑叶杜鹃兰	*Cremastra unguiculata*	否
兰科	Orchidaceae	兰属	*Cymbidium*	寒兰	*Cymbidium kanran*	是
兰科	Orchidaceae	杓兰属	*Cypripedium*	黄花杓兰	*Cypripedium flavum*	是
兰科	Orchidaceae	石斛属	*Dendrobium*	美花石斛	*Dendrobium loddigesii*	是
兰科	Orchidaceae	石斛属	*Dendrobium*	石斛	*Dendrobium nobile*	是
兰科	Orchidaceae	石斛属	*Dendrobium*	大花石斛	*Dendrobium wilsonii*	是
兰科	Orchidaceae	虎舌兰属	*Epipogium*	虎舌兰	*Epipogium roseum*	否
兰科	Orchidaceae	斑叶兰属	*Goodyera*	大花斑叶兰	*Goodyera biflora*	是
兰科	Orchidaceae	玉凤花属	*Habenaria*	毛莛玉凤花	*Habenaria ciliolaris*	是
兰科	Orchidaceae	舌喙兰属	*Hemipilia*	裂唇舌喙兰	*Hemipilia henryi*	是
兰科	Orchidaceae	角盘兰属	*Herminium*	叉唇角盘兰	*Herminium lanceum*	是
兰科	Orchidaceae	羊耳蒜属	*Liparis*	小巧羊耳蒜	*Liparis delicatula*	否
兰科	Orchidaceae	羊耳蒜属	*Liparis*	尾唇羊耳蒜	*Liparis krameri*	否
兰科	Orchidaceae	羊耳蒜属	*Liparis*	见血青	*Liparis nervosa*	是
兰科	Orchidaceae	鸟巢兰属	*Neottia*	尖唇鸟巢兰	*Neottia acuminata*	否
兰科	Orchidaceae	曲唇兰属	*Panisea*	曲唇兰	*Panisea tricallosa*	否
兰科	Orchidaceae	阔蕊兰属	*Peristylus*	小花阔蕊兰	*Peristylus affinis*	是
兰科	Orchidaceae	鹤顶兰属	*Phaius*	仙笔鹤顶兰	*Phaius columnaris*	否
兰科	Orchidaceae	舌唇兰属	*Platanthera*	披针唇舌唇兰	*Platanthera lancilabris*	否
三白草科	Saururaceae	裸蒴属	*Gymnotheca*	裸蒴	*Gymnotheca chinensis*	是
金粟兰科	Chloranthaceae	金粟兰属	*Chloranthus*	及已	*Chloranthus serratus*	是
金粟兰科	Chloranthaceae	金粟兰属	*Chloranthus*	天目金粟兰	*Chloranthus tianmushanensis*	否
杨柳科	Salicaceae	山拐枣属	*Poliothyrsis*	山拐枣	*Poliothyrsis sinensis*	否
杨柳科	Salicaceae	杨属	*Populus*	加杨	*Populus* × *canadensis*	是
杨柳科	Salicaceae	杨属	*Populus*	响叶杨	*Populus adenopoda*	是
杨柳科	Salicaceae	杨属	*Populus*	山杨	*Populus davidiana*	是

续表

科名	科拉丁学名	属名	属拉丁学名	种名	种拉丁学名	是否有药用历史
杨柳科	Salicaceae	杨属	*Populus*	大叶杨	*Populus lasiocarpa*	是
杨柳科	Salicaceae	杨属	*Populus*	钻天杨	*Populus nigra* var. *italica*	是
杨柳科	Salicaceae	杨属	*Populus*	小叶杨	*Populus simonii*	是
杨柳科	Salicaceae	杨属	*Populus*	毛白杨	*Populus tomentosa*	是
杨柳科	Salicaceae	杨属	*Populus*	椅杨	*Populus wilsonii*	是
杨柳科	Salicaceae	柳属	*Salix*	银叶柳	*Salix chienii*	是
杨柳科	Salicaceae	柳属	*Salix*	杞柳	*Salix integra*	是
杨柳科	Salicaceae	柳属	*Salix*	宝兴柳	*Salix moupinensis*	否
杨柳科	Salicaceae	柳属	*Salix*	纤柳	*Salix phaidima*	否
杨柳科	Salicaceae	柳属	*Salix*	西柳	*Salix pseudowolohoensis*	否
桦木科	Betulaceae	鹅耳枥属	*Carpinus*	千金榆	*Carpinus cordata*	是
桦木科	Betulaceae	鹅耳枥属	*Carpinus*	鹅耳枥	*Carpinus turczaninowii*	是
壳斗科	Fagaceae	锥属	*Castanopsis*	锥	*Castanopsis chinensis*	是
壳斗科	Fagaceae	锥属	*Castanopsis*	栲	*Castanopsis fargesii*	是
壳斗科	Fagaceae	锥属	*Castanopsis*	苦槠	*Castanopsis sclerophylla*	是
壳斗科	Fagaceae	水青冈属	*Fagus*	台湾水青冈	*Fagus hayatae*	否
壳斗科	Fagaceae	水青冈属	*Fagus*	光叶水青冈	*Fagus lucida*	否
壳斗科	Fagaceae	柯属	*Lithocarpus*	短尾柯	*Lithocarpus brevicaudatus*	是
壳斗科	Fagaceae	柯属	*Lithocarpus*	包果柯	*Lithocarpus cleistocarpus*	否
壳斗科	Fagaceae	柯属	*Lithocarpus*	硬壳柯	*Lithocarpus hancei*	否
壳斗科	Fagaceae	柯属	*Lithocarpus*	多穗柯	*Lithocarpus polystachyus*	是
壳斗科	Fagaceae	栎属	*Quercus*	柞槲栎	*Quercus* × *mongolico-dentata*	否
壳斗科	Fagaceae	栎属	*Quercus*	岩栎	*Quercus acrodonta*	否
壳斗科	Fagaceae	栎属	*Quercus*	栎子青冈	*Quercus blakei*	否
壳斗科	Fagaceae	栎属	*Quercus*	小叶栎	*Quercus chenii*	是
壳斗科	Fagaceae	栎属	*Quercus*	铁橡栎	*Quercus cocciferoides*	否
壳斗科	Fagaceae	栎属	*Quercus*	帽斗栎	*Quercus guyavifolia*	否
壳斗科	Fagaceae	栎属	*Quercus*	多脉青冈	*Quercus multinervis*	否
壳斗科	Fagaceae	栎属	*Quercus*	曼青冈	*Quercus oxyodon*	否
壳斗科	Fagaceae	栎属	*Quercus*	尖叶栎	*Quercus oxyphylla*	否
壳斗科	Fagaceae	栎属	*Quercus*	细叶青冈	*Quercus shennongii*	是
壳斗科	Fagaceae	栎属	*Quercus*	刺叶高山栎	*Quercus spinosa*	是
壳斗科	Fagaceae	栎属	*Quercus*	云南波罗栎	*Quercus yunnanensis*	否
榆科	Ulmaceae	朴属	*Celtis*	黑弹树	*Celtis bungeana*	是
榆科	Ulmaceae	朴属	*Celtis*	小果朴	*Celtis cerasifera*	否
榆科	Ulmaceae	朴属	*Celtis*	珊瑚朴	*Celtis julianae*	是
榆科	Ulmaceae	朴属	*Celtis*	四蕊朴	*Celtis tetrandra*	是
榆科	Ulmaceae	朴属	*Celtis*	西川朴	*Celtis vandervoetiana*	否
榆科	Ulmaceae	葎草属	*Humulus*	葎草	*Humulus scandens*	是
榆科	Ulmaceae	青檀属	*Pteroceltis*	青檀	*Pteroceltis tatarinowii*	是
榆科	Ulmaceae	榆属	*Ulmus*	毛枝榆	*Ulmus androssowii* var. *subhirsuta*	是

续表

科名	科拉丁学名	属名	属拉丁学名	种名	种拉丁学名	是否有药用历史
榆科	Ulmaceae	榆属	*Ulmus*	杭州榆	*Ulmus changii*	是
榆科	Ulmaceae	榆属	*Ulmus*	裂叶榆	*Ulmus laciniata*	是
榆科	Ulmaceae	榉属	*Zelkova*	大叶榉树	*Zelkova schneideriana*	是
榆科	Ulmaceae	榉属	*Zelkova*	榉树	*Zelkova serrata*	是
桑科	Moraceae	构属	*Broussonetia*	构	*Broussonetia papyrifera*	是
桑科	Moraceae	榕属	*Ficus*	冠毛榕	*Ficus gasparriniana*	是
桑科	Moraceae	榕属	*Ficus*	长叶冠毛榕	*Ficus gasparriniana* var. *esquirolii*	是
桑科	Moraceae	榕属	*Ficus*	菱叶冠毛榕	*Ficus gasparriniana* var. *laceratifolia*	是
桑科	Moraceae	榕属	*Ficus*	尖叶榕	*Ficus henryi*	是
桑科	Moraceae	榕属	*Ficus*	尾叶榕	*Ficus heteropleura*	否
桑科	Moraceae	榕属	*Ficus*	尾尖爬藤榕	*Ficus sarmentosa* var. *lacrymans*	是
桑科	Moraceae	榕属	*Ficus*	地果	*Ficus tikoua*	是
桑科	Moraceae	榕属	*Ficus*	岩木瓜	*Ficus tsiangii*	是
桑科	Moraceae	橙桑属	*Maclura*	柘藤	*Maclura fruticosa*	是
桑科	Moraceae	橙桑属	*Maclura*	柘	*Maclura tricuspidata*	是
桑科	Moraceae	桑属	*Morus*	华桑	*Morus cathayana*	是
桑科	Moraceae	桑属	*Morus*	川桑	*Morus notabilis*	否
桑科	Moraceae	桑属	*Morus*	裂叶桑	*Morus trilobata*	否
荨麻科	Urticaceae	苎麻属	*Boehmeria*	野线麻	*Boehmeria japonica*	是
荨麻科	Urticaceae	苎麻属	*Boehmeria*	八角麻	*Boehmeria platanifolia*	是
荨麻科	Urticaceae	水麻属	*Debregeasia*	椭圆叶水麻	*Debregeasia elliptica*	否
荨麻科	Urticaceae	楼梯草属	*Elatostema*	渐尖楼梯草	*Elatostema acuminatum*	是
荨麻科	Urticaceae	楼梯草属	*Elatostema*	锐齿楼梯草	*Elatostema cyrtandrifolium*	是
荨麻科	Urticaceae	楼梯草属	*Elatostema*	异叶楼梯草	*Elatostema monandrum*	是
荨麻科	Urticaceae	楼梯草属	*Elatostema*	长圆楼梯草	*Elatostema oblongifolium*	是
荨麻科	Urticaceae	蝎子草属	*Girardinia*	蝎子草	*Girardinia diversifolia* subsp. *suborbiculata*	是
荨麻科	Urticaceae	假楼梯草属	*Lecanthus*	假楼梯草	*Lecanthus peduncularis*	是
荨麻科	Urticaceae	冷水花属	*Pilea*	翠茎冷水花	*Pilea hilliana*	否
荨麻科	Urticaceae	冷水花属	*Pilea*	山冷水花	*Pilea japonica*	是
荨麻科	Urticaceae	冷水花属	*Pilea*	念珠冷水花	*Pilea monilifera*	是
荨麻科	Urticaceae	冷水花属	*Pilea*	细齿冷水花	*Pilea scripta*	是
荨麻科	Urticaceae	冷水花属	*Pilea*	三角形冷水花	*Pilea swinglei*	是
荨麻科	Urticaceae	冷水花属	*Pilea*	喙萼冷水花	*Pilea symmeria*	是
荨麻科	Urticaceae	冷水花属	*Pilea*	海南冷水花	*Pilea tsiangiana*	是
荨麻科	Urticaceae	荨麻属	*Urtica*	裂叶荨麻	*Urtica lotabifolia*	是
檀香科	Santalaceae	栗寄生属	*Korthalsella*	栗寄生	*Korthalsella japonica*	是
檀香科	Santalaceae	百蕊草属	*Thesium*	急折百蕊草	*Thesium refractum*	是
檀香科	Santalaceae	槲寄生属	*Viscum*	扁枝槲寄生	*Viscum articulatum*	是
桑寄生科	Loranthaceae	桑寄生属	*Loranthus*	华中桑寄生	*Loranthus pseudo-odoratus*	否

续表

科名	科拉丁学名	属名	属拉丁学名	种名	种拉丁学名	是否有药用历史
桑寄生科	Loranthaceae	钝果寄生属	*Taxillus*	广寄生	*Taxillus chinensis*	是
马兜铃科	Aristolochiaceae	细辛属	*Asarum*	大叶细辛	*Asarum maximum*	是
马兜铃科	Aristolochiaceae	细辛属	*Asarum*	汉城细辛	*Asarum sieboldii*	是
马兜铃科	Aristolochiaceae	关木通属	*Isotrema*	葫芦叶关木通	*Isotrema cucurbitoides*	是
马兜铃科	Aristolochiaceae	关木通属	*Isotrema*	异叶关木通	*Isotrema heterophyllum*	是
马兜铃科	Aristolochiaceae	关木通属	*Isotrema*	广西关木通	*Isotrema kwangsiense*	是
马兜铃科	Aristolochiaceae	关木通属	*Isotrema*	关木通	*Isotrema manshuriense*	是
马兜铃科	Aristolochiaceae	关木通属	*Isotrema*	宝兴关木通	*Isotrema moupinense*	是
蛇菰科	Balanophoraceae	蛇菰属	*Balanophora*	红冬蛇菰	*Balanophora harlandii*	是
蓼科	Polygonaceae	拳参属	*Bistorta*	抱茎蓼	*Bistorta amplexicaulis*	是
蓼科	Polygonaceae	拳参属	*Bistorta*	圆穗蓼	*Bistorta macrophylla*	是
蓼科	Polygonaceae	拳参属	*Bistorta*	太平洋蓼	*Bistorta pacifica*	是
蓼科	Polygonaceae	荞麦属	*Fagopyrum*	小野荞麦	*Fagopyrum leptopodum*	否
蓼科	Polygonaceae	冰岛蓼属	*Koenigia*	白花蓼	*Koenigia coriaria*	是
蓼科	Polygonaceae	蓼属	*Persicaria*	毛蓼	*Persicaria barbata*	是
蓼科	Polygonaceae	蓼属	*Persicaria*	二歧蓼	*Persicaria dichotoma*	是
蓼科	Polygonaceae	蓼属	*Persicaria*	光蓼	*Persicaria glabra*	是
蓼科	Polygonaceae	蓼属	*Persicaria*	柔茎蓼	*Persicaria kawagoeana*	是
蓼科	Polygonaceae	蓼属	*Persicaria*	长戟叶蓼	*Persicaria maackiana*	是
蓼科	Polygonaceae	蓼属	*Persicaria*	小头蓼	*Persicaria microcephala*	是
蓼科	Polygonaceae	蓼属	*Persicaria*	掌叶蓼	*Persicaria palmata*	是
蓼科	Polygonaceae	蓼属	*Persicaria*	扛板归	*Persicaria perfoliata*	是
蓼科	Polygonaceae	蓼属	*Persicaria*	松林蓼	*Persicaria pinetorum*	是
蓼科	Polygonaceae	蓼属	*Persicaria*	羽叶蓼	*Persicaria runcinata*	是
蓼科	Polygonaceae	蓼属	*Persicaria*	箭头蓼	*Persicaria sagittata*	是
蓼科	Polygonaceae	蓼属	*Persicaria*	粘蓼	*Persicaria viscofera*	否
蓼科	Polygonaceae	何首乌属	*Pleuropterus*	毛脉首乌	*Pleuropterus ciliinervis*	是
蓼科	Polygonaceae	萹蓄属	*Polygonum*	习见萹蓄	*Polygonum plebeium*	是
蓼科	Polygonaceae	大黄属	*Rheum*	鸡爪大黄	*Rheum tanguticum*	是
蓼科	Polygonaceae	酸模属	*Rumex*	刺酸模	*Rumex maritimus*	是
蓼科	Polygonaceae	酸模属	*Rumex*	中亚酸模	*Rumex popovii*	是
苋科	Amaranthaceae	牛膝属	*Achyranthes*	钝叶土牛膝	*Achyranthes aspera* var. *indica*	是
苋科	Amaranthaceae	莲子草属	*Alternanthera*	锦绣苋	*Alternanthera bettzickiana*	是
苋科	Amaranthaceae	苋属	*Amaranthus*	老鸦谷	*Amaranthus cruentus*	是
苋科	Amaranthaceae	苋属	*Amaranthus*	绿穗苋	*Amaranthus hybridus*	是
苋科	Amaranthaceae	藜属	*Chenopodium*	尖头叶藜	*Chenopodium acuminatum*	是
苋科	Amaranthaceae	杯苋属	*Cyathula*	头花杯苋	*Cyathula capitata*	是
苋科	Amaranthaceae	杯苋属	*Cyathula*	川牛膝	*Cyathula officinalis*	是
苋科	Amaranthaceae	腺毛藜属	*Dysphania*	菊叶香藜	*Dysphania schraderiana*	是
苋科	Amaranthaceae	叉毛蓬属	*Petrosimonia*	灰绿叉毛蓬	*Petrosimonia glaucescens*	否
苋科	Amaranthaceae	碱蓬属	*Suaeda*	角果碱蓬	*Suaeda corniculata*	否

续表

科名	科拉丁学名	属名	属拉丁学名	种名	种拉丁学名	是否有药用历史
紫茉莉科	Nyctaginaceae	叶子花属	*Bougainvillea*	叶子花	*Bougainvillea spectabilis*	是
商陆科	Phytolaccaceae	商陆属	*Phytolacca*	日本商陆	*Phytolacca japonica*	是
番杏科	Aizoaceae	毯粟草属	*Mollugo*	毯粟草	*Mollugo verticillata*	是
马齿苋科	Portulacaceae	马齿苋属	*Portulaca*	毛马齿苋	*Portulaca pilosa*	是
石竹科	Caryophyllaceae	浅裂繁缕属	*Nubelaria*	巫山浅裂繁缕	*Nubelaria wushanensis*	是
石竹科	Caryophyllaceae	白鼓钉属	*Polycarpaea*	白鼓钉	*Polycarpaea corymbosa*	是
石竹科	Caryophyllaceae	孩儿参属	*Pseudostellaria*	须弥孩儿参	*Pseudostellaria himalaica*	否
石竹科	Caryophyllaceae	蝇子草属	*Silene*	大蔓樱草	*Silene pendula*	否
石竹科	Caryophyllaceae	繁缕属	*Stellaria*	沼生繁缕	*Stellaria palustris*	是
石竹科	Caryophyllaceae	繁缕属	*Stellaria*	岩生繁缕	*Stellaria petraea*	否
毛茛科	Ranunculaceae	乌头属	*Aconitum*	西南乌头	*Aconitum episcopale*	是
毛茛科	Ranunculaceae	乌头属	*Aconitum*	独花乌头	*Aconitum fletcheranum*	否
毛茛科	Ranunculaceae	乌头属	*Aconitum*	秦岭乌头	*Aconitum lioui*	否
毛茛科	Ranunculaceae	乌头属	*Aconitum*	花莛乌头	*Aconitum scaposum*	是
毛茛科	Ranunculaceae	银莲花属	*Anemone*	阿尔泰银莲花	*Anemone altaica*	是
毛茛科	Ranunculaceae	银莲花属	*Anemone*	黑水银莲花	*Anemone amurensis*	是
毛茛科	Ranunculaceae	银莲花属	*Anemone*	银莲花	*Anemone cathayensis*	是
毛茛科	Ranunculaceae	鸡爪草属	*Calathodes*	多果鸡爪草	*Calathodes unciformis*	否
毛茛科	Ranunculaceae	铁线莲属	*Clematis*	褐毛铁线莲	*Clematis fusca*	是
毛茛科	Ranunculaceae	铁线莲属	*Clematis*	毛萼铁线莲	*Clematis hancockiana*	是
毛茛科	Ranunculaceae	铁线莲属	*Clematis*	湖北铁线莲	*Clematis hupehensis*	否
毛茛科	Ranunculaceae	铁线莲属	*Clematis*	太行铁线莲	*Clematis kirilowii*	是
毛茛科	Ranunculaceae	铁线莲属	*Clematis*	光柱铁线莲	*Clematis longistyla*	否
毛茛科	Ranunculaceae	铁线莲属	*Clematis*	秦岭铁线莲	*Clematis obscura*	是
毛茛科	Ranunculaceae	铁线莲属	*Clematis*	扬子铁线莲	*Clematis puberula* var. *ganpiniana*	是
毛茛科	Ranunculaceae	铁线莲属	*Clematis*	曲柄铁线莲	*Clematis repens*	是
毛茛科	Ranunculaceae	铁线莲属	*Clematis*	福贡铁线莲	*Clematis tsaii*	否
毛茛科	Ranunculaceae	翠雀属	*Delphinium*	川陕翠雀花	*Delphinium henryi*	否
毛茛科	Ranunculaceae	翠雀属	*Delphinium*	河南翠雀花	*Delphinium honanense*	是
毛茛科	Ranunculaceae	翠雀属	*Delphinium*	康定翠雀花	*Delphinium tatsienense*	是
毛茛科	Ranunculaceae	翠雀属	*Delphinium*	全裂翠雀花	*Delphinium trisectum*	否
毛茛科	Ranunculaceae	铁筷子属	*Helleborus*	铁筷子	*Helleborus thibetanus*	是
毛茛科	Ranunculaceae	芍药属	*Paeonia*	块根芍药	*Paeonia intermedia*	是
毛茛科	Ranunculaceae	芍药属	*Paeonia*	紫斑牡丹	*Paeonia rockii*	是
毛茛科	Ranunculaceae	芍药属	*Paeonia*	川赤芍	*Paeonia veitchii*	是
毛茛科	Ranunculaceae	毛茛属	*Ranunculus*	矮毛茛	*Ranunculus pseudopygmaeus*	否
毛茛科	Ranunculaceae	毛茛属	*Ranunculus*	美丽毛茛	*Ranunculus pulchellus*	是
毛茛科	Ranunculaceae	唐松草属	*Thalictrum*	高山唐松草	*Thalictrum alpinum*	是
毛茛科	Ranunculaceae	唐松草属	*Thalictrum*	盾叶唐松草	*Thalictrum ichangense*	是
毛茛科	Ranunculaceae	唐松草属	*Thalictrum*	疏序唐松草	*Thalictrum laxum*	否
毛茛科	Ranunculaceae	唐松草属	*Thalictrum*	东亚唐松草	*Thalictrum minus* var. *hypoleucum*	是

续表

科名	科拉丁学名	属名	属拉丁学名	种名	种拉丁学名	是否有药用历史
毛茛科	Ranunculaceae	唐松草属	*Thalictrum*	瓣蕊唐松草	*Thalictrum petaloideum*	是
毛茛科	Ranunculaceae	唐松草属	*Thalictrum*	长柄唐松草	*Thalictrum przewalskii*	是
毛茛科	Ranunculaceae	唐松草属	*Thalictrum*	粗壮唐松草	*Thalictrum robustum*	是
毛茛科	Ranunculaceae	唐松草属	*Thalictrum*	箭头唐松草	*Thalictrum simplex*	是
毛茛科	Ranunculaceae	唐松草属	*Thalictrum*	短梗箭头唐松草	*Thalictrum simplex* var. *brevipes*	是
毛茛科	Ranunculaceae	唐松草属	*Thalictrum*	钩柱唐松草	*Thalictrum uncatum*	是
木通科	Lardizabalaceae	八月瓜属	*Holboellia*	线叶五风藤	*Holboellia angustifolia* subsp. *linearifolia*	否
木通科	Lardizabalaceae	八月瓜属	*Holboellia*	八月瓜	*Holboellia latifolia*	是
木通科	Lardizabalaceae	八月瓜属	*Holboellia*	小花鹰爪枫	*Holboellia parviflora*	是
木通科	Lardizabalaceae	大血藤属	*Sargentodoxa*	大血藤	*Sargentodoxa cuneata*	是
木通科	Lardizabalaceae	野木瓜属	*Stauntonia*	日本野木瓜	*Stauntonia hexaphylla*	否
木通科	Lardizabalaceae	野木瓜属	*Stauntonia*	倒卵叶野木瓜	*Stauntonia obovata*	是
木通科	Lardizabalaceae	野木瓜属	*Stauntonia*	尾叶那藤	*Stauntonia obovatifoliola* subsp. *urophylla*	是
小檗科	Berberidaceae	小檗属	*Berberis*	堆花小檗	*Berberis aggregata*	是
小檗科	Berberidaceae	小檗属	*Berberis*	黄芦木	*Berberis amurensis*	是
小檗科	Berberidaceae	小檗属	*Berberis*	短柄小檗	*Berberis brachypoda*	是
小檗科	Berberidaceae	小檗属	*Berberis*	单花小檗	*Berberis candidula*	是
小檗科	Berberidaceae	小檗属	*Berberis*	秦岭小檗	*Berberis circumserrata*	是
小檗科	Berberidaceae	小檗属	*Berberis*	鲜黄小檗	*Berberis diaphana*	是
小檗科	Berberidaceae	小檗属	*Berberis*	南川小檗	*Berberis fallaciosa*	是
小檗科	Berberidaceae	小檗属	*Berberis*	湖北小檗	*Berberis gagnepainii*	是
小檗科	Berberidaceae	小檗属	*Berberis*	细叶小檗	*Berberis poiretii*	是
小檗科	Berberidaceae	小檗属	*Berberis*	少齿小檗	*Berberis potaninii*	是
小檗科	Berberidaceae	小檗属	*Berberis*	华西小檗	*Berberis silva-taroucana*	是
小檗科	Berberidaceae	小檗属	*Berberis*	兴山小檗	*Berberis silvicola*	否
小檗科	Berberidaceae	小檗属	*Berberis*	日本小檗	*Berberis thunbergii*	是
小檗科	Berberidaceae	小檗属	*Berberis*	庐山小檗	*Berberis virgetorum*	是
小檗科	Berberidaceae	小檗属	*Berberis*	金花小檗	*Berberis wilsoniae*	是
小檗科	Berberidaceae	山荷叶属	*Diphylleia*	南方山荷叶	*Diphylleia sinensis*	是
小檗科	Berberidaceae	淫羊藿属	*Epimedium*	恩施淫羊藿	*Epimedium enshiense*	否
小檗科	Berberidaceae	淫羊藿属	*Epimedium*	川鄂淫羊藿	*Epimedium fargesii*	是
小檗科	Berberidaceae	淫羊藿属	*Epimedium*	镇坪淫羊藿	*Epimedium ilicifolium*	否
小檗科	Berberidaceae	淫羊藿属	*Epimedium*	直距淫羊藿	*Epimedium mikinorii*	否
小檗科	Berberidaceae	淫羊藿属	*Epimedium*	四川淫羊藿	*Epimedium sutchuenense*	是
小檗科	Berberidaceae	淫羊藿属	*Epimedium*	竹山淫羊藿	*Epimedium zhushanense*	否
小檗科	Berberidaceae	十大功劳属	*Mahonia*	安坪十大功劳	*Mahonia eurybracteata* subsp. *ganpinensis*	是
小檗科	Berberidaceae	十大功劳属	*Mahonia*	台湾十大功劳	*Mahonia japonica*	是
小檗科	Berberidaceae	十大功劳属	*Mahonia*	亮叶十大功劳	*Mahonia nitens*	是
小檗科	Berberidaceae	十大功劳属	*Mahonia*	刺齿十大功劳	*Mahonia setosa*	否

续表

科名	科拉丁学名	属名	属拉丁学名	种名	种拉丁学名	是否有药用历史
小檗科	Berberidaceae	桃儿七属	*Sinopodophyllum*	桃儿七	*Sinopodophyllum hexandrum*	是
木兰科	Magnoliaceae	八角属	*Illicium*	八角	*Illicium verum*	是
木兰科	Magnoliaceae	长喙木兰属	*Lirianthe*	绢毛木兰	*Lirianthe albosericea*	否
木兰科	Magnoliaceae	长喙木兰属	*Lirianthe*	山木兰	*Lirianthe delavayi*	是
木兰科	Magnoliaceae	鹅掌楸属	*Liriodendron*	鹅掌楸	*Liriodendron chinense*	是
木兰科	Magnoliaceae	鹅掌楸属	*Liriodendron*	北美鹅掌楸	*Liriodendron tulipifera*	是
木兰科	Magnoliaceae	北美木兰属	*Magnolia*	荷花木兰	*Magnolia grandiflora*	是
木兰科	Magnoliaceae	含笑属	*Michelia*	乐昌含笑	*Michelia chapensis*	是
木兰科	Magnoliaceae	含笑属	*Michelia*	多花含笑	*Michelia floribunda*	是
木兰科	Magnoliaceae	含笑属	*Michelia*	云南含笑	*Michelia yunnanensis*	是
木兰科	Magnoliaceae	五味子属	*Schisandra*	五味子	*Schisandra chinensis*	是
木兰科	Magnoliaceae	五味子属	*Schisandra*	金山五味子	*Schisandra glaucescens*	是
木兰科	Magnoliaceae	五味子属	*Schisandra*	兴山五味子	*Schisandra incarnata*	是
木兰科	Magnoliaceae	五味子属	*Schisandra*	毛叶五味子	*Schisandra pubescens*	是
木兰科	Magnoliaceae	玉兰属	*Yulania*	二乔玉兰	*Yulania* × *soulangeana*	是
木兰科	Magnoliaceae	玉兰属	*Yulania*	天目玉兰	*Yulania amoena*	是
木兰科	Magnoliaceae	玉兰属	*Yulania*	望春玉兰	*Yulania biondii*	是
木兰科	Magnoliaceae	玉兰属	*Yulania*	黄山玉兰	*Yulania cylindrica*	是
木兰科	Magnoliaceae	玉兰属	*Yulania*	多花玉兰	*Yulania multiflora*	否
木兰科	Magnoliaceae	玉兰属	*Yulania*	罗田玉兰	*Yulania pilocarpa*	是
木兰科	Magnoliaceae	玉兰属	*Yulania*	凹叶玉兰	*Yulania sargentiana*	是
木兰科	Magnoliaceae	玉兰属	*Yulania*	星花玉兰	*Yulania stellata*	否
蜡梅科	Calycanthaceae	蜡梅属	*Chimonanthus*	蜡梅	*Chimonanthus praecox*	是
樟科	Lauraceae	桂属	*Cinnamomum*	阴香	*Cinnamomum burmanni*	是
樟科	Lauraceae	桂属	*Cinnamomum*	天竺桂	*Cinnamomum japonicum*	是
樟科	Lauraceae	桂属	*Cinnamomum*	野黄桂	*Cinnamomum jensenianum*	是
樟科	Lauraceae	山胡椒属	*Lindera*	狭叶山胡椒	*Lindera angustifolia*	是
樟科	Lauraceae	山胡椒属	*Lindera*	江浙山胡椒	*Lindera chienii*	是
樟科	Lauraceae	山胡椒属	*Lindera*	红果山胡椒	*Lindera erythrocarpa*	是
樟科	Lauraceae	山胡椒属	*Lindera*	绒毛钓樟	*Lindera floribunda*	是
樟科	Lauraceae	山胡椒属	*Lindera*	香叶子	*Lindera fragrans*	是
樟科	Lauraceae	山胡椒属	*Lindera*	黑壳楠	*Lindera megaphylla*	是
樟科	Lauraceae	山胡椒属	*Lindera*	绒毛山胡椒	*Lindera nacusua*	是
樟科	Lauraceae	山胡椒属	*Lindera*	绿叶甘橿	*Lindera neesiana*	是
樟科	Lauraceae	山胡椒属	*Lindera*	大果山胡椒	*Lindera praecox*	否
樟科	Lauraceae	山胡椒属	*Lindera*	红脉钓樟	*Lindera rubronervia*	是
樟科	Lauraceae	山胡椒属	*Lindera*	天全钓樟	*Lindera tienchuanensis*	否
樟科	Lauraceae	木姜子属	*Litsea*	毛山鸡椒	*Litsea cubeba* var. *formosana*	是
樟科	Lauraceae	木姜子属	*Litsea*	黄丹木姜子	*Litsea elongata*	是
樟科	Lauraceae	木姜子属	*Litsea*	润楠叶木姜子	*Litsea machiloides*	否
樟科	Lauraceae	木姜子属	*Litsea*	秦岭木姜子	*Litsea tsinlingensis*	否

续表

科名	科拉丁学名	属名	属拉丁学名	种名	种拉丁学名	是否有药用历史
樟科	Lauraceae	木姜子属	*Litsea*	钝叶木姜子	*Litsea veitchiana*	是
樟科	Lauraceae	木姜子属	*Litsea*	绒叶木姜子	*Litsea wilsonii*	是
樟科	Lauraceae	润楠属	*Machilus*	宜昌润楠	*Machilus ichangensis*	是
樟科	Lauraceae	润楠属	*Machilus*	大叶润楠	*Machilus japonica* var. *kusanoi*	是
樟科	Lauraceae	润楠属	*Machilus*	薄叶润楠	*Machilus leptophylla*	是
樟科	Lauraceae	润楠属	*Machilus*	利川润楠	*Machilus lichuanensis*	否
樟科	Lauraceae	润楠属	*Machilus*	木姜润楠	*Machilus litseifolia*	否
樟科	Lauraceae	润楠属	*Machilus*	小果润楠	*Machilus microcarpa*	是
樟科	Lauraceae	润楠属	*Machilus*	山润楠	*Machilus montana*	是
樟科	Lauraceae	润楠属	*Machilus*	刨花润楠	*Machilus pauhoi*	是
樟科	Lauraceae	新樟属	*Neocinnamomum*	新樟	*Neocinnamomum delavayi*	是
樟科	Lauraceae	新木姜子属	*Neolitsea*	大叶新木姜子	*Neolitsea levinei*	是
樟科	Lauraceae	新木姜子属	*Neolitsea*	巫山新木姜子	*Neolitsea wushanica*	否
樟科	Lauraceae	楠属	*Phoebe*	湘楠	*Phoebe hunanensis*	是
樟科	Lauraceae	楠属	*Phoebe*	利川楠	*Phoebe lichuanensis*	否
莲叶桐科	Hernandiaceae	青藤属	*Illigera*	三叶青藤	*Illigera trifoliata*	否
罂粟科	Papaveraceae	紫堇属	*Corydalis*	东紫堇	*Corydalis buschii*	是
罂粟科	Papaveraceae	紫堇属	*Corydalis*	小药八旦子	*Corydalis caudata*	是
罂粟科	Papaveraceae	紫堇属	*Corydalis*	南黄堇	*Corydalis davidii*	是
罂粟科	Papaveraceae	紫堇属	*Corydalis*	夏天无	*Corydalis decumbens*	是
罂粟科	Papaveraceae	紫堇属	*Corydalis*	小花紫堇	*Corydalis minutiflora*	是
罂粟科	Papaveraceae	紫堇属	*Corydalis*	全叶延胡索	*Corydalis repens*	是
罂粟科	Papaveraceae	紫堇属	*Corydalis*	鄂西黄堇	*Corydalis shennongensis*	否
罂粟科	Papaveraceae	紫堇属	*Corydalis*	珠果黄堇	*Corydalis speciosa*	是
罂粟科	Papaveraceae	紫堇属	*Corydalis*	大叶紫堇	*Corydalis temulifolia*	是
罂粟科	Papaveraceae	紫堇属	*Corydalis*	神农架紫堇	*Corydalis ternatifolia*	否
罂粟科	Papaveraceae	花菱草属	*Eschscholzia*	花菱草	*Eschscholzia californica*	是
十字花科	Brassicaceae	芸薹属	*Brassica*	芥菜	*Brassica juncea*	是
十字花科	Brassicaceae	碎米荠属	*Cardamine*	露珠碎米荠	*Cardamine circaeoides*	否
十字花科	Brassicaceae	碎米荠属	*Cardamine*	山芥碎米荠	*Cardamine griffithii*	是
十字花科	Brassicaceae	碎米荠属	*Cardamine*	粗毛碎米荠	*Cardamine hirsuta*	是
十字花科	Brassicaceae	葶苈属	*Draba*	微柱葶苈	*Draba turczaninowii*	是
十字花科	Brassicaceae	香雪球属	*Lobularia*	香雪球	*Lobularia maritima*	否
十字花科	Brassicaceae	阴山荠属	*Yinshania*	阴山荠	*Yinshania acutangula*	否
景天科	Crassulaceae	八宝属	*Hylotelephium*	川鄂八宝	*Hylotelephium bonnafousii*	否
景天科	Crassulaceae	费菜属	*Phedimus*	齿叶费菜	*Phedimus odontophyllus*	是
景天科	Crassulaceae	景天属	*Sedum*	平叶景天	*Sedum planifolium*	否
景天科	Crassulaceae	景天属	*Sedum*	日本景天	*Sedum uniflorum* var. *japonicum*	是
景天科	Crassulaceae	景天属	*Sedum*	短蕊景天	*Sedum yvesii*	否
景天科	Crassulaceae	石莲属	*Sinocrassula*	黄花石莲	*Sinocrassula indica* var. *luteorubra*	否

续表

科名	科拉丁学名	属名	属拉丁学名	种名	种拉丁学名	是否有药用历史
虎耳草科	Saxifragaceae	金腰属	*Chrysosplenium*	互叶金腰	*Chrysosplenium alternifolium*	否
虎耳草科	Saxifragaceae	金腰属	*Chrysosplenium*	滇黔金腰	*Chrysosplenium cavaleriei*	是
虎耳草科	Saxifragaceae	金腰属	*Chrysosplenium*	锈毛金腰	*Chrysosplenium davidianum*	是
虎耳草科	Saxifragaceae	金腰属	*Chrysosplenium*	舌叶金腰	*Chrysosplenium glossophyllum*	否
虎耳草科	Saxifragaceae	金腰属	*Chrysosplenium*	天胡荽金腰	*Chrysosplenium hydrocotylifolium*	是
虎耳草科	Saxifragaceae	金腰属	*Chrysosplenium*	峨眉金腰	*Chrysosplenium hydrocotylifolium* var. *emeiense*	否
虎耳草科	Saxifragaceae	金腰属	*Chrysosplenium*	山溪金腰	*Chrysosplenium nepalense*	是
虎耳草科	Saxifragaceae	金腰属	*Chrysosplenium*	柔毛金腰	*Chrysosplenium pilosum* var. *valdepilosum*	否
虎耳草科	Saxifragaceae	溲疏属	*Deutzia*	异色溲疏	*Deutzia discolor*	是
虎耳草科	Saxifragaceae	溲疏属	*Deutzia*	黄山溲疏	*Deutzia glauca*	是
虎耳草科	Saxifragaceae	溲疏属	*Deutzia*	钻丝溲疏	*Deutzia mollis*	否
虎耳草科	Saxifragaceae	溲疏属	*Deutzia*	溲疏	*Deutzia scabra*	是
虎耳草科	Saxifragaceae	绣球属	*Hydrangea*	东陵绣球	*Hydrangea bretschneideri*	是
虎耳草科	Saxifragaceae	绣球属	*Hydrangea*	粗枝绣球	*Hydrangea robusta*	是
虎耳草科	Saxifragaceae	山梅花属	*Philadelphus*	毛药山梅花	*Philadelphus reevesianus*	否
虎耳草科	Saxifragaceae	冠盖藤属	*Pileostegia*	冠盖藤	*Pileostegia viburnoides*	是
虎耳草科	Saxifragaceae	茶藨子属	*Ribes*	细枝茶藨子	*Ribes tenue*	是
虎耳草科	Saxifragaceae	虎耳草属	*Saxifraga*	小虎耳草	*Saxifraga parva*	是
海桐花科	Pittosporaceae	海桐属	*Pittosporum*	小果海桐	*Pittosporum parvicapsulare*	是
金缕梅科	Hamamelidaceae	蜡瓣花属	*Corylopsis*	鄂西蜡瓣花	*Corylopsis henryi*	是
金缕梅科	Hamamelidaceae	蜡瓣花属	*Corylopsis*	瑞木	*Corylopsis multiflora*	是
悬铃木科	Platanaceae	悬铃木属	*Platanus*	二球悬铃木	*Platanus acerifolia*	是
悬铃木科	Platanaceae	悬铃木属	*Platanus*	一球悬铃木	*Platanus occidentalis*	是
悬铃木科	Platanaceae	悬铃木属	*Platanus*	三球悬铃木	*Platanus orientalis*	是
蔷薇科	Rosaceae	龙芽草属	*Agrimonia*	小花龙芽草	*Agrimonia nipponica* var. *occidentalis*	是
蔷薇科	Rosaceae	龙芽草属	*Agrimonia*	龙芽草	*Agrimonia pilosa*	是
蔷薇科	Rosaceae	蕨麻属	*Argentina*	银叶蕨麻	*Argentina leuconota*	是
蔷薇科	Rosaceae	蕨麻属	*Argentina*	西南蕨麻	*Argentina lineata*	是
蔷薇科	Rosaceae	木瓜海棠属	*Chaenomeles*	木瓜海棠	*Chaenomeles cathayensis*	是
蔷薇科	Rosaceae	木瓜海棠属	*Chaenomeles*	贴梗海棠	*Chaenomeles speciosa*	是
蔷薇科	Rosaceae	栒子属	*Cotoneaster*	泡叶栒子	*Cotoneaster bullatus*	是
蔷薇科	Rosaceae	栒子属	*Cotoneaster*	恩施栒子	*Cotoneaster fangianus*	否
蔷薇科	Rosaceae	栒子属	*Cotoneaster*	西南栒子	*Cotoneaster franchetii*	是
蔷薇科	Rosaceae	栒子属	*Cotoneaster*	小叶平枝栒子	*Cotoneaster horizontalis* var. *perpusillus*	否
蔷薇科	Rosaceae	栒子属	*Cotoneaster*	全缘栒子	*Cotoneaster integerrimus*	是
蔷薇科	Rosaceae	栒子属	*Cotoneaster*	宝兴栒子	*Cotoneaster moupinensis*	是
蔷薇科	Rosaceae	栒子属	*Cotoneaster*	水栒子	*Cotoneaster multiflorus*	是
蔷薇科	Rosaceae	栒子属	*Cotoneaster*	皱叶柳叶栒子	*Cotoneaster salicifolius* var. *rugosus*	是

续表

科名	科拉丁学名	属名	属拉丁学名	种名	种拉丁学名	是否有药用历史
蔷薇科	Rosaceae	栒子属	*Cotoneaster*	华中栒子	*Cotoneaster silvestrii*	否
蔷薇科	Rosaceae	棣棠花属	*Kerria*	棣棠	*Kerria japonica*	是
蔷薇科	Rosaceae	桂樱属	*Laurocerasus*	刺叶桂樱	*Laurocerasus spinulosa*	是
蔷薇科	Rosaceae	桂樱属	*Laurocerasus*	大叶桂樱	*Laurocerasus zippeliana*	是
蔷薇科	Rosaceae	苹果属	*Malus*	台湾林檎	*Malus doumeri*	是
蔷薇科	Rosaceae	苹果属	*Malus*	光叶陇东海棠	*Malus kansuensis* var. *calva*	否
蔷薇科	Rosaceae	苹果属	*Malus*	楸子	*Malus prunifolia*	是
蔷薇科	Rosaceae	委陵菜属	*Potentilla*	皱叶委陵菜	*Potentilla ancistrifolia*	是
蔷薇科	Rosaceae	李属	*Prunus*	野杏	*Prunus armeniaca* var. *ansu*	是
蔷薇科	Rosaceae	李属	*Prunus*	粗梗稠李	*Prunus napaulensis*	是
蔷薇科	Rosaceae	李属	*Prunus*	多毛樱桃	*Prunus polytricha*	否
蔷薇科	Rosaceae	李属	*Prunus*	山樱桃	*Prunus serrulata*	是
蔷薇科	Rosaceae	李属	*Prunus*	黑刺李	*Prunus spinosa*	是
蔷薇科	Rosaceae	李属	*Prunus*	云南樱桃	*Prunus yunnanensis*	否
蔷薇科	Rosaceae	木瓜属	*Pseudocydonia*	木瓜	*Pseudocydonia sinensis*	是
蔷薇科	Rosaceae	鸡麻属	*Rhodotypos*	鸡麻	*Rhodotypos scandens*	是
蔷薇科	Rosaceae	蔷薇属	*Rosa*	单瓣木香花	*Rosa banksiae* var. *normalis*	是
蔷薇科	Rosaceae	蔷薇属	*Rosa*	尾萼蔷薇	*Rosa caudata*	否
蔷薇科	Rosaceae	蔷薇属	*Rosa*	月季花	*Rosa chinensis*	是
蔷薇科	Rosaceae	蔷薇属	*Rosa*	广东蔷薇	*Rosa kwangtungensis*	否
蔷薇科	Rosaceae	蔷薇属	*Rosa*	七姊妹	*Rosa multiflora* cv. Grevillei	是
蔷薇科	Rosaceae	蔷薇属	*Rosa*	峨眉蔷薇	*Rosa omeiensis*	是
蔷薇科	Rosaceae	悬钩子属	*Rubus*	掌叶覆盆子	*Rubus chingii*	是
蔷薇科	Rosaceae	悬钩子属	*Rubus*	蛇藨筋	*Rubus cochinchinensis*	是
蔷薇科	Rosaceae	悬钩子属	*Rubus*	插田藨	*Rubus coreanus*	是
蔷薇科	Rosaceae	悬钩子属	*Rubus*	大红藨	*Rubus eustephanos*	是
蔷薇科	Rosaceae	悬钩子属	*Rubus*	黄毛悬钩子	*Rubus fuscorubens*	否
蔷薇科	Rosaceae	悬钩子属	*Rubus*	蓬蘽	*Rubus hirsutus*	是
蔷薇科	Rosaceae	悬钩子属	*Rubus*	灰毛藨	*Rubus irenaeus*	是
蔷薇科	Rosaceae	悬钩子属	*Rubus*	高粱藨	*Rubus lambertianus*	是
蔷薇科	Rosaceae	悬钩子属	*Rubus*	五裂悬钩子	*Rubus lobatus*	否
蔷薇科	Rosaceae	悬钩子属	*Rubus*	棠叶悬钩子	*Rubus malifolius*	是
蔷薇科	Rosaceae	悬钩子属	*Rubus*	红藨刺藤	*Rubus niveus*	是
蔷薇科	Rosaceae	悬钩子属	*Rubus*	乌藨子	*Rubus parkeri*	是
蔷薇科	Rosaceae	悬钩子属	*Rubus*	黄藨	*Rubus pectinellus*	是
蔷薇科	Rosaceae	悬钩子属	*Rubus*	掌叶悬钩子	*Rubus pentagonus*	是
蔷薇科	Rosaceae	悬钩子属	*Rubus*	菰帽悬钩子	*Rubus pileatus*	是
蔷薇科	Rosaceae	悬钩子属	*Rubus*	五叶鸡爪茶	*Rubus playfairianus*	否
蔷薇科	Rosaceae	悬钩子属	*Rubus*	大乌藨	*Rubus pluribracteatus*	是
蔷薇科	Rosaceae	悬钩子属	*Rubus*	空心藨	*Rubus rosifolius*	是
蔷薇科	Rosaceae	悬钩子属	*Rubus*	柱序悬钩子	*Rubus subcoreanus*	是
蔷薇科	Rosaceae	悬钩子属	*Rubus*	三花悬钩子	*Rubus trianthus*	是

续表

科名	科拉丁学名	属名	属拉丁学名	种名	种拉丁学名	是否有药用历史
蔷薇科	Rosaceae	悬钩子属	*Rubus*	光滑悬钩子	*Rubus tsangii*	否
蔷薇科	Rosaceae	地榆属	*Sanguisorba*	矮地榆	*Sanguisorba filiformis*	是
蔷薇科	Rosaceae	地榆属	*Sanguisorba*	细叶地榆	*Sanguisorba tenuifolia*	是
蔷薇科	Rosaceae	绣线菊属	*Spiraea*	菱叶绣线菊	*Spiraea* × *vanhouttei*	否
蔷薇科	Rosaceae	绣线菊属	*Spiraea*	大叶华北绣线菊	*Spiraea fritschiana* var. *angulata*	是
蔷薇科	Rosaceae	绣线菊属	*Spiraea*	粉花绣线菊	*Spiraea japonica*	是
蔷薇科	Rosaceae	绣线菊属	*Spiraea*	渐尖叶粉花绣线菊	*Spiraea japonica* var. *acuminata*	是
蔷薇科	Rosaceae	绣线菊属	*Spiraea*	光叶粉花绣线菊	*Spiraea japonica* var. *fortunei*	是
蔷薇科	Rosaceae	绣线菊属	*Spiraea*	李叶绣线菊	*Spiraea prunifolia*	是
蔷薇科	Rosaceae	绣线菊属	*Spiraea*	单瓣李叶绣线菊	*Spiraea prunifolia* var. *simpliciflora*	是
蔷薇科	Rosaceae	绣线菊属	*Spiraea*	鄂西绣线菊	*Spiraea veitchii*	是
蔷薇科	Rosaceae	绣线菊属	*Spiraea*	陕西绣线菊	*Spiraea wilsonii*	否
蔷薇科	Rosaceae	小米空木属	*Stephanandra*	野珠兰	*Stephanandra chinensis*	是
豆科	Fabaceae	相思树属	*Acacia*	银荆	*Acacia dealbata*	是
豆科	Fabaceae	合欢属	*Albizia*	楹树	*Albizia chinensis*	是
豆科	Fabaceae	黄芪属	*Astragalus*	地八角	*Astragalus bhotanensis*	是
豆科	Fabaceae	黄芪属	*Astragalus*	黄芪	*Astragalus membranaceus*	是
豆科	Fabaceae	黄芪属	*Astragalus*	蒙古黄芪	*Astragalus membranaceus* var. *mongholicus*	是
豆科	Fabaceae	黄芪属	*Astragalus*	糙叶黄芪	*Astragalus scaberrimus*	是
豆科	Fabaceae	黄芪属	*Astragalus*	四川黄芪	*Astragalus sutchuenensis*	否
豆科	Fabaceae	羊蹄甲属	*Bauhinia*	鞍叶羊蹄甲	*Bauhinia brachycarpa*	是
豆科	Fabaceae	羊蹄甲属	*Bauhinia*	羊蹄甲	*Bauhinia purpurea*	是
豆科	Fabaceae	小凤花属	*Caesalpinia*	南天藤	*Caesalpinia crista*	是
豆科	Fabaceae	鸡血藤属	*Callerya*	香花鸡血藤	*Callerya dielsiana*	是
豆科	Fabaceae	鸡血藤属	*Callerya*	亮叶鸡血藤	*Callerya nitida*	是
豆科	Fabaceae	笐子梢属	*Campylotropis*	阔叶笐子梢	*Campylotropis latifolia*	否
豆科	Fabaceae	笐子梢属	*Campylotropis*	笐子梢	*Campylotropis macrocarpa*	是
豆科	Fabaceae	刀豆属	*Canavalia*	海刀豆	*Canavalia rosea*	是
豆科	Fabaceae	山扁豆属	*Chamaecrista*	大叶山扁豆	*Chamaecrista leschenaultiana*	是
豆科	Fabaceae	山扁豆属	*Chamaecrista*	含羞草山扁豆	*Chamaecrista mimosoides*	是
豆科	Fabaceae	山扁豆属	*Chamaecrista*	豆茶山扁豆	*Chamaecrista nomame*	是
豆科	Fabaceae	山扁豆属	*Chamaecrista*	柄腺山扁豆	*Chamaecrista pumila*	是
豆科	Fabaceae	首冠藤属	*Cheniella*	粉叶首冠藤	*Cheniella glauca*	是
豆科	Fabaceae	香槐属	*Cladrastis*	香槐	*Cladrastis wilsonii*	是
豆科	Fabaceae	猪屎豆属	*Crotalaria*	猪屎豆	*Crotalaria pallida*	是
豆科	Fabaceae	补骨脂属	*Cullen*	补骨脂	*Cullen corylifolium*	是
豆科	Fabaceae	鱼藤属	*Derris*	榼藤子鱼藤	*Derris entadoides*	否
豆科	Fabaceae	鱼藤属	*Derris*	厚果鱼藤	*Derris taiwaniana*	是

续表

科名	科拉丁学名	属名	属拉丁学名	种名	种拉丁学名	是否有药用历史
豆科	Fabaceae	山黑豆属	*Dumasia*	长圆叶山黑豆	*Dumasia henryi*	否
豆科	Fabaceae	山黑豆属	*Dumasia*	硬毛山黑豆	*Dumasia hirsuta*	否
豆科	Fabaceae	镰瓣豆属	*Dysolobium*	毛镰瓣豆	*Dysolobium pilosum*	否
豆科	Fabaceae	刺桐属	*Erythrina*	鸡冠刺桐	*Erythrina crista-galli*	是
豆科	Fabaceae	千斤拔属	*Flemingia*	千斤拔	*Flemingia prostrata*	是
豆科	Fabaceae	皂荚属	*Gleditsia*	野皂荚	*Gleditsia microphylla*	否
豆科	Fabaceae	米口袋属	*Gueldenstaedtia*	狭叶米口袋	*Gueldenstaedtia stenophylla*	是
豆科	Fabaceae	米口袋属	*Gueldenstaedtia*	米口袋	*Gueldenstaedtia verna*	是
豆科	Fabaceae	长柄山蚂蟥属	*Hylodesmum*	细长柄山蚂蟥	*Hylodesmum leptopus*	是
豆科	Fabaceae	长柄山蚂蟥属	*Hylodesmum*	四川长柄山蚂蟥	*Hylodesmum podocarpum* subsp. *szechuenense*	是
豆科	Fabaceae	长柄山蚂蟥属	*Hylodesmum*	大苞长柄山蚂蟥	*Hylodesmum williamsii*	否
豆科	Fabaceae	木蓝属	*Indigofera*	多花木蓝	*Indigofera amblyantha*	是
豆科	Fabaceae	木蓝属	*Indigofera*	黑叶木蓝	*Indigofera nigrescens*	是
豆科	Fabaceae	木蓝属	*Indigofera*	刺序木蓝	*Indigofera silvestrii*	否
豆科	Fabaceae	山黧豆属	*Lathyrus*	中华山黧豆	*Lathyrus dielsianus*	否
豆科	Fabaceae	细蚂蟥属	*Leptodesmia*	小叶细蚂蟥	*Leptodesmia microphylla*	是
豆科	Fabaceae	百脉根属	*Lotus*	细叶百脉根	*Lotus tenuis*	是
豆科	Fabaceae	苜蓿属	*Medicago*	野苜蓿	*Medicago falcata*	是
豆科	Fabaceae	苜蓿属	*Medicago*	花苜蓿	*Medicago ruthenica*	是
豆科	Fabaceae	苜蓿属	*Medicago*	苜蓿	*Medicago sativa*	是
豆科	Fabaceae	草木樨属	*Melilotus*	印度草木樨	*Melilotus indicus*	是
豆科	Fabaceae	草木樨属	*Melilotus*	黄香草木樨	*Melilotus officinalis*	是
豆科	Fabaceae	油麻藤属	*Mucuna*	褶皮油麻藤	*Mucuna lamellata*	是
豆科	Fabaceae	油麻藤属	*Mucuna*	油麻藤	*Mucuna sempervirens*	是
豆科	Fabaceae	草葛属	*Neustanthus*	草葛	*Neustanthus phaseoloides*	是
豆科	Fabaceae	红豆属	*Ormosia*	花榈木	*Ormosia henryi*	是
豆科	Fabaceae	饿蚂蝗属	*Ototropis*	饿蚂蟥	*Ototropis multiflora*	是
豆科	Fabaceae	棘豆属	*Oxytropis*	糙硬毛棘豆	*Oxytropis fetisowi*	是
豆科	Fabaceae	菜豆属	*Phaseolus*	荷包豆	*Phaseolus coccineus*	是
豆科	Fabaceae	老虎刺属	*Pterolobium*	老虎刺	*Pterolobium punctatum*	是
豆科	Fabaceae	葛属	*Pueraria*	葛	*Pueraria montana* var. *lobata*	是
豆科	Fabaceae	瓦子草属	*Puhuaea*	瓦子草	*Puhuaea sequax*	是
豆科	Fabaceae	鹿藿属	*Rhynchosia*	鹿藿	*Rhynchosia volubilis*	是
豆科	Fabaceae	刺槐属	*Robinia*	毛洋槐	*Robinia hispida*	是
豆科	Fabaceae	决明属	*Senna*	双荚决明	*Senna bicapsularis*	是
豆科	Fabaceae	决明属	*Senna*	槐叶决明	*Senna sophera*	是
豆科	Fabaceae	决明属	*Senna*	黄槐决明	*Senna surattensis*	是
豆科	Fabaceae	田菁属	*Sesbania*	田菁	*Sesbania cannabina*	是
豆科	Fabaceae	密花豆属	*Spatholobus*	密花豆	*Spatholobus suberectus*	是
豆科	Fabaceae	锥蚂蟥属	*Sunhangia*	锥蚂蟥	*Sunhangia elegans*	是
豆科	Fabaceae	野决明属	*Thermopsis*	披针叶野决明	*Thermopsis lanceolata*	是

续表

科名	科拉丁学名	属名	属拉丁学名	种名	种拉丁学名	是否有药用历史
豆科	Fabaceae	金合欢属	*Vachellia*	金合欢	*Vachellia farnesiana*	是
豆科	Fabaceae	野豌豆属	*Vicia*	山野豌豆	*Vicia amoena*	是
豆科	Fabaceae	野豌豆属	*Vicia*	确山野豌豆	*Vicia kioshanica*	是
豆科	Fabaceae	野豌豆属	*Vicia*	头序歪头菜	*Vicia ohwiana*	是
豆科	Fabaceae	野豌豆属	*Vicia*	窄叶野豌豆	*Vicia sativa* subsp. *nigra*	是
豆科	Fabaceae	野豌豆属	*Vicia*	四花野豌豆	*Vicia tetrantha*	否
豆科	Fabaceae	野豌豆属	*Vicia*	四籽野豌豆	*Vicia tetrasperma*	是
豆科	Fabaceae	野豌豆属	*Vicia*	长柔毛野豌豆	*Vicia villosa*	是
豆科	Fabaceae	野豌豆属	*Vicia*	欧洲苕子	*Vicia villosa* subsp. *varia*	是
豆科	Fabaceae	豇豆属	*Vigna*	短豇豆	*Vigna unguiculata* subsp. *cylindrica*	是
豆科	Fabaceae	豇豆属	*Vigna*	长豇豆	*Vigna unguiculata* subsp. *sesquipedalis*	是
豆科	Fabaceae	紫藤属	*Wisteria*	短梗紫藤	*Wisteria brevidentata*	否
豆科	Fabaceae	夏藤属	*Wisteriopsis*	江西夏藤	*Wisteriopsis kiangsiensis*	否
豆科	Fabaceae	夏藤属	*Wisteriopsis*	网络夏藤	*Wisteriopsis reticulata*	是
豆科	Fabaceae	任豆属	*Zenia*	任豆	*Zenia insignis*	否
酢浆草科	Oxalidaceae	酢浆草属	*Oxalis*	白花酢浆草	*Oxalis acetosella*	是
酢浆草科	Oxalidaceae	酢浆草属	*Oxalis*	大花酢浆草	*Oxalis bowiei*	是
牻牛儿苗科	Geraniaceae	牻牛儿苗属	*Erodium*	芹叶牻牛儿苗	*Erodium cicutarium*	是
牻牛儿苗科	Geraniaceae	老鹳草属	*Geranium*	汉荭鱼腥草	*Geranium robertianum*	是
亚麻科	Linaceae	亚麻属	*Linum*	宿根亚麻	*Linum perenne*	是
芸香科	Rutaceae	柑橘属	*Citrus*	香橙	*Citrus* × *junos*	是
芸香科	Rutaceae	柑橘属	*Citrus*	柠檬	*Citrus* × *limon*	是
芸香科	Rutaceae	柑橘属	*Citrus*	柚	*Citrus maxima*	是
芸香科	Rutaceae	柑橘属	*Citrus*	香橼	*Citrus medica*	是
芸香科	Rutaceae	黄檗属	*Phellodendron*	川黄檗	*Phellodendron chinense*	是
芸香科	Rutaceae	花椒属	*Zanthoxylum*	刺花椒	*Zanthoxylum acanthopodium*	是
芸香科	Rutaceae	花椒属	*Zanthoxylum*	簕欓花椒	*Zanthoxylum avicennae*	是
芸香科	Rutaceae	花椒属	*Zanthoxylum*	蚬壳花椒	*Zanthoxylum dissitum*	是
芸香科	Rutaceae	花椒属	*Zanthoxylum*	刺壳花椒	*Zanthoxylum echinocarpum*	是
芸香科	Rutaceae	花椒属	*Zanthoxylum*	贵州花椒	*Zanthoxylum esquirolii*	是
苦木科	Simaroubaceae	鸦胆子属	*Brucea*	鸦胆子	*Brucea javanica*	是
远志科	Polygalaceae	远志属	*Polygala*	黄花倒水莲	*Polygala fallax*	是
远志科	Polygalaceae	远志属	*Polygala*	小花远志	*Polygala telephioides*	是
大戟科	Euphorbiaceae	铁苋菜属	*Acalypha*	尾叶铁苋菜	*Acalypha acmophylla*	否
大戟科	Euphorbiaceae	铁苋菜属	*Acalypha*	红桑	*Acalypha wilkesiana*	是
大戟科	Euphorbiaceae	山麻秆属	*Alchornea*	山麻秆	*Alchornea davidii*	是
大戟科	Euphorbiaceae	秋枫属	*Bischofia*	秋枫	*Bischofia javanica*	是
大戟科	Euphorbiaceae	丹麻秆属	*Discocleidion*	毛丹麻秆	*Discocleidion rufescens*	是
大戟科	Euphorbiaceae	大戟属	*Euphorbia*	齿裂大戟	*Euphorbia dentata*	是
大戟科	Euphorbiaceae	大戟属	*Euphorbia*	长叶大戟	*Euphorbia donii*	否
大戟科	Euphorbiaceae	大戟属	*Euphorbia*	闽南大戟	*Euphorbia heyneana*	是

续表

科名	科拉丁学名	属名	属拉丁学名	种名	种拉丁学名	是否有药用历史
大戟科	Euphorbiaceae	大戟属	*Euphorbia*	大狼毒	*Euphorbia jolkinii*	是
大戟科	Euphorbiaceae	大戟属	*Euphorbia*	斑地锦草	*Euphorbia maculata*	是
大戟科	Euphorbiaceae	大戟属	*Euphorbia*	银边翠	*Euphorbia marginata*	是
大戟科	Euphorbiaceae	大戟属	*Euphorbia*	土瓜狼毒	*Euphorbia prolifera*	是
大戟科	Euphorbiaceae	白饭树属	*Flueggea*	白饭树	*Flueggea virosa*	是
大戟科	Euphorbiaceae	算盘子属	*Glochidion*	厚叶算盘子	*Glochidion hirsutum*	是
大戟科	Euphorbiaceae	白茶树属	*Koilodepas*	白茶树	*Koilodepas hainanense*	是
大戟科	Euphorbiaceae	野桐属	*Mallotus*	东南野桐	*Mallotus lianus*	否
大戟科	Euphorbiaceae	野桐属	*Mallotus*	尼泊尔野桐	*Mallotus nepalensis*	是
大戟科	Euphorbiaceae	野桐属	*Mallotus*	卵叶石岩枫	*Mallotus repandus* var. *scabrifolius*	否
虎皮楠科	Daphniphyllaceae	虎皮楠属	*Daphniphyllum*	虎皮楠	*Daphniphyllum oldhamii*	是
黄杨科	Buxaceae	黄杨属	*Buxus*	狭叶黄杨	*Buxus stenophylla*	否
黄杨科	Buxaceae	板凳果属	*Pachysandra*	多毛板凳果	*Pachysandra axillaris* var. *stylosa*	否
漆树科	Anacardiaceae	南酸枣属	*Choerospondias*	毛脉南酸枣	*Choerospondias axillaris* var. *pubinervis*	是
漆树科	Anacardiaceae	黄栌属	*Cotinus*	四川黄栌	*Cotinus szechuanensis*	否
漆树科	Anacardiaceae	盐麸木属	*Rhus*	盐麸木	*Rhus chinensis*	是
漆树科	Anacardiaceae	盐麸木属	*Rhus*	火炬树	*Rhus typhina*	是
五列木科	Pentaphylacaceae	柃属	*Eurya*	四角柃	*Eurya tetragonoclada*	是
冬青科	Aquifoliaceae	冬青属	*Ilex*	满树星	*Ilex aculeolata*	是
冬青科	Aquifoliaceae	冬青属	*Ilex*	秤星树	*Ilex asprella*	是
冬青科	Aquifoliaceae	冬青属	*Ilex*	齿叶冬青	*Ilex crenata*	是
冬青科	Aquifoliaceae	冬青属	*Ilex*	毛枝冬青	*Ilex dasyclada*	是
冬青科	Aquifoliaceae	冬青属	*Ilex*	细齿冬青	*Ilex denticulata*	否
冬青科	Aquifoliaceae	冬青属	*Ilex*	长柄冬青	*Ilex dolichopoda*	是
冬青科	Aquifoliaceae	冬青属	*Ilex*	狭叶冬青	*Ilex fargesii*	否
冬青科	Aquifoliaceae	冬青属	*Ilex*	光叶细刺枸骨	*Ilex hylonoma* var. *glabra*	是
冬青科	Aquifoliaceae	冬青属	*Ilex*	大柄冬青	*Ilex macropoda*	是
冬青科	Aquifoliaceae	冬青属	*Ilex*	铁冬青	*Ilex rotunda*	是
冬青科	Aquifoliaceae	冬青属	*Ilex*	神农架冬青	*Ilex shennongjiaensis*	否
卫矛科	Celastraceae	南蛇藤属	*Celastrus*	小南蛇藤	*Celastrus cuneatus*	是
卫矛科	Celastraceae	南蛇藤属	*Celastrus*	圆叶南蛇藤	*Celastrus kusanoi*	是
卫矛科	Celastraceae	南蛇藤属	*Celastrus*	灯油藤	*Celastrus paniculatus*	是
卫矛科	Celastraceae	卫矛属	*Euonymus*	软刺卫矛	*Euonymus aculeatus*	是
卫矛科	Celastraceae	卫矛属	*Euonymus*	棘刺卫矛	*Euonymus echinatus*	是
卫矛科	Celastraceae	卫矛属	*Euonymus*	冷地卫矛	*Euonymus frigidus*	是
卫矛科	Celastraceae	卫矛属	*Euonymus*	疏花卫矛	*Euonymus laxiflorus*	是
卫矛科	Celastraceae	卫矛属	*Euonymus*	中华卫矛	*Euonymus nitidus*	是
卫矛科	Celastraceae	卫矛属	*Euonymus*	狭叶卫矛	*Euonymus tsoi*	否
卫矛科	Celastraceae	裸实属	*Gymnosporia*	刺茶裸实	*Gymnosporia variabilis*	是
省沽油科	Staphyleaceae	瘿椒树属	*Tapiscia*	瘿椒树	*Tapiscia sinensis*	是

续表

科名	科拉丁学名	属名	属拉丁学名	种名	种拉丁学名	是否有药用历史
茶茱萸科	Icacinaceae	假柴龙树属	*Nothapodytes*	马比木	*Nothapodytes pittosporoides*	是
无患子科	Sapindaceae	槭属	*Acer*	阔叶槭	*Acer amplum*	否
无患子科	Sapindaceae	槭属	*Acer*	罗浮槭	*Acer fabri*	是
无患子科	Sapindaceae	槭属	*Acer*	扇叶槭	*Acer flabellatum*	否
无患子科	Sapindaceae	槭属	*Acer*	疏花槭	*Acer laxiflorum*	是
无患子科	Sapindaceae	槭属	*Acer*	长柄槭	*Acer longipes*	否
无患子科	Sapindaceae	槭属	*Acer*	梣叶槭	*Acer negundo*	是
无患子科	Sapindaceae	槭属	*Acer*	五裂槭	*Acer oliverianum*	是
无患子科	Sapindaceae	槭属	*Acer*	五角槭	*Acer pictum* subsp. *mono*	是
无患子科	Sapindaceae	槭属	*Acer*	毛脉槭	*Acer pubinerve*	是
无患子科	Sapindaceae	槭属	*Acer*	茶条槭	*Acer tataricum* subsp. *ginnala*	是
无患子科	Sapindaceae	槭属	*Acer*	苦条槭	*Acer tataricum* subsp. *theiferum*	是
无患子科	Sapindaceae	槭属	*Acer*	薄叶槭	*Acer tenellum*	否
无患子科	Sapindaceae	槭属	*Acer*	秦岭槭	*Acer tsinglingense*	否
无患子科	Sapindaceae	槭属	*Acer*	三峡槭	*Acer wilsonii*	否
无患子科	Sapindaceae	倒地铃属	*Cardiospermum*	倒地铃	*Cardiospermum halicacabum*	是
无患子科	Sapindaceae	栾属	*Koelreuteria*	复羽叶栾	*Koelreuteria bipinnata*	是
无患子科	Sapindaceae	栾属	*Koelreuteria*	台湾栾	*Koelreuteria elegans* subsp. *formosana*	否
无患子科	Sapindaceae	栾属	*Koelreuteria*	栾	*Koelreuteria paniculata*	是
无患子科	Sapindaceae	荔枝属	*Litchi*	荔枝	*Litchi chinensis*	是
清风藤科	Sabiaceae	泡花树属	*Meliosma*	泡花树	*Meliosma cuneifolia*	是
清风藤科	Sabiaceae	清风藤属	*Sabia*	四川清风藤	*Sabia schumanniana*	是
凤仙花科	Balsaminaceae	凤仙花属	*Impatiens*	美丽凤仙花	*Impatiens bellula*	否
凤仙花科	Balsaminaceae	凤仙花属	*Impatiens*	封怀凤仙花	*Impatiens fenghwaiana*	否
凤仙花科	Balsaminaceae	凤仙花属	*Impatiens*	裂距凤仙花	*Impatiens fissicornis*	否
凤仙花科	Balsaminaceae	凤仙花属	*Impatiens*	心萼凤仙花	*Impatiens henryi*	是
凤仙花科	Balsaminaceae	凤仙花属	*Impatiens*	大旗瓣凤仙花	*Impatiens macrovexilla*	否
凤仙花科	Balsaminaceae	凤仙花属	*Impatiens*	紫萼凤仙花	*Impatiens platychlaena*	否
凤仙花科	Balsaminaceae	凤仙花属	*Impatiens*	窄萼凤仙花	*Impatiens stenosepala*	是
鼠李科	Rhamnaceae	枳椇属	*Hovenia*	北枳椇	*Hovenia dulcis*	是
鼠李科	Rhamnaceae	枳椇属	*Hovenia*	毛果枳椇	*Hovenia trichocarpa*	是
鼠李科	Rhamnaceae	猫乳属	*Rhamnella*	毛背猫乳	*Rhamnella julianae*	否
鼠李科	Rhamnaceae	鼠李属	*Rhamnus*	锐齿鼠李	*Rhamnus arguta*	是
鼠李科	Rhamnaceae	鼠李属	*Rhamnus*	圆叶鼠李	*Rhamnus globosa*	是
鼠李科	Rhamnaceae	鼠李属	*Rhamnus*	亮叶鼠李	*Rhamnus hemsleyana*	是
鼠李科	Rhamnaceae	鼠李属	*Rhamnus*	桃叶鼠李	*Rhamnus iteinophylla*	否
鼠李科	Rhamnaceae	鼠李属	*Rhamnus*	黑桦树	*Rhamnus maximovicziana*	否
鼠李科	Rhamnaceae	鼠李属	*Rhamnus*	尼泊尔鼠李	*Rhamnus napalensis*	是
鼠李科	Rhamnaceae	鼠李属	*Rhamnus*	山鼠李	*Rhamnus wilsonii*	否
葡萄科	Vitaceae	大麻藤属	*Cayratia*	心叶大麻藤	*Cayratia cordifolia*	否

续表

科名	科拉丁学名	属名	属拉丁学名	种名	种拉丁学名	是否有药用历史
葡萄科	Vitaceae	牛果藤属	*Nekemias*	牛果藤	*Nekemias cantoniensis*	是
葡萄科	Vitaceae	牛果藤属	*Nekemias*	羽叶牛果藤	*Nekemias chaffanjonii*	是
葡萄科	Vitaceae	牛果藤属	*Nekemias*	大齿牛果藤	*Nekemias grossedentata*	是
葡萄科	Vitaceae	牛果藤属	*Nekemias*	大叶牛果藤	*Nekemias megalophylla*	是
葡萄科	Vitaceae	地锦属	*Parthenocissus*	异叶爬山虎	*Parthenocissus heterophylla*	是
葡萄科	Vitaceae	拟乌蔹莓属	*Pseudocayratia*	异果拟乌蔹莓	*Pseudocayratia dichromocarpa*	否
葡萄科	Vitaceae	拟乌蔹莓属	*Pseudocayratia*	华中拟乌蔹莓	*Pseudocayratia oligocarpa*	是
葡萄科	Vitaceae	崖爬藤属	*Tetrastigma*	多花崖爬藤	*Tetrastigma campylocarpum*	否
葡萄科	Vitaceae	崖爬藤属	*Tetrastigma*	尾叶崖爬藤	*Tetrastigma caudatum*	否
葡萄科	Vitaceae	崖爬藤属	*Tetrastigma*	毛枝崖爬藤	*Tetrastigma obovatum*	是
葡萄科	Vitaceae	崖爬藤属	*Tetrastigma*	上林崖爬藤	*Tetrastigma shanglinense*	否
葡萄科	Vitaceae	葡萄属	*Vitis*	小果葡萄	*Vitis balansana*	是
葡萄科	Vitaceae	葡萄属	*Vitis*	武汉葡萄	*Vitis wuhanensis*	否
杜英科	Elaeocarpaceae	杜英属	*Elaeocarpus*	中华杜英	*Elaeocarpus chinensis*	是
猕猴桃科	Actinidiaceae	猕猴桃属	*Actinidia*	美味猕猴桃	*Actinidia chinensis* var. *deliciosa*	是
猕猴桃科	Actinidiaceae	猕猴桃属	*Actinidia*	刺毛猕猴桃	*Actinidia chinensis* var. *setosa*	是
猕猴桃科	Actinidiaceae	猕猴桃属	*Actinidia*	滑叶猕猴桃	*Actinidia laevissima*	否
山茶科	Theaceae	山茶属	*Camellia*	贵州连蕊茶	*Camellia costei*	是
山茶科	Theaceae	山茶属	*Camellia*	毛柄连蕊茶	*Camellia fraterna*	是
山茶科	Theaceae	山茶属	*Camellia*	小瘤果茶	*Camellia parvimuricata*	否
山茶科	Theaceae	山茶属	*Camellia*	大萼小瘤果茶	*Camellia parvimuricata* var. *hupehensis*	否
山茶科	Theaceae	山茶属	*Camellia*	川鄂连蕊茶	*Camellia rosthorniana*	否
山茶科	Theaceae	核果茶属	*Pyrenaria*	粗毛石笔木	*Pyrenaria hirta*	否
藤黄科	Guttiferae	金丝桃属	*Hypericum*	川鄂金丝桃	*Hypericum wilsonii*	是
柽柳科	Tamaricaceae	水柏枝属	*Myricaria*	疏花水柏枝	*Myricaria laxiflora*	否
锦葵科	Malvaceae	山芝麻属	*Helicteres*	山芝麻	*Helicteres angustifolia*	是
锦葵科	Malvaceae	黄花棯属	*Sida*	黄花棯	*Sida acuta*	是
锦葵科	Malvaceae	黄花棯属	*Sida*	桤叶黄花棯	*Sida alnifolia*	是
锦葵科	Malvaceae	黄花棯属	*Sida*	心叶黄花棯	*Sida cordifolia*	是
锦葵科	Malvaceae	黄花棯属	*Sida*	湖南黄花棯	*Sida cordifolioides*	否
锦葵科	Malvaceae	黄花棯属	*Sida*	白背黄花棯	*Sida rhombifolia*	是
堇菜科	Violaceae	堇菜属	*Viola*	西山堇菜	*Viola hancockii*	否
堇菜科	Violaceae	堇菜属	*Viola*	蒙古堇菜	*Viola mongolica*	是
堇菜科	Violaceae	堇菜属	*Viola*	毛堇菜	*Viola thomsonii*	是
旌节花科	Stachyuraceae	旌节花属	*Stachyurus*	云南旌节花	*Stachyurus yunnanensis*	是
番木瓜科	Caricaceae	番木瓜属	*Carica*	番木瓜	*Carica papaya*	是
仙人掌科	Cactaceae	仙人掌属	*Opuntia*	缩刺仙人掌	*Opuntia stricta*	否
瑞香科	Thymelaeaceae	荛花属	*Wikstroemia*	头序荛花	*Wikstroemia capitata*	是
瑞香科	Thymelaeaceae	荛花属	*Wikstroemia*	纤细荛花	*Wikstroemia gracilis*	否
瑞香科	Thymelaeaceae	荛花属	*Wikstroemia*	鄂北荛花	*Wikstroemia pampaninii*	否
千屈菜科	Lythraceae	水苋菜属	*Ammannia*	耳基水苋菜	*Ammannia auriculata*	是

续表

科名	科拉丁学名	属名	属拉丁学名	种名	种拉丁学名	是否有药用历史
千屈菜科	Lythraceae	紫薇属	*Lagerstroemia*	福建紫薇	*Lagerstroemia limii*	否
千屈菜科	Lythraceae	菱属	*Trapa*	欧菱	*Trapa natans*	是
野牡丹科	Melastomataceae	野海棠属	*Bredia*	宽萼野海棠	*Bredia latisepala*	否
野牡丹科	Melastomataceae	野牡丹属	*Melastoma*	地菍	*Melastoma dodecandrum*	是
野牡丹科	Melastomataceae	金锦香属	*Osbeckia*	星毛金锦香	*Osbeckia stellata*	是
野牡丹科	Melastomataceae	锦香草属	*Phyllagathis*	锦香草	*Phyllagathis cavaleriei*	是
野牡丹科	Melastomataceae	鸭脚茶属	*Tashiroea*	过路惊	*Tashiroea quadrangularis*	是
柳叶菜科	Onagraceae	柳叶菜属	*Epilobium*	细籽柳叶菜	*Epilobium minutiflorum*	是
柳叶菜科	Onagraceae	丁香蓼属	*Ludwigia*	水龙	*Ludwigia adscendens*	是
柳叶菜科	Onagraceae	丁香蓼属	*Ludwigia*	假柳叶菜	*Ludwigia epilobioides*	是
柳叶菜科	Onagraceae	丁香蓼属	*Ludwigia*	卵叶丁香蓼	*Ludwigia ovalis*	否
柳叶菜科	Onagraceae	月见草属	*Oenothera*	山桃草	*Oenothera lindheimeri*	否
柳叶菜科	Onagraceae	月见草属	*Oenothera*	小花月见草	*Oenothera parviflora*	否
柳叶菜科	Onagraceae	月见草属	*Oenothera*	粉花月见草	*Oenothera rosea*	是
柳叶菜科	Onagraceae	月见草属	*Oenothera*	四翅月见草	*Oenothera tetraptera*	是
柳叶菜科	Onagraceae	月见草属	*Oenothera*	长毛月见草	*Oenothera villosa*	是
五加科	Araliaceae	楤木属	*Aralia*	黄毛楤木	*Aralia chinensis*	是
五加科	Araliaceae	楤木属	*Aralia*	头序楤木	*Aralia dasyphylla*	是
五加科	Araliaceae	楤木属	*Aralia*	锈毛羽叶参	*Aralia franchetii*	是
五加科	Araliaceae	五加属	*Eleutherococcus*	毛梗糙叶五加	*Eleutherococcus henryi* var. *faberi*	是
五加科	Araliaceae	五加属	*Eleutherococcus*	狭叶藤五加	*Eleutherococcus leucorrhizus* var. *scaberulus*	是
五加科	Araliaceae	鹅掌柴属	*Heptapleurum*	鹅掌藤	*Heptapleurum arboricola*	是
五加科	Araliaceae	鹅掌柴属	*Heptapleurum*	星毛鸭脚木	*Heptapleurum minutistellatum*	是
五加科	Araliaceae	天胡荽属	*Hydrocotyle*	喜马拉雅天胡荽	*Hydrocotyle himalaica*	否
五加科	Araliaceae	梁王茶属	*Metapanax*	异叶梁王茶	*Metapanax davidii*	是
五加科	Araliaceae	梁王茶属	*Metapanax*	梁王茶	*Metapanax delavayi*	是
五加科	Araliaceae	人参属	*Panax*	疙瘩七	*Panax bipinnatifidus*	是
伞形科	Apiaceae	当归属	*Angelica*	家独活	*Angelica pubescens*	是
伞形科	Apiaceae	柴胡属	*Bupleurum*	紫花阔叶柴胡	*Bupleurum boissieuanum*	是
伞形科	Apiaceae	柴胡属	*Bupleurum*	北柴胡	*Bupleurum chinense*	是
伞形科	Apiaceae	葛缕子属	*Carum*	田葛缕子	*Carum buriaticum*	是
伞形科	Apiaceae	羌活属	*Hansenia*	羌活	*Hansenia weberbaueriana*	是
伞形科	Apiaceae	独活属	*Heracleum*	平截独活	*Heracleum vicinum*	是
伞形科	Apiaceae	岩风属	*Libanotis*	万年春	*Libanotis wannienchun*	否
伞形科	Apiaceae	水芹属	*Oenanthe*	多裂叶水芹	*Oenanthe thomsonii*	是
伞形科	Apiaceae	水芹属	*Oenanthe*	窄叶水芹	*Oenanthe thomsonii* subsp. *stenophylla*	是
伞形科	Apiaceae	前胡属	*Peucedanum*	前胡	*Peucedanum praeruptorum*	是
伞形科	Apiaceae	茴芹属	*Pimpinella*	川鄂茴芹	*Pimpinella henryi*	是
伞形科	Apiaceae	棱子芹属	*Pleurospermum*	鸡冠棱子芹	*Pleurospermum cristatum*	否

续表

科名	科拉丁学名	属名	属拉丁学名	种名	种拉丁学名	是否有药用历史
伞形科	Apiaceae	囊瓣芹属	*Pternopetalum*	散血芹	*Pternopetalum botrychioides*	是
伞形科	Apiaceae	翅棱芹属	*Pterygopleurum*	翅棱芹	*Pterygopleurum neurophyllum*	是
伞形科	Apiaceae	大叶芹属	*Spuriopimpinella*	尖齿大叶芹	*Spuriopimpinella arguta*	是
山茱萸科	Cornaceae	八角枫属	*Alangium*	云南八角枫	*Alangium yunnanense*	否
山茱萸科	Cornaceae	山茱萸属	*Cornus*	红瑞木	*Cornus alba*	是
山茱萸科	Cornaceae	山茱萸属	*Cornus*	沙梾	*Cornus bretschneideri*	否
桤叶树科	Clethraceae	桤叶树属	*Clethra*	云南桤叶树	*Clethra delavayi*	是
杜鹃花科	Ericaceae	吊钟花属	*Enkianthus*	吊钟花	*Enkianthus quinqueflorus*	是
杜鹃花科	Ericaceae	马醉木属	*Pieris*	美丽马醉木	*Pieris formosa*	是
杜鹃花科	Ericaceae	杜鹃花属	*Rhododendron*	锦绣杜鹃	*Rhododendron* × *pulchrum*	是
杜鹃花科	Ericaceae	杜鹃花属	*Rhododendron*	鹿角杜鹃	*Rhododendron latoucheae*	是
杜鹃花科	Ericaceae	杜鹃花属	*Rhododendron*	倒矛杜鹃	*Rhododendron oblancifolium*	否
杜鹃花科	Ericaceae	越橘属	*Vaccinium*	黄背越橘	*Vaccinium iteophyllum*	是
杜鹃花科	Ericaceae	越橘属	*Vaccinium*	江南越橘	*Vaccinium mandarinorum*	是
杜鹃花科	Ericaceae	越橘属	*Vaccinium*	笃斯越橘	*Vaccinium uliginosum*	是
报春花科	Primulaceae	紫金牛属	*Ardisia*	尾叶紫金牛	*Ardisia caudata*	是
报春花科	Primulaceae	紫金牛属	*Ardisia*	粗脉紫金牛	*Ardisia crassinervosa*	是
报春花科	Primulaceae	紫金牛属	*Ardisia*	月月红	*Ardisia faberi*	是
报春花科	Primulaceae	紫金牛属	*Ardisia*	山血丹	*Ardisia lindleyana*	是
报春花科	Primulaceae	酸藤子属	*Embelia*	平叶酸藤子	*Embelia undulata*	是
报春花科	Primulaceae	酸藤子属	*Embelia*	密齿酸藤子	*Embelia vestita*	是
报春花科	Primulaceae	珍珠菜属	*Lysimachia*	广西过路黄	*Lysimachia alfredii*	是
报春花科	Primulaceae	珍珠菜属	*Lysimachia*	狼尾花	*Lysimachia barystachys*	是
报春花科	Primulaceae	珍珠菜属	*Lysimachia*	异花珍珠菜	*Lysimachia crispidens*	否
报春花科	Primulaceae	珍珠菜属	*Lysimachia*	延叶珍珠菜	*Lysimachia decurrens*	是
报春花科	Primulaceae	珍珠菜属	*Lysimachia*	大叶过路黄	*Lysimachia fordiana*	是
报春花科	Primulaceae	珍珠菜属	*Lysimachia*	星宿菜	*Lysimachia fortunei*	是
报春花科	Primulaceae	珍珠菜属	*Lysimachia*	宜昌过路黄	*Lysimachia henryi*	是
报春花科	Primulaceae	珍珠菜属	*Lysimachia*	长蕊珍珠菜	*Lysimachia lobelioides*	是
报春花科	Primulaceae	珍珠菜属	*Lysimachia*	山罗过路黄	*Lysimachia melampyroides*	是
报春花科	Primulaceae	珍珠菜属	*Lysimachia*	狭叶落地梅	*Lysimachia paridiformis* var. *stenophylla*	是
报春花科	Primulaceae	珍珠菜属	*Lysimachia*	巴东过路黄	*Lysimachia patungensis*	是
报春花科	Primulaceae	珍珠菜属	*Lysimachia*	贯叶过路黄	*Lysimachia perfoliata*	否
报春花科	Primulaceae	珍珠菜属	*Lysimachia*	矮星宿菜	*Lysimachia pumila*	是
报春花科	Primulaceae	铁仔属	*Myrsine*	针齿铁仔	*Myrsine semiserrata*	是
报春花科	Primulaceae	报春花属	*Primula*	堇叶报春	*Primula cicutariifolia*	否
报春花科	Primulaceae	报春花属	*Primula*	灰绿报春	*Primula cinerascens*	否
报春花科	Primulaceae	报春花属	*Primula*	陕西羽叶报春	*Primula filchnerae*	否
报春花科	Primulaceae	报春花属	*Primula*	报春花	*Primula malacoides*	是
报春花科	Primulaceae	报春花属	*Primula*	保康报春	*Primula neurocalyx*	否

续表

科名	科拉丁学名	属名	属拉丁学名	种名	种拉丁学名	是否有药用历史
报春花科	Primulaceae	报春花属	*Primula*	齿萼报春	*Primula odontocalyx*	是
报春花科	Primulaceae	报春花属	*Primula*	米仓山报春	*Primula scopulorum*	否
柿科	Ebenaceae	柿属	*Diospyros*	乌柿	*Diospyros cathayensis*	是
柿科	Ebenaceae	柿属	*Diospyros*	山柿	*Diospyros japonica*	是
柿科	Ebenaceae	柿属	*Diospyros*	老鸦柿	*Diospyros rhombifolia*	是
山矾科	Symplocaceae	山矾属	*Symplocos*	日本白檀	*Symplocos paniculata*	是
山矾科	Symplocaceae	山矾属	*Symplocos*	老鼠屎	*Symplocos stellaris*	是
安息香科	Styracaceae	赤杨叶属	*Alniphyllum*	赤杨叶	*Alniphyllum fortunei*	是
安息香科	Styracaceae	白辛树属	*Pterostyrax*	小叶白辛树	*Pterostyrax corymbosus*	否
安息香科	Styracaceae	白辛树属	*Pterostyrax*	白辛树	*Pterostyrax psilophyllus*	是
安息香科	Styracaceae	秤锤树属	*Sinojackia*	秤锤树	*Sinojackia xylocarpa*	否
安息香科	Styracaceae	安息香属	*Styrax*	中华安息香	*Styrax chinensis*	是
安息香科	Styracaceae	安息香属	*Styrax*	赛山梅	*Styrax confusus*	是
安息香科	Styracaceae	安息香属	*Styrax*	垂珠花	*Styrax dasyanthus*	是
安息香科	Styracaceae	安息香属	*Styrax*	白花龙	*Styrax faberi*	是
安息香科	Styracaceae	安息香属	*Styrax*	老鸹铃	*Styrax hemsleyanus*	是
安息香科	Styracaceae	安息香属	*Styrax*	芬芳安息香	*Styrax odoratissimus*	是
安息香科	Styracaceae	安息香属	*Styrax*	粉花安息香	*Styrax roseus*	是
安息香科	Styracaceae	安息香属	*Styrax*	栓叶安息香	*Styrax suberifolius*	是
木犀科	Oleaceae	梣属	*Fraxinus*	锈毛梣	*Fraxinus ferruginea*	是
木犀科	Oleaceae	素馨属	*Jasminum*	华素馨	*Jasminum sinense*	是
木犀科	Oleaceae	女贞属	*Ligustrum*	细女贞	*Ligustrum gracile*	否
木犀科	Oleaceae	女贞属	*Ligustrum*	华女贞	*Ligustrum lianum*	否
木犀科	Oleaceae	女贞属	*Ligustrum*	倒卵叶女贞	*Ligustrum obovatilimbum*	否
木犀科	Oleaceae	女贞属	*Ligustrum*	多毛小蜡	*Ligustrum sinense* var. *coryanum*	是
木犀科	Oleaceae	木樨榄属	*Olea*	木樨榄	*Olea europaea*	是
木犀科	Oleaceae	木樨属	*Osmanthus*	红柄木樨	*Osmanthus armatus*	是
木犀科	Oleaceae	木樨属	*Osmanthus*	管花木樨	*Osmanthus delavayi*	是
木犀科	Oleaceae	木樨属	*Osmanthus*	木樨	*Osmanthus fragrans*	是
木犀科	Oleaceae	木樨属	*Osmanthus*	短丝木樨	*Osmanthus serrulatus*	否
龙胆科	Gentianaceae	芡属	*Euryale*	芡	*Euryale ferox*	是
龙胆科	Gentianaceae	龙胆属	*Gentiana*	高山龙胆	*Gentiana algida*	是
龙胆科	Gentianaceae	龙胆属	*Gentiana*	线叶龙胆	*Gentiana lawrencei* var. *farreri*	是
龙胆科	Gentianaceae	龙胆属	*Gentiana*	少叶龙胆	*Gentiana oligophylla*	否
龙胆科	Gentianaceae	龙胆属	*Gentiana*	小繁缕叶龙胆	*Gentiana rubicunda* var. *samolifolia*	是
龙胆科	Gentianaceae	龙胆属	*Gentiana*	多花龙胆	*Gentiana striolata*	否
龙胆科	Gentianaceae	龙胆属	*Gentiana*	紫花龙胆	*Gentiana syringea*	否
龙胆科	Gentianaceae	龙胆属	*Gentiana*	母草叶龙胆	*Gentiana vandellioides*	否
龙胆科	Gentianaceae	龙胆属	*Gentiana*	灰绿龙胆	*Gentiana yokusai*	是
龙胆科	Gentianaceae	扁蕾属	*Gentianopsis*	湿生扁蕾	*Gentianopsis paludosa*	是

续表

科名	科拉丁学名	属名	属拉丁学名	种名	种拉丁学名	是否有药用历史
龙胆科	Gentianaceae	花锚属	*Halenia*	卵萼花锚	*Halenia elliptica*	是
龙胆科	Gentianaceae	睡莲属	*Nymphaea*	雪白睡莲	*Nymphaea candida*	是
龙胆科	Gentianaceae	荇菜属	*Nymphoides*	小荇菜	*Nymphoides coreana*	否
龙胆科	Gentianaceae	荇菜属	*Nymphoides*	荇菜	*Nymphoides peltata*	是
龙胆科	Gentianaceae	翼萼蔓属	*Pterygocalyx*	翼萼蔓	*Pterygocalyx volubilis*	是
龙胆科	Gentianaceae	獐牙菜属	*Swertia*	狭叶獐牙菜	*Swertia angustifolia*	是
龙胆科	Gentianaceae	獐牙菜属	*Swertia*	鄂西獐牙菜	*Swertia oculata*	否
龙胆科	Gentianaceae	獐牙菜属	*Swertia*	北温带獐牙菜	*Swertia perennis*	否
夹竹桃科	Apocynaceae	鸡骨常山属	*Alstonia*	鸡骨常山	*Alstonia yunnanensis*	是
夹竹桃科	Apocynaceae	链珠藤属	*Alyxia*	橄榄果链珠藤	*Alyxia balansae*	是
夹竹桃科	Apocynaceae	马利筋属	*Asclepias*	马利筋	*Asclepias curassavica*	是
夹竹桃科	Apocynaceae	秦岭藤属	*Biondia*	秦岭藤	*Biondia chinensis*	是
夹竹桃科	Apocynaceae	秦岭藤属	*Biondia*	青龙藤	*Biondia henryi*	是
夹竹桃科	Apocynaceae	长春花属	*Catharanthus*	白长春花	*Catharanthus roseus* cv. Albus	是
夹竹桃科	Apocynaceae	吊灯花属	*Ceropegia*	宝兴吊灯花	*Ceropegia paohsingensis*	否
夹竹桃科	Apocynaceae	鹅绒藤属	*Cynanchum*	朱砂藤	*Cynanchum officinale*	是
夹竹桃科	Apocynaceae	鹅绒藤属	*Cynanchum*	青羊参	*Cynanchum otophyllum*	是
夹竹桃科	Apocynaceae	山橙属	*Melodinus*	尖山橙	*Melodinus fusiformis*	是
夹竹桃科	Apocynaceae	帘子藤属	*Pottsia*	大花帘子藤	*Pottsia grandiflora*	是
夹竹桃科	Apocynaceae	络石属	*Trachelospermum*	亚洲络石	*Trachelospermum asiaticum*	是
夹竹桃科	Apocynaceae	络石属	*Trachelospermum*	贵州络石	*Trachelospermum bodinieri*	是
夹竹桃科	Apocynaceae	络石属	*Trachelospermum*	短柱络石	*Trachelospermum brevistylum*	是
夹竹桃科	Apocynaceae	娃儿藤属	*Tylophora*	宜昌娃儿藤	*Tylophora augustiniana*	否
夹竹桃科	Apocynaceae	娃儿藤属	*Tylophora*	长梗娃儿藤	*Tylophora glabra*	是
夹竹桃科	Apocynaceae	娃儿藤属	*Tylophora*	湖北娃儿藤	*Tylophora silvestrii*	否
夹竹桃科	Apocynaceae	蔓长春花属	*Vinca*	花叶蔓长春花	*Vinca major* cv. Variegata	是
夹竹桃科	Apocynaceae	白前属	*Vincetoxicum*	白前	*Vincetoxicum glaucescens*	是
夹竹桃科	Apocynaceae	白前属	*Vincetoxicum*	变色白前	*Vincetoxicum versicolor*	是
旋花科	Convolvulaceae	打碗花属	*Calystegia*	藤长苗	*Calystegia pellita*	是
旋花科	Convolvulaceae	打碗花属	*Calystegia*	欧旋花	*Calystegia sepium* subsp. *spectabilis*	否
旋花科	Convolvulaceae	旋花属	*Convolvulus*	银灰旋花	*Convolvulus ammannii*	是
旋花科	Convolvulaceae	菟丝子属	*Cuscuta*	原野菟丝子	*Cuscuta campestris*	是
旋花科	Convolvulaceae	土丁桂属	*Evolvulus*	银丝草	*Evolvulus alsinoides* var. *decumbens*	是
旋花科	Convolvulaceae	虎掌藤属	*Ipomoea*	橙红茑萝	*Ipomoea cholulensis*	是
旋花科	Convolvulaceae	虎掌藤属	*Ipomoea*	小心叶薯	*Ipomoea obscura*	是
旋花科	Convolvulaceae	虎掌藤属	*Ipomoea*	茑萝	*Ipomoea quamoclit*	是
旋花科	Convolvulaceae	小牵牛属	*Jacquemontia*	小牵牛	*Jacquemontia paniculata*	是
花荵科	Polemoniaceae	福禄考属	*Phlox*	福禄考	*Phlox drummondii*	否
紫草科	Boraginaceae	斑种草属	*Bothriospermum*	多苞斑种草	*Bothriospermum secundum*	是
紫草科	Boraginaceae	蓝蓟属	*Echium*	蓝蓟	*Echium vulgare*	是

续表

科名	科拉丁学名	属名	属拉丁学名	种名	种拉丁学名	是否有药用历史
紫草科	Boraginaceae	紫筒草属	*Stenosolenium*	紫筒草	*Stenosolenium saxatile*	是
紫草科	Boraginaceae	附地菜属	*Trigonotis*	西南附地菜	*Trigonotis cavaleriei*	是
紫草科	Boraginaceae	附地菜属	*Trigonotis*	湖北附地菜	*Trigonotis mollis*	是
唇形科	Lamiaceae	筋骨草属	*Ajuga*	线叶筋骨草	*Ajuga linearifolia*	是
唇形科	Lamiaceae	水棘针属	*Amethystea*	水棘针	*Amethystea caerulea*	是
唇形科	Lamiaceae	紫珠属	*Callicarpa*	尖尾枫	*Callicarpa dolichophylla*	是
唇形科	Lamiaceae	紫珠属	*Callicarpa*	藤紫珠	*Callicarpa integerrima* var. *chinensis*	是
唇形科	Lamiaceae	紫珠属	*Callicarpa*	日本紫珠	*Callicarpa japonica*	是
唇形科	Lamiaceae	紫珠属	*Callicarpa*	广东紫珠	*Callicarpa kwangtungensis*	是
唇形科	Lamiaceae	莸属	*Caryopteris*	毛球莸	*Caryopteris trichosphaera*	是
唇形科	Lamiaceae	鬃尾草属	*Chaiturus*	鬃尾草	*Chaiturus marrubiastrum*	是
唇形科	Lamiaceae	铃子香属	*Chelonopsis*	毛药花	*Chelonopsis deflexa*	是
唇形科	Lamiaceae	绒苞藤属	*Congea*	绒苞藤	*Congea tomentosa*	否
唇形科	Lamiaceae	香薷属	*Elsholtzia*	密花香薷	*Elsholtzia densa*	是
唇形科	Lamiaceae	活血丹属	*Glechoma*	狭萼白透骨消	*Glechoma biondiana* var. *angustituba*	是
唇形科	Lamiaceae	活血丹属	*Glechoma*	大花活血丹	*Glechoma sinograndis*	是
唇形科	Lamiaceae	全唇花属	*Holocheila*	全唇花	*Holocheila longipedunculata*	是
唇形科	Lamiaceae	香茶菜属	*Isodon*	毛叶香茶菜	*Isodon japonicus*	是
唇形科	Lamiaceae	香简草属	*Keiskea*	香薷状香简草	*Keiskea elsholtzioides*	是
唇形科	Lamiaceae	薰衣草属	*Lavandula*	薰衣草	*Lavandula angustifolia*	是
唇形科	Lamiaceae	益母草属	*Leonurus*	假鬃尾草	*Leonurus chaituroides*	否
唇形科	Lamiaceae	绣球防风属	*Leucas*	绣球防风	*Leucas ciliata*	是
唇形科	Lamiaceae	绣球防风属	*Leucas*	疏毛白绒草	*Leucas mollissima* var. *chinensis*	是
唇形科	Lamiaceae	斜萼草属	*Loxocalyx*	斜萼草	*Loxocalyx urticifolius*	是
唇形科	Lamiaceae	地笋属	*Lycopus*	地笋	*Lycopus lucidus*	是
唇形科	Lamiaceae	地笋属	*Lycopus*	硬毛地笋	*Lycopus lucidus* var. *hirtus*	是
唇形科	Lamiaceae	龙头草属	*Meehania*	肉叶龙头草	*Meehania faberi*	否
唇形科	Lamiaceae	龙头草属	*Meehania*	梗花华西龙头草	*Meehania fargesii* var. *pedunculata*	是
唇形科	Lamiaceae	薄荷属	*Mentha*	欧薄荷	*Mentha longifolia*	是
唇形科	Lamiaceae	石荠苎属	*Mosla*	少花荠苎	*Mosla pauciflora*	是
唇形科	Lamiaceae	荆芥属	*Nepeta*	浙荆芥	*Nepeta everardi*	是
唇形科	Lamiaceae	荆芥属	*Nepeta*	淡紫荆芥	*Nepeta yanthina*	否
唇形科	Lamiaceae	罗勒属	*Ocimum*	丁香罗勒	*Ocimum gratissimum*	是
唇形科	Lamiaceae	鸡脚参属	*Orthosiphon*	肾茶	*Orthosiphon aristatus*	是
唇形科	Lamiaceae	假糙苏属	*Paraphlomis*	纤细假糙苏	*Paraphlomis gracilis*	是
唇形科	Lamiaceae	紫苏属	*Perilla*	茴茴苏	*Perilla frutescens* var. *crispa*	是
唇形科	Lamiaceae	逐风草属	*Platostoma*	凉粉草	*Platostoma palustre*	是
唇形科	Lamiaceae	刺蕊草属	*Pogostemon*	水珍珠菜	*Pogostemon auricularius*	是
唇形科	Lamiaceae	刺蕊草属	*Pogostemon*	齿叶水蜡烛	*Pogostemon sampsonii*	是

续表

科名	科拉丁学名	属名	属拉丁学名	种名	种拉丁学名	是否有药用历史
唇形科	Lamiaceae	豆腐柴属	*Premna*	黄药豆腐柴	*Premna cavaleriei*	是
唇形科	Lamiaceae	迷迭香属	*Rosmarinus*	迷迭香	*Rosmarinus officinalis*	是
唇形科	Lamiaceae	钩子木属	*Rostrinucula*	长叶钩子木	*Rostrinucula sinensis*	否
唇形科	Lamiaceae	掌叶石蚕属	*Rubiteucris*	掌叶石蚕	*Rubiteucris palmata*	否
唇形科	Lamiaceae	鼠尾草属	*Salvia*	紫背贵州鼠尾草	*Salvia cavaleriei* var. *erythrophylla*	是
唇形科	Lamiaceae	鼠尾草属	*Salvia*	朱唇	*Salvia coccinea*	是
唇形科	Lamiaceae	鼠尾草属	*Salvia*	湖北鼠尾草	*Salvia hupehensis*	是
唇形科	Lamiaceae	鼠尾草属	*Salvia*	浙皖丹参	*Salvia sinica*	是
唇形科	Lamiaceae	四棱草属	*Schnabelia*	金腺莸	*Schnabelia aureoglandulosa*	是
唇形科	Lamiaceae	四棱草属	*Schnabelia*	单花莸	*Schnabelia nepetifolia*	是
唇形科	Lamiaceae	黄芩属	*Scutellaria*	湖南黄芩	*Scutellaria hunanensis*	否
唇形科	Lamiaceae	黄芩属	*Scutellaria*	小叶韩信草	*Scutellaria indica* var. *parvifolia*	是
唇形科	Lamiaceae	黄芩属	*Scutellaria*	锯叶峨眉黄芩	*Scutellaria omeiensis* var. *serratifolia*	是
唇形科	Lamiaceae	筒冠花属	*Siphocranion*	光柄筒冠花	*Siphocranion nudipes*	是
唇形科	Lamiaceae	水苏属	*Stachys*	西南水苏	*Stachys kouyangensis*	是
唇形科	Lamiaceae	香科科属	*Teucrium*	峨眉香科科	*Teucrium omeiense*	是
唇形科	Lamiaceae	香科科属	*Teucrium*	长毛香科科	*Teucrium pilosum*	是
唇形科	Lamiaceae	香科科属	*Teucrium*	裂苞香科科	*Teucrium veronicoides*	否
唇形科	Lamiaceae	叉枝莸属	*Tripora*	叉枝莸	*Tripora divaricata*	是
唇形科	Lamiaceae	牡荆属	*Vitex*	灰毛牡荆	*Vitex canescens*	是
唇形科	Lamiaceae	牡荆属	*Vitex*	荆条	*Vitex negundo* var. *heterophylla*	是
唇形科	Lamiaceae	牡荆属	*Vitex*	蔓荆	*Vitex trifolia*	是
唇形科	Lamiaceae	吴黄木属	*Vuhuangia*	吴黄木	*Vuhuangia flava*	是
茄科	Solanaceae	山莨菪属	*Anisodus*	三分三	*Anisodus acutangulus*	是
茄科	Solanaceae	夜香树属	*Cestrum*	夜香树	*Cestrum nocturnum*	是
茄科	Solanaceae	曼陀罗属	*Datura*	洋金花	*Datura metel*	是
茄科	Solanaceae	枸杞属	*Lycium*	宁夏枸杞	*Lycium barbarum*	是
茄科	Solanaceae	洋酸浆属	*Physalis*	短毛酸浆	*Physalis pubescens*	是
茄科	Solanaceae	脬囊草属	*Physochlaina*	大叶脬囊草	*Physochlaina macrophylla*	是
茄科	Solanaceae	茄属	*Solanum*	疏刺茄	*Solanum nienkui*	是
茄科	Solanaceae	茄属	*Solanum*	马铃薯	*Solanum tuberosum*	是
茄科	Solanaceae	龙珠属	*Tubocapsicum*	龙珠	*Tubocapsicum anomalum*	是
玄参科	Scrophulariaceae	醉鱼草属	*Buddleja*	白背枫	*Buddleja asiatica*	是
玄参科	Scrophulariaceae	陌上菜属	*Lindernia*	长蒴母草	*Lindernia anagallis*	是
玄参科	Scrophulariaceae	通泉草属	*Mazus*	早落通泉草	*Mazus caducifer*	否
玄参科	Scrophulariaceae	通泉草属	*Mazus*	长蔓通泉草	*Mazus longipes*	否
玄参科	Scrophulariaceae	泡桐属	*Paulownia*	南方泡桐	*Paulownia taiwaniana*	是
玄参科	Scrophulariaceae	玄参属	*Scrophularia*	华北玄参	*Scrophularia moellendorffii*	否
玄参科	Scrophulariaceae	蝴蝶草属	*Torenia*	长叶蝴蝶草	*Torenia asiatica*	是
玄参科	Scrophulariaceae	蝴蝶草属	*Torenia*	紫斑蝴蝶草	*Torenia fordii*	是

续表

科名	科拉丁学名	属名	属拉丁学名	种名	种拉丁学名	是否有药用历史
玄参科	Scrophulariaceae	蝴蝶草属	*Torenia*	蓝猪耳	*Torenia fournieri*	是
玄参科	Scrophulariaceae	毛蕊花属	*Verbascum*	毛蕊花	*Verbascum thapsus*	是
紫葳科	Bignoniaceae	凌霄属	*Campsis*	厚萼凌霄	*Campsis radicans*	是
紫葳科	Bignoniaceae	梓属	*Catalpa*	楸	*Catalpa bungei*	是
胡麻科	Pedaliaceae	芝麻属	*Sesamum*	芝麻	*Sesamum indicum*	是
列当科	Orobanchaceae	野菰属	*Aeginetia*	东野菰	*Aeginetia orientale*	是
列当科	Orobanchaceae	来江藤属	*Brandisia*	广西来江藤	*Brandisia kwangsiensis*	是
列当科	Orobanchaceae	火焰草属	*Castilleja*	火焰草	*Castilleja pallida*	是
列当科	Orobanchaceae	小米草属	*Euphrasia*	小米草	*Euphrasia pectinata*	是
列当科	Orobanchaceae	鹿茸草属	*Monochasma*	白毛鹿茸草	*Monochasma savatieri*	是
列当科	Orobanchaceae	马先蒿属	*Pedicularis*	短茎马先蒿	*Pedicularis artselaeri*	是
列当科	Orobanchaceae	马先蒿属	*Pedicularis*	扭盔马先蒿	*Pedicularis davidii*	是
列当科	Orobanchaceae	马先蒿属	*Pedicularis*	华中马先蒿	*Pedicularis fargesii*	是
列当科	Orobanchaceae	马先蒿属	*Pedicularis*	旋喙马先蒿	*Pedicularis gyrorhyncha*	否
列当科	Orobanchaceae	马先蒿属	*Pedicularis*	江南马先蒿	*Pedicularis henryi*	是
列当科	Orobanchaceae	马先蒿属	*Pedicularis*	全萼马先蒿	*Pedicularis holocalyx*	否
列当科	Orobanchaceae	马先蒿属	*Pedicularis*	山罗花马先蒿	*Pedicularis melampyriflora*	否
列当科	Orobanchaceae	马先蒿属	*Pedicularis*	南川马先蒿	*Pedicularis nanchuanensis*	否
列当科	Orobanchaceae	马先蒿属	*Pedicularis*	粗茎返顾马先蒿	*Pedicularis resupinata* subsp. *crassicaulis*	是
列当科	Orobanchaceae	马先蒿属	*Pedicularis*	鼬臭返顾马先蒿	*Pedicularis resupinata* subsp. *galeobdolon*	否
列当科	Orobanchaceae	马先蒿属	*Pedicularis*	猫眼草三角齿马先蒿	*Pedicularis triangularidens* subsp. *chrysosplenioides*	否
列当科	Orobanchaceae	地黄属	*Rehmannia*	裂叶地黄	*Rehmannia piasezkii*	是
列当科	Orobanchaceae	崖白菜属	*Triaenophora*	崖白菜	*Triaenophora rupestris*	是
苦苣苔科	Gesneriaceae	套唇苣苔属	*Damrongia*	大花套唇苣苔	*Damrongia clarkeana*	是
苦苣苔科	Gesneriaceae	半蒴苣苔属	*Hemiboea*	柔毛半蒴苣苔	*Hemiboea mollifolia*	否
苦苣苔科	Gesneriaceae	吊石苣苔属	*Lysionotus*	小叶吊石苣苔	*Lysionotus microphyllus*	是
苦苣苔科	Gesneriaceae	马铃苣苔属	*Oreocharis*	毛蕊金盏苣苔	*Oreocharis giraldii*	否
苦苣苔科	Gesneriaceae	马铃苣苔属	*Oreocharis*	川鄂佛肚苣苔	*Oreocharis rosthornii*	是
苦苣苔科	Gesneriaceae	马铃苣苔属	*Oreocharis*	鄂西佛肚苣苔	*Oreocharis speciosa*	是
苦苣苔科	Gesneriaceae	石蝴蝶属	*Petrocosmea*	中华石蝴蝶	*Petrocosmea sinensis*	是
苦苣苔科	Gesneriaceae	报春苣苔属	*Primulina*	羽裂报春苣苔	*Primulina pinnatifida*	是
苦苣苔科	Gesneriaceae	报春苣苔属	*Primulina*	神农架报春苣苔	*Primulina tenuituba*	是
苦苣苔科	Gesneriaceae	长冠苣苔属	*Rhabdothamnopsis*	长冠苣苔	*Rhabdothamnopsis sinensis*	否
苦苣苔科	Gesneriaceae	异叶苣苔属	*Whytockia*	白花异叶苣苔	*Whytockia tsiangiana*	是
狸藻科	Lentibulariaceae	狸藻属	*Utricularia*	黄花狸藻	*Utricularia aurea*	是
狸藻科	Lentibulariaceae	狸藻属	*Utricularia*	南方狸藻	*Utricularia australis*	否
狸藻科	Lentibulariaceae	狸藻属	*Utricularia*	挖耳草	*Utricularia bifida*	是
狸藻科	Lentibulariaceae	狸藻属	*Utricularia*	狸藻	*Utricularia vulgaris*	是
爵床科	Acanthaceae	穿心莲属	*Andrographis*	穿心莲	*Andrographis paniculata*	是

续表

科名	科拉丁学名	属名	属拉丁学名	种名	种拉丁学名	是否有药用历史
爵床科	Acanthaceae	喜花草属	*Eranthemum*	喜花草	*Eranthemum pulchellum*	是
爵床科	Acanthaceae	爵床属	*Justicia*	虾衣花	*Justicia brandegeeana*	是
爵床科	Acanthaceae	爵床属	*Justicia*	圆苞杜根藤	*Justicia championii*	是
爵床科	Acanthaceae	地皮消属	*Pararuellia*	节翅地皮消	*Pararuellia alata*	否
爵床科	Acanthaceae	芦莉草属	*Ruellia*	飞来蓝	*Ruellia venusta*	是
爵床科	Acanthaceae	马蓝属	*Strobilanthes*	板蓝	*Strobilanthes cusia*	是
爵床科	Acanthaceae	马蓝属	*Strobilanthes*	球花马蓝	*Strobilanthes dimorphotricha*	是
爵床科	Acanthaceae	马蓝属	*Strobilanthes*	腺毛马蓝	*Strobilanthes forrestii*	是
爵床科	Acanthaceae	马蓝属	*Strobilanthes*	少花马蓝	*Strobilanthes oliganthus*	是
爵床科	Acanthaceae	马蓝属	*Strobilanthes*	圆苞金足草	*Strobilanthes pentastemonoides*	否
爵床科	Acanthaceae	马蓝属	*Strobilanthes*	四子马蓝	*Strobilanthes tetrasperma*	是
透骨草科	Phrymaceae	沟酸浆属	*Erythranthe*	沟酸浆	*Erythranthe tenella*	是
车前科	Plantaginaceae	假马齿苋属	*Bacopa*	假马齿苋	*Bacopa monnieri*	是
车前科	Plantaginaceae	石龙尾属	*Limnophila*	石龙尾	*Limnophila sessiliflora*	是
车前科	Plantaginaceae	兔尾苗属	*Pseudolysimachion*	细叶水蔓菁	*Pseudolysimachion linariifolium*	是
车前科	Plantaginaceae	茶菱属	*Trapella*	茶菱	*Trapella sinensis*	否
车前科	Plantaginaceae	婆婆纳属	*Veronica*	光果婆婆纳	*Veronica rockii*	是
车前科	Plantaginaceae	婆婆纳属	*Veronica*	小婆婆纳	*Veronica serpyllifolia*	是
车前科	Plantaginaceae	婆婆纳属	*Veronica*	四川婆婆纳	*Veronica szechuanica*	是
车前科	Plantaginaceae	婆婆纳属	*Veronica*	多毛四川婆婆纳	*Veronica szechuanica* subsp. *sikkimensis*	否
车前科	Plantaginaceae	婆婆纳属	*Veronica*	陕川婆婆纳	*Veronica tsinglingensis*	否
车前科	Plantaginaceae	草灵仙属	*Veronicastrum*	美穗草	*Veronicastrum brunonianum*	是
车前科	Plantaginaceae	草灵仙属	*Veronicastrum*	长穗腹水草	*Veronicastrum longispicatum*	是
茜草科	Rubiaceae	茜树属	*Aidia*	茜树	*Aidia cochinchinensis*	是
茜草科	Rubiaceae	狗骨柴属	*Diplospora*	毛狗骨柴	*Diplospora fruticosa*	是
茜草科	Rubiaceae	拉拉藤属	*Galium*	毛四叶葎	*Galium bungei* var. *punduanoides*	是
茜草科	Rubiaceae	拉拉藤属	*Galium*	六叶葎	*Galium hoffmeisteri*	是
茜草科	Rubiaceae	龙船花属	*Ixora*	龙船花	*Ixora chinensis*	是
茜草科	Rubiaceae	粗叶木属	*Lasianthus*	日本粗叶木	*Lasianthus japonicus*	是
茜草科	Rubiaceae	黄棉木属	*Metadina*	黄棉木	*Metadina trichotoma*	否
茜草科	Rubiaceae	巴戟天属	*Morinda*	南岭鸡眼藤	*Morinda nanlingensis*	否
茜草科	Rubiaceae	玉叶金花属	*Mussaenda*	大叶白纸扇	*Mussaenda shikokiana*	是
茜草科	Rubiaceae	新耳草属	*Neanotis*	卷毛新耳草	*Neanotis boerhaavioides*	是
茜草科	Rubiaceae	鸡屎藤属	*Paederia*	臭鸡屎藤	*Paederia cruddasiana*	否
茜草科	Rubiaceae	鸡屎藤属	*Paederia*	鸡屎藤	*Paederia foetida*	是
茜草科	Rubiaceae	茜草属	*Rubia*	峨眉茜草	*Rubia magna*	是
茜草科	Rubiaceae	茜草属	*Rubia*	金线茜草	*Rubia membranacea*	是
茜草科	Rubiaceae	茜草属	*Rubia*	小叶茜草	*Rubia rezniczenkoana*	否

续表

科名	科拉丁学名	属名	属拉丁学名	种名	种拉丁学名	是否有药用历史
忍冬科	Caprifoliaceae	糯米条属	*Abelia*	二翅糯米条	*Abelia macrotera*	是
忍冬科	Caprifoliaceae	双盾木属	*Dipelta*	云南双盾木	*Dipelta yunnanensis*	是
忍冬科	Caprifoliaceae	猬实属	*Kolkwitzia*	猬实	*Kolkwitzia amabilis*	否
忍冬科	Caprifoliaceae	忍冬属	*Lonicera*	金花忍冬	*Lonicera chrysantha*	是
忍冬科	Caprifoliaceae	忍冬属	*Lonicera*	郁香忍冬	*Lonicera fragrantissima*	否
忍冬科	Caprifoliaceae	忍冬属	*Lonicera*	樱桃忍冬	*Lonicera fragrantissima* subsp. *phyllocarpa*	是
忍冬科	Caprifoliaceae	忍冬属	*Lonicera*	苦糖果	*Lonicera fragrantissima* var. *lancifolia*	是
忍冬科	Caprifoliaceae	忍冬属	*Lonicera*	蕊被忍冬	*Lonicera gynochlamydea*	是
忍冬科	Caprifoliaceae	忍冬属	*Lonicera*	菰腺忍冬	*Lonicera hypoglauca*	是
忍冬科	Caprifoliaceae	忍冬属	*Lonicera*	亮叶忍冬	*Lonicera ligustrina* var. *yunnanensis*	是
忍冬科	Caprifoliaceae	忍冬属	*Lonicera*	长叶毛花忍冬	*Lonicera trichosantha* var. *deflexicalyx*	是
忍冬科	Caprifoliaceae	忍冬属	*Lonicera*	倒卵叶忍冬	*Lonicera webbiana* subsp. *hemsleyana*	否
忍冬科	Caprifoliaceae	败酱属	*Patrinia*	异叶败酱	*Patrinia heterophylla*	是
忍冬科	Caprifoliaceae	败酱属	*Patrinia*	糙叶败酱	*Patrinia scabra*	是
忍冬科	Caprifoliaceae	锦带花属	*Weigela*	日本锦带花	*Weigela japonica*	是
五福花科	Adoxaceae	荚蒾属	*Viburnum*	绣球荚蒾	*Viburnum keteleeri* cv. Sterile	是
葫芦科	Cucurbitaceae	黄瓜属	*Cucumis*	马瓟瓜	*Cucumis melo* var. *agrestis*	是
葫芦科	Cucurbitaceae	绞股蓝属	*Gynostemma*	缅甸绞股蓝	*Gynostemma burmanicum*	是
葫芦科	Cucurbitaceae	绞股蓝属	*Gynostemma*	喙果绞股蓝	*Gynostemma yixingense*	是
葫芦科	Cucurbitaceae	赤瓟属	*Thladiantha*	台湾赤瓟	*Thladiantha punctata*	是
葫芦科	Cucurbitaceae	马瓟儿属	*Zehneria*	纽子瓜	*Zehneria bodinieri*	是
葫芦科	Cucurbitaceae	马瓟儿属	*Zehneria*	马瓟儿	*Zehneria japonica*	否
葫芦科	Cucurbitaceae	马瓟儿属	*Zehneria*	黑果马瓟儿	*Zehneria mucronata*	否
桔梗科	Campanulaceae	沙参属	*Adenophora*	鄂西沙参	*Adenophora hubeiensis*	是
桔梗科	Campanulaceae	沙参属	*Adenophora*	石沙参	*Adenophora polyantha*	是
桔梗科	Campanulaceae	沙参属	*Adenophora*	中华沙参	*Adenophora sinensis*	是
桔梗科	Campanulaceae	风铃草属	*Campanula*	紫斑风铃草	*Campanula punctata*	是
桔梗科	Campanulaceae	轮钟草属	*Cyclocodon*	轮钟草	*Cyclocodon lancifolius*	是
菊科	Asteraceae	下田菊属	*Adenostemma*	宽叶下田菊	*Adenostemma lavenia* var. *latifolium*	是
菊科	Asteraceae	香青属	*Anaphalis*	车前叶黄腺香青	*Anaphalis aureopunctata* var. *plantaginifolia*	否
菊科	Asteraceae	香青属	*Anaphalis*	黏毛香青	*Anaphalis bulleyana*	是
菊科	Asteraceae	香青属	*Anaphalis*	线叶珠光香青	*Anaphalis margaritacea* var. *angustifolia*	是
菊科	Asteraceae	木茼蒿属	*Argyranthemum*	木茼蒿	*Argyranthemum frutescens*	否
菊科	Asteraceae	蒿属	*Artemisia*	叉枝蒿	*Artemisia divaricata*	是
菊科	Asteraceae	蒿属	*Artemisia*	五月艾	*Artemisia indica*	是
菊科	Asteraceae	蒿属	*Artemisia*	狭裂白蒿	*Artemisia kanashiroi*	是

续表

科名	科拉丁学名	属名	属拉丁学名	种名	种拉丁学名	是否有药用历史
菊科	Asteraceae	蒿属	*Artemisia*	白叶蒿	*Artemisia leucophylla*	是
菊科	Asteraceae	蒿属	*Artemisia*	蒙古蒿	*Artemisia mongolica*	是
菊科	Asteraceae	蒿属	*Artemisia*	神农架蒿	*Artemisia shennongjiaensis*	否
菊科	Asteraceae	蒿属	*Artemisia*	中南蒿	*Artemisia simulans*	是
菊科	Asteraceae	蒿属	*Artemisia*	藏白蒿	*Artemisia younghusbandii*	否
菊科	Asteraceae	紫菀属	*Aster*	坚叶三脉紫菀	*Aster ageratoides* var. *firmus*	否
菊科	Asteraceae	紫菀属	*Aster*	毛枝三脉紫菀	*Aster ageratoides* var. *lasiocladus*	是
菊科	Asteraceae	紫菀属	*Aster*	宽伞三脉紫菀	*Aster ageratoides* var. *laticorymbus*	是
菊科	Asteraceae	紫菀属	*Aster*	卵叶三脉紫菀	*Aster ageratoides* var. *oophyllus*	是
菊科	Asteraceae	紫菀属	*Aster*	微糙三脉紫菀	*Aster ageratoides* var. *scaberulus*	是
菊科	Asteraceae	紫菀属	*Aster*	阿尔泰狗娃花	*Aster altaicus*	是
菊科	Asteraceae	紫菀属	*Aster*	镰叶紫菀	*Aster falcifolius*	否
菊科	Asteraceae	紫菀属	*Aster*	狗娃花	*Aster hispidus*	是
菊科	Asteraceae	紫菀属	*Aster*	裂叶马兰	*Aster incisus*	是
菊科	Asteraceae	紫菀属	*Aster*	狭苞马兰	*Aster indicus* var. *stenolepis*	是
菊科	Asteraceae	紫菀属	*Aster*	山马兰	*Aster lautureanus*	是
菊科	Asteraceae	紫菀属	*Aster*	短冠东风菜	*Aster marchandii*	是
菊科	Asteraceae	紫菀属	*Aster*	东风菜	*Aster scaber*	是
菊科	Asteraceae	苍术属	*Atractylodes*	苍术	*Atractylodes lancea*	是
菊科	Asteraceae	鬼针草属	*Bidens*	大狼耙草	*Bidens frondosa*	是
菊科	Asteraceae	鬼针草属	*Bidens*	狼耙草	*Bidens tripartita*	是
菊科	Asteraceae	艾纳香属	*Blumea*	台北艾纳香	*Blumea formosana*	是
菊科	Asteraceae	金盏花属	*Calendula*	金盏花	*Calendula officinalis*	是
菊科	Asteraceae	刺苞菊属	*Carlina*	刺苞菊	*Carlina biebersteinii*	是
菊科	Asteraceae	石胡荽属	*Centipeda*	石胡荽	*Centipeda minima*	是
菊科	Asteraceae	菊属	*Chrysanthemum*	甘菊	*Chrysanthemum lavandulifolium*	是
菊科	Asteraceae	菊苣属	*Cichorium*	栽培菊苣	*Cichorium endivia*	是
菊科	Asteraceae	蓟属	*Cirsium*	等苞蓟	*Cirsium fargesii*	是
菊科	Asteraceae	蓟属	*Cirsium*	魁蓟	*Cirsium leo*	是
菊科	Asteraceae	蓟属	*Cirsium*	马刺蓟	*Cirsium monocephalum*	是
菊科	Asteraceae	蓟属	*Cirsium*	牛口刺	*Cirsium shansiense*	是
菊科	Asteraceae	蓟属	*Cirsium*	葵花大蓟	*Cirsium souliei*	是
菊科	Asteraceae	蓟属	*Cirsium*	杭蓟	*Cirsium tianmushanicum*	否
菊科	Asteraceae	蓟属	*Cirsium*	苞叶蓟	*Cirsium verutum*	是
菊科	Asteraceae	蓟属	*Cirsium*	块蓟	*Cirsium viridifolium*	是
菊科	Asteraceae	金鸡菊属	*Coreopsis*	两色金鸡菊	*Coreopsis tinctoria*	是
菊科	Asteraceae	秋英属	*Cosmos*	黄秋英	*Cosmos sulphureus*	是
菊科	Asteraceae	山芫荽属	*Cotula*	芫荽菊	*Cotula anthemoides*	是

续表

科名	科拉丁学名	属名	属拉丁学名	种名	种拉丁学名	是否有药用历史
菊科	Asteraceae	野茼蒿属	*Crassocephalum*	蓝花野茼蒿	*Crassocephalum rubens*	是
菊科	Asteraceae	垂头菊属	*Cremanthodium*	向日垂头菊	*Cremanthodium helianthus*	是
菊科	Asteraceae	假还阳参属	*Crepidiastrum*	心叶黄瓜菜	*Crepidiastrum humifusum*	是
菊科	Asteraceae	假还阳参属	*Crepidiastrum*	假还阳参	*Crepidiastrum lanceolatum*	否
菊科	Asteraceae	假还阳参属	*Crepidiastrum*	尖裂假还阳参	*Crepidiastrum sonchifolium*	是
菊科	Asteraceae	假还阳参属	*Crepidiastrum*	细叶假还阳参	*Crepidiastrum tenuifolium*	是
菊科	Asteraceae	还阳参属	*Crepis*	还阳参	*Crepis rigescens*	是
菊科	Asteraceae	夜香牛属	*Cyanthillium*	咸虾花	*Cyanthillium patulum*	是
菊科	Asteraceae	松果菊属	*Echinacea*	松果菊	*Echinacea purpurea*	是
菊科	Asteraceae	蓝刺头属	*Echinops*	驴欺口	*Echinops davuricus*	是
菊科	Asteraceae	地胆草属	*Elephantopus*	地胆草	*Elephantopus scaber*	是
菊科	Asteraceae	一点红属	*Emilia*	小一点红	*Emilia prenanthoidea*	是
菊科	Asteraceae	飞蓬属	*Erigeron*	长茎飞蓬	*Erigeron acris* subsp. *politus*	是
菊科	Asteraceae	飞蓬属	*Erigeron*	苏门白酒草	*Erigeron sumatrensis*	是
菊科	Asteraceae	泽兰属	*Eupatorium*	多花泽兰	*Eupatorium amabile*	否
菊科	Asteraceae	泽兰属	*Eupatorium*	多须公	*Eupatorium chinense*	是
菊科	Asteraceae	泽兰属	*Eupatorium*	异叶泽兰	*Eupatorium heterophyllum*	是
菊科	Asteraceae	泽兰属	*Eupatorium*	木泽兰	*Eupatorium tashiroi*	是
菊科	Asteraceae	大吴风草属	*Farfugium*	大吴风草	*Farfugium japonicum*	是
菊科	Asteraceae	天人菊属	*Gaillardia*	天人菊	*Gaillardia pulchella*	是
菊科	Asteraceae	牛膝菊属	*Galinsoga*	粗毛牛膝菊	*Galinsoga quadriradiata*	是
菊科	Asteraceae	合冠鼠曲属	*Gamochaeta*	南川合冠鼠曲	*Gamochaeta nanchuanensis*	是
菊科	Asteraceae	合冠鼠曲属	*Gamochaeta*	匙叶合冠鼠曲	*Gamochaeta pensylvanica*	是
菊科	Asteraceae	非洲菊属	*Gerbera*	兔耳一支箭	*Gerbera piloselloides*	是
菊科	Asteraceae	湿鼠曲草属	*Gnaphalium*	细叶湿鼠曲草	*Gnaphalium japonicum*	是
菊科	Asteraceae	湿鼠曲草属	*Gnaphalium*	多茎湿鼠曲草	*Gnaphalium polycaulon*	是
菊科	Asteraceae	湿鼠曲草属	*Gnaphalium*	矮湿鼠曲草	*Gnaphalium stewartii*	是
菊科	Asteraceae	菊三七属	*Gynura*	白子菜	*Gynura divaricata*	是
菊科	Asteraceae	向日葵属	*Helianthus*	向日葵	*Helianthus annuus*	是
菊科	Asteraceae	向日葵属	*Helianthus*	菊芋	*Helianthus tuberosus*	是
菊科	Asteraceae	泥胡菜属	*Hemisteptia*	泥胡菜	*Hemisteptia lyrata*	是
菊科	Asteraceae	山柳菊属	*Hieracium*	山柳菊	*Hieracium umbellatum*	是
菊科	Asteraceae	须弥菊属	*Himalaiella*	三角叶须弥菊	*Himalaiella deltoidea*	是
菊科	Asteraceae	旋覆花属	*Inula*	欧亚旋覆花	*Inula britannica*	是
菊科	Asteraceae	旋覆花属	*Inula*	柳叶旋覆花	*Inula salicina*	是
菊科	Asteraceae	苦荬菜属	*Ixeris*	中华苦荬菜	*Ixeris chinensis*	是
菊科	Asteraceae	苦荬菜属	*Ixeris*	沙苦荬	*Ixeris repens*	是
菊科	Asteraceae	疆千里光属	*Jacobaea*	额河千里光	*Jacobaea argunensis*	是
菊科	Asteraceae	莴苣属	*Lactuca*	毛脉翅果菊	*Lactuca raddeana*	是
菊科	Asteraceae	稻槎菜属	*Lapsanastrum*	稻槎菜	*Lapsanastrum apogonoides*	是

续表

科名	科拉丁学名	属名	属拉丁学名	种名	种拉丁学名	是否有药用历史
菊科	Asteraceae	火绒草属	*Leontopodium*	火绒草	*Leontopodium leontopodioides*	是
菊科	Asteraceae	火绒草属	*Leontopodium*	华火绒草	*Leontopodium sinense*	是
菊科	Asteraceae	滨菊属	*Leucanthemum*	大滨菊	*Leucanthemum maximum*	否
菊科	Asteraceae	滨菊属	*Leucanthemum*	滨菊	*Leucanthemum vulgare*	是
菊科	Asteraceae	黏冠草属	*Myriactis*	圆舌黏冠草	*Myriactis nepalensis*	是
菊科	Asteraceae	紫菊属	*Notoseris*	金佛山紫菊	*Notoseris nanchuanensis*	否
菊科	Asteraceae	紫菊属	*Notoseris*	南川紫菊	*Notoseris porphyrolepis*	是
菊科	Asteraceae	假福王草属	*Paraprenanthes*	林生假福王草	*Paraprenanthes diversifolia*	是
菊科	Asteraceae	假福王草属	*Paraprenanthes*	黑花假福王草	*Paraprenanthes melanantha*	是
菊科	Asteraceae	假福王草属	*Paraprenanthes*	异叶假福王草	*Paraprenanthes prenanthoides*	否
菊科	Asteraceae	蟹甲草属	*Parasenecio*	蟹甲草	*Parasenecio forrestii*	是
菊科	Asteraceae	蟹甲草属	*Parasenecio*	紫背蟹甲草	*Parasenecio ianthophyllus*	否
菊科	Asteraceae	蟹甲草属	*Parasenecio*	蜂斗菜状蟹甲草	*Parasenecio petasitoides*	是
菊科	Asteraceae	蟹甲草属	*Parasenecio*	苞鳞蟹甲草	*Parasenecio phyllolepis*	否
菊科	Asteraceae	蟹甲草属	*Parasenecio*	中华蟹甲草	*Parasenecio sinicus*	否
菊科	Asteraceae	帚菊属	*Pertya*	异叶帚菊	*Pertya berberidoides*	否
菊科	Asteraceae	帚菊属	*Pertya*	华帚菊	*Pertya sinensis*	否
菊科	Asteraceae	毛连菜属	*Picris*	滇苦菜	*Picris divaricata*	是
菊科	Asteraceae	阔苞菊属	*Pluchea*	阔苞菊	*Pluchea indica*	是
菊科	Asteraceae	鼠曲草属	*Pseudognaphalium*	鼠曲草	*Pseudognaphalium affine*	是
菊科	Asteraceae	鼠曲草属	*Pseudognaphalium*	秋鼠曲草	*Pseudognaphalium hypoleucum*	是
菊科	Asteraceae	金光菊属	*Rudbeckia*	黑心菊	*Rudbeckia hirta*	是
菊科	Asteraceae	风毛菊属	*Saussurea*	草地风毛菊	*Saussurea amara*	是
菊科	Asteraceae	风毛菊属	*Saussurea*	巴东风毛菊	*Saussurea henryi*	否
菊科	Asteraceae	风毛菊属	*Saussurea*	利马川风毛菊	*Saussurea leclerei*	否
菊科	Asteraceae	风毛菊属	*Saussurea*	川陕风毛菊	*Saussurea licentiana*	是
菊科	Asteraceae	风毛菊属	*Saussurea*	假高山风毛菊	*Saussurea pseudoalpina*	否
菊科	Asteraceae	风毛菊属	*Saussurea*	川滇风毛菊	*Saussurea wardii*	否
菊科	Asteraceae	蛇鸦葱属	*Scorzonera*	桃叶鸦葱	*Scorzonera sinensis*	是
菊科	Asteraceae	千里光属	*Senecio*	缺裂千里光	*Senecio scandens* var. *incisus*	是
菊科	Asteraceae	松香草属	*Silphium*	串叶松香草	*Silphium perfoliatum*	是
菊科	Asteraceae	蒲儿根属	*Sinosenecio*	川鄂蒲儿根	*Sinosenecio dryas*	是
菊科	Asteraceae	蒲儿根属	*Sinosenecio*	毛柄蒲儿根	*Sinosenecio eriopodus*	是
菊科	Asteraceae	蒲儿根属	*Sinosenecio*	匍枝蒲儿根	*Sinosenecio globiger*	是
菊科	Asteraceae	蒲儿根属	*Sinosenecio*	单头蒲儿根	*Sinosenecio hederifolius*	是
菊科	Asteraceae	蒲儿根属	*Sinosenecio*	九华蒲儿根	*Sinosenecio jiuhuashanicus*	否
菊科	Asteraceae	蒲儿根属	*Sinosenecio*	白背蒲儿根	*Sinosenecio latouchei*	否
菊科	Asteraceae	一枝黄花属	*Solidago*	加拿大一枝黄花	*Solidago canadensis*	是
菊科	Asteraceae	苦苣菜属	*Sonchus*	续断菊	*Sonchus asper*	是
菊科	Asteraceae	斑鸠菊属	*Strobocalyx*	斑鸠菊	*Strobocalyx esculenta*	是
菊科	Asteraceae	蒲公英属	*Taraxacum*	东北蒲公英	*Taraxacum ohwianum*	是

续表

科名	科拉丁学名	属名	属拉丁学名	种名	种拉丁学名	是否有药用历史
菊科	Asteraceae	蒲公英属	*Taraxacum*	华蒲公英	*Taraxacum sinicum*	是
菊科	Asteraceae	狗舌草属	*Tephroseris*	江浙狗舌草	*Tephroseris pierotii*	否
菊科	Asteraceae	碱菀属	*Tripolium*	碱菀	*Tripolium pannonicum*	是
菊科	Asteraceae	苍耳属	*Xanthium*	苍耳	*Xanthium strumarium*	是
菊科	Asteraceae	黄鹌菜属	*Youngia*	红果黄鹌菜	*Youngia erythrocarpa*	是
菊科	Asteraceae	黄鹌菜属	*Youngia*	长裂黄鹌菜	*Youngia henryi*	是
菊科	Asteraceae	黄鹌菜属	*Youngia*	异叶黄鹌菜	*Youngia heterophylla*	是
菊科	Asteraceae	黄鹌菜属	*Youngia*	黄鹌菜	*Youngia japonica*	是
菊科	Asteraceae	黄鹌菜属	*Youngia*	卵裂黄鹌菜	*Youngia japonica* subsp. *elstonii*	否
菊科	Asteraceae	黄鹌菜属	*Youngia*	戟叶黄鹌菜	*Youngia longipes*	是
菊科	Asteraceae	黄鹌菜属	*Youngia*	羽裂黄鹌菜	*Youngia paleacea*	否
菊科	Asteraceae	黄鹌菜属	*Youngia*	川西黄鹌菜	*Youngia prattii*	是
菊科	Asteraceae	百日菊属	*Zinnia*	百日菊	*Zinnia elegans*	是
菊科	Asteraceae	百日菊属	*Zinnia*	多花百日菊	*Zinnia peruviana*	是

附表 2　湖北省动物类中药资源

科名	科拉丁学名	种名	种拉丁学名
正蚓科	Lumbricidae	背暗异唇蚓	*Allolobophora caliginosa trapezoides*
医蛭科	Hirudinidae	日本医蛭	*Hirudo nipponica*
蛞蝓科	Limacidae	野蛞蝓	*Agriolimax agrestis*
巴蜗牛科	Bradybaenidae	同型巴蜗牛	*Bradybaena similaris*
田螺科	Viviparidae	方形环棱螺	*Sinotaia quadrata*
田螺科	Viviparidae	中国圆田螺	*Cipangopaludina chinensis*
缩头水虱科	Cymothoidae	日本鱼怪	*Ichthyoxenus japonensis*
方蟹科	Grapsidae	中华绒螯蟹	*Eriocheir sinensis*
球马陆科	Glomeridae	滚山球马陆	*Glomeris nipponica*
圆马陆科	Strongylosomidae	宽跗陇马陆	*Kronopolites svenhedini*
园蛛科	Araneidae	横纹金蛛	*Neriene emphana*
园蛛科	Araneidae	悦目金蛛	*Argiope amoena*
园蛛科	Araneidae	大腹园蛛	*Araneus ventricosus*
园蛛科	Araneidae	角类肥蛛	*Larinioides cornuta*
蜈蚣科	Psittacidae	少棘蜈蚣	*Scoropendra subspinipes mutilans*
壁钱科	Oecobiidae	华南壁钱	*Uroctea compactilis*
漏斗蛛科	Agelenidae	迷宫漏斗蛛	*Agelena labyrinthica*
衣鱼科	Lepismatidae	多栉毛衣鱼	*Ctenolepisma villosa*
衣鱼科	Lepismatidae	家衣鱼	*Thermobia domestica*
蜓科	Ahshnidae	碧伟蜓	*Anax parthenope julius*
蜻科	Libellulidae	赤蜻蛉	*Crocothemis servillia*
蜻科	Libellulidae	黄蜻	*Pantala flavescens*

续表

科名	科拉丁学名	种名	种拉丁学名
鳖蠊科	Corydidae	中华真地鳖	*Eupolyphaga sinensis*
姬蠊科	Blattellidae	德国小蠊	*Blattella germanica*
螳科	Mantidae	广斧螳	*Hierodula patellifera*
鼻白蚁科	Rhinotermitidae	家白蚁	*Coptotermes formosanus*
剑角蝗科	Acrididae	飞蝗	*Locusta migratoria*
剑角蝗科	Acrididae	中华稻蝗	*Oxya chinensis*
剑角蝗科	Acrididae	中华剑角蝗	*Acrida cinerea*
蚱科	Tetrigidae	日本蚱	*Tetrix japonica*
螽斯科	Tettigoniidae	螽斯	*Longhorned grasshoppers*
蟋蟀科	Gryllidae	油葫芦	*Cryllus testaceus*
蝼蛄科	Grhllotapidae	东方蝼蛄	*Gryllotalpa orientalis*
蚁蛉科	Myrmeleontidae	中华东方蚁蛉	*Euroleon sinicus*
蝉科	Cicadidae	黑蚱蝉	*Cryptotympana atrata*
蜡蝉科	Fulgoridae	斑衣蜡蝉	*Lycorma delicatula*
瘿绵蚜科	Pemphigidae	角倍蚜	*Schlechtendalia chinensis*
蜡蚧科	Coccidae	白蜡虫	*Ericeruspela chavannes*
蝽科	Pentatomidae	麻皮蝽	*Erthesina fullo*
兜蝽科	Dinidoridae	九香虫	*Coridius chinensis*
螟蛾科	Pyralidae	高粱条螟	*Proceras venosatus*
螟蛾科	Pyralidae	玉米螟	*Ostrinia nubilalis*
蚕蛾科	Bombycidae	家蚕	*Bombyx mori*
天蚕蛾科	Saturniidae	柞蚕	*Antheraea pernyi*
天蚕蛾科	Saturniidae	樗蚕	*Philosamia cynthia*
天蛾科	Sphingidae	鬼脸天蛾	*Acherontia lachesis*
凤蝶科	Papilionidae	玉带凤蝶	*Papilio polytes*
凤蝶科	Papilionidae	金凤蝶	*Papilio machaon*
凤蝶科	Papilionidae	柑桔凤蝶	*Papilio xuthus*
粉蝶科	Pieridae	菜粉蝶	*Pieris rapae*
丽蝇科	Calliphoridae	大头金蝇	*Chrysomya megacephala*
丽蝇科	Calliphoridae	丝光绿蝇	*Lucilia sericata*
虻科	Tabanidae	华虻	*Tabanus mandarinus*
龙虱科	Dytiscidae	三星龙虱	*Predaci diving beetle*
芫菁科	Meloidae	红头豆芫菁	*Epicauta ruficeps*
芫菁科	Meloidae	中国豆芫菁	*Epicauta chinensis*
芫菁科	Meloidae	大斑芫菁	*Mylabris phalerata*
叩甲科	Elateridae	褐纹叩甲	*Melanotus caudex*
叩甲科	Elateridae	沟叩头甲	*Pleonomus canaliculatus*
吉丁甲科	Buprestidae	日本脊吉丁甲	*Chalcophora japonica*
天牛科	Cerambycidae	桃红颈天牛	*Aromia bungii*
天牛科	Cerambycidae	星天牛	*Anoplophora chinensis*
天牛科	Cerambycidae	云斑天牛	*Batocera horsfieldi*
天牛科	Cerambycidae	桑天牛	*Aprion germani*
隐翅甲科	Staphylinidae	红胸隐翅虫	*Paederus fuscipes*

续表

科名	科拉丁学名	种名	种拉丁学名
蜣螂科	Scarabaeinae	神农蜣螂虫	*Catharsius molossus*
蜣螂科	Scarabaeinae	臭蜣螂	*Copris ochus*
粪金龟科	Geotrupidae	华武粪金龟	*Enoplotrupes sinensis*
鳃金龟科	Melolonthidae	暗黑鳃金龟	*Holotrichia parallela*
鳃金龟科	Melolonthidae	华北大黑鳃金龟	*Holotrichia oblita*
鳃金龟科	Melolonthidae	大云斑鳃金龟	*Polyphylla laticollis*
丽金龟科	Rutelidae	铜绿丽金龟	*Anomala corpulenta*
花金龟科	Cetoniidae	白点花金龟	*Protaetia orientalis sakaii*
花金龟科	Cetoniidae	小青花金龟	*Oxycetonla jucunda*
象甲科	Curculionidae	一字竹象甲	*Otidognathus davidis*
犀金龟科	Dynastidae	双叉犀金龟	*Allomyrina dichotoma*
蜜蜂科	Apidae	中华蜜蜂	*Apis cerana*
胡蜂科	Vespidae	墨胸胡蜂	*Vespa velutina nigrithorax*
胡蜂科	Vespidae	黑尾胡蜂	*Vespa ducalis*
胡蜂科	Vespidae	黄星长角黄蜂	*Polistes mandarinus*
蜾蠃科	Eumenidae	镶黄蜾蠃	*Eumenes decoratus*
木蜂科	Xylocopidae	黄胸木蜂	*Xylocopa appendiculata*
蚁科	Formicidae	日本弓背蚁	*Camponotus japonicus*
鲤科	Cyprinidae	鳙鱼	*Aristichthys nobilis*
鲤科	Cyprinidae	鲢	*Hypophthalmichthys molitrix*
鲤科	Cyprinidae	鲫	*Carassius auratus*
鲤科	Cyprinidae	鲤	*Cyprinus carpio*
鲤科	Cyprinidae	齐口裂腹鱼	*Schizothorax prenanti*
鲤科	Cyprinidae	团头鲂	*Megalobrama amblycephala*
鲤科	Cyprinidae	宽鳍鱲	*Zacco platypus*
鲤科	Cyprinidae	马口鱼	*Opsariichthys bidens*
鲤科	Cyprinidae	草鱼	*Ctenopharyngodon idellus*
鲤科	Cyprinidae	长江鱥	*Phoxinus lagowskii variegatus*
鲤科	Cyprinidae	唇䱻	*Hemlibarbus labeo*
鲤科	Cyprinidae	嘉陵颌须鮈	*Gnathopogon herzensteini*
鲤科	Cyprinidae	似鮈	*Pseudogobio vaillanti*
鲤科	Cyprinidae	宽口光唇鱼	*Acrossocheilus monticolus*
鲤科	Cyprinidae	白甲鱼	*Onychostoma sima*
鲤科	Cyprinidae	多鳞白甲鱼	*Onychostoma macrolepis*
鲤科	Cyprinidae	鲈鲤	*Percocypris pingi*
鲤科	Cyprinidae	云南盘鮈	*Discogobio yunnanensis*
平鳍鳅科	Homalopteridae	龙口似原吸鳅	*Paraprotomyzon lungkowensis*
平鳍鳅科	Homalopteridae	峨眉后平鳅	*Metahomaloptera omeiensis*
鳅科	Cobitidae	短体副鳅	*Paracobitis potanini*
鳅科	Cobitidae	安氏高原鳅	*Triplophysa angeli*
鳅科	Cobitidae	花斑副沙鳅	*Parabotia fasciata*
鳅科	Cobitidae	汉水扁尾薄鳅	*Leptobotia hansuiensis*
鳅科	Cobitidae	中华花鳅	*Cobitis sinensis*

续表

科名	科拉丁学名	种名	种拉丁学名
鳅科	Cobitidae	稀有花鳅	*Cobitis rara*
鳅科	Cobitidae	泥鳅	*Misgurnus anguillicaudatus*
鲿科	Bagridae	乌苏里拟鲿	*Pseudobagrus ussuriensis*
鲿科	Bagridae	切尾拟鲿	*Pseudobagrus truncatus*
鲿科	Bagridae	细体拟鲿	*Pseudobagrus pratti*
钝头鮠科	Amblycipitidae	白缘鉠	*Liobagrus marginatus*
鮡科	Sisoridae	中华纹胸鮡	*Glyptothorax sinensis*
鮡科	Sisoridae	青石爬鮡	*Euchiloglanis davidi*
鲇科	Siluridae	鲇	*Schilbe intermedius*
合鳃科	Synbranchidae	黄鳝	*Monopterus albus*
鮨科	Serranidae	斑鳜	*Siniperca scherzeri*
鰕虎鱼科	Gobiidae	神农栉鰕虎	*Ctenogobius giurinus*
隐鳃鲵科	Cryptobrachidae	大鲵	*Andrias davidianus*
蟾蜍科	Bufonidae	中华蟾蜍	*Bufo gargarizans*
蟾蜍科	Bufonidae	黑眶蟾蜍	*Bufo melanostictus*
雨蛙科	Hylidae	无斑雨蛙	*Hyla immaculata*
蛙科	Ranidae	棘腹蛙	*Rana boulengeri*
蛙科	Ranidae	棘胸蛙	*Quasipaa spinosa*
蛙科	Ranidae	中国林蛙	*Rana temporaria*
蛙科	Ranidae	湖北侧褶蛙	*Pelophylax hubeiensis*
蛙科	Ranidae	黑斑侧褶蛙	*Pelophylax nigromaculatus*
蛙科	Ranidae	虎纹蛙	*Rana tigrina*
蛙科	Ranidae	泽陆蛙	*Fejervarya multistriata*
树蛙科	Rhacophoridae	斑腿泛树蛙	*Polypedates megacephalus*
姬蛙科	Microhylidae	合征姬蛙	*Microhyla mixtura*
姬蛙科	Microhylidae	饰纹姬蛙	*Microhyla ornata*
壁虎科	Gekkonidae	多疣壁虎	*Gekko japonicus*
鬣蜥科	Agamidae	草绿龙蜥	*Japalura flaviceps*
蜥蜴科	Lacertidae	白条草蜥	*Takydromus wolteri*
蜥蜴科	Lacertidae	南草蜥	*Takydromus sexlineatus*
蜥蜴科	Lacertidae	北草蜥	*Takydromus septentrionalis*
蜥蜴科	Lacertidae	丽斑麻蜥	*Eremias argus*
石龙子科	Scincidae	宁波滑蜥	*Scincella modesta*
石龙子科	Scincidae	蓝尾石龙子	*Eumeces elegans*
石龙子科	Scincidae	中国石龙子	*Eumeces chinensis*
石龙子科	Scincidae	铜蜓蜥	*Sphenomorphus indicus*
游蛇科	Colubridae	乌梢蛇	*Zoacys dhumnades*
游蛇科	Colubridae	滑鼠蛇	*Ptyas mucosus*
游蛇科	Colubridae	斜鳞蛇	*Pseudoxenodon macrops*
游蛇科	Colubridae	翠青蛇	*Cyclophiops major*
游蛇科	Colubridae	黄链蛇	*Dinodon flavozonatum*
游蛇科	Colubridae	赤链蛇	*Dinodon rufozonatum*
游蛇科	Colubridae	双全白环蛇	*Lycodon fasciatus*

续表

科名	科拉丁学名	种名	种拉丁学名
游蛇科	Colubridae	黑背白环蛇	*Lycodon ruhstrati*
游蛇科	Colubridae	紫灰锦蛇	*Elaphe porphyracea*
游蛇科	Colubridae	玉斑锦蛇	*Elaphe mandarinus*
游蛇科	Colubridae	王锦蛇	*Elaphe carinata*
游蛇科	Colubridae	黑眉锦蛇	*Elaphe taeniura*
游蛇科	Colubridae	棕黑锦蛇	*Elaphe schrenckii*
游蛇科	Colubridae	双斑锦蛇	*Elaphe bimaculata*
游蛇科	Colubridae	锈链腹链蛇	*Amphiesma craspedogaster*
游蛇科	Colubridae	颈槽蛇	*Rhabdophis nuchalis*
游蛇科	Colubridae	虎斑颈槽蛇	*Rhabdophis tigrinus*
游蛇科	Colubridae	华游蛇	*Sinonatrix percarinata*
眼镜蛇科	Elapidae	银环蛇	*Bungarus multicinctus*
眼镜蛇科	Elapidae	丽纹蛇	*Sinomicrurus macclellandi*
眼镜蛇科	Elapidae	舟山眼镜蛇	*Naja atra*
蝰科	Viperidae	白头蝰	*Azemiops feae*
蝰科	Viperidae	尖吻蝮	*Deinagkistrodon acutus*
蝰科	Viperidae	短尾蝮	*Gloydius brevicaudus*
蝰科	Viperidae	菜花原矛头蝮	*Protobothrops jerdonii*
蝰科	Viperidae	竹叶青蛇	*Trimeresurus stejnegeri*
䴙䴘科	Podicipedidae	小䴙䴘	*Tachybaptus ruficollis*
鸬鹚科	Phalacrocoracidae	普通鸬鹚	*Phalacrocorax carbo*
鹭科	Ardeidae	大白鹭	*Egretta alba*
鹭科	Ardeidae	中白鹭	*Egretta intermedia*
鹭科	Ardeidae	白鹭	*Egretta garzetta*
鹭科	Ardeidae	牛背鹭	*Bubulcus ibis*
鹭科	Ardeidae	池鹭	*Ardeola bacchus*
鹭科	Ardeidae	苍鹭	*Ardea cinerea*
鹭科	Ardeidae	草鹭	*Ardea purpurea*
鹭科	Ardeidae	绿鹭	*Butorides striata*
鹭科	Ardeidae	夜鹭	*Nycticorax nycticorax*
鹭科	Ardeidae	黄斑苇鳽	*Ixobrychus sinensis*
鹭科	Ardeidae	紫背苇鳽	*Ixobrychus eurhythmus*
鹭科	Ardeidae	大麻鳽	*Botaurus stellaris*
鹳科	Ciconiidae	黑鹳	*Ciconia nigra*
鹳科	Ciconiidae	东方白鹳	*Ciconia boyciana*
鹮科	Threskiornithidae	白琵鹭	*Platalea leucorodia*
鸭科	Anatidae	家鹅	*Anser cygnoides orientalis*
鸭科	Anatidae	豆雁	*Anser fabalis*
鸭科	Anatidae	鸳鸯	*Aix galericulata*
鸭科	Anatidae	赤麻鸭	*Tadorna ferruginea*
鸭科	Anatidae	绿头鸭	*Anas platyrhynchos*
鸭科	Anatidae	家鸭	*Anas platyrhynchos domestica*
鸭科	Anatidae	斑嘴鸭	*Anas zonorhyncha*

续表

科名	科拉丁学名	种名	种拉丁学名
鸭科	Anatidae	罗纹鸭	*Anas falcata*
鸭科	Anatidae	绿翅鸭	*Anas crecca*
鹰科	Accipitridae	秃鹫	*Aegypius monachus*
鹰科	Accipitridae	白尾鹞	*Circus cyaneus*
鹰科	Accipitridae	鹊鹞	*Circus melanoleucos*
鹰科	Accipitridae	雀鹰	*Accipiter nisus*
鹰科	Accipitridae	松雀鹰	*Accipiter virgatus*
鹰科	Accipitridae	凤头鹰	*Accipiter trivirgatus*
鹰科	Accipitridae	赤腹鹰	*Accipiter soloensis*
鹰科	Accipitridae	苍鹰	*Accipiter gentilis*
鹰科	Accipitridae	普通鵟	*Buteo buteo*
鹰科	Accipitridae	大鵟	*Buteo hemilasius*
鹰科	Accipitridae	毛脚鵟	*Buteo lagopus*
鹰科	Accipitridae	乌雕	*Clanga clanga*
鹰科	Accipitridae	金雕	*Aquila chrysaetos*
鹰科	Accipitridae	白腹隼雕	*Hieraaetus fasciatus*
鹰科	Accipitridae	黑鸢	*Milvus migrans*
雉科	Phasianidae	中华鹧鸪	*Francolinus pintadeanus*
雉科	Phasianidae	灰胸竹鸡	*Bambusicola thoracicus*
雉科	Phasianidae	家鸡	*Gallus domestiaus*
雉科	Phasianidae	红腹锦鸡	*Chrysolophus pictus*
雉科	Phasianidae	白冠长尾雉	*Syrmaticus reevesii*
雉科	Phasianidae	环颈雉	*Phasianus colchicus*
三趾鹑科	Turnicidae	黄脚三趾鹑	*Turnix tanki*
鹤科	Gruidae	灰鹤	*Grus grus*
秧鸡科	Rallidae	普通秧鸡	*Rallus indicus*
秧鸡科	Rallidae	黑水鸡	*Gallinula chloropus*
鹬科	Scolopacidae	白腰草鹬	*Tringa ochropus*
鸠鸽科	Columbidae	红翅绿鸠	*Treron sieboldii*
鸠鸽科	Columbidae	家鸽	*Columba livia domestica*
鸠鸽科	Columbidae	山斑鸠	*Streptopelia orientalis*
鸠鸽科	Columbidae	珠颈斑鸠	*Streptopelia chinensis*
鸠鸽科	Columbidae	火斑鸠	*Streptopelia tranquebarica*
杜鹃科	Cuculidae	鹰鹃	*Hierococcyx sparverioides*
杜鹃科	Cuculidae	四声杜鹃	*Cuculus micropterus*
杜鹃科	Cuculidae	小杜鹃	*Cuculus poliocephalus*
杜鹃科	Cuculidae	大杜鹃	*Cuculus canorus*
杜鹃科	Cuculidae	中杜鹃	*Cuculus saturatus*
杜鹃科	Cuculidae	噪鹃	*Eudynamys scolopaceus*
杜鹃科	Cuculidae	褐翅鸦鹃	*Centropus sinensis*
杜鹃科	Cuculidae	小鸦鹃	*Centropus bengalensis*
鸱鸮科	Strigidae	黄嘴角鸮	*Otus spilocephalus*
鸱鸮科	Strigidae	领角鸮	*Otus lettia*

续表

科名	科拉丁学名	种名	种拉丁学名
鸱鸮科	Strigidae	雕鸮	*Bubo bubo*
鸱鸮科	Strigidae	领鸺鹠	*Glaucidium brodiei*
鸱鸮科	Strigidae	斑头鸺鹠	*Glaucidium cuculoides*
鸱鸮科	Strigidae	纵纹腹小鸮	*Athene noctua*
鸱鸮科	Strigidae	长耳鸮	*Asio otus*
鸱鸮科	Strigidae	短耳鸮	*Asio flammeus*
鸱鸮科	Strigidae	灰林鸮	*Strix aluco*
雨燕科	Apodidae	白腰雨燕	*Apus pacificus*
雨燕科	Apodidae	短嘴金丝燕	*Aerodramus brevirostris*
翠鸟科	Alcedinidae	斑鱼狗	*Ceryle rudis*
翠鸟科	Alcedinidae	冠鱼狗	*Megaceryle lugubris*
翠鸟科	Alcedinidae	蓝翡翠	*Halcyon pileata*
翠鸟科	Alcedinidae	普通翠鸟	*Alcedo atthis*
啄木鸟科	Picidae	蚁䴕	*Jynx torquilla*
啄木鸟科	Picidae	灰头绿啄木鸟	*Picus canus*
啄木鸟科	Picidae	星头啄木鸟	*Dendrocopos canicapillus*
啄木鸟科	Picidae	赤胸啄木鸟	*Dryobates cathpharius*
啄木鸟科	Picidae	棕腹啄木鸟	*Dendrocopos hyperythrus*
啄木鸟科	Picidae	大斑啄木鸟	*Picoides major*
百灵科	Alaudidae	云雀	*Alauda arvensis*
百灵科	Alaudidae	小云雀	*Alauda gulgula*
燕科	Hirundinidae	毛脚燕	*Delichon urbicum*
燕科	Hirundinidae	崖沙燕	*Riparia riparia*
燕科	Hirundinidae	家燕	*Hirundo rustica*
燕科	Hirundinidae	金腰燕	*Cecropis daurica*
椋鸟科	Sturnidae	灰椋鸟	*Sturnus cineraceus*
椋鸟科	Sturnidae	八哥	*Acridotheres cristatellus*
鸦科	Corvidae	秃鼻乌鸦	*Corvus frugilegus*
鸦科	Corvidae	白颈鸦	*Corvus torquatus*
鸦科	Corvidae	大嘴乌鸦	*Corvus macrorhynchos*
鸦科	Corvidae	小嘴乌鸦	*Corvus corone*
鸦科	Corvidae	喜鹊	*Pica pica*
鸦科	Corvidae	松鸦	*Garrulus glandarius*
鸦科	Corvidae	星鸦	*Nucifraga caryocatactes*
鸫科	Turdidae	虎斑地鸫	*Zoothera dauma*
鸫科	Turdidae	紫啸鸫	*Myophonus caeruleus*
鸫科	Turdidae	乌鸫	*Turdus merula*
鸫科	Turdidae	灰头鸫	*Turdus rubrocanus*
鸫科	Turdidae	白腹鸫	*Turdus pallidus*
鸫科	Turdidae	赤颈鸫	*Turdus ruficollis*
鸫科	Turdidae	斑鸫	*Turdus eunomus*
鸫科	Turdidae	宝兴歌鸫	*Turdus mupinensis*
鸫科	Turdidae	鹊鸲	*Copsychus saularis*

续表

科名	科拉丁学名	种名	种拉丁学名
鸫科	Turdidae	北红尾鸲	*Phoenicurus auroreus*
绣眼鸟科	Zosteropidae	红胁绣眼鸟	*Zosterops erythropleurus*
绣眼鸟科	Zosteropidae	暗绿绣眼鸟	*Zosterops japonicus*
雀科	Passeridae	山麻雀	*Passer rutilans*
雀科	Passeridae	麻雀	*Passer montanus*
燕雀科	Fringillidae	金翅雀	*Chloris sinica*
燕雀科	Fringillidae	锡嘴雀	*Coccothraustes coccothraustes*
燕雀科	Fringillidae	黑尾蜡嘴雀	*Eophona migratoria*
燕雀科	Fringillidae	黑头蜡嘴雀	*Eophona personata*
鹀科	Emberizidae	黄胸鹀	*Emberiza aureola*
鹀科	Emberizidae	灰头鹀	*Emberiza spodocephala*
鹀科	Emberizidae	黄喉鹀	*Emberiza elegans*
鼹科	Talpidae	甘肃鼹	*Scapanulus oweni*
鼹科	Talpidae	长吻鼹	*Zaglossus bruijni*
菊头蝠科	Rhinolophidae	中华菊头蝠	*Rhinolophus sinicus*
菊头蝠科	Rhinolophidae	马铁菊头蝠	*Rhinolophus ferrumequinum*
菊头蝠科	Rhinolophidae	中菊头蝠	*Rhinolophus affinis*
蝙蝠科	Vespertilionidae	长翼蝠	*Miniopterus schreibersi*
蝙蝠科	Vespertilionidae	须鼠耳蝠	*Myotis mystacinus*
蝙蝠科	Vespertilionidae	东方蝙蝠	*Vespertilio sinensis*
蝙蝠科	Vespertilionidae	东亚伏翼	*Pipistrellus abramus*
猴科	Cercopithecidae	川金丝猴	*Rhinopithecus roxellana*
猴科	Cercopithecidae	猕猴	*Macaca mulatta*
犬科	Canidae	豺	*Cuon alpinus*
犬科	Canidae	狼	*Canis lupus*
犬科	Canidae	狗	*Canis familiaris*
犬科	Canidae	貉	*Nyctereutes procyonoides*
犬科	Canidae	赤狐	*Vulpes vulpes*
鼬科	Mustelidae	香鼬	*Mustela altaica*
鼬科	Mustelidae	黄鼬	*Mustela sibirica*
鼬科	Mustelidae	黄腹鼬	*Mustela kathiah*
鼬科	Mustelidae	水獭	*Lutra lutra*
鼬科	Mustelidae	鼬獾	*Melogale moschata*
鼬科	Mustelidae	猪獾	*Collaris arctonyx*
鼬科	Mustelidae	狗獾	*Meles meles*
灵猫科	Viverridae	花面狸	*Paguma larvata*
灵猫科	Viverridae	大灵猫	*Viverra zibetha*
灵猫科	Viverridae	小灵猫	*Viverricula indica*
猫科	Felidae	虎	*Panthera tigris*
猫科	Felidae	豹	*Panthera pardus*
猫科	Felidae	云豹	*Neofelis nebulosa*
猫科	Felidae	金猫	*Catopuma temmincki*
猫科	Felidae	家猫	*Felis catus*

续表

科名	科拉丁学名	种名	种拉丁学名
猫科	Felidae	豹猫	*Prionailurus bengalensis*
鹿科	Cervidae	狍	*Capreolus pygargus*
鹿科	Cervidae	梅花鹿	*Cervus nippon*
鹿科	Cervidae	毛冠鹿	*Elaphodus cephalophus*
鹿科	Cervidae	小麂	*Muntiacus reevesi*
牛科	Bovidae	黄牛	*Bos taurus*
牛科	Bovidae	水牛	*Bubalus arnee*
牛科	Bovidae	山羊	*Capra hircus*
牛科	Bovidae	中华鬣羚	*Capricornis milneedwardsii*
牛科	Bovidae	中华斑羚	*Naemorhedus griseus*
松鼠科	Sciuridae	隐纹花松鼠	*Tamiops swinhoei*
松鼠科	Sciuridae	赤腹松鼠	*Callosciurus erythraeus*
松鼠科	Sciuridae	珀氏长吻松鼠	*Dremomys pernyi*
松鼠科	Sciuridae	红颊长吻松鼠	*Dremomys rufigenis*
松鼠科	Sciuridae	岩松鼠	*Sciurotamias davidianus*
松鼠科	Sciuridae	复齿鼯鼠	*Trogopterus xanthipes*
松鼠科	Sciuridae	红白鼯鼠	*Petaurista alborufus*
鼠科	Muridae	小泡巨鼠	*Leopoldamys edwardsi*
鼠科	Muridae	褐家鼠	*Rattus norvegicus*
鼠科	Muridae	黄胸鼠	*Rattus flavipectus*
鼠科	Muridae	拟家鼠	*Rattus pyctoris*
鼠科	Muridae	屋顶鼠	*Rattus rattus*
鼹形鼠科	Spalacidae	中华鼢鼠	*Myospalax fontanieri*
鼹形鼠科	Spalacidae	罗氏鼢鼠	*Eospalax rothschildi*
鼹形鼠科	Spalacidae	中华竹鼠	*Eospalax sinensis*
草鸮科	Tytonidae	东方草鸮	*Tyto longimembris*
夜鹰科	Caprimulgidae	普通夜鹰	*Caprimulgus indicus*
戴胜科	Upupidae	戴胜	*Upupa epops*
鹡鸰科	Motacillidae	白鹡鸰	*Motacilla alba*
黄鹂科	Oriolidae	黑枕黄鹂	*Oriolus chinensis*
河乌科	Cinclidae	褐河乌	*Cinclus pallasii*
鹪鹩科	Troglodytidae	鹪鹩	*Troglodytes troglodytes*
王鹟科	Monarchidae	寿带	*Terpsiphone paradisi*
山雀科	Paridae	大山雀	*Parus major*
䴓科	Sittidae	普通䴓	*Sitta europaea*
猬科	Erinaceidae	刺猬	*Erinaceus amurensis*
鲮鲤科	Mullidae	穿山甲	*Squama manis*
熊科	Ursidae	黑熊	*Ursus thibetanus*
猪科	Suidae	野猪	*Sus scrofa*
麝科	Moschidae	林麝	*Moschus berezovskii*
豪猪科	Hystricidae	豪猪	*Hystrix hodgsoni*
兔科	Leporidae	草兔	*Lepus capensis*
鼠兔科	Ochotonidae	藏鼠兔	*Ochotona thibetana*

附表 3　湖北省矿物类中药材

药材名	学名	来源	原矿物（或组成）
朱砂	Cinnabaris	硫化物类矿物辰砂族辰砂，主含硫化汞	辰砂（Cinnabar）
礜石	Arsenopyritum	硫化物类毒砂族矿物毒砂	毒砂（Arsenopyrite）
黄铁矿	—	硫化物类黄铁矿族矿物黄铁矿	黄铁矿（Pyrite）
石膏	Gypsum Fibrosum	硫酸盐类石膏族矿物石膏	石膏（Gypsum）
芒硝	Natrii Sulfas	硫酸盐类芒硝族矿物芒硝	芒硝（Mirabilite）
玄明粉	Natrii Sulfas Exsiccatus	硫酸盐类芒硝族矿物芒硝	无水芒硝（Thenardite）；芒硝（Mirabilite）
无名异	Pyrolusitum	氧化物类金红石族矿物软锰矿	软锰矿（Pyrolusite）；水锰矿（Manganite）
磁石	Magnetitum	氧化物类尖晶石族矿物磁铁矿	磁铁矿（Magnetite）
赭石	Haematitum	氧化物类刚玉族矿物赤铁矿	赤铁矿（Haematite）
玛瑙	Achatum	氧化物类石英族矿物石英的亚种玛瑙	玛瑙（Agate）
白石英	Quartz Album	氧化物类石英族矿物石英	石英（Quartz）
炉甘石	Calamina	碳酸盐类方解石族矿物菱锌矿	菱锌矿（Smithsonite）
锌华	Hydrozincite	产于铅锌矿床氧化带，由闪锌矿蚀变而成	水锌矿（Hydrozincite）
扁青	Azuritum	碳酸盐类孔雀石族矿物蓝铜矿	蓝铜矿（Azurite）
绿青	Malachitum	碳酸盐类孔雀石族矿物孔雀石	孔雀石（Malachite）
方解石	Calcite	碳酸盐类方解石族矿物方解石	方解石（Calcite）
花蕊石	Ophicalcitum	变质岩类的岩石，含蛇纹石和大理岩	蛇纹石（Serpentine）；大理岩（Marble）
文石	—	碳酸盐类方解石族矿物文石	文石（Aragonite）
玉石	—	硅酸盐类角闪石族矿物透闪石（矿物软玉的碎粒）	软玉（Nephrite）
长石	Anhydritum	硫酸盐类硬石膏族矿物硬石膏	硬石膏（Anhydrite）
云母	Muscovitum	硅酸盐类云母族矿物白云母	白云母（Muscovite）
甘土	Bentonitum	硅酸盐类矿物蒙脱土、漂白土或其混合物	蒙脱石（Montmorillonite）；漂白土（Bleaching Clay）
膨润土	Bentonite	以蒙脱石为主要成份的黏土矿物	蒙脱石（Montmorillonite）
麦饭石	Maifanitum	中酸性火成岩类岩石石英二长斑岩	石英二长斑岩（Quartz Monzonite Porphyry）；花岗岩（Granite）
浮石	Pumex	火山喷出的岩浆凝固形成的多孔状石块	浮石（Pumice Stone）
锂云母	Lepidolite	钾和锂的基性铝硅酸盐	—
不灰木	Asbestos Serpentinum	硅酸盐类蛇纹石族矿物蛇纹石石棉	蛇纹石石棉（Serpentine Asbestos）
滑石	Talcum	硅酸盐类滑石族矿物滑石	滑石（Talc）
金精石	Vermiculitum	硅酸盐类水云母-蛭石族矿物水金云母-水黑云母，或蛭石，或蚀变的含黑云母或金云母的岩石	水金云母-水黑云母（Hydrophlogopite-Hydrobiotite）；蛭石（Vermiculite）；黑云母（Biotite）
绿盐	Atacamitum	卤化物类、氯铜矿族矿物氯铜矿或人工制品	氯铜矿（Atacamite）
大青盐	Halitum	氯化物类石盐族矿物石盐（湖盐）的结晶体	石盐（Halite）

续表

药材名	学名	来源	原矿物（或组成）
光明盐	Sallucidum	氯化物类石盐族矿物石盐的无色透明的结晶体	石盐（Halite）
紫硇砂	Halitum Violaceoum	氯化物类矿物紫色石盐晶体	石盐（Halite）
紫石英	Fluoritum	氟化物类萤石族矿物萤石	萤石（Fluorite）
绿松石	Turquoise	铜、铝磷酸盐矿物	绿松石（Turquoicum）
消石	Sal Nitri	硝酸盐类硝石族矿物钾硝石经加工精制成的结晶体或人工制品	钾硝石（Nitrokalite）
禹余粮	Limonitum	氢氧化物类矿物褐铁矿（以针铁矿族矿物针铁矿 - 水针铁矿为主组分）	褐铁矿（Limonite）
龙齿	Dens Draconis	古代哺乳动物象类、犀牛类、三趾马等的牙齿化石	磷灰石（Apatite）；纤磷石（Phyllotungstite）
龙角	Dragon's Horn	古代大型哺乳动物的角骨化石	磷灰石（Apatite）
白垩	Kaolinitum and Bentonitum	单细胞浮游生物球藻的遗骸（颗石），其中含有海绵骨针、浮游性有孔虫壳、菊石、箭石、海胆和贝类等海生动物的壳	方解石（Calcite）
水银	Hydrargyrum	自然元素类液态矿物自然汞	自然汞（Mercury or Quicksilver Hydrargyrum）
铜	Cuprum	黄铜矿等冶炼的金属铜	黄铜矿（Chalcopyrite）
青铜	—	铜、铅、锡按一定的比例混合炼成的合金	—
黄铜	—	铜、锌按一定比例混合炼成的合金	—
铁	Ferrum	赤铁矿、褐铁矿、磁铁矿等冶炼而成的灰黑色金属	赤铁矿（Haematite）；褐铁矿（Limonite）；磁铁矿（Magnetite）
硫黄	Sulfur	自然元素类硫黄族矿物自然硫，或由含硫矿物经加工制得	自然硫（Sulfur）
石炭	Coal	可燃性有机岩、煤岩中的烟煤或无烟煤	煤（Coal）
石脑油	Crude Petroli	低等动植物埋藏地下，经地质作用（复杂的化学和生物化学变化）形成的液态可燃性有机岩	石油（Petroleum）

中文笔画索引

《中国中药资源大典·湖北卷》1 ~ 10 册共用同一索引，为方便读者检索，该索引在每个物种名后均标注了其所在册数（如“[1]”）及页码。

一画

二画

三画

四画

五画

七画

十画

十一画

十二画

十三画

十四画

十五画

拉丁学名索引

《中国中药资源大典·湖北卷》1 ~ 10 册共用同一索引，为方便读者检索，该索引在每个物种名后均标注了其所在册数（如“[1]”）及页码。

A

C

D

E

F

G

H

I

J

K

M

N

O

P

Q

R

T

U

W

X

Y

Z